COLLECTION « VÉCU »

MIREILLE MATHIEU

avec la collaboration de
JACQUELINE CARTIER

OUI JE CROIS

ROBERT LAFFONT

CLUB DES STARS

ISBN 2-221-05250-1

AP

Oui je crois
Qu'une vie ça commence avec un mot d'amour
Oui je crois
Que la mienne commence à partir de ce jour
Oui je crois
A tous les mots d'amour que tu inventes pour moi
Oui je crois
Tout ce que tu me dis parce que je crois en toi[1].

1. Musique de Paul Mauriat, paroles d'André Pascal.

PREMIÈRE PARTIE

L'ENFANCE

1.

LA MAISON POINTUE

Lorsque du jour au lendemain à Paris, je suis devenue « Mireille Mathieu » la gagnante de la télé, la petite fille d'Avignon brusquement célèbre, à la Une de *France-Soir*... je ne fus pas autrement étonnée. C'était la réponse lumineuse à une prière que j'avais faite, fervente, ardente, un soir de détresse : « Seigneur, je suis toute petite, moi, je ne peux rien faire. Aide-moi à nous sortir de là. Je t'en prie, Seigneur, fais un miracle ! »

Le miracle venait. J'étais heureuse. J'avais des ailes aux pieds. Je me sentais environnée d'anges gardiens...

Mes ailes me redescendirent sur terre quand il me fallut affronter les journalistes, les questions des journalistes. Par exemple :

« Vous avez bien un petit souvenir d'enfance à nous raconter ? »

Un « petit » souvenir... j'en avais mille qui étaient grands puisqu'ils avaient rempli jusque-là toute ma vie. Mais par quel bout les prendre ? Et puis, ils faisaient partie de mon jardin secret.

« Vous êtes bien l'aînée de treize enfants, d'une famille très pauvre. Mais même les enfants pauvres ont des jouets. Vous aviez bien une petite poupée ?

— J'avais mes petites sœurs. »

C'est ce qui me venait sur le bout de la langue. Mais rien ne sortait de ma bouche : je restai bête, comme on dit chez nous.

Non, je n'avais pas eu de poupée. Nos jouets, c'était les

cailloux. Pour la marelle, ou pour jouer à la « grenouille », ils remplaçaient les palets. Ou bien, mêlés à la terre, on en faisait de petites maisons. Ou des bonshommes... qu'on coiffait d'une feuille. On pouvait s'amuser des heures avec la terre, les cailloux, les feuilles et de l'eau. Beaucoup d'eau, et la terre devenait crème au chocolat : on imaginait des orgies de crème au chocolat. Ça nous faisait oublier que le soir il n'y aurait peut-être à manger que des patates. Un tout petit peu d'eau — et bien triturer — et c'était de la pâte à modeler nos petits rêves. Et les feuilles... oh ! les feuilles ! c'est tout un monde, les feuilles. Les toutes petites faisaient les pièces de monnaie, les très grandes jouaient les billets de banque, et celles qu'on attachait avec des épines, c'était nos colliers... Ce qu'on était riches !

Ils n'étaient pas méchants, ces journalistes, mais ils ignoraient tout de la pauvreté. Ils n'en savaient pas l'odeur. Par exemple, celle du papier journal. Ils connaissaient celle de leur quotidien tout frais ou de leur magazine luisant de belles images... mais moi je parle de celle un peu âcre du papier journal pas neuf qui a déjà enveloppé des légumes et qu'on fourrait dans nos chaussures pour avoir moins froid. Ou qu'on étalait sur notre poitrine (bien plié, sous notre tablier), ou dans le dos, chacun aidant l'autre.

« Ça vous empêchera de tousser », disait maman.

Oui, il était très précieux, le papier journal. Comment imaginer qu'on me verrait un jour à la une ? Je ne me projetais pas dans l'avenir. Je ne me voyais pas mariée avec beaucoup d'enfants. Je ne me voyais pas du tout. Je regardais ce qui était là, devant moi, sous mes yeux. Maman disait :

« Les pauvres de Paris, ils sont plus malheureux que nous, peuchère ! Nous, on a sous la main tout ce que le Bon Dieu nous a donné. Il n'y a qu'à se baisser... »

Et dans le papier journal, on faisait sécher les feuilles de sauge, de menthe sauvage, d'aubépine, de serpolet, qu'on ramassait « pour la santé ». Les recettes de la mamet. Le papier journal et ses gros titres noirs devenaient moins tristes avec toutes ces herbes. Il se mettait à sentir bon la garrigue.

« Les plantes, ça guérit tout... » assurait maman.

Je la croyais. Mais alors, pourquoi on était si souvent malades ? Et elle-même, un jour...

C'était un beau jour. Mais comme le soleil n'entrait pas dans la maison... une maison très étroite avec un toit très pointu dans le quartier de la Croisière. Juste en face de l'église Notre-Dame-de-France. Je me souviens de murs sombres qui suintaient. Il y avait deux petites pièces. Dans celle du bas, sans fenêtres, avec seulement une porte vitrée, on mangeait et les parents dormaient. Dans celle du haut, une fenêtre petite et haute, et je n'étais pas assez grande pour regarder par les vitres. Là, il y avait souvent la grand-mère et nous. Pas d'eau courante dans la maison : on allait la chercher dans la cour à la pompe ; et pour aller aux toilettes, on était obligé de traverser tout le jardin du voisin. Heureusement, on avait notre cour. L'été, maman nous lavait dans des bassines au soleil. On allait le trouver là puisqu'il ne pouvait pas entrer chez nous. L'hiver, c'était dur. La pompe était gelée souvent... mais, ce jour-là, ce devait être l'automne, il faisait encore beau. On jouait avec nos cailloux, Matite, Christiane et moi. Je devais avoir six ans, Matite cinq et Christiane quatre... Maman arrivait avec son linge pour l'étendre. Et puis, soudain, elle a crié :

« Mon Dieu ! qu'est-ce qui m'arrive ! Mamet ! Mamet ! »

Elle avait lâché son linge. Elle ne se tenait plus que sur une jambe. Elle tenait l'autre comme si elle voulait la comprimer. Elle avait les mains pleines de sang. Et ça continuait à couler. Du sang... du sang... qui giclait de sa jambe, et cette flaque rouge sur le sol qui grandissait... Mamet, accourue, appelait le voisin :

« Monsieur Vergier, vite, vite ! Faut lui faire un garrot ! »

Le pauvre petit visage de maman, tout blanc, tout crispé et ce sang... ce sang... Alors, j'ai entraîné mes petites sœurs dans le recoin où on mettait le charbon quand on en avait. On s'est enfermées là, pleurant dans nos coudes. On ne savait plus à qui étaient les larmes. Elles se mêlaient à la poussière de charbon et quand Mémé nous a sorties de là, on aurait dit trois petits nègres. Mais personne n'avait envie de rire. Maman avait été transportée à l'hôpital.

« C'est ses varices, disait Mamet. Elles ont éclaté.

— Pourquoi ?

— Elle a les jambes usées, tu sais, comme un vieux tissu, ça craque. Elle a une petite santé et un gros travail, la pauvre !

Elle a tout le temps des bébés, elle fatigue, tu comprends ? »

Non, je ne comprenais pas. Pourquoi, alors, elle ne laissait pas les bébés dans les choux ?

« Tu ne serais pas là. Ni Matite, ni Christiane, ni Marie-France, ni Réjane. »

Réjane, c'était la petite dernière encore dans les langes.

Ce souvenir-là m'a donné l'horreur du sang. Il me hante encore. D'autant que je l'ai revécu plusieurs fois, presque toujours avant chaque naissance. La seconde fois que c'est arrivé, c'est Matite qui a couru chercher le voisin. Il élaguait sa haie.

« Venez vite, monsieur Vergier, pour faire le garrot ! »

Quand maman était en maternité où on la soignait, elle disait :

« C'est le seul moment où je me repose ! C'est comme des vacances ! »

Elle en repartait avec son poupon et l'infirmière, joviale, lui disait :

« Au revoir, madame Mathieu. A la prochaine ! »

Relevée de ses couches, maman reprenait courageusement son trajet du quartier de la Croisière au centre d'Avignon.

« Ça va aller, disait-elle. J'ai mis un suppo contre la douleur. »

Et elle repartait, traînant la patte. Un matin, elle regardait son pied dont la moitié était rongée par un ulcère.

« Un jour, on arrivera à me le couper... »

J'étais horrifiée.

« Je vais te chercher la pommade chez le pharmacien. »

Elle coûtait 20 francs. Aujourd'hui, cela ne paraît rien, mais, pour nous, c'était beaucoup.

« On pourra peut-être l'avoir à crédit », me dit-elle.

J'essayai, mais... ça ne marcha pas.

« Tant pis, dis-je à mes sœurs, on mangera moins. »

Quand enfin on a pu opérer maman, plus tard, beaucoup plus tard, après ce qu'on a appelé la réussite de la petite Mathieu, on a compté vingt-trois trous sur ses pauvres jambes. Je lui disais, navrée :

« Oh ! maman, tu es comme une martyre ! »

Alors, elle me cajolait :

« Mais non ! allons voyons ! toi, mon aînée... comme tu es

craintive, ma petite fille... Si j'avais eu peur de tout, comme toi, je ne serais plus de ce monde ! »

Je le savais. Mais l'histoire de maman, je ne pouvais pas non plus la raconter aux journalistes.

Un jour l'un d'eux, très poli, prit congé. Comme j'ai l'oreille sûre, je l'entendis dire au suivant qui attendait de l'autre côté de la porte :

« Mignonne... mais idiote ! »

J'encaissai l'adjectif. C'est vrai, je ne savais rien, et surtout pas parler. J'étais comme le petit lapin pour la première fois hors du terrier, ébloui de soleil. Je sortais de mon trou, je ne voulais pas y rentrer. Je voulais conquérir ce monde où tout semblait brillant : les yeux, les projecteurs, les carrosseries des voitures, les miroirs, les bijoux, les sourires... ce monde qui était comme un miracle. Le miracle que j'avais appelé une fois de toutes mes forces. Quand il est venu — mais onze ans plus tard ! —, je l'ai saisi pour ne plus le lâcher. Il me semblait, et il me semble toujours, que ce serait une trahison, quand on a cette chance-là, de ne pas la servir corps et âme. De ne pas remercier le ciel d'ouvrir les yeux chaque matin.

Maman croit en Dieu. Quelqu'un m'a dit un jour : « C'est le luxe des pauvres. » Soit. Alors, c'est bien d'avoir été pauvre.

Maman l'était, je crois, moins que nous quand elle était petite fille, mais elle était bien plus malheureuse, parce que, chez nous, on s'aimait. Elle, Marcelle-Sophie, elle n'avait pas un vrai foyer. Le père l'adorait, la mère aussi sans doute, mais à sa façon ; travaillant dans un café, elle avait sa vie. Alors la petite Marcelle (toute petite, comme moi) a été élevée par sa grand-mère et sa grande sœur à Dunkerque. Elle était née juste à côté, à Rosendael, ce qui veut dire en flamand la « vallée des roses ». La guerre en a fait une vallée d'enfer... Mais, juste avant ça, Marcelle a subi une épreuve terrible pour une petite fille de quatorze ans. Sa sœur est tombée tuberculeuse. Elle l'a soignée tant qu'elle a pu. A l'époque, en 1936, les antibiotiques n'existaient pas encore et on soignait, on tentait de soigner avec des pneumothorax. Puis on ramena la malade à la maison. La petite Marcelle allait chercher les grands ballons d'oxygène... On la montrait du doigt, on murmurait : « C'est pour sa sœur, la tuberculeuse ! » Comme on craignait follement la contagion, ses copines s'écartèrent d'elle. Ça lui était égal. Elle vivait cloîtrée dans l'espoir d'une guérison. Elle était comme quelqu'un qui veut sauver un noyé et nage, nage, en lui maintenant la tête hors de l'eau, et en arrivant au rivage s'aperçoit que... Malgré l'oxygène, ce fut la fin, et la pauvre expira dans les bras de la petite Marcelle, qui resta seule avec la vieille grand-mère.

Quand maman me racontait ainsi sa jeunesse, je me disais que la mienne était de l'or à côté de la sienne, même si souvent on avait froid ou faim, on se tenait chaud au cœur tous ensemble. Pour elle, quelle solitude...

Et il y a eu la guerre. La grand-mère, qui était née en 1848, disait :

« Oh ! moi, j'en ai déjà connu deux ! »

Mais elle ne pouvait pas imaginer ce qui allait arriver à Dunkerque. Marcelle fut engagée pour confectionner des bâches de wagon. Ça l'amusait plutôt. Elle aimait travailler, se faire des copines. Elle trouvait ça drôle de coudre avec une grosse pommelle, une énorme aiguille, et le tout appuyé sur une brique !

Ce 27 mai 1940, les Allemands pilonnaient la ville pour empêcher les alliés de rembarquer... L'horreur. Tout était en feu. La petite Marcelle et sa grand-mère coururent se réfugier dans la cave. La grand-mère ne vit pas dans la nuit un paquet de fils électriques. Elle ne pouvait se relever, empêtrée. La petite criait au secours. Personne n'est venu. Elle la délivra toute seule, mettant toute son énergie à la soulever. Quand elles sont sorties... elles n'avaient plus de maison, plus rien que ce qu'elles portaient sur le dos. Tout n'était que ruines fumantes.

Les bombardements continuant, elles sont passées de cave en cave, où s'entassaient des centaines de personnes. Quand tout fut fini... il fallut aider à retrouver des blessés, déblayer... la petite mit la grand-mère à l'hospice et dut entreprendre toutes les démarches d'une sinistrée totale.

Le 26 septembre 1940, la grand-mère mourut. Elle était tombée dans un escalier, se fracturant le fémur. Elle a toujours dit : « Ma petite Marcelle, quelqu'un m'a poussée...

— Mais non, mais non ! disait le directeur de l'hôpital, elle est tombée toute seule. »

Marcelle préféra croire la grand-mère qui était très lucide.

A quatre-vingt-douze ans, son bonheur était encore de réciter l'Histoire de France ! C'est d'elle sans doute que je tiens la même passion...

Restée seule au monde, cette fois, la petite Marcelle retourna au café pour retrouver sa mère : elle n'y était plus. La patronne avait deux petits enfants dont l'un était bizarre, traumatisé par la guerre. Il ne voulait pas voir le jour qui lui blessait les yeux et restait, comme un petit animal malade, obstinément dans l'obscurité d'un placard. La dame proposa à Marcelle de le garder, car elle, avec son café, elle n'en avait pas le temps. La jeune fille s'attacha à ce petit. Elle le promenait. Elle essayait de l'éveiller à une vie normale. Il apprenait à ne plus avoir peur du jour. Ainsi passèrent les années de guerre. Et puis il y eut à nouveau les bombardements, ceux de 1944, et la dame dit à Marcelle : « J'ai une cousine en Avignon. Viens avec nous. »

Avec l'argent de son indemnité, Marcelle a payé son voyage. Et voilà la fille du Nord qui n'avait jamais voyagé, découvrant la Provence, l'accent méridional, la ville des papes et les cigales.

Ils s'installèrent, avec le petit Raymond, rue Crémade. Désormais sa mère qui n'avait plus de café allait s'occuper de lui. Il fallait que Marcelle trouve un autre travail. Une annonce de la mairie demandait « jeune fille possédant le certificat d'études ». Elle troussa sa lettre aussitôt et fut embauchée. Il s'agissait d'établir les cartes de tickets de pain, qui était encore rationné à ce moment. Comme elle était vive, elle devint la championne des tickets de pain ! C'est elle qui établissait le plus de cartes en un temps record. De plus, elle n'en perdait pas un seul et faisait très attention aux resquilleurs.

« Elle est formidable, la petite, disait son chef. Elle vaut son pesant de tickets de pain ! »

Ce qui n'était pas très lourd car, sur la balance, Marcelle ne passait pas les trente-huit kilos ! Elle travaillait depuis un an et demi à la mairie quand elle commença à s'ennuyer.

« Je n'ai plus de cartes à faire, je n'ai plus qu'un grand livre où je n'écris plus grand-chose, je m'endors !

— Je ne veux pas de ta démission, disait le chef. Tu prends des jours de congé et tu vas te promener. »

Il y en a beaucoup qui auraient sauté sur l'occasion... Pas Marcelle. Elle ne savait pas rester à rien faire. Moi, je peux. Je peux regarder pousser un arbre. J'imagine le chemin de la sève à l'intérieur. Je peux suivre une araignée ou une fourmi sans me lasser. Marcelle ne s'y intéressait que pour le coup de torchon ou de balai. Et puis, elle avait besoin de gagner un peu d'argent parce qu'elle habitait toujours chez la mère du petit Raymond, qui lui prenait toute sa paye pour ne lui rendre que 20 centimes chaque dimanche à titre d'argent de poche. Ces 20 centimes, elle les économisait soigneusement car elle avait l'intention de s'acheter une robe de mariée. Marcelle était tombée amoureuse.

Cela s'était passé sur la place des Carmes, un beau soir de septembre, où les nuits peuvent être encore si chaudes. Il y avait bal. Elle n'avait pas pris beaucoup de plaisir jusqu'ici dans sa vie. Mais enfin, c'était la paix. Il y avait des lumières et des lampions partout. Et la petite Marcelle, le poids plume, a tout de suite été invitée à danser par un garçon costaud. Il avait un très beau sourire, très franc et une couleur d'yeux qui lui faisait penser à la mer qui lui manquait tant. Il avait des mains très puissantes.

« Je m'appelle Roger Mathieu.

— Et votre nom de famille ?

— C'est mon nom de famille. Mathieu mais avec un seul " t ". »

Marcelle revit son grand livre de la mairie :

« J'ai vu un Mathieu en carte de pain. Il est tailleur de pierre.

— C'est mon père. »

Elle se sentit rassurée : malgré son air de baroudeur, ce garçon-là avait un papa avec pignon sur rue.

« Et il taille quel genre de pierres ?

— Pas précieuses, quoique... des pierres tombales. »

Marcelle fut émerveillée.

« Il fait des croix ?

— Oui. Des anges aussi, des vierges.

— Des vierges ! »

Marcelle se signa.

« Vous êtes très croyante ?

— Oui.

— Moi aussi.

— Et vous, qu'est-ce que vous faites ?

— Je travaille avec papa depuis l'âge de douze ans. Enfin, je travaillais parce que, là, je reviens d'Allemagne. Une sale guerre. »

Marcelle remarqua qu'il s'ennuyait tout à coup. Elle fit sa voix la plus douce possible :

« Mais elle est finie maintenant.

— Oui, elle est finie, et j'espère pour toujours. Et vous, vous venez d'où, avec votre accent pointu ? »

Elle lui raconta Dunkerque, sa guerre à elle, les Anglais morts dans les ruisseaux, les torpilles sur les maisons, l'angoisse dans les caves voûtées dans l'espérance qu'elles tiennent, et puis le voyage fou sous les bombardements du débarquement, le train bloqué en gare d'Amiens avec les bombardiers qui passaient en rase-mottes... Il lui demanda si elle se plaisait dans le Midi. Elle lui avoua que le mistral, au début, il l'empêchait souvent de dormir ! et qu'Avignon, ça lui paraissait bien petit à côté de Dunkerque !

« Au fait, vous ne m'avez pas dit encore comment on vous appelait ?

— Marcelle-Sophie Poirier. Mais je vous préviens : toutes les plaisanteries sur les poires, on me les a déjà faites ! »

Il rit en pensant à part lui qu'elle ferait bien de changer de nom et que Marcelle Mathieu, par exemple, lui irait mieux.

Ils ne se quittèrent plus. Marcelle avait abandonné la mairie comme elle l'avait décidé. Elle travaillait dans une fabrique de cartonnage sur le chemin de Bonne-Aventure. Maintenant, elle n'en doutait pas : elle pouvait économiser pour se payer sa robe de mariée. Elle y tenait, elle dont les parents ne s'étaient jamais mariés... Elle regrettait que sa grand-mère, sa grande sœur ne puissent la voir que du ciel... mais enfin, elle avait trouvé un beau-père qui faisait des choses admirables. Marcelle ne se lassait pas d'aller dans l'atelier près du cimetière. Là, le papet Mathieu entreposait ses pierres qu'il choisissait lui-même avec amour.

« C'est comme une femme, disait-il, on fait attention à la couleur du teint et au grain de peau ! »

Et tout le monde riait, car on était très gai dans la famille Mathieu. Roger avait une très belle voix de ténor.

« Je pourrais peut-être faire l'opéra ? » avait-il suggéré vers seize ans.

Ça avait fait bondir le papet. Chanteur, c'est pas un métier ! La pierre, oui, ça c'est solide ! Le fait est que l'habileté des Mathieu se transmettait de père en fils depuis des générations. En remontant jusqu'au temps des papes d'Avignon, on les trouvait, les Mathieu, avec un autre talent et des matériaux plus tendres : ils étaient jardiniers.

Je pense que ceux-là m'ont légué aussi quelque chose : cette émotion que j'ai devant les fleurs et les plantes, le plaisir à soigner mes orchidées et mes gardénias dans ma petite serre sur ma terrasse à Neuilly, qui n'efface pas pour autant la joie que j'ai éprouvée, un matin que j'avais le nez dans les champs derrière la maison de la Croisière, en découvrant un carré de trèfles à quatre feuilles... et dont j'ai gardé le secret longtemps, comme un trésor. Qui peut dire que ce n'est pas à cause de lui que j'ai eu de la chance ?

« Mais quelle étoile elle a, cette petite ! » s'écria la mamet quand elle sut la chose.

C'était un personnage superbe que la mamet dont on avait oublié le prénom, nous, les gosses. Elle s'appelait Germaine, elle avait les cheveux très longs, des pommettes saillantes, des grands yeux noirs en amande, et une voix merveilleuse... Comme papa, elle chantait en provençal. Avec le papet, ils ne parlaient qu'en provençal. En épousant Roger, Marcelle, la fille du Nord, entrait vraiment dans une famille étrangère. Mais elle l'aimait tellement, son Roger, qu'elle l'aurait même suivi chez les Papous. Au regard noir de la mamet, elle offrait des yeux bleus si transparents que l'autre, qui connaissait tous les sortilèges, n'y vit que du ciel.

Le mariage eut donc lieu en robe blanche. Ce n'était pas pour l'épate. C'était pour la tradition. Et, bien que du Nord, elle rejoignait la mamet du Midi. On ne se marie qu'une fois, et c'est pour la vie.

« La robe blanche, c'est aussi important que la robe de bure », pensait-elle.

Elle entrait dans le mariage comme en religion. Et la mamet

approuvait, qui ne vivait déjà plus avec le papet. Je n'ai jamais su exactement ce qui s'était passé, mais c'était un fait. Ils étaient séparés mais non divorcés. On ne divorçait pas dans la famille. Et comme leur fille (ma tante Irène, qui allait avoir une si grande influence dans ma vie), était de son côté mariée et mère de famille, la mamet était venue vivre chez son fils... Toujours selon la tradition, sous peine de malheur, le marié n'avait pas vu la robe auparavant ; il devait la découvrir le jour du mariage.

Et moi, comme j'ai hérité de la mamet toutes ses superstitions, j'aurais été très malheureuse pour les besoins, par exemple, d'une télévision, d'avoir à porter une robe de mariée ! Le cas ne s'est pas présenté, heureusement !

Donc, cet avril 1946, ceux qui allaient devenir mes parents ont dit « oui » devant le maire et le curé et il était bien temps car, comme on dit, « elle avait le tablier qui lève ».

Je n'allais pas tarder à faire mon apparition au monde, le 22 juillet.

« Ce sera un parfait petit Cancer », dit la mamet qui connaissait aussi les astres.

Il n'était pas question qu'on me donne un autre nom que Mireille. Papa et le papet en avaient décidé ainsi. Papa était un fou d'opéras, et le papet, un fou de Mistral.

> *Cante uno chato de Prouvenco*
> *Dins lis amour de sa jouvenço...*
> (Je chante une jeune fille de Provence
> Dans les amours de sa jeunesse...)

récitait l'un. « Anges du paradis... » chantait l'autre. Ils se penchaient sur le lit de la maternité où Marcelle me donnait mon premier câlin :

« Je me demande comment une si petite femme qui ne mange que des anchois peut fabriquer un lardon de deux kilos deux cents ! »

C'est vrai que maman avait perdu depuis longtemps l'habitude de manger normalement, si elle l'avait jamais eue. Souper chez son beau-père, qui adorait la cuisine de porc, lui était un supplice. Elle prenait un anchois, dont on dit que ça aiguise l'appétit, une petite cuillère de riz et basta !

Le grand-père s'inquiétait : comment cette efflanquée des Flandres lui donnerait-elle des petits-enfants ? La mamet avait dit que ce n'était pas à lui de s'occuper de ça ! Elle avait ses recettes. Ce n'est certes pas à Dunkerque que maman aurait pu apprendre que le fenouil — celui qui peut pousser à hauteur d'homme — fait venir le lait aux femmes, que le sirop d'ail est aussi tonique que le quinquina, et que l'huile de pépins de courge reconstitue les os.

« Tranquillisez-vous donc tous. Elle est aussi solide que la tour du Pape ! »

Il fallait qu'elle le soit... La guerre avait marqué Roger. Pris dans un bombardement à Sarrebruck et projeté par le souffle d'une bombe, il avait gardé des séquelles des éclats d'obus, une déformation du bras, un blocage du cou que l'on mit sur le compte d'un anthrax. Il avait une femme et un enfant, et il s'aperçut qu'il ne pouvait reprendre son travail de tailleur de pierre. Il tomba en déprime. Marcelle devait donc s'occuper à la fois du bébé, du mari et de la maison pointue qui n'avait rien de confortable.

Le docteur Monoret la réconfortait : Roger s'en tirerait, il était très costaud, un autre à sa place serait mort. Il fallait un peu de patience et lui tenir le moral. De la patience, maman en avait ! et pour le moral, elle lui donnait tant d'amour...

Mais l'hiver était une bien mauvaise saison pour la maison pointue, si humide, si froide, si sombre. Papa ne sortait pas, prostré. Noël approchait. Mon premier Noël, celui qui ne compte pas quand on a six mois. Mais maman tenait à le fêter. C'était aussi un premier Noël pour elle, celui de la jeune épousée.

« Le fêter comment ? dit Roger. On n'a pas d'argent.

— Si, un petit peu... »

Elle avait vendu ses boucles d'oreilles. La seule chose qu'elle avait pu sauver de Dunkerque. Depuis sa première communion, les petites boucles en or avec une perle fine étaient tout contre son visage. Elles étaient le cadeau de sa grand-mère.

« Avec ça, dit-elle, en sortant les 500 francs qu'elle en avait obtenu, on pourra faire un réveillon de famille avec ta sœur Irène, le papet, la mamet, un beau pot-au-feu et... acheter des santons, non ? »

Alors papa, qui broyait du noir à longueur de journée, tapi sur sa chaise, retrouva soudain un sourire :

« Quelle bonne idée, dit-il, et je vais leur faire une crèche ! »

Il se mit au travail. Il en oubliait son anthrax. Il récupéra des cartons. il avait un coup de crayon très sûr. Il dessina les maisons, une bergerie, un petit pont, l'étable. Il découpa, monta, colla... Avec une précision de miniaturiste, lui qui était formé à sculpter des tombeaux, il tira mille petits morceaux de bouchon de liège pour en faire les vieilles pierres des murs... il ajouta le moulin de Daudet, une petite chapelle... Il passa des heures. Puis il habilla d'autres cartons de papier froissé pour en faire son décor de collines.

Maman suivait avec ravissement la construction du village. Et moi aussi, sans doute, entre deux biberons.

« Comme ils vont être bien les santons, là-dedans ! »

Lui qui ne sortait plus depuis des mois remit le pied dehors pour aller dans les bois de Saint-Saturnin. Il en rapporta de la mousse, des petites branches pour faire les arbres. Puis il alla acheter du savon en paillettes qu'il se mit à battre comme des œufs en neige... Et cela fit une belle neige en effet quand il en saupoudra son œuvre. En séchant, les paillettes durcissent, durcissent... et il vaut mieux ne pas les défaire, ou elles vous piquent le nez pour vous rappeler que c'est du savon !

Quand tout fut fini, mes parents placèrent avec amour les personnages de la crèche et tous les santons : le maire ventru avec son écharpe tricolore et son haut-de-forme, le tambourinaire, le pêcheur avec son filet, la marchande de pissaladières avec sa grande tourtière, la femme à la pastèque, celle à la cruche, la vendeuse d'oursins, la bouquetière, la femme au mortier d'aïoli, la fileuse au rouet, le berger appuyé sur son bâton, l'Arlésienne, le montreur d'ours, la bohémienne, le gros curé qui s'éponge... et, bien entendu, le couple de ravis, bras au ciel, s'émerveillant de l'enfant Jésus.

Quand la crèche fut finie, tout le monde vint l'admirer, tous les voisins, M. Foli, le maçon-carreleur qui avait les toilettes au fond de son jardin, M. Vergier, le marchand de volailles... et le papet.

« Eh bien, tu vois, Roger, tu reprends du poil de la bête !

— Manier du carton, c'est pas manier de la pierre ! »

N'empêche qu'il était guéri. Au printemps, il pourrait à nouveau manœuvrer les ciseaux et le marteau.

« C'est le miracle de la crèche ! disait maman. C'est la crèche de notre petite Mireille ! On la remontera tous les ans. Elle nous protège. »

Quand je suis retournée à Avignon pour le Noël dernier, quarante années avaient défilé. Bien des choses ont changé. Le quartier de la Croisière, on ne le reconnaît plus. Heureusement que j'ai découvert jadis mon carré de trèfles à quatre feuilles. Je ne le trouverais plus aujourd'hui. Là où il y avait des champs à perte de vue, on a construit... Mais la crèche est toujours là. Les cartons, le papier froissé par le père n'ont pas bougé. C'est toujours « son » étable, « son » moulin, « ses » maisons qui font l'admiration de ses petits-enfants. Pieusement, mon frère Roger la monte avec précaution et ressort les santons de leurs boîtes. Il en a ajouté quelques-uns. Le berger a beaucoup plus de moutons qu'il y a quarante ans ! Et il y a maintenant l'électricité dans le village où des petites ampoules illuminent les maisons. Mais pour le reste...

« C'est certain, a dit maman, la crèche et toi, vous avez le même âge, mais tu as changé beaucoup plus qu'elle ! »

2.

LES PREMIERS CACHETS

Le premier Noël dont j'ai souvenance, j'avais quatre ans. Papa avait retrouvé sa santé, sa gaieté. Il chantait à la maison, à l'atelier de papet, et dès que je l'entendais, comme le serpent devant la flûte, je restais subjuguée. Dès qu'il prenait sa voix de ténor, j'essayais de le suivre en gazouillant. Ravi, il décréta que cette année je chanterai la *Pastorale.*

Encore une tradition. Après la messe de minuit, dans la salle de patronage adossée à l'église Notre-Dame-de-France, les amateurs, principalement des gens du quartier, en costume du pays, devenaient des santons vivants, jouant et chantant en provençal. Je n'y comprenais pas grand-chose, mais papa se piquait au jeu de m'apprendre le cantique.

« Elle est bien trop petite, protestait maman. Et timide comme elle est, toute craintive, tu vas me la rendre bécasse, peuchère ! »

Car maintenant maman avait l'accent, à croire qu'elle n'avait jamais mis les pieds à Dunkerque.

« Bécasse ! Bécasse ! bougonna papa. Je vais en faire un rossignol ! »

On me bricola un joli petit costume. A la répétition, je fus parfaite, comme à la maison, l'œil dans l'œil de papa, qui se tenait en bas de la scène. Mais le soir même...

« Faut-il que je lui donne du romarin pour la calmer ou de la sauge pour la pousser ? demanda maman à la mamet qui n'avait rien prévu pour une circonstance pareille.

— Donnons-lui du miel pour la voix ! »

J'étais paniquée : la salle pleine, les gens que je connaissais et qui m'apostrophaient... Je démarrais le cantique, mais, à la quatrième mesure... le trou. Je cherchais des yeux papa, désespérément. Il me souffla. Je n'entendais rien, j'étais au fond du trou ! Il persista, je remontais à la surface à la joie générale. J'avais connu mon premier trac, ma première angoisse, mon premier public qui maintenant m'applaudissait. Papa me donna une sucette. Personne ne savait que c'était mon premier cachet.

Mon deuxième cachet... Non, ce ne fut pas un cachet mais un émerveillement, j'étais à la maternelle. J'aimais beaucoup aller à l'école : elle n'était pas loin de la maison, il y avait un très beau rosier à l'entrée, et c'est lui, peut-être, qui m'a donné le goût des parfums. Je guettais ses roses. C'était un vrai plaisir que de les voir s'ouvrir ou se refermer le soir quand on quittait l'école. Je croyais que c'était pour me dire bonsoir, je leur parlais. Naturellement, ces roses, elles étaient fréquentées par les abeilles, et je me disais : ça doit être bien agréable d'être petite abeille pour avoir le droit de se fourrer ainsi dans la douceur rose et la senteur d'une fleur. Si j'avais, à l'époque, rencontré une fée, je lui aurais volontiers dit : « Madame, ce qui me ferait plaisir, c'est d'habiter une rose ! » Et j'y pense brusquement, c'est probablement ce désir d'enfant qui m'a fait choisir un satin rose pour parer ma première chambre de vedette quand j'ai emménagé dans mon premier appartement à Neuilly !

« Tu as vu ça à Hollywood ? » m'a demandé une amie.

Eh bien, non, je crois que c'était mon souvenir de la maternelle ! J'aimais aussi beaucoup la directrice, Mme Aubert. Et j'aimais aussi les petites poésies qu'on apprenait. Elles parlaient encore de fleurs ou d'animaux, et elles étaient bien drôles à retenir :

Le petit poussin
Picore le grain
Le petit lapin
Saute dans le thym
La poule rousse
Pond sur la mousse
Et le cochon rose
Sur la paille se repose.

Il y avait aussi :

Le lapin qu'a du chagrin
La fourmi qu'a du souci
Le p'tit rat qu'a du tracas
Comment arranger tout ça !

Quelquefois, ça se chantait, et alors là, depuis que papa m'avait dit que j'étais un rossignol... j'en profitais ! Si bien que pour Noël, cette fois, on me donna une vraie chanson à défendre, pas une comptine !

Ma poupée chérie
Ne veut pas-a-a dormi-ir !

J'allais la chanter devant tous les autres enfants pour l'arbre de Noël de la maternelle. Bien entendu, j'aurais moi aussi mon jouet. Mais le jouet, ça m'était bien égal, et je ne me souviens même plus de ce qu'il était. La merveille, c'était la robe, la robe que pour cette occasion on me prêtait. Quand on me la mit sur le dos et que je la vis dans la glace... Elle était en organdi, légère, vaporeuse, et *rose!* J'étais devenue fleur ! C'était le miracle ! Cette fois, je n'ai pas connu le trac... C'était comme si les anges m'avaient emportée au ciel !

Je rendis la robe. J'aurais été bien peinée de la garder. Une robe pareille, ce n'est certes pas dans notre maison tachée d'humidité que j'aurais pu la mettre. C'eût été faire injure à la robe si belle, si fraîche, si lumineuse. Je savais qu'elle n'était pas pour moi, et je n'en avais pas d'amertume. Maman disait souvent : « Bonne renommée vaut mieux que ceinture dorée » ; et elle ajoutait : « On n'a peut-être pas d'argent, mais on a l'estime de tout le monde. » Et puis, dès que j'ai étudié l'Histoire de France (ça me passionnait, l'Histoire de France), j'ai compris : les rois, les reines... les seigneurs, à qui il arrivait tant d'aventures, et, de l'autre côté, le peuple, à qui il n'arrivait guère que la misère. C'était comme ça... Au pays, il y avait un château.

Rien de comparable sans doute avec ceux du roi de France, mais je ne le savais pas et, pour moi, un château, c'était un château. Je logeais le Roi-Soleil, la Belle au bois dormant et notre châtelaine à la même enseigne. On ne savait rien d'elle, sinon qu'elle était riche.

« Faut pas y aller ! » disaient papa et maman.

C'était une très bonne raison pour se promener, mine de rien, de ce côté. On flânait dans le chemin des mûriers, on arrivait au pin parasol de Marie du Crouzet, la grande dame qui nous faisait le catéchisme... C'était un long pin qu'on voyait de loin et qui remuait toujours. Toujours, il arrivait à prendre un souffle de vent, celui-là ! Près du château, il y avait de gros arbres bien propres à se cacher derrière. De là, on voyait l'allée sablée, les voitures qui arrivaient, les dames qui en descendaient : « Oh ! regarde celle-là comme elle est belle ! — Non, moi je préfère la bleue ! — Ah non ! la jaune avec toutes les fleurs dessus, elle est plus jolie ! » Jamais, on ne nous a pris à les espionner, et jamais on n'est entré au château. Peut-être, à la réflexion, et depuis que j'en ai vu bien d'autres, n'était-ce qu'une gentilhommière. De toute façon, je ne l'ai jamais retrouvé tel que nous le voyions cachés derrière nos arbres sur le chemin de Massiargues. La demeure a été transformée, réduite et maintenant entourée de H.L.M.

Les H.L.M. qui ont dévoré tous nos champs... Plus qu'un terrain de jeux, c'était notre royaume.

Chez nous, c'était étroit et sombre. Les champs, c'était l'immensité, la liberté, la lumière. Un autre plaisir, avec des fleurs bien plus variées que les roses de l'école : les jonquilles, les bleuets, les narcisses, les aubépines... Il y avait toujours quelque chose à ramasser pour la mamet et « pour notre bonne santé », disait-elle

Par la même occasion, on rapportait des têtards pour les voir grandir. On se faisait des concours de têtards, à celui qui pousserait le plus vite. On essayait de mettre la main sur un grillon pour l'entendre crisser contre l'oreille ; et ça, c'était le comble de l'exploit.

On était toujours en bande, mes petites sœurs, Matite et Christiane, et mes copines, Elise et Danièle Vergier, les filles du voisin, le marchand de volailles. De l'autre côté de la cour, il y avait M. Foli, le maçon italien qui cultivait si bien son jardin. Il vivait avec une jolie dame, pas d'enfant mais des fraisiers, ceci compensant largement cela à mon avis, car s'il avait eu des enfants, on aurait eu moins de fraises à lui chiper.

« Mais qui mange mes fraises ? » disait-il en agitant ses longs bras, car il était très grand, tout au moins il me le paraissait car, à l'époque, je lui arrivais aux genoux. Il savait bien que c'était nous. Comment résister, puisqu'on passait devant ses fraisiers chaque fois qu'on allait au petit coin au fond de son jardin (une cabane avec un cœur découpé dans la porte, et je trouvais ça si joli que je disais : « Je vais voir le cœur », plutôt que « Je vais faire pipi » !). Il y avait aussi un figuier, où les garçons grimpaient quand les figues étaient mûres. Et se baladaient dans notre cour les oies de M. Vergier, si bien qu'on ne savait si c'était les oies qui nous coursaient, ou nous qui les poursuivions.

J'aimais aller caresser les lapins ou jeter du grain aux poules. Mme Vergier me donna un jour un œuf frais à gober. « C'est très bon pour la gorge », décrétait mamet. Et peut-être parce qu'elle savait que nous n'étions pas riches, Mme Vergier m'en glissait un de temps en temps : « Pour le petit rossignol », disait-elle.

Le moment le plus important restait le « 4 heures ». La mamet nous préparait nos tartines avec en guise de beurre deux ou trois gousses d'ail hachées et trempées dans l'huile d'olive.

« Ça vous rendra solides », disait-elle.

Ses recettes à l'ail nous suivaient du matin au soir, et en toutes saisons ; avec une gousse coupée en deux, elle enlevait les orgelets, elle amollissait les cors au pied, elle guérissait les piqûres de guêpe ; elle enfilait les gousses en colliers qu'on portait pour nous protéger des épidémies ; un cataplasme d'ail pilé faisait l'affaire quand on avait mal au ventre, quand on avait mal aux dents, de l'ail râpé avec des fleurs de mauve faisait merveille sur la gencive. Elle nous préparait des soupes d'ail à l'huile de Bouligue et des aillades avec du fromage blanc. Elle avait même un vinaigre miracle pour lequel il fallait lui ramasser de la reine-des-prés, de la marjolaine, de l'absinthe, de la sauge, du girofle, de l'angélique, du romarin. Elle faisait macérer le tout dans du vin blanc en ajoutant de l'ail, bien entendu.

« Avec ça, disait-elle, vous ne craindrez même pas la peste ! »

Et elle nous racontait que c'était « le vinaigre des quatre voleurs ».

« Pourquoi mamet ?

— Parce qu'il y a bien longtemps, au temps où les hommes — et pas seulement les hommes, les femmes et les petits enfants comme vous — tombaient comme des mouches à cause de la peste, il y avait quatre voleurs qui entraient chez les pestiférés, les étranglaient et leur volaient tout...

— Puisque tout le monde mourait, pourquoi ils attendaient pas qu'ils soient morts ?

— Parce qu'ils étaient pressés de faire fortune. C'est souvent comme ça : les gens veulent pas attendre la décision du Bon Dieu.

— Il n'y a que Lui qui décide ?

— Que Lui. D'ailleurs, il le dit dans ses dix commandements : " Tu ne tueras point. " Ou tu vas en enfer.

— Les quatre voleurs sont en enfer ?

— Ça... on ne sait pas trop. Parce que, grâce à eux, on a sauvé beaucoup de gens. Personne n'osait entrer dans une maison où il y avait la peste. Sauf eux. Quand ils se sont fait prendre, on s'est aperçu qu'ils se frottaient avec un vinaigre miracle, et on leur a promis qu'ils n'iraient pas à la potence s'ils en livraient le secret. On l'a transmis de père en fils et de mère en fille, et c'est comme ça que je le sais. Je vous le donnerai quand vous serez grandes. C'est un trésor.

— Tu crois que le Bon Dieu a pardonné aux voleurs ?

— Sûrement. Et il a dû en souffler l'idée aux juges.

— Alors, ils sont au paradis ?

— Oh ! il faut pas exagérer ! Ils doivent être au purgatoire. »

Mais le vinaigre des quatre voleurs ne pouvait rien quand papa prenait son œil sombre. Maman disait : « C'est sa guerre qui le reprend... »

Je l'avais entendu parler de la guerre. Ça paraissait terrible. C'était ce qui le laissait angoissé parfois. Mais son angoisse ne ressemblait pas à la mienne, qui m'a saisie beaucoup plus tard, quand je suis devenue, disons, célèbre. Lui, il restait à la maison, sans bouger. Moi, c'est le contraire : dans ces moments-là, il faut que je fasse quelque chose, que je bouge, que je sorte ;

c'est comme le déclic d'un tournage de film où le metteur en scène crie : « Moteur ! » Je me mets en action... Les récits de guerre me faisaient très peur. Je me souviens que le jour de la mort de Jean XXIII avait éclaté un orage épouvantable sur Avignon. Je tournais comme un hanneton en criant :

« C'est la guerre ! c'est la guerre !

— Mais non, ce ne sont pas les hommes, m'avait dit maman. C'est le ciel. »

Quand il était à la maison, soit parce qu'il était malade, soit parce qu'il n'avait pas de tombeau à faire ou à entretenir, soit parce que maman était à l'hôpital ou à la maternité, quel gentil papa poule il était.

Il se relevait la nuit, montait à l'étage pour voir si on n'était pas découverts... et il rebordait le lit.

Jamais papa ou maman n'a levé la main sur nous. On n'a jamais connu les gifles ou les fessées. La punition, c'était d'entendre :

« Tu me fais beaucoup de peine, ma petite fille. Je ne pourrai plus avoir confiance en toi. »

Et dans les heures qui suivaient, on ne me regardait plus, on ne me parlait plus, c'était comme si je n'existais pas. Cela tordait le cœur. Beaucoup plus que lorsque la mamet nous menaçait du Croquemitaine. Ça, c'était bon pour les tout-petits. Et moi, mine de rien, j'avais presque attrapé ce qu'on appelle l'âge de raison. Je regrettais ma maternelle et Mme Aubert. Je n'ai jamais aimé mes maîtresses ensuite. J'ai même oublié jusqu'à leur nom. Mon premier souvenir de l'école laïque, c'était la classe d'écriture. Je m'appliquais. A force de voir le papet et papa dans l'atelier dessiner leurs motifs funéraires, j'aimais bien dessiner mes lettres, moi aussi... La maîtresse arriva dans mon dos et j'entends encore sa voix :

« Mireille !... il ne faut pas écrire de la main gauche ! »

Je la regardais, surprise. J'étais appliquée, j'en pinçais les lèvres à force d'être appliquée. Mes lettres étaient parfaites... mais c'est vrai j'étais gauchère. Comme Marie-France et Réjane (comme le seront plus tard Guy, l'un des jumeaux, l'autre était droitier, Roger, et Jean-Philippe, le douzième).

« Donne-moi tes mains », dit la maîtresse.

Je ne me méfie pas, je tends la main... et pan ! un coup de

règle. Les fois suivantes, avertie, j'essaie de garer mes doigts, mais elle les trouve toujours et donne ses coups de règle de plus en plus fort :

« Mais c'est qu'elle est têtue ! La main droite ! »

Je ne pouvais pas. Dès que le crayon n'était plus dans ma main gauche, il ne voulait plus m'obéir, je ne pouvais pas le bouger que pour faire des zigzags qui ne voulaient rien dire. Elle ne comprenait pas ça, elle me prenait en grippe. Et toujours sa voix criarde : « La main droite ! la main droite ! elle est têtue ! » et pan ! la règle.

J'ai fini par (mal) écrire de la main droite, la main gauche souvent bleue... avec les coups de règle. Et je ne comprends toujours pas. L'essentiel n'était-il pas de savoir écrire ?

Et c'est à partir de ce moment-là que je suis devenue dyslexique. Comme si l'effort de distinguer ma droite de ma gauche me faisait fourcher la langue. La consonne de droite passait à gauche et vice versa. Par exemple, je parlais de la rue de la Bourquerie au lieu de la Bouquerie, ou de Saing-Atricol au lieu de Saint-Agricol...

Cela m'est resté. Encore aujourd'hui, il m'arrive de buter sur certains mots. Et si j'écris de la main droite, comme l'exigeait la maîtresse, je mange et je couds de la main gauche.

Ma dyslexie amusait les petites camarades, mais me troublait de plus en plus. J'essayais de courir après mes mots pour essayer de les rattraper (c'est ce qu'on appelle se bousculer au portillon). Ma pensée en arrivait à buter sur la lecture. La maîtresse trouva la solution : je suivais mal, alors... au fond de la classe ! Ce qui fait que je ne suivais plus du tout. Je ne comprenais rien à ce qu'elle disait, et elle ne me comprenait pas non plus.

Maman se doutait bien que j'avais un problème, mais elle avait les siens. La maison était si exiguë que je ne pouvais les ignorer. J'entendais :

« La propriétaire est venue. Je lui ai donné les 500 francs du loyer... mais je me demande comment je vais finir la semaine ? »

Ou bien :

« Il faudrait acheter une paire de chaussures mais même en grattant tout ce que j'ai pu... »

Ou encore :

« C'est pas encore ce mois-ci que je peux joindre les deux bouts ! »

Dans l'unique petite pièce du bas qui faisait office de cuisine-salle à manger-chambre à coucher (pour dormir, mes parents poussaient la table, tiraient le canapé-lit qui se dépliait... il ne fallait pas oublier de mettre les crans d'arrêt, sinon tout basculait, et le premier couché se retrouvait sous la table... on a ri quelquefois avec ça !), je revois maman épluchant ses pommes de terre et mon père rentrant le soir du travail. Il disait : « Je n'ai pas encore pu acheter de la viande aujourd'hui... — Mon pauvre Roger, disait-elle, ça me soucie surtout pour toi... » Elle savait qu'il travaillait dur. Par tous les temps, le froid ou la grande chaleur, la pierre résiste. Il faut être très fort. Et elle avait toujours peur qu'il retombe malade.

On mangeait beaucoup de lentilles et de pois chiches, mais même ça, il fallait l'acheter. J'entendais souvent maman demander à l'épicière si elle pouvait nous faire crédit.

« Mais bien sûr, madame Mathieu, avec vous je sais que c'est du sérieux. il n'y a pas de morte-saison chez vous ! On meurt toujours, pas vrai ? »

Des pommes de terre, des lentilles, du pain rassis et de la soupe à l'ail... mais on était heureux ensemble.

Il y avait toujours à la maison une assiette pour plus pauvre que nous. De temps en temps, l'hiver, il y avait un toc ! à la porte.

« Ah ! ah ! c'est Charlot ! » disait papa.

C'était Charlot.

Je n'ai jamais su son vrai nom. Ce n'est pas qu'il ressemblait à Charlie Chaplin. Sinon que, comme lui, il était clochard et qu'il avait tout son avoir dans une vieille petite voiture d'enfant. Il avait une très belle tête de patriarche avec une longue barbe, un grand pardessus qui avait perdu la forme depuis longtemps et un béret.

« Viens donc te chauffer un peu », proposait mon père.

Il se mettait près du poêle et maman lui donnait une assiettée. Quelquefois, il apportait une boîte de conserve qui lui servait de gamelle.

« Emportez ça, lui disait maman en la bourrant de lentilles ou de pois chiches.

— Pourquoi il vient chez nous, maman? Il n'a pas de maison?

— Mais si, il a un toit. Mais c'est pire que s'il n'en avait pas, le pauvret. Il a été dépossédé par son frère qui lui a tout pris. Il avait de l'argent, il avait des terres, il n'a plus rien, le pauvre hère.

— Il est un peu fada, dis, maman?

— Tu serais fadade aussi s'il t'arrivait tout ça Son frère joue les parvenus, sa belle-sœur est une viragoule. Ils lui laissent un réduit et lui ferment la maison. Et quand il a oublié la clé de la grille, le pauvre Charlot, à son âge, il doit passer par-dessus au risque de s'empaler. »

Nous, les enfants, on aimait bien Charlot. Il ne parlait pas beaucoup, mais quand même, il savait raconter des histoires avec les mains, il nous regardait gentiment, il mangeait avec tant de plaisir, il partait... mais revenait pour nous amuser. Il était brave avec nous. Et puis, un jour...

« Vous savez ce qui est arrivé à Charlot? On l'a retrouvé recroquevillé au pied d'un arbre, sur le bord de la route. Il a dû mourir cette nuit qu'il faisait si froid... »

J'eus beaucoup de mal à m'endormir ce soir-là. Je pensais à Charlot, mort tout seul, dans la nuit noire et glacée. Alors que nous nous étions serrés les uns contre les autres.

« On aurait dû le garder, papa...

— On aurait pu mettre une couverture dans un coin, c'est sûr. Mais il avait sa fierté, tu comprends, ma petite fille? »

Non, je ne comprenais pas. Pourquoi, si son frère l'avait volé, n'était-il pas en prison et Charlot dans la belle maison au chaud, à l'abri du froid?

Le dimanche, on pria pour Charlot.

« Paraît qu'il a été enterré à Crillon », a dit papa.

C'est un joli petit village accroché face au mont Ventoux.

Plus tard, je me suis dit que j'irais prier sur sa tombe. Mais je n'ai jamais su son nom...

Le cimetière, pour nous, non seulement ce n'était pas triste, mais c'était même très gai puisque c'était le lieu du travail de papa. Le mercredi soir, on pensait déjà à ce jeudi, le jour sans école mais avec cimetière! On se levait tôt, aussi tôt que d'habitude.

« Vous êtes prêtes, les mauviettes ? »

Papa soulevait ses trois filles, Matite, Christiane et moi, comme des plumes et nous posait dans son charreton. Et en route ! La maison n'était pas très loin de l'atelier du papet. Et il était juste en face du cimetière. Quand on entrait dans l'atelier, je me sentais comme enchantée. C'était pour moi aussi beau que l'église, avec les croix ou des statues en train de se faire, ou simplement les blocs de pierre si pratiques pour jouer à cache-cache... mais le papet n'aimait pas trop ça. A gauche, en entrant, il y avait un tout petit bureau, sorte de placard amélioré où le grand-père avait toute sa paperasserie.

Si la maison attenante à l'atelier a été transformée en boutique de fleurs pour ma dernière petite sœur, Béatrice, qui a beaucoup de goût et fait de si jolies couronnes de Noël avec du houx, tout est resté en place, tel quel, dans le bureau du papet. On n'a pas jeté une seule facture, une seule fiche de commande, pas un seul de ses dessins ou de ses livres. A croire, quand on pousse la porte, qu'il va entrer à son tour, s'asseoir en grognant un peu sur ses comptes :

« Dón tèms que Marto fielavo, pagavo tintin ! Vau mai teni que d'espera ! » (Au bon vieux temps, on payait comptant ! mieux vaut tenir que courir !)

Il était très différent de papa, le papet, si on excepte les yeux bleu-violet. C'était un Méridional à ton froid (ça existe !). Bourreau de travail, il ne se reposait même pas le dimanche. Homme qui sculptait des anges, il se disait mécréant et avait sa carte du parti communiste. Mais cela ne l'avait pas empêché d'organiser le mariage religieux de mes parents. Avec nous, les enfants, il n'était pas très câlin, contrairement à papa. Il ne prenait pas le temps. S'il n'y avait eu que le papet, jamais je n'aurais appris à jouer aux boules !

On aurait pu être heureux, mais cette année-là l'hiver s'annonça rigoureux. La mamet l'avait prédit en regardant les oignons. Ils étaient plus que d'habitude emmitouflés dans leurs peaux. Le froid commença à s'infiltrer partout. La maladie aussi força la porte. Les jambes de maman recommencèrent à saigner :

« Mes petites cailles, disait-elle à Matite et à moi, il va falloir me remplacer... vous occuper de la maison... »

Ce n'était pas facile. On était bien petites encore. Malgré mes six ans et demi, je n'avais pas beaucoup grandi. Il me fallait monter sur un petit banc pour poser ma bassine sur le poêle afin de faire chauffer l'eau de la vaisselle... et c'était lourd, c'était lourd... Avec les grosses marmites, je n'y arrivais pas, alors je les lavais à l'eau froide. L'eau du robinet était glacée. C'était un de ces hivers terribles où chacun reste cloîtré chez soi. On se sentait seuls. La mamet était désormais chez elle, dans sa campagne, sur la route de Morières, avec un nouveau papet qu'elle appelait Baptiste, et que j'aimais bien parce qu'il était tout rond et tout jovial, le contraire du papet.

« Merci, mamet, lui avais-je dit en toute innocence, de m'avoir donné un second grand-père ! »

Elle m'avait embrassée fougueusement, mais le revers de la médaille était qu'elle n'était plus aussi souvent avec nous. La tantine Irène était chez elle avec mon petit cousin Jean-Pierre et des problèmes (elle s'était séparée de Désiré, son cheminot de mari...).

Ce qui passait la porte, c'était le froid. Il y avait bien le poêle au milieu de la pièce en bas, mais en haut, c'était glacial. Papa essayait par tous les moyens de nous réchauffer. Il mettait des briques sur le poêle, et quand elles étaient brûlantes, il nous les glissait dans le lit, et le temps qu'on se déshabille, il faisait flamber de l'alcool dans une bassine, mais ça ne durait que deux minutes. Quand Christiane commença à tousser, j'ai su que la toux allait tous nous embrocher. Dans les familles nombreuses, on partage tout, y compris les microbes.

Ce fut le pire Noël de ma vie... Pour nous remonter le moral, papa avait monté la crèche :

« C'est une mauvaise passe, disait-il. Dès que maman va revenir, ça ira mieux. Il faut tenir jusque-là. »

Manque de chance : le Baptiste appela papa au secours, la mamet était tombée malade dans sa campagne, très éloignée de la maternité où était alitée maman. Papa faisait le chemin à pied entre sa femme et sa mère. Pauvre papa : quelle mine il avait, lui aussi... Ce sinistre soir de Noël, il était donc parti dans la nuit noire.

Matite se mit à grelotter de fièvre, je l'envoyai se coucher avec les autres. Maintenant, j'étais toute seule.

« Mireille est un bon petit soldat ! » disait souvent le docteur Monoret.

Parce que la plus solide, c'était moi. J'avais déjà eu la varicelle et la coqueluche, mais j'étais toujours la dernière atteinte et toujours la première guérie. Ce soir-là, je n'étais plus le « bon petit soldat » mais le « tout seul », l'exténué, celui qui n'a plus le cœur à se battre.

J'avais l'impression que j'allais mourir de chagrin sur place, devant cette bassine sale et trop lourde que je n'arrivais plus à soulever, ce poêle qui n'avait plus de charbon, et moi qui n'avais plus de courage, seulement des sanglots qui me secouaient comme une maladie. Pour être moins glacée, j'avais mis mes petits pieds dans le four éteint. Et je parlai à Dieu : « Seigneur, tu ne peux pas nous laisser comme ça ! C'est pas possible. On n'a plus rien. Tout le monde est malade. Qu'est-ce qu'on va devenir ? Moi, je ne sais pas quoi faire, je suis trop petite, mais toi, Seigneur, fais quelque chose pour nous aider, fais un miracle, je t'en prie, fais un miracle ! » Et là, j'ai appris que la prière, c'est une bénédiction. Papa m'a retrouvée endormie de fatigue, de froid aussi, la tête sur mon petit banc. Mais apaisée. Avec la certitude que maman reviendrait. Et que la mauvaise passe, comme disait papa, eh bien, elle passerait.

De ce jour, et du plus profond de moi-même, j'ai toujours prié. Dieu sait que j'ai toujours eu beaucoup à lui demander ! Des angoisses, des peurs, des chagrins, il y en a eu. J'en aurai encore. Je ne suis pas au bout de la route. Mais je sais aussi que je ne serai jamais plus seule. Dieu est là. Je le trouve partout, en moi dans ma solitude, aux quatre coins du monde quand je voyage, et peu m'importe où et comment on le vénère : un lieu saint est un lieu saint. Ma foi n'a rien d'une foi apprise, transmise. Je l'ai trouvée et éprouvée toute seule, devant un feu éteint, par une nuit noire, une nuit de Noël.

Je fus doublement exaucée. J'avais demandé au Seigneur un petit frère parce que je trouvais que cinq filles, ça suffisait... et voilà que maman revenait le jour des rois avec deux poupons dans les bras !

« Allons bon ! des jumeaux ! bougonna la mamet, qui avait

repris de la santé et de la virulence. Et le docteur qui n'a rien vu, cet imbécile !

— Ce n'est pas un imbécile, rétorqua maman, il ne nous fait pas payer ! »

Papa paraissait plutôt content. Enfin des garçons !

« Maintenant, ils sont sept, ça porte bonheur, c'est un bon chiffre, continuait la mamet en regardant papa. Ça suffit. J'espère que tu vas t'arrêter là ! »

La pauvre... elle ne savait pas qu'il y en avait encore autant à venir !

La vie continua... un peu plus rose avec le printemps. Sauf à l'école, où c'était toujours pour moi la grise mine et le dernier rang. Je n'y étais pas seule. C'était celui des familles nombreuses. J'arrivais toujours en retard parce que, en bonne aînée, il y avait mille choses à faire au petit matin : aller chercher le lait, aider les petites à se réveiller, se lever, se laver, s'habiller — maman avait bien assez à faire avec les jumeaux à langer, biberonner. Ensuite, il fallait que je conduise les petites à la maternelle, qui n'était pas au même endroit.

Ma chère maternelle... en courant j'y laissais Christiane, Marie-France et Réjane. Sauraient-elles regarder « mes » roses comme j'aimais tant les regarder toute petite ? Et très petite, oui, c'est ainsi que j'ai su ce qu'était la nostalgie.

En montant de classe je ne changeai pas de rang : toujours le dernier. J'en arrivais à penser qu'il y avait l'école des pauvres et celle des riches, ceux qui ne pouvaient pas suivre parce qu'on ne s'occupait pas d'eux, et ceux qui comprenaient parce qu'en rentrant chez eux, on avait le temps de les aider à faire leurs devoirs et, à l'école, des maîtresses pour leur expliquer.

Depuis la naissance des jumeaux, nous étions sept dans le grand lit du haut. Maman nous rangeait les trois aînées dans le haut, les quatre petits dans le bas, en travers, les jumeaux d'un côté, les deux plus petites de l'autre.

« Vous êtes comme le Petit Poucet ! » disait-elle.

Un jour, j'ai bien regretté de ne pas être lui, avec plein de petits cailloux blancs dans mes poches ! On était, mes sœurs, les copines et moi, avec nos paniers à salade.

« C'est le bon temps pour les escargots, avait dit la mamet. Il a plu, ils vont sortir leurs cornes. Mais surtout ne touchez pas aux champignons : ça peut être du poison. Seulement des escargots ! »

Maman préparait les escargots à sa façon. Elle les faisait jeûner dans du thym et on les mangeait à la Noël. J'adorais ça. Quant à mamet, elle avait encore une recette magique contre la coqueluche avec de la bave d'escargot.

Et nous voilà parties, balançant nos paniers. Rien ne ressemble plus à un pré qu'un autre pré... et on était toutes pareilles : dès qu'on s'y trouvait on était saisies d'une sorte d'ivresse, dans les fleurs et les herbes. Peut-être à cause des odeurs et de celle, très particulière, qui sort d'un pré après la pluie... Peut-être à cause du thym et du romarin... il n'y a rien de plus stimulant. Quoi qu'il en soit, on a fait ainsi, de pré en pré, sans se soucier, une si grande distance que... le soleil s'est mis à baisser.

« C'est par ici ! disait l'une.

— C'est par là ! » disait l'autre.

Et moi, l'aînée, qui n'avais jamais su distinguer ma droite de ma gauche, fonçant au milieu, ne reconnaissant aucun buisson, aucune touffe, aucun jalon d'un aller paraissant sans retour. Il y en avait déjà qui pleuraient...

J'essayais bien de remonter le moral avec mon répertoire de l'époque du genre :

La petite souris brune
Se promène au clair de lune...

Ou bien :

Chantez les rainettes
C'est la nuit qui vient
La nuit on les entend bien..

Ou encore :

La mère Angot est en colère
Elle a mangé trop d'pommmes de terre
Et son mari trop d'escargots !

Mais le cœur n'y était pas.

Ce n'est qu'à la nuit tombée que les parents, partis à notre recherche avec les voisins, et nous continuant d'errer, nous nous sommes retrouvés.

3.

LA CITÉ DES MALPEIGNÉS

Je n'avais pas tout à fait mes huit ans sonnés quand le huitième petit Mathieu s'annonça.

« On l'appellera Roger comme vous, dit le docteur Monoret à mon père, et j'en serai le parrain ! »

Il nous avait pris en affection. Et en venant voir son filleul, il avait l'œil sur nous tous. Dès que maman fut sur pied, elle décida d'aller à la mairie où elle avait laissé le souvenir d'une employée modèle.

« On ne peut plus se terrer comme des lapins ! plaidait-elle. Rendez-vous compte : huit enfants et deux pièces !

— On sait bien, madame Mathieu, mais... »

Il y avait toujours un « mais ». C'était encore les difficultés de l'après-guerre... « La reconstruction, ça ne peut pas courir la poste. »

« On vous promet, madame Mathieu, vous serez la première relogée... »

Mais en attendant il n'était pas de semaine sans qu'on entende maman bougonner : « Ah ! aujourd'hui, je vais encore casser les pieds du maire ! »... jusqu'à ce jour où elle parut rayonnante :

« Ça y est ! on l'a ! c'est comme si on l'avait ! un appartement dans la nouvelle cité !

— Non ?

— Si ! le maire me l'avait promis et j'ai vu : nous sommes les premiers sur la liste des bénéficiaires. »

Ce que ces deux mots-là pouvaient créer dans nos têtes, la

« nouvelle cité », on ne peut l'imaginer. C'était des images de joie, de délivrance, de luxe.

« Nous allons avoir quatre pièces ! »

Quatre pièces, on les voyait déjà ! la chambre des grandes, la chambre des petits, la chambre des parents, la salle à manger...

« Et nous aurons l'eau au robinet ! »

L'eau à domicile ! La merveille ! L'eau qui coule sur commande ! on tourne un robinet et elle est là, dans vos doigts !

« Et les toilettes, maman ?

— Il y a des toilettes ! »

Plus de jardin de M. Foli à traverser par tous les temps en serrant les fesses. Plus de jardin ? Je sentais une inquiétude me pincer : cela voulait dire plus de fraises, plus de figuier, plus d'oiseaux peut-être... oui, mais l'eau au robinet !

L'événement eut lieu pour les sept mois du petit Roger, au mois de novembre.

« On va déménager ! On va déménager ! On va quitter le trou à rats !

— Mais il n'y a pas de rats, qu'est-ce que tu racontes !

— Quand tu es née, Mimi, maman a toujours dit que tu avais l'air d'un petit rat ! Toute la famille l'a dit. Mimi, elle était grosse comme un petit rat !

— Petit rat, c'est un mot d'affection ! Tu dis n'importe quoi pour te rendre intéressante !

— Taisez-vous, les filles ! Aidez-nous plutôt à faire les paquets ! »

C'était vite fait. Les parents n'avaient pas tant d'affaires ! Mais il y avait les huit enfants.

Au dernier voyage, on nous mit dans le charreton, avec les derniers cartons, et notre seul trésor : le phono et des disques de Piaf, de Tino et d'opéras. Quand on arriva au bout du chemin pierreux des Malpeignés, on découvrit la « nouvelle cité », et maman rectifia tout de suite :

« C'est une " cité d'urgence ". Alors, évidemment, ça été construit très vite...

— C'est du Fibrociment », dit papa, laconique.

Il m'expliqua que ça se fabriquait par grandes plaques, dont on pouvait monter une maison en un temps record. On se trouvait devant le résultat : un bloc tout gris, tout plat, comme si on avait collé plusieurs maisons toutes pareilles, de plain-pied et sans étages, les unes aux autres. Il avait l'air hostile, peut-être parce qu'on n'entendait aucun bruit.

« Les autres familles nombreuses viendront ensuite, dit maman. Nous sommes les premiers locataires. On va prendre l'appartement du bout. On aura vue derrière sur les champs. »

Ah ! il y avait des champs derrière ? Je me sentais revigorée. J'en oubliai ce que j'avais sous les yeux : de la terre battue.

« Ils vont goudronner plus tard... »

Ce que je trouvais très bien, c'était les trois petites marches devant chaque porte d'entrée. Mes sœurs et moi, on les sautait à pieds joints. On parcourut les quatre pièces.

« Et puis, ici, ce sont des vraies fenêtres, disait maman, pas des fenestrons ! »

On se rua sur le robinet de l'évier : il marchait !

« Ah ! oui ! ça marche ! Mais, ici, il ne faut pas jouer avec l'eau ! »

L'eau du robinet devenait sacrée. Pas question de s'en éclabousser joyeusement comme avec l'eau de la pompe de la maison pointue. Il n'y avait pas de pompe dans la cour de la cité des Malpeignés. D'ailleurs, il n'y avait pas de cour non plus, mais un terrain vague. Et, de l'eau, on ne tarda pas à en avoir trop... On commença à mesurer la catastrophe le jour de la pendaison de la crémaillère. A ceci près qu'il n'y avait pas de crémaillère. Mais enfin la famille était venue voir notre installation quand il se mit à pleuvoir.

« Heureux présage, dit la mamet. C'est signe de bonheur... »

Dans l'immédiat, ce ne fut pas flagrant. Quand on rentra de l'école, la maison semblait plantée au centre d'un lac. On trouva ça très amusant. La famille un peu moins.

Malgré nos trois marches, à cause du contrebas, l'eau pénétrait partout dans la maison. Tous étaient en train d'écoper comme dans un bateau : tante Irène et Jean-Pierre, la mamet et son Baptiste, et le frère de la mamet, l'oncle Raoul, qui était, le pauvre, comme on dit, « marqué au B », un peu « b »ancal et très « b »ossu ! On le tenait pour porte-bonheur, à cause de sa bosse. Mais, en l'occurrence, elle n'agissait guère car l'eau continuait d'arriver.

« Tout ça parce qu'ils n'ont pas encore goudronné ! » bougonnait papa.

Perfide, elle entrait partout, passait sous les portes, s'infiltrait par les fenêtres mal jointes, trouvait des fissures. On avait de l'eau par-dessus les pieds. Tout le monde avait retiré les chaussures.

« Non seulement on ne pend pas la crémaillère, mais on tire l'eau du puits ! disait le Baptiste.

— Où ça, un puits ?

— C'est une image. A moins que tu ne préfères l'arche de Noé ? »

Oui, je préférais. L'arche de Noé, c'était un de mes épisodes préférés au catéchisme.

« Sauf que les animaux, ils étaient au sec !

— Elle a raison. Je vais aller leur dire à la mairie ! Des animaux, on ferait plus attention à eux !

— C'est vrai, maman ! Les lapins de M. Vergier, ils ne sont pas mouillés.

— Allez, les enfants, montez là-haut. A patauger, vous allez tous vous enrhumer... »

Ça commençait mal. Ça n'allait pas continuer bien. Deux ou trois familles s'installèrent après nous dans le Fibrociment, mais, comme disait maman : « C'est pas la crème... ! » Elles étaient aussi pauvres que nous mais moins bien élevées. Les jurons volaient comme des mouches.

« Bagasse... ! Putano... ! Tron de l'air ! »

A l'école le partage se fit vite : il y avait les « Malpeignés » et les autres. Et parmi les Malpeignés, les nullités du dernier rang. Ma compagne de banc était la petite Mireille. Comme moi, elle n'était pas très grande. On portait le même prénom, mais il y avait entre nous une grande différence : son père la battait presque tous les soirs. Il rentrait toujours ivre. Ses cris me bouleversaient. Le matin, comme moi, elle arrivait en retard à l'école parce qu'il fallait aussi qu'elle s'occupe de ses petits frères. Et elle avait tellement peur des mauvaises notes, la pauvre, et d'être encore plus battue, que, quelquefois, elle n'osait plus rentrer chez elle. Alors, je la raccompagnais aussi tremblante qu'elle.

Parfois, je ne la voyais pas arriver sur le dernier banc de la classe. La récré arrivait et la maîtresse fouillait le vestiaire à l'aide de sa règle qu'elle tenait telle une épée. Elle découvrait Mireille, terrorisée, cachée derrière les manteaux. Un jour, c'est tout au bout du couloir, derrière un gros meuble, qu'elle s'était dissimulée, comme une bête peureuse. Elle avait honte des bleus qu'elle avait.

« Et ta mère, qu'est-ce qu'elle dit ?

— Rien. Il la battrait aussi. »

Et elle s'étonnait :

« Toi, ton père ne te bat jamais ?

— Non.

— Tu as de la chance. »

Grâce à la petite Mireille, j'ai su qu'on avait beaucoup de chance. Chez nous, on se retrouvait tous autour de la table, papa d'un côté et maman de l'autre, mais souvent debout, parce qu'elle voulait que nous mangions bien tous (même si ce n'était que des pommes de terre, s'ingéniant à les faire de différentes façons pour qu'on ne se lasse pas trop) ou bien pour faire téter ou pour langer le petit dernier. Et, se souvenant que sa sœur jadis jouait au violon de jolis petits airs, elle chantait une petite chanson :

Mes parents sont venus me chercher
Dans l' dodo où j'étais bien couché
Pour changer ma petit' couche
Essuyer ma petite bouche...

On était la famille qui chante, pas seulement à l'église le dimanche. Vivant les uns sur les autres, avec des murs qui transmettaient plus qu'ils n'isolaient, chacun était au courant de ce qui arrivait à tous. Il n'y avait plus un logement libre à la cité des Malpeignés. C'était un drôle de mélange.

Il y avait des gitans qui n'étaient pas méchants et faisaient de la musique. J'aimais bien les écouter. Je ne comprenais pas leurs paroles. Mais il y avait toujours une vieille mémé pour me traduire :

« Il dit que ceux qui dansent sont comme des oiseaux... » ou bien « Il a des larmes comme des pois chiches parce que celle qu'il aime l'a abandonné... » ou bien « Tes prunelles sont des voleuses et tes cils les grandes herbes sous lesquelles elles se cachent... »

De temps en temps, elle ajoutait :

« Ça... il n'y a pas de traduction pour les petites filles ! »

Ils avaient les mêmes recettes que la mamet. Les mêmes superstitions aussi. Un chat noir était une catastrophe mais croiser des moutons, c'était la richesse. A une condition : pour la saisir, il fallait fermer le poing très vite, autant de fois qu'il y avait de moutons (et ça, c'est très difficile quand il s'agit d'un troupeau !).

Et puis, il y avait des familles à problèmes parce que familles nombreuses. Nous avions tous un point commun : nous habitions les Malpeignés, donc nous étions dans le besoin. Mais à cause de cela sans doute, parce qu'on était tous logés à la même enseigne, on s'entraidait. Comme jamais je ne l'ai vu faire ailleurs. On se prêtait un peu tout, on partageait. Même les pauvres savent faire la fête. Ils savent même la faire mieux que les riches parce que pour eux c'est vraiment un événement. Tantôt c'était avec les gitans. Ou madame Durand qui était alsacienne — mais avait épousé un monsieur Durand — faisait un gâteau de sa façon, un kougloff ou une tarte à la cannelle. Et on chantait. Ça nous changeait du Brise-tout d'en face qui en arrivait dans ses colères à casser ses vitres, mais qui a pleuré trois jours durant quand on a hospitalisé son fils qu'il avait rossé.

Il ne se passait guère de semaine sans bagarre, sans que la police n'ait à intervenir. Au point que, bientôt, la cité des Malpeignés eut un surnom : « Chicago ».

Les champs, c'était la providence des mères de la cité. Elles nous mettaient là-dedans et elles étaient tranquilles pour la journée. Ils s'étendaient à l'infini, c'était notre paradis. Un jour, moi si timide, pensait maman, j'ai grimpé dans un arbre... et je ne pouvais plus redescendre, j'avais le vertige. Christiane est allée chercher du secours :

« Mireille, dans un arbre ?

— Oui ! dans le haut de l'arbre !

— Craintive comme elle est ! Si tu crois que tu vas me faire marcher ! »

Maman ne l'a cru que lorsque Youki est venu la tirer en aboyant. Youki, c'était notre chien.

Plus exactement, un chien perdu qui avait suivi Matite à la sortie de l'école. Un bâtard qui devait être le fruit des amours d'une chienne-loup et d'un fox-terrier, ou vice versa. Et nous voici arrivant aux Malpeignés, le chien sur nos talons.

« Comment voulez-vous qu'on nourrisse un chien ! On n'a déjà pas assez de viande pour nous !

— Il mangera ce qu'il y aura. Il a faim, regarde-le. »

Il s'était mis à pleuvoir. Maman n'avait pas le cœur à mettre un chien dehors.

« On verra quand votre père rentrera... »

Matite me fit un clin d'œil. Papa parut suffoqué. Un chien !

« Toi qui regrettes tellement que le papet n'ait plus sa Pelette pour aller à la chasse ! dit Matite. Je suis sûre que Youki a du flair.

— Comment sais-tu qu'il a du flair et qu'il s'appelle Youki ?

— Je l'appelle Youki parce que je trouve que ça lui va, et le flair, il l'a, la preuve, il m'a suivie, alors qu'il aurait pu suivre la Mireille (la petite voisine, celle qui se faisait battre comme plâtre) où il se ferait mettre des coups de pied !

— Attention ! ce chien, il est peut-être à quelqu'un. Il y a peut-être un petit enfant qui pleure en ce moment parce qu'il l'a perdu... Alors, demain, j'irai le déclarer à la gendarmerie... »

Ce fut une nuit inoubliable. Youki dormit comme un roi, avec Matite et moi. Il nous tenait chaud, c'était délicieux. Le lendemain, on guetta le retour de papa. Personne n'avait apparemment perdu un chien dans le quartier. Mais il pouvait venir de loin...

« Gardez-le, monsieur Mathieu, avait dit le gendarme, en attendant... et si personne ne le réclame dans un an et un jour, eh bien, comme si c'était un bijou, ou une somme d'argent, il sera à vous ! »

Papa le ramena au bout d'une ficelle. Youki nous fit fête, ayant déjà adopté la maison. Je remarquai que papa désormais changeait de formule.

« Ah ! mon pauvre ami ! disait-il volontiers, comment voulez-vous que je sois gras à lard avec un chien et dix enfants à nourrir ! »

Après la série des cinq filles, était venue la série des cinq garçons : les jumeaux, Roger, et, nés dans le Fibrociment, Rémi et Jean-Pierre. L'équilibre était parfait.

Papa décida de tester Youki à la chasse. Il nous emmena, nous, les filles. Les garçons étaient trop petits. Youki, le premier jour, était complètement fou, à croire qu'il n'avait jamais chassé de sa vie et que c'était un chien de Paris qu'on avait laissé sur la route. Il était comme nous, libérées de l'école et lâchées dans les champs, dans les fleurs, avec toutes les odeurs qui vous montent à la tête. Il courait après les libellules...

« Ah non ! pas les libellules ! »

C'était de si jolies créatures du Bon Dieu. Près du ruisseau, je ne me lassais pas de les regarder, toutes différentes : il y en avait des jaunes, des vertes, des bleues... Les bleues, surtout, me fascinaient, tant elles étaient brillantes avec un corps de velours. Et elles m'ont tant émerveillée que, plus tard, bien plus tard, le miracle venu, quand j'ai pu commander ma première robe du soir, je l'ai choisie bleu libellule et en velours...

A dire vrai, je n'aimais pas du tout la chasse. J'avais peur des coups de feu, et j'étais incapable de manger ce que j'avais vu tuer. Et je déconcentrais Youki... Cependant, il fit des progrès. Il arriva même un jour où papa décréta « qu'il était meilleur que Pelette ». On voyait donc arriver le « un an et un jour » avec une certaine angoisse. Papa et Youki partirent vers la gendarmerie... On guettait leur retour. Sur le chemin des Malpeignés, on les vit se poindre, l'un promenant l'autre, c'est-à-dire à son habitude définitivement acquise, Youki tirant son maître. Il était bien à nous. On embrassa le chien comme s'il était un héros.

On adorait accompagner papa à l'atelier, où il se mettait en tenue de travail : tout en blanc, c'est mieux pour la poussière de pierre. Il empilait son attirail dans le charreton à côté de nous, et on n'avait que quelques mètres à faire pour atteindre la grille.

Le cimetière de Saint-Véran est une curiosité d'Avignon. Il est, comme on dit, « hors des murs », entre la porte Saint-Lazare et la porte Thiers.

S'il n'y avait les tombes, ce serait un parc où il ferait bon vivre. De l'abbaye de jadis, il ne reste que l'abside.

« C'était le monastère des bénédictines, racontait papa. Elles ont tout abandonné pendant la guerre...

— Où tu as été blessé ?

— Ah non ! pas cette guerre-là, peuchère ! C'est qu'il y en a eu, des guerres ! Non, celle de Charles Quint. L'armée de François Ier est venue dare dare pour nous sauver, mais, dans ce tohu-bohu de soldats, les bénédictines, elles ont mis la voile. »

Certaines « gens-ses » ne trouvaient pas convenable que des petites filles passent leur jeudi au cimetière, mais nous, on aimait bien. On apprenait des tas de choses avec papa.

« Allez, venez... on va nettoyer la pauvre Agathe-Rosalie. »

C'était le tombeau de la femme de chambre de Marie-Antoinette : « Agathe-Rosalie Mottet, épouse de Rambeault ».

« On peut dire qu'elle a bercé les enfants de France, celle-là...

— On lui a coupé la tête, dis, papa ?

— Non. Elle est morte dans son lit, tu vois bien, " dans sa quatre-vingt-neuvième année ". »

A côté de cette tombe, on en polissait une autre encore plus ancienne. Il nous donnait un « chemin de fer », qu'on passait sur la pierre pour enlever toute moisissure et lui rendre son poli.

« Ici, c'est Mme de Villelume, née Maurille de Sombreuil. »

Ça m'intriguait encore plus, cette dame qui avait un prénom en forme de champignon !

« Une héroïne de la Révolution, racontait papa. Son père était le gouverneur des Invalides ; alors, il avait voulu défendre les Tuileries et on l'avait arrêté. Mlle de Sombreuil a tant pleuré et supplié les Sans-Culottes qu'elle l'a sauvé, son papa. Quand elle est morte, beaucoup plus tard, ici, à Avignon, on a enlevé son cœur pour le mettre près de son papa aux Invalides, à Paris... »

Je ne comprenais pas très bien comment on pouvait enlever un cœur pour le mettre ailleurs, et je ne trouvais pas extraordinaire qu'elle ait sauvé son papa :

« Si on t'arrêtait, on en ferait autant, hein, Matite ? »

Et Matite, qui était souvent de mon avis :

« Bien sûr, on en ferait autant. Mais je n'aimerais pas qu'on m'enlève le cœur ! »

Loin de toutes les agitations, le cimetière était notre jardin extraordinaire.

Un jour, papa apporta une boîte percée de trous. Il avait l'air tout heureux :

« J'ai demandé la permission ! » dit-il.

Je n'ai jamais su à qui... Avec précaution, il ouvrit la boîte et s'en échappa un couple d'écureuils. Bien entendu, ils ont fait des petits... Quel plaisir de les voir sauter de branche en branche ! De leur apporter une noisette... Une autre fois, il apporta un couple de tourterelles :

« Je ne vois pas pourquoi un cimetière serait triste, disait papa. Puisque c'est notre dernière demeure, autant qu'elle soit gaie ! »

A l'entrée, depuis, on a posé une plaque, avec une phrase si belle, comme un poème, que je l'ai apprise par cœur :

Ce cimetière vu en juin
est l'un des plus beaux que j'ai visités,
pleins d'oiseaux, de soleil, d'ombrages frais, de profonde verdure
et d'une variété d'arbres
où j'admirais les pins maritimes
les pins d'Alep
étreints de lierres vigoureux
et d'immobiles cyprès.

Quel repos ! quelle paix naturelle !
Si les morts étaients là plus espacés,
si je pouvais y dormir seul
au milieu de cette noble forêt.
Au bout d'une petite avenue
qu'orne à l'entrée un mûrier d'Espagne
j'ai visité la tombe de Stuart Mill.

Maurice Barrès.

Papa connaissait aussi l'histoire de Stuart Mill :

« C'était un écrivain anglais qui était en voyage par chez nous avec sa femme. Et voilà qu'elle meurt en Avignon, la pauvre dame. Alors, de douleur, il acheta une petite maison près du cimetière, et il est mort là, quinze ans plus tard, pour être enterré avec sa bien-aimée. »

Je ne trouvais rien de triste dans tout cela. Quand on ne

polissait pas, on mettait des fleurs devant les tombes, on arrosait les bouquets qui étaient secs. Parfois, on voyait une pauvre croix sans rien, alors que devant un mausolée de marbre, il y avait des gerbes. Alors, on lui prenait quelques fleurs qu'on allait mettre à la croix qui n'avait rien. Papa faisait celui qui n'avait rien vu.

Et ce n'est pas le papet qui aurait dit quelque chose, avec ses idées d'égalité !

Souvent, ils étaient tous les deux de chaque côté d'une pierre tombale, à graver les inscriptions. Ça me fascinait, parce que, là, il n'était pas question d'effacer ! D'autres fois, ils montaient un échafaudage pour les tombeaux monumentaux :

« C'est rien à côté de Grenoble ! » disait papa.

Ils étaient partis un jour faire un monument là-bas, et maman n'était pas peu fière :

« C'est qu'ils ont une réputation qui passe bien plus loin que le pont d'Avignon ! » disait-elle.

Et, volontiers, dans le cimetière, elle montrait la signature des « Mathieu » dans le bas de la pierre.

C'est peut-être pour ça que, à Saint-Véran, nous, les gosses à Roger, on se sentait dans notre royaume, un royaume qui avait ses mystères. Il est arrivé que les fossoyeurs creusant un trou profond nous sortent, sous le nez, un crâne. On était terrifiés.

« Il ne faut pas avoir peur, nous a expliqué papa. On est tous comme ça quand on est mort. Ça, c'est ce qui va tomber en poussière. Le monsieur, lui, il est monté au paradis... Allez, venez m'aider à peindre. »

Il nous avait appris à manier le pinceau pour blanchir la pierre. C'est ce qu'on préférait. On le suivait en gambadant. On en oubliait les croque-morts. Et il nous arrivait de chantonner. Une dame qui venait se recueillir fut très choquée :

« Elles chantent ! Vous chantez dans un cimetière !

— Ce sont des enfants ! Excusez-les. Elles ne savent pas.

— Vous n'avez qu'à les tenir ! Ainsi que votre chien ! Un chien ! Dans un cimetière ! Pourquoi pas dans une église !

— Oui, madame, comme saint Roch. »

Elle partit, raide, comme amidonnée dans le savon qu'elle venait de nous passer. On reprit nos pinceaux. En silence. Quand, au bout d'un moment :

« Mais, papa... c'est toi qui chantes ! »

A blanchir la pierre, on avait pris goût au pinceau. Papa décida qu'il allait acheter de la peinture pour notre chambre des Malpeignés.

« Quelle couleur vous voulez, les filles ? »

Le vert porte malheur, le bleu c'est pour les garçons ; d'une seule voix, Matite, Christiane et moi, on vota pour le rose. Papa revint avec des pots de rose et trois pinceaux.

« Comme ça, dit-il à maman, ça les occupera et tu seras un peu tranquille le dimanche ! »

On vécut alors de grands moments. Sauf pour pousser l'armoire, papa ne voulait pas s'en mêler :

« Débrouillez-vous, les filles. Vous savez comment on tient un pinceau. Alors... allez-y ! »

On couvrit le lit et les chaises avec des journaux, et maman nous mit de vieux tabliers. Quand elle risquait un œil, elle était horrifiée :

« Seigneur, elles en mettent partout !

— C'est bien. Il en faut partout.

— Sur les murs, oui. Mais sur elles... ! »

On avait l'air de bonbons fondants. On s'amusait comme des folles, chantant à tue-tête *Les Trois Cloches.* A moi, *Toutes les cloches sonnent, sonnent...* et, à mes sœurs, les *ding, deng, dong !*

Car Piaf faisait partie de la famille. Je ne peux pas expliquer ce que ça m'a fait la première fois que je l'ai entendue à la radio. Ou plutôt si. C'est en toutes lettres dans *L'Accordéoniste : Ça lui rentre dans la peau, par le bas, par le haut, elle a envie de chanter, c'est physique...* A l'école, j'étais connue pour ne rien retenir du tout, mais toutes les chansons de Piaf m'envahissaient sans effort. Grâce au « phono » (maman ne disait jamais « électrophone »), qui était loin d'être un haut de gamme, grâce à lui, comme un petit perroquet ému, je reproduisais ce que j'entendais. Je me souviens de maman demandant à papa :

« Qu'est-ce que tu crois ? Elle comprend ce qu'elle chante ?

— Non, bien sûr ! »

Il était plein de tatouages
Que j'ai jamais très bien compris
Son cou portait : pas vu, pas pris,
Sur son cœur on lisait : personne.

Je n'avais pas compris davantage ce que pouvait être un légionnaire. Mais c'est un fait que je chantais le répertoire de Piaf. C'était même devenu une espèce d'attraction dans la cité des Malpeignés. La mamet était aux anges. Piaf, c'était « sa » môme. Elle me donnait de temps en temps des sous pour « petits services rendus » en me disant :

« Ça te servira à acheter un disque de Piaf. »

C'est ainsi qu'un jour je rapportai à la maison, bien à moi, *L'Homme à la moto* et, au verso, *Le Prisonnier de la tour.*

Ce qu'il préférait chanter, papa, ce n'était ni *Milord* ni *Tchi-Tchi,* c'était *Carmen.* Maman, elle, connaissait tout le répertoire de Tino Rossi ; et lui, papa, tous les opéras. La situation dans notre Chicago était moins dramatique qu'à la maison pointue — bien que plus agitée à cause de l'environnement ! —, papa annonça un jour :

« Maman... une surprise pour toi : nous avons un abonnement à l'Opéra !

— Un abonnement ! tu es fada ! Et comment j'irai à l'Opéra ?

— Sur mon solex. En croupe.

— Mais enfin, Roger... et habillée comment ?

— Crois pas que j'ai des fauteuils d'orchestre ! On sera là-haut, au paradis. Tu te mets proprette, comme pour la messe.

— Sur le solex ! Tu ne te rends pas compte ! Et les enfants ?

— Les marmots, ils se sont déjà gardés tout seuls.

— Ah non ! les garçons sont trop petits encore et les filles pas assez grandes !

— Irène viendra les garder. Ça la changera de son usine. »

Car maintenant que tante Irène était séparée de son mari, elle travaillait à l'usine de javel, sur la route de Lyon. Elle fut d'accord.

« Tu les fais souper, Marcelle, tu les couches, et moi je les veille en tricotant. »

C'est ainsi grâce à *Werther, Madame Butterfly,* à *La Tosca,* à *Faust* que j'ai appris le tricot. J'aimais ces veillées avec Tantine. Elle m'a d'abord donné des bouts de bois pour me faire les doigts. Puis j'ai eu droit aux aiguilles. J'ai fait mon premier cache-nez au point mousse. Mais tantôt Réjane défaisait toutes mes mailles, tantôt les jumeaux volaient le cache-nez... ou Youki jouait avec la pelote. Je planquais mon chef-d'œuvre sur le haut du buffet. En voulant le reprendre, j'ai basculé de ma chaise, entraînant dans ma chute mon travail, l'une des aiguilles se plantant dans mes côtes sous l'œil terrifié de Matite. Je n'osais plus bouger. Ça saignait !

« Tantine ! Tantine ! Viens vite ! Mimi est comme saint Sébastien ! »

Mes parents, qui sortaient du drame de *La Traviata,* tombèrent brusquement dans un autre. Je hurlais comme si j'avais été fléchée par un Indien.

« J'ai été chercher le docteur, disait Tantine. Il l'a pansée et lui a fait une piqûre contre le tétanos. Mais il faudrait qu'elle dorme. »

Le calme de Tantine et sa camomille s'étaient révélés inefficaces. Pour m'apaiser, papa entreprit de me raconter *La Traviata.* A l'époque, je n'avais pas entendu parler de Pagnol, je n'avais pas vu ses films, je ne pouvais donc pas me dire que papa, c'était Raimu dans *César :* il en avait l'accent, la truculence, la chaleur humaine... Tandis que maman essayait, tout en se débarrassant de ses habits du dimanche, de lui faire baisser la voix pour ne pas réveiller les petits et que la Tantine m'avait gardée sur ses genoux pour me cajoler, papa me donnait sa version de *La Traviata :*

« Violetta, c'est son nom, parce qu'elle est belle comme une fleur, mais en fait c'est une bagasse...

— Roger, tu crois que c'est une histoire pour les enfants ?

— C'est une histoire “ clas-si-que ” ! Et, d'ailleurs, la petite, dès sa majorité, je l'abonne à l'Opéra !

— Sa majorité, ce n'est pas pour demain. En fait d'histoire, tu ferais mieux de lui raconter l'Histoire de France !

— L'Histoire de France est pleine aussi de bagasses et d'assassins. Dans *La Traviata,* au moins, il n'y a pas d'assassins. Mais Violetta va quand même mourir...

— Pourquoi, papa ?

— Parce qu'elle a attrapé une sale maladie.

— Qu'est-ce que tu lui dis, à cette petite ? Elle est morte, la pauvrette, comme ma sœur ! De tuberculose !

— Et alors ? Ce n'est pas une sale maladie ? Bon. Je continue... Voilà qu'Alfredo, un beau jeune homme, avec un peu de ventre tout de même, tu ne trouves pas Marcelle qu'il avait un peu de ventre ? il tombe amoureux d'elle.

— Il va attraper la maladie, papa ?

— On sait pas. L'opéra finit avant. Peut-être bien qu'ils auraient pu faire une suite. Je continue... Le père du jeune homme, môssieu Germont, ne veut pas qu'il l'épouse.

— Parce qu'elle est malade ?

— Parce que c'est une bagasse. Et que, dans la famille, ça ne ferait pas bon effet.

— Mais tu l'ennuies, papa, avec ton histoire.

— Je l'ennuie ! Regarde ses yeux grands ouverts ! Ce n'est pas une niquedouille que ma Mimi ! Il en faut plus qu'un opéra et une aiguille à tricoter pour l'anéantir ! Je continue... »

J'ai souvenance de la voix de papa poursuivant son récit en superbe ronron, jusqu'à ce que, suivant dans la chambre arrière la Tantine, qui m'avait mise comme un paquet dans ses bras, il me dépose dans le lit où Matite dormait déjà.

Une autre fois, il est arrivé triomphant avec un grand carton dans le charreton :

« Maman !... viens voir un peu la surprise !

— Qu'est-ce que c'est ? Que c'est gros !

— Tu n'as pas le temps, ma caille, d'aller au cinéma. Je te l'apporte à domicile ! »

C'était la télévision.

On était tous comme autour du veau d'or.

« Comment tu as pu acheter ça, Roger ?

— A tempérament. Ça te fait plaisir au moins ?

— Ça m'inquiète. Comment on va payer ?

— Petit bout par petit bout, je te dis. Tu sais ce qu'il m'a appris, le marchand ? “ Vous êtes le dix-huitième à avoir la télévision dans tout Avignon ! ” Tu te rends compte ! autant dire un pionnier ! »

Le premier, en tout cas, dans la cité des Malpeignés. Tout le monde voulait voir le poste. Il y eut une sorte de grande première, la maison bondée comme pour un mariage. On nous posait mille questions auxquelles on ne pouvait pas répondre. Du genre :

« Comment c'est possible de voir ici quelqu'un qui parle dans le poste à Paris ?

— Ça se branche et ça marche, voilà tout », disait maman.

Il arriva que ça se branchait et que ça ne marchait pas.

« C'est parce que votre terrain est inondé ! disait le réparateur. Ça court-circuite. »

De ce point de vue, ça ne s'arrangeait pas. La maison continuait à prendre l'eau. On n'avait toujours pas goudronné et, par grosses averses, à la saison des pluies, on nous arriva même en barque !

Pour payer la télévision, il fallut se serrer un peu la ceinture. Mais on était tous si contents. C'était comme un miracle permanent toutes ces images qui nous venaient du monde entier.

« Mais on l'a eue trop tard, trop tard, soupirait papa. Je ne me consolerai jamais de ne pas avoir vu le couronnement de la reine d'Angleterre ! »

Un regret qui fit hausser les épaules au papet. Avec sa carte du Parti, il s'asseyait sur tous les rois de France. Alors, vous pensez, la reine d'Angleterre ! Ça n'empêchait pas le respect. Papa, qui avait commencé à perdre ses cheveux très jeune — à cause de la guerre, disait maman —, portait son chapeau même à la maison. On ne le lui faisait enlever nulle part. Même pas au poulailler de l'Opéra. Et quand quelqu'un osait lui en faire réflexion :

« Etre la tête nue me ferait l'effet de Marcelle se promenant en petite culotte ! »

Mais je l'ai vu se découvrir devant la télévision. Quand on y jouait *La Marseillaise* et quand y paraissait le général de Gaulle.

Qu'elle marche ou qu'elle ne marche pas à cause de l'humidité, il accueillait les curieux. Jamais on n'avait eu autant d'amis. Sans parler de ceux qui nous devenaient familiers sur le petit écran. Catherine Langeais, Jacqueline Caurat m'étaient certainement plus proches que ma maîtresse d'école. Et c'est ainsi que je vis une fois, une seule fois, Edith Piaf à la télévision.

Je ne l'avais pas imaginée si pâle, si frêle, si tourmentée... Ce qui me rassura, c'était la petite croix qu'elle portait autour du cou.

« Il est bien brave votre mari ! disait Mme Vergier, l'ancienne voisine venue tout exprès pour le " cinéma à la maison ". Il fait voir la télévision à tout le monde... »

C'était vrai. Et nous, les enfants, on invitait nos copains le jeudi. On n'était pas plus riches qu'avant, mais on se sentait princiers. Quand aujourd'hui, au cours d'une tournée internationale, je traverse des quartiers déshérités, encore plus démunis que ne l'étaient nos Malpeignés, je pense aux favellas de Rio de Janeiro, par exemple, j'aperçois des groupes de pauvres gens et des grappes d'enfants pieds nus agglutinés autour d'une vieille télé, leur seul luxe, leur seule évasion, le seul contact avec un monde extérieur qui les ignore. Papa disait la « boîte à rêves » et le papet, la « boîte à malices » ou encore, mieux, la « boîte au Malin »... d'où une grande discussion entre eux en provençal. Car il en était resté à la veillée traditionnelle où chacun contait son histoire.

« Qu'est-ce qu'il dit, le papet ? demandait maman.

— Que, dans le temps, tout le monde parlait sans avoir besoin d'une machine.

— Et tu lui as répondu ?

— Qu'il était plus facile de couper le sifflet à une télé qu'à un Prouvençau ! »

La télé changea nos habitudes. Dorénavant, la pire des punitions fut d'être privé de télévision. Papa resta inflexible sur l'horaire : 8 heures, les gosses... au lit ! On regardait donc surtout *Télé-Dimanche* sans imaginer qu'un jour, encore lointain, naîtrait là une certaine Mireille Mathieu.

4.

LA COLONIE DES PETITS MATHIEU

Pour le moment, j'étais la petite Mimi, fondue dans la masse. Maman avait la fierté de nous habiller tous pareils :

« Je ne veux pas que vous ayez l'air de mendiants vêtus à vot' bon cœur, m'sieurs-dames ! »

Elle se débrouillait avec les *Nouvelles Galeries* et les *Chaussures André* où on connaissait cette mère de famille nombreuse. On lui donnait des soldes, on lui faisait des petits prix. On était tous impeccables avec nos mêmes petits manteaux, nos mêmes petites bottes, tous de la même couleur. On se tenait par la main, en file pour ne pas se perdre, et on entendait sur notre passage :

« Qu'ils sont mignons, les petits de la colonie...

— C'est pas une colonie, c'est la famille Mathieu ! »

C'était l'orgueil de mes parents de nous voir proprets, et la fierté de mon père d'avoir dix enfants.

Il n'y eut qu'une robe qui servit à toute la kyrielle des filles : celle de la première communion. Et, bien entendu, ce fut à moi, l'aînée, de l'étrenner. Maman l'avait achetée à crédit aux *Nouvelles Galeries*. Elle me parut superbe, avec ses plis religieuse... le mot, rien que le mot, me ravissait. Des plis « religieuse » ! J'avais suivi le catéchisme avec autant de passion que l'Histoire de France. Ma tête était déjà remplie de rois et de saints : Saint Louis en pèlerinage à la Sainte-Beaume où s'était retirée Marie-Madeleine ; sainte Marthe domptant la tarasque sur le bord de notre Rhône, là, tout près ; cette tarasque, « plus grosse qu'un bœuf, comme me l'avait décrite la mamet, demi-dragon avec des cornes et demi-poisson »... Chez nous, les saints pullulent. Ils se sont assis sur toutes les pierres, reposés sous nos arbres, laissant leurs reliques ici et là.

« Quand tu seras grande, me disait la mamet, tu iras à Carpentras et tu verras le clou de la croix, dans le mors du cheval de l'empereur Constantin. C'est sa mère, sainte Hélène, qui avait été en Palestine, qui avait vu la vraie croix, qui en avait rapporté ce clou, et avait fait forger le mors pour protéger son fils... » En revêtant la robe blanche et en coiffant le bonnet, il me semblait que j'entrais dans un monde merveilleux. Je m'y préparai avec soin. Exception faite d'un jour de péché... L'école finissait à midi, ce qui nous permettait d'aller au catéchisme pendant une demi-heure avant de rejoindre la cantine. Monsieur le curé racontait très bien l'histoire religieuse. J'avais été frappée par le baptême donné par Jean-Baptiste et l'image que j'en avais vu : Jésus dans le Jourdain... Ainsi on entrait dans l'eau et on était purifié ? Le curé avait près de l'églige un jardin... et c'était la saison des fraises. Je n'ai jamais su résister aux fraises. Dès que je les vois, toutes rouges sous leurs feuilles, j'en sens déjà le goût dans la bouche. Bref, on alla manger ses fraises... Péché de gourmandise. On avait raté le catéchisme. Je dis à mes sœurs avec assurance :

« On va se tremper dans le ruisseau et on sera pardonné.

— Tu crois ?

— Le curé l'a dit. Ça efface le péché. »

Et nous voilà barbotant dans l'eau et nous aspergeant... Nous sommes revenues toutes mouillées, ce qui n'a rien arrangé.

Trois jours avant la communion solennelle, il y avait la retraite. On partait le matin avec notre en-cas pour le pique-nique et, le dernier soir, il y avait la procession. On la suivait aussi au matin des Rameaux en balançant les branches d'olivier, mais, pour la communion, c'était encore bien plus superbe, à la nuit, avec les cierges allumés.

Et le jour de la cérémonie, quel plaisir d'aller dans sa robe blanche dans les maisons amies pour offrir les images de la communion. En retour, on nous donnait une pièce pour les pauvres. C'était la tradition... Je me souviens de mon image préférée. C'était un petit ange blond ressemblant à Rémi, avec cette phrase de saint Bernard : « Seigneur, j'ai pour tout bien un petit corps et une petite âme, je vous donne l'un et l'autre. »

La communion solennelle était une cérémonie aussi importante qu'un mariage : toute la famille se retrouvait. On chantait tous à l'église, papa ayant la plus belle voix de la chorale. Dans des moments comme ça, toute la misère était oubliée.

Si je devais dire le jour le plus lumineux de mon enfance, ce serait celui-là. Les anciens voisins eux-mêmes s'en étaient mêlés. Mme Vergier avait offert les poulets pour le repas, et M. Foli, les fraises. Et papa m'avait passé autour du poignet, solennellement, une dizaine.

Elle ne m'a jamais quittée.

L'année suivante, le 10 mai, j'aidai Matite à enfiler la jolie robe blanche. C'était son tour... On se préparait avec la même joie, la même ferveur, la même excitation particulière. Ce jour, on baptisait aussi le petit Jean-Pierre. Quelle double fête en perspective !

Le matin, nous partons pour la messe de communion en laissant le futur baptisé, qui n'avait que quatre mois, à la garde de la tante Julie, la sœur du papet. Nous étions encore à l'église, recueillis, quand une voisine arrive, bouleversée, et voilà le désordre dans la messe, maman quittant en vitesse la nef, suivie de papa, laissant le curé éberlué... Jean-Pierre était dans le coma, et la nouvelle courut les rangs perturbant l'office. La Julie, qui n'avait jamais eu d'enfant, n'avait rien trouvé de mieux que de baigner le petit après son biberon. Et, soudain, elle n'avait plus eu entre ses mains qu'un petit corps inanimé à l'œil vitreux... On le transporta à l'hôpital. Mes parents, sens dessus dessous, y passèrent la journée : il était toujours dans le coma.

Drôle de communion pour la pauvre Matite. Le repas resta sur la table. Pas de vêpres et, bien entendu, pas de baptême. Ce qui chagrina fort la mamet : il allait mourir sans le sacrement !

Moi, je refusai de quitter l'église. J'y restai seule, je priai, en pleurant... je priai. Jean-Pierre fut sauvé. Mais ma Matite avait été privée de ce que j'avais connu l'année précédente : une journée de béatitude.

Mes petits frères me donnaient toujours beaucoup d'inquiétude. Non parce qu'ils étaient turbulents et casse-cou : dans la cité des Malpeignés, ils étaient parmi les plus doux. Mais ils semblaient moins solides que nous, les filles. Ou ils jouaient de plus de malchance. Guy, l'un des jumeaux, faisait otite sur otite depuis l'âge de trois ans. C'était une pitié que de le voir souffrir ainsi, couché sur son oreille. J'entendais comme une menace :

« Pourvu qu'il ne fasse pas une mastoïdite ! »

Il l'a faite et est même resté sourd. Ce n'est que plus tard, bien plus tard — à la veille de son mariage en 1978 ! — qu'on a pu le faire opérer à Béziers.

Une autre peur, une grande peur, c'est à Rémi que je la dois. Il avait trois ans. Un vrai ange blond, même en dormant... C'est Régis qui donna l'alerte :

« Venez, maman, papa, Rémi s'étouffe ! »

Ses convulsions n'impressionnèrent pas maman :

« Des convulsions... presque tous les petits en ont ! »

Quant à Papa, il tenait un remède infaillible de la mamet. Il quitta sa télé et le film policier qu'il regardait. Ce remède, il était simple : maman maîtrisait l'enfant. Papa lui maintenait la langue avec une cuiller tout en mâchant de l'ail qu'il soufflait dans la bouche du petit. Et les convulsions cessaient... sauf cette fois. L'ail ne faisait rien à l'affaire. Non seulement Rémi avait ces mouvements convulsifs qui nous effrayaient tant mes sœurs et moi, mais, apparemment, il avait une forte fièvre.

Papa avait commencé par dire que c'était parce qu'on lui avait donné trop de biscuits... que c'était sûrement pour ça qu'il faisait encore des convulsions. Mais, tout à coup, devant son délire, ses yeux qui chaviraient, il dit :

« Je vais chercher le docteur Monoret ! »

Il partit dans la nuit. On resta près de maman, terrifiées.

« Je crois qu'il est en train de passer... » murmurait maman, épongeant le petit front.

Il avait déjà une raideur qui faisait penser à la mort.

Papa ne revint pas. Enfin... pas tout de suite. Il avait cherché le docteur ici et là... c'était un fort bel homme qui avait beaucoup de succès auprès des dames... Dans l'angoisse, papa se mit à veiller Rémi avec maman. Et, au petit matin, il alla chercher un autre médecin, le docteur André. Celui-ci ne regarda pas très longtemps Rémi pour décréter :

« Vite ! A l'hôpital ! Et vous, les enfants, vous n'allez pas à l'école !

— Pas à l'école ! Pourquoi donc !

— Parce que c'est contagieux ! »

Je lui demandai si c'était pire que les oreillons ?

« Bien pire ! »

Les oreillons m'avaient épouvantée parce qu'on était tous enflés. La stomatite des jumeaux, qui avaient commencé par se plaindre un jour de leur bouche enflammée, pour ensuite ne pouvoir ni parler ni manger, m'avait impressionnée... mais alors, là, qu'allait-il nous arriver ? Des gens. Des gens bizarres avec de grands pulvérisateurs « pour désinfecter la maison » et tout ce qu'il y avait dedans, y compris nos vêtements et nous-mêmes. Je pensais aux pestiférés dont la mamet nous avait conté l'histoire. Le vinaigre des quatre voleurs avait donc perdu ses vertus qu'on nous asphyxiait ainsi ? L'odeur âcre, écœurante, du désinfectant, nous imprégna des jours durant. Ah ! certes non, on ne pouvait pas aller à l'école ! On sentait trop mauvais !

« Vous ne voulez pas flanquer la méningite cérébro-spinale à toute la cité ! »

On n'avait même pas le droit d'aller voir Rémi à l'hôpital. Il nous manquait. Maman nous expliquait qu'elle-même ne le voyait qu'à travers une vitre. Ses jambes recommencèrent à saigner.

« C'est que le onzième est en route ! » disait-elle aux voisins.

Elle partit à son tour juste avant Noël.

« Mes pauvres petites... vous allez vous retrouver seules, responsables ! Il faudra bien soigner papa et Jean-Pierre. »

Il n'avait qu'un an, le pitchoun, et moi douze... C'est cet hiver-là que j'ai compris une chose importante, grâce au père Bernard.

C'était un religieux qui visitait régulièrement la cité des Malpeignés. Il essayait d'aider toutes ces familles à problèmes pendant le temps libre que lui laissait l'école des jésuites. On enviait ses grands élèves, qu'il emmenait au cinéma pour les faire ensuite participer à des débats. Son école, c'était sûrement autre chose que la nôtre ! Il m'apprit en deux heures plus que la maîtresse avec sa règle en main durant des années... On le voyait arriver de loin sur le chemin pierreux. La mamet, qui aimait les traditions, l'avait surnommé le « curé en culotte », ce à quoi papa répliquait :

« Heureusement qu'il laisse sa soutane à la maison parce qu'en venant aux Malpeignés, il aurait souvent de la boue sur sa jupe ! »

Ce jour-là, il poussait une brouette droit sur nous.

« Alors, Mireille ? comment va ? »

Ça n'allait pas bien. Une fois de plus, on avait fait la crèche, le cœur gros. Rémi n'était pas là, le petit ange, pour la voir. Et maman non plus...

« Veux-tu m'aider à ramasser du bois, Mireille ? Il fait froid. Ça ira plus vite à nous deux. »

On longea les champs derrière, jusqu'aux peupliers. Au-delà dans le bois, on ramassa des branches mortes. Le père Bernard travaillait sans relâche tout en me parlant :

« Vois-tu, Mireille, ce bois va servir à ceux qui n'ont rien du tout. Je sais que tu n'es pas très heureuse en ce moment. Mais aussi malheureuse que tu croies être, il y a toujours plus malheureux que toi. Plus souffrant que toi. Plus démuni que toi. Toi, au moins, tu as un toit. Il y en a qui n'en ont pas.

— Pas de toit... du tout ? »

Déjà, chez nous, la maison prenait l'eau. Mais alors eux, sans toit, comment faisaient-ils ?

« Eh bien, tu vois, avec ses branches, ils vont pouvoir s'abriter, faire du feu... »

Je l'aidai au mieux malgré mes doigts gelés. Quand la brouette fut pleine, on se sentit très heureux, le père Bernard et moi. Et souvent, très souvent, j'ai repensé à ses paroles. Elles m'ont souvent aidée.

Un matin de février, papa nous dit :

« Mes enfants... vous avez une petite sœur, Sophie-Simone ! En route pour la maternité ! »

Là, c'était presque la fête. On s'habille dans l'allégresse, tous pareils et tous en rose !

« Vous n'allez pas vous arrêter là, vous allez bien nous faire la douzaine ! disait l'infirmière, joviale. Regardez comme elle est mignonne, celle-ci ! »

Le bébé chiffonné ne m'intéressait pas beaucoup. Ma préoccupation c'était Rémi, toujours de l'autre côté de sa vitre, dans une autre aile de l'hôpital. J'en éprouvais une vraie révolte. Ce n'était pas juste. Un tel ange... Maman essaya de me consoler :

« Ma Mimi... dans une famille nombreuse, il y a forcément des drames. Il y a bien plus bien de risques, mais dis-toi aussi qu'il y a bien plus de chances de bonheur... »

Et il m'en arriva un, inattendu, à l'école. En montant de classe, je changeai enfin de maîtresse et découvris Mme Julien.

C'était une femme très gaie avec des petites taches de rousseur et une grosse poitrine rassurante. Jamais de règle dans ses mains, qui parlaient en s'agitant comme des oiseaux. Elle tirait ses cheveux déjà blancs en arrière en un beau chignon. Il m'intriguait, ce chignon. Il devait prendre du temps à faire tous les matins ! Sans doute n'avait-elle pas comme moi à trimbaler cinq pains énormes et deux pots de lait pour les petits frères et sœurs ! Elle comprenait très bien pourquoi j'arrivais en retard et pourquoi j'inversais les mots.

« Je connais tes problèmes, Mireille. Ta maman m'a dit que tu n'arrivais pas à faire une division ? Tu sais pourtant ce que c'est ?

— Non.

— Mais si, tu le sais ! Voyons... quand tu rapportes à la maison deux douzaines de pommes..., ça fait vingt-quatre. La marchande est gentille, elle t'en donne treize à la douzaine, ça fait vingt-six. Tu es d'accord ? Vous êtes onze enfants, plus la maman, ça fait douze, et le papa, ça fait treize. On va partager les pommes. Et voilà : ça fait deux par personne. Tu sais diviser ! »

Quelle victoire ! ce mot « division » qui suffisait à me geler le sang ne me faisait plus peur. Je rentrai triomphante à la maison.

« Maman, je sais faire une division... avec des pommes ! »

Mme Julien me fit quitter le dernier rang auquel je me croyais abonnée à vie.

« Mets-toi ici, devant... oui, là... au premier rang. Et quand il y aura du calcul, c'est toi qui iras au tableau. »

Au premier rang ! Comme une bonne élève ! Je me mis à

exister. Tracer des chiffres devint ma passion. J'additionnais, je divisais avec un vrai bonheur.

J'allais en connaître un autre. Mme Julien savait que dans la cité des Malpeignés, en dehors des robinets de la cuisine, il n'y avait pas d'eau. Un matin, elle nous dit :

« Mes enfants... ceux qui n'ont pas de douche chez eux pourront utiliser celle de l'école. »

Celle qui était derrière la porte fermée à clé... ? Elle allait s'ouvrir pour nous, les Malpeignés ? A ne pas croire ! Les bruits les plus fantastiques couraient sur cette porte. Matite avait même décrété que, derrière, Barbe Bleue avait mis toutes ses femmes. Avec Mme Julien, fée inespérée, la porte s'ouvrait et tout devenait clair.

Notre première séance de douche fut une révélation. On ne se lassait pas de ce ruissellement tiède sur la peau. On se sentait neuf, revigoré, bien portant, riche ! J'en ai toujours gardé l'impression de plaisir au point que, malgré les baignoires en marbre et à robinets dorés, je préfère toujours la douche, gaie et vivante, au bain tiède, amollissant, lénifiant. La douche de l'école surpassait, certes, l'arrosoir de papa qu'il nous balançait par beau temps ! Elle, elle fonctionnait en toutes saisons ! Cela changea mes rapports avec l'école. J'arrivai de moins en moins en retard.

Mme Julien avait une fille qu'on appelait Fanchon. Elle était bien plus âgée que moi... d'au moins quatre ans. Elle avait un prestige considérable : danseuse à l'opéra d'Avignon, elle organisait les fêtes de l'école. Grande, très mince, avec de longs cheveux, des pieds très cambrés par la danse, elle portait toujours des chaussures bien choisies qui me fascinaient.

« Elles te plaisent, celles-là ? me demanda-t-elle un jour.

— Oh oui ! »

Elles étaient couleur fraise... Le lendemain, Fanchon arriva avec d'autres chaussures et, dans un paquet, ma convoitise :

« Prends-les. Je t'en fais cadeau. »

Un seul ennui. Fanchon avait de grands pieds, proportionnés à sa taille, et moi, je n'ai jamais dépassé la pointure 33. Quel malheur... de si jolies chaussures ! Je trouvai la solution en les bourrant de papier journal que je gardais pour bouchonner les vitres. Faire les carreaux était ma spécialité à la maison, avec le briquage à l'émeri du poêle en fonte, papa se chargeant de vider les cendres. Bref, je réussis à me chausser, sans pour autant avoir une démarche élégante.

« On dirait la cane de Mme Vergier, fut le verdict de mes sœurs. C'est Mimi la Cane ! »

Et ça se chantait !

Fanchon, toujours bien intentionnée à mon égard, me réquisitionna pour les fêtes où elle dansait, merveilleusement à mon sens — mais je n'avais guère de point de comparaison ; quelque chose me mettait toujours la larme à l'œil : *La Mort du cygne.* J'avais l'habitude de chanter en public depuis *Ma poupée chérie,* mais Fanchon prétendait me faire répéter une autre chanson, et ça, ça m'embêtait.

« Comment, Mireille, tu ne veux pas chanter ?

— Je ne peux pas. J'ai mal à la gorge. »

Je mentais effrontément.

« L'ennui, avec Mireille, disait-elle à sa mère, c'est qu'elle est paresseuse et têtue. »

Le portrait n'était pas flatteur mais assez juste... pas tout à fait. Têtue, oui, pour faire ce qui me plaisait, et paresseuse, pour ne pas faire ce qui ne me plaisait pas. Et je n'ai guère changé depuis !

Je n'aimais pas le répertoire de Fanchon, et j'aimais de plus en plus celui de Piaf et de Maria Candido. Or, les chansons d'amour-passion n'entraient pas dans les idées de Fanchon : « Piaf, ce n'est pas pour les petites filles. » Elle avait des principes. D'ailleurs, elle est devenue institutrice.

Le conflit restait ouvert. J'avais pour alliées mes amies Marie-Jo et Roseline. « Tu les imites " pour de vrai "... » disaient-elles. Et je continuais, imperturbable, à entonner *Mon légionnaire.*

Marie-José Bérékian était une Arménienne grande et rousse qui habitait dans une belle maison avec, dans le jardin, un arbre de kakis subissant le même sort que les fraisiers de M. Foli. Mais, ici, c'était une grand-mère très vive qui nous courait après en criant : « Oh ! qui mange mes kakis ? »

Sans raucune, elle nous faisait goûter sa confiture de roses à déguster avec du fromage... Roseline, la pauvre Roseline, avait une enfance encore plus dorée que celle de Marie-Jo. Elle vivait avec sa maman qui lui accordait tout ce qu'elle voulait, peut-être parce que le papa ne vivait pas avec elles, et qu'il fallait faire oublier cette séparation. La maman, couturière, faisait des robes à faire rêver. Quand Roseline m'invitait à goûter, c'était aussi somptueux chez elle que chez le pâtissier ! Il y avait des coulis de fraises et des montagnes de chantilly... Ma petite amie était naturellement habillée à ravir, et je ne pus pas m'empêcher de lui dire un jour : « Qu'il est beau ce corsage ! »

Il était en dentelle rose, avec des volants aux manches. La maman, gentiment, me dit :

« Eh bien, puisqu'il te plaît, je vais te faire le même ! »

J'aurais voulu ravaler mes mots. J'allais vivre une situation affreuse : avoir quelque chose que mes sœurs n'auraient pas. C'était contraire au principe de maman : « Tous pareils, les petits Mathieu ! »

C'est elle qui apaisa mes scrupules :

« Ma petite Mireille, tu grandis maintenant. (Oh ! pas tellement ! pensai-je.) J'espère que tu vas décrocher ton certificat d'études ! Alors, tu seras une grande et tu pourras t'habiller comme il te plaira. »

Et elle rangea soigneusement le beau corsage rose pour l'année suivante. Roseline ne me le vit pas porter. Sa vie bascula brutalement avec la mort de sa mère. Ce fut un déchirement pour ma petite amie. Elle ne comprenait pas, elle était perdue. Elle était sans défense. Une grand-mère qu'elle connaissait à peine vint la chercher. Je pensais que ce n'était pas drôle d'être fille unique. Je n'ai plus eu de nouvelles de Roseline qui a quitté le pays. J'en fus très marquée. Moins à cause de la séparation que par cette réalité : je n'avais pas de belles robes comme Roseline, mais j'avais ce qu'elle ne connaîtrait jamais : l'amour, la chaleur d'une famille, et ce lien si fort entre papa et maman qu'il nous cimentait autour d'eux et les uns aux autres. Je le ressentais, à ce moment-là, comme un trésor dans le cœur et, le dimanche, au centuple.

Parce que, ce jour-là, on était tous ensemble.

Cela commençait à la messe. Nous chantions, papa et moi en « solistes », et toute la famille, les amis, faisaient la chorale.

Il y a des gens qui ne chantent pas. J'en voyais à l'église. Ils sont bouche cousue. Aucun son ne sort. C'est comme un blocage. Ils n'osent pas. Ou ils croient qu'ils chantent mal. Ou ils n'en ont pas envie, et ça prouve que leur cœur est malade. Je voudrais leur dire :

« Chantez ! chantez n'importe comment, mais chantez ! Si vous saviez quelle libération c'est ! Je suppose que l'oiseau, quand il ouvre ses ailes et se lance pour la première fois, doit éprouver cette joie-là ! Chantez ! Même quand on n'a rien en poche, c'est donner quelque chose. »

Et, tous ensemble, on chantait encore, les Mathieu, en allant au rocher des Doms. Mais là, c'était notre répertoire de chansons gaillardes, car cela faisait une trotte à pied, aller-retour, et qui se terminait par une course pour les petits : le premier arrivé là-haut, au pied du grand chêne... Mes parents, eux, tranquilles, ne se lassaient pas du paysage qu'on découvre de là : la ville et surtout le Rhône.

« C'est le plus beau fleuve du monde », assurait papa, qui n'avait pas beaucoup voyagé.

Mais on le croyait, et on regardait le Rhône, miroitant au soleil, en papillotant des yeux.

Il avait une autre raison d'aimer le rocher des Doms. Le papet avait travaillé à la restauration de l'escalier Sainte-Anne qui mène à la cathédrale. Il avait suivi les nouveaux aménagements des jardins. Et on ne manquait jamais de faire un petit bonjour au tombeau de Jean XXII. Les Mathieu père et fils le citaient toujours en modèle de chapelle funéraire, bien qu'il ait perdu le haut de ses clochetons pendant la Révolution, ce qui déclenchait toujours une polémique entre papa et le papet :

« Ah ! ils sont beaux tes révolutionnaires ! Ces saccageurs ! »

Le papet répliquait en provençal je ne sais quoi, mais le sens était toujours le même :

« S'il n'y avait pas eu la Révolution, où seraient-ils, les Mathieu ? Ils seraient peut-être tous morts de faim ! »

Et papa continuait de bougonner :

« Si ce n'est pas malheureux, cette belle pierre de Pernes (c'est la plus fine carrière du pays). Et ce pape gisant, tout moderne, parce que l'autre a été mis en pièces par les sanguinaires... ! » Le papet était mal à l'aise. Il valait mieux se tourner du côté du siège épiscopal, toujours soutenu par le lion de saint Marc et le bœuf de saint Luc, intacts. Le moment de grâce revenait quand papa nous montrait « ses » remparts, dessinant en bas la ville. Toujours avec le papet, il en avait fait la restauration. En dehors de nous, ses onze enfants, c'était sa grande fierté. Mais il ne tardait pas à pester contre « les vandales, les vauriens, les vampires » qui parlaient de démolition pour agrandir la ville. C'était le scandale qui partageait Avignon en deux clans : les uns pour et les autres contre. Le sacrilège avait eu un début d'exécution...

« Il y aura du sang versé ! » clamait papa qui n'aurait pas fait de mal à une mouche.

Mais il prenait l'air si terrible que nous, tout au moins, on le croyait... sans trop oser y croire.

Quand on redescendait du rocher des Doms, on s'arrêtait encore sur la place devant la façade du Petit Palais, dont il avait fallu refaire les croisées de pierre des fenêtres... Evidemment, l'été, la place était toute frémissante du festival d'Avignon. Mais nous, on ne s'en occupait guère. C'était pour les Parisiens, les touristes... ceux que papa appelait « les enragés des graffiti », ajoutant à notre intention : « Et que je vous y prenne, moi, à écrire sur la pierre ! » Ça le mettait hors de lui.

Ce n'est qu'après, bien après, que j'ai appris qu'un jeune dieu du théâtre avait surgi dans nos murs : Gérard Philipe. Je ne l'ai jamais vu. Je n'avais que cinq ans quand il y a débuté dans *Le Cid,* et douze ans quand il est venu jouer pour la dernière fois. Mais je me rappelle que des grandes se promenaient à l'école avec sa photo dans ses films. J'ai souvent rêvé sur cette photo qui transmettait bien la lumière de ses yeux. Beaucoup plus tard, à Paris, je l'ai découvert, magique, dans *La Chartreuse de Parme, Le Diable au corps, Fanfan la Tulipe.* Lorsque je chante :

Il était un prince en Avignon
Sans royaume, sans château, ni donjon,
Là-bas tout au fond de la province
Il était un prince
Et l'enfant que j'étais
Cueillait pour lui bien des roses...
En ce temps le bonheur était peu de chose...

... son nom n'est jamais prononcé, mais le public ne s'y trompe pas. Il sait. Il est ému. Il lui donne la plus grande partie des applaudissements, et c'est ma manière de l'aimer, alors que la vie ne nous a jamais réunis. Je suis née trop tard.

Trop tard aussi pour Edith Piaf. Je n'ai pu que la voir dans le film de Blistène, *Etoile sans lumière* (et j'ai été frappée par son naturel de jeu), et dans celui de Sacha Guitry, *Si Versailles m'était conté,* où elle chantait le *Ah ! ça ira, ça ira* en vous arrachant les tripes ; et, enfin, dans le *French Cancan,* de Jean Renoir, travestie en Eugénie Buffet, la pierreuse de la Belle Epoque. Il me semble que le cinéma aurait pu engager plus souvent Edith Piaf, comédienne et tragédienne-née, autant que chanteuse. Mais sans doute a-t-elle été prise dans le carcan de fer du music-hall et de sa propre passion : le besoin physique de chanter ? D'autres ont pu la maîtriser et devenir les acteurs que l'on sait : Montand, Bourvil, Raimu, Fernandel...

Fernandel : c'était à la maison notre vedette préférée. Grâce à l'initiative de Mme Julien.

Elle avait décidé d'organiser des soirées de cinéma pendant les soirées d'été en plein air. C'était délicieux. On installait les bancs, il y avait les boissons comme pour une kermesse. Et on regardait *Angèle, Regain, Le Schpountz, Topaze...* rien que des Marcel Pagnol.

« Ça, c'est bien du cinéma de chez nous ! » disait Mme Julien qui détestait les films américains.

Et le fait est qu'on se sentait à l'aise. C'était bien notre Midi, notre parler, nos habitudes, et quand on entendait les grillons, on ne savait plus si c'était dans le film ou si c'était les nôtres qui n'étaient pas encore couchés ! Et puis il y eut *Marius, Fanny, César,* et c'est là où je m'aperçus que papa... c'était Raimu ! Ils avaient le même langage. Ils étaient également bourrus, généreux et charmants. Des forts en gueule à cœur tendre.

Enfin, Mme Julien, après nous avoir montré *Manon des Sources* avec Jacqueline Pagnol qui me faisait rêver, nous annonça *Les Lettres de mon moulin.* Ce fut un tel succès qu'on redemanda une projection. Mme Julien en profita pour nous faire lire toutes les *Lettres* et pas seulement celles du film, *Les Trois Messes basses, L'Elixir du père Gaucher* et *Le Secret de maître Cornille.* J'ai appris par cœur les textes. Je les avais en bouche comme une gourmandise. Ce fut là tout mon bagage littéraire. Un peu de Pagnol, un peu de Daudet.

« Elle ne sait pas grand-chose ma petite, se lamentait maman. Je me demande si elle va avoir son certificat d'études ? »

Je me rendais compte que l'échéance approchait, mais... il serait temps de m'y mettre à la rentrée. L'été, c'est le temps merveilleux des vacances. Et il y avait d'abord la plus belle fête de toutes, celle du 14-Juillet.

On partait au bord du Rhône, papa portant le plus petit sur ses épaules, une place que j'avais tenue, il y a des siècles, me semblait-il. Je ne l'avais pas gardée longtemps : Matite était vite venue me la chiper ! Tandis que les fusées grimpaient dans le ciel, des Avignonnais en costumes dansaient sur le pont ! Ça existe toujours. On a gardé la tradition.

Il y avait ensuite la colonie. La colonie de vacances grâce à la Caisse d'allocations familiales. Cela commençait par une journée mémorable, celle où la mairie fêtait les mères de familles nombreuses.

La première fois avait été une cérémonie inoubliable : maman avait reçu un très beau diplôme (pour accrocher au mur.... il y est toujours) et une médaille. Ce qui nous intéressait, nous, les enfants, c'était le goûter qui suivait, puis le spectacle avec les clowns. Ce qui intéressait maman, c'était les cadeaux qu'on lui remettait : du linge et un peu d'argent. Bref, c'était la fête.

Et quelques jours après, le départ pour « Les Cigales ». Ce n'était pas loin. Il suffisait de traverser le Rhône. C'était à Villeneuve-lès-Avignon, non loin de la chartreuse. L'endroit était superbe et bien nommé : il y avait des milliers de cigales... à un point inimaginable. Notre jeu favori, c'était de surprendre leur naissance... ce qui exigeait patience et silence. Quand elles naissent, elles sont vert tendre, de la couleur des feuilles de tilleul. On essayait de capturer les grosses pour les mettre contre notre oreille et les entendre chanter de plus près, mais naturellement la cigale terrorisée se taisait. On n'avait plus qu'à la laisser s'envoler, saine et sauve, et nous toujours frustrés. La journée passait... Maman et papa venaient nous rechercher le soir, et le lendemain, cela recommençait : à 7 heures du matin, maman nous menait au car place Saint-Lazare, qui était assez loin de la maison. On prenait avec nous un gant de toilette et des serviettes puisqu'on se lavait là-bas, où il y avait une douche en plein air. Après le joyeux petit déjeuner en commun, la promenade, le déjeuner, la sieste, le goûter, des jeux. A l'époque, il n'y avait pas de bâtiments autour ; ce n'était qu'une nature sauvage, les acacias, les pins. La monitrice nous faisait jouer des saynettes. Moi, j'étais toujours Cendrillon. C'était mon conte préféré. Je trouvais que le personnage m'allait bien. Je l'avais toujours en tête, ma souillon devenant princesse... et n'avais-je pas les plus petits pieds de la colonie ? Ma passion des jolies chaussures a dû naître de là, de la pantoufle de vair... Je ne me lassais pas du rôle. Je commençais par frotter vigoureusement le sol, sous les quolibets des copines, mes sœurs jouant les méchantes... et je finissais en déambulant avec ce que je croyais être de la majesté, dans ma robe de feuilles cousues d'aiguilles de pin. Il n'y avait guère de variantes. Le conte devenait un rituel qui faisait partie de notre vie, au point qu'on me surnomma Cendrillon...

Mais, un jour, maman arriva avec une grande nouvelle.

« Mes enfants, vous allez connaître la mer ! »

Nous ne l'avions vue qu'en photo, au cinéma ou à la télé. Maman se rappelait alors qu'elle était fille de Dunkerque. Elle avouait que la mer lui avait toujours manqué. Tout à coup lui revenait en mémoire des souvenirs d'enfance, d'embruns, de vent vif fouettant les joues, d'air salé... Jamais elle ne nous avait parlé ainsi de la mer. Je découvrais, stupéfaite, que, dans un coin de son cœur, elle nous avait caché cela. Mais alors... elle n'avait pas été complètement heureuse avec nous ? Cela me tourmenta quelque temps. On partit vers Marseille.

« Vous avez beaucoup de chance, disait maman. C'est parce que nous sommes une famille nombreuse ! nous inaugurons la maison de Carry-le-Rouet ! »

Toujours grâce à la Caisse d'allocations familiales. Mes sœurs paraissaient ravies, maman aussi :

« Regardez comme c'est joli ! »

Ça l'était sans aucun doute. On descendait à la plage par le chemin à travers les pins. En se tenant toutes par la main, pour ne pas se perdre, on allait jusqu'au port de pêche...

« Vous mangerez beaucoup de poissons, avait dit maman, ce sera bon pour vos “ osses ”... et puis, vous allez apprendre à nager ! »

Rien ne se passa de la sorte. Je perdis l'appétit. Je me languissais, comme on dit. Je m'ennuyais de la maison à mourir. C'était la première séparation. Sans papa, sans maman, le monde était vide. La mer ne remplaçait pas la mienne ! elle m'effrayait. La peur me prenait au ventre à voir cette immense chose mouvante, grondante, changeante, cette force sans fond... jamais on ne put m'y faire mettre le pied.

Et, aujourd'hui, je ne sais toujours pas nager si j'ose « faire trempette »... Il m'arrive d'être obligée de prendre un bateau. Je m'y sens toujours mal à l'aise. Walkman aux oreilles, je m'empresse alors de m'absorber dans l'écoute de David Bowie ou de Abba pour oublier où je suis.

La monitrice de Carry-le-Rouet doit avoir un très mauvais souvenir des petites Mathieu. Ma qualité d'aînée entraîna mes sœurs. Ce n'était que pleurs. Au bout de quinze jours, nos parents vinrent nous voir. Ils avaient pris le train, puis le car par une chaleur torride. Quand on les aperçut, on fondit toutes les trois en larmes. Pour nous consoler, nos parents nous emmenèrent promener par la route surplombant le port. On passa devant une belle villa :

« Tu vois, me dit maman, c'est là qu'habite Fernandel... *L'Oustan de la mar...* »

« Notre » Fernandel, notre joie de vivre... mais à l'aller comme au retour et bien que traînant le pied à dessein, on ne vit pas Fernandel entrer ou sortir. On recommença à pleurer. On pleurait encore aux moments des adieux qui furent déchirants. Bref, notre mois de vacances à Carry-le-Rouet fut une catastrophe, un débordement des grandes eaux, une cataracte de larmes.

« Vous avez fait monter le niveau de la mer ! » résuma maman.

On retrouva la joie de vivre dans nos champs. En ramassant les coings, les pissenlits, les poireaux sauvages, qui ont bien plus de goût que le poireau cultivé, et nos mûres. Et à l'école, je retrouvai Mme Julien pour l'année du certificat d'études.

Je voulais l'avoir... pour elle qui m'aidait, qui me poussait.

Il fallait en être digne. Mais Dieu que c'était dur ! Au fond de la classe, j'avais passé des années à muser. J'en étais consciente : je ne savais rien. Un peu de Napoléon parce qu'il me plaisait ce petit homme-là... un peu plus de Jeanne d'Arc par conviction personnelle et par adoration des saintes en général. Mais, quittant ces sommets de l'Histoire de France, c'était mes gouffres d'ignorance d'où émergeaient — à cause des illustrations — une « cité lacustre » et une « ville-champignon des Etats-Unis »...

Avec une sorte de désespoir, je me mis à essayer de rattraper ce temps perdu qui ne se rattrape jamais. Je ne quittais plus mes livres. Je martelais ma mémoire. Je ne chantais même plus.

« On n'entend plus votre petite Mireille... ?

— Eh non ! répondait maman, non sans fierté, comme d'autres parlent d'une licence ès lettres, elle prépare son certificat d'études ! »

Mais j'avais mes moments de faiblesse.

« A quoi rêves-tu, Mireille ? » gourmandait Mme Julien.

Alors, pour me faire pardonner, j'arrivais à la classe suivante avec un gros bouquet de fleurs que j'avais été cueillir dans mes chers champs.

« C'est bien, disait-elle, c'est très gentil. Mais, au lieu de perdre du temps dans les marguerites, il eût été plus profitable de revoir la règle de trois ! »

Dur, dur. Je veillais tard le soir, ce que papa n'aimait pas parce qu'il voulait qu'on éteigne à 8 heures.

« Mais voyons, Roger, elle prépare son certificat d'études ! »

On ne parlait plus que de ça. J'en perdis le sommeil que j'avais jusqu'ici solide. La mamet protestait de temps en temps :

« Vous allez la rendre niquedouille. Et qu'est-ce qu'elle en a à faire, notre belle petite, du certificat ? Ce n'est pas ça qui lui fera faire de beaux enfants !

— Si je n'avais pas eu mon certificat, rétorquait maman, je n'aurais jamais été une employée de mairie !

— Mais c'est pas lui qui vous a sauvée, c'est le Bon Dieu ! Vous savez ce qu'on dit : Il aide aux fous, aux enfants et aux ivrognes. Elle est protégée, cette petite ! Elle l'aura votre certificat ! »

Je ne l'eus point. Je me revois, les yeux brouillés devant ma page blanche. Les Capétiens... alors, là, je les confondais tous. On ne m'avait rien demandé, rien sur Jeanne d'Arc ou Napoléon... Papa me consola comme il put :

« A mon avis, ma Mimi, c'est plus facile à placer dans une conversation, Jeanne d'Arc ou Napoléon, que les Capétiens ! »

Mme Julien ne l'entendit pas de cette oreille. Sévèrement, elle me dit que j'étais sa déception. J'allais doubler cette année ; mais vu mon âge (quatorze ans !), c'était ma dernière chance. J'emportais mes livres pendant les vacances. Plus question de Carry-le-Rouet... nous retournions aux Cigales de Villeneuve-lès-Avignon, et c'est là que je fis la rencontre d'une voyante.

Elle habitait près du cimetière. Une copine en avait entendu parler par sa mère, grande consommatrice d'horoscopes. Plusieurs d'entre nous avaient des bicyclettes et nous voilà parties en bande, les unes sur les porte-bagages des autres. On avait raflé le fond de nos tirelires et on arriva chez la cartomancienne, amusée de voir tant de petites filles s'inquiéter de leur ciel. Elle nous fit passer une par une. La première qui sortit de la consultation nous dit :

« Je vais me marier et je vais avoir beaucoup d'enfants. »

La seconde :

« Je vais avoir beaucoup d'enfants...

— Mais tu vas te marier ?

— Elle ne me l'a pas dit. »

Il y eut une discussion d'où il découla que c'était sous-entendu. Ce fut mon tour. Elle n'avait pas l'air d'une sorcière, contrairement à la créature que je rencontrais quand je faisais les commissions, vêtue de noir, avec un nez crochu terrifiant. Un jour, elle m'avait apostrophé disant que je lui avais pris son cabas. J'étais rouge de confusion d'autant que ce n'était pas vrai, mais que les gens, à ses hurlements, commençaient à s'arrêter. Chaque fois que j'allais chez l'épicier, je regardais si la Carabosse n'était pas dans les parages, et si je l'apercevais, toujours noire, courbée et crochue, je me cachais derrière les platanes... La voyante de Villeneuve, elle, n'avait rien d'inquiétant. Il y avait bien dans son logis des cartes du ciel, mais c'était plutôt joli, toutes ces étoiles... Elle était souriante, rondelette, avec des yeux très bleus.

« Quand es-tu née ?

— Le 22 juillet 1946...

— Ah ! ah !... juste à la limite du Cancer et du Lion... Tu es une petite imaginative, je vais prendre mes tarots... »

La mamet en avait aussi, mais elle ne s'en servait qu'en secret. Jamais elle ne m'avait permis d'y toucher. Avec un peu d'appréhension, je regardai la dame les manipuler. Elle prit un air étonné :

« Ah ! c'est étrange, dit-elle. Je te vois avec des rois et des reines...

— Ça ne m'étonne pas, lui dis-je. Je repasse mon Histoire de France pour le certif'. Tous les Capétiens.

— Ce n'est pas cela, me dit-elle. Je te vois avec des rois et des reines vivants.

— Vivants ! »

Je la crus encore plus folle que la sorcière devant l'épicier...

« Je te vois faisant le tour du monde. »

Je ressortis abasourdie. Aux questions de mes sœurs et des copines, je dis :

« Elle annonce n'importe quoi... que je rencontrerai des rois et des reines... »

On fit le point. A aucune autre elle n'avait prédit quelque chose de la sorte. Je n'y attachai aucune importance, la croyant vraiment dérangée. Matite et Christiane étaient avec moi et s'en souviennent. Christiane d'autant plus que, des années plus tard, étant devenue infirmière à l'hôpital, elle eut à surveiller une grave opérée. Sa malade lui dit brusquement :

« Vous êtes la sœur de Mireille Mathieu. »

Christiane ne me ressemble pas et, de plus, elle n'aime pas se présenter comme ma sœur. Elle n'en fait jamais état.

« Non, dit-elle.

— Mais si. Je le sais et j'avais raison : votre sœur fait le tour du monde et rencontre des rois et des reines ! »

Christiane me raconta cette histoire à ne pas croire quand je revins de tournée.

« Je voudrais bien revoir cette dame, lui dis-je.

— Tu ne peux pas. Elle est morte dans la nuit qui suivit... »

Je ne suis jamais allée voir une voyante depuis.

Mme Julien me faisait aussi la guerre pour l'orthographe et mes rédactions. J'étais pourtant très fière d'une phrase comme celle-ci :

« Les crisantèmes et la neige, ça fait des boules de cristal. »

Je trouvais ça juste et joli. Mais elle tranchait :

« Tout ce que tu écris, Mireille, est très puéril. »

Pour comprendre ce qu'elle voulait dire exactement, j'ouvris le dictionnaire de l'école. C'était ma grande conquête de l'année. J'étais probablement celle qui ouvrait le plus le dictionnaire ! La première fois qu'elle employa devant moi le mot « saugrenu », ce qui sonnait à mon oreille bizarrement, j'eus beaucoup de mal à le trouver. Je sentais qu'il était plein de dérision, ce mot-là, et j'imaginais qu'il devait commencer par « sot »...

Enfin arriva le jour fatidique. J'avais mis un cierge à l'église pour sainte Rita, bien qu'elle n'y eut aucun autel, mais la mamet m'avait dit que c'était elle qu'il fallait prier pour les causes désespérées...

« Pourquoi ?

— Parce que sans la foi, elle n'aurait jamais pu supporter tous ses malheurs... Un mari qui a rôti le balai (c'est une expression de chez nous quand on mène une vie de débauche...), qui bat sa sainte femme, laquelle par sa douceur arrive à le convertir, mais à peine l'est-il que ses anciens compagnons, des affreux " gourrins ", l'assassinent. Leurs trois fils voulant venger leur père, elle prie le ciel de les voir plutôt morts que meurtriers. Et c'est tout juste ce qui arrive ! Alors, la pauvrette veut se retirer chez les augustines, mais on la refuse parce qu'elle est veuve, peuchère ! et que, théoriquement, on n'y reçoit que les vierges ! Alors eut lieu le miracle : saint Jean-Baptiste, saint Augustin et saint Nicolas la prirent dans leurs bras et elle se retrouva devant la supérieure, au centre du chœur, alors que les portes étaient restées closes ! La supérieure ne pouvait plus la mettre dehors... »

Quelle belle histoire, c'était la sainte qu'il me fallait. Avec elle, j'allais entrer dans la cohorte des bienheureuses reçues au certificat d'études. C'est ce qui se passa. Je dis à Mme Julien :

« Vous savez, madame, je crois que je l'ai réussi, mon certificat, parce que... je suis parvenue à glisser votre mot “ saugrenu ” dans ma rédaction ! »

Il y avait aussi le cierge pour sainte Rita, mais cela je le gardai pour moi.

On fit la fête car non seulement j'avais « mon diplôme », comme disait maman, mais Matite avait décroché le sien du premier coup. Après la fête, ce fut le conseil de famille. Il était bien inutile de nous faire continuer les études. Mme Julien était d'accord. Nous n'avions ni la bosse des maths, ni celle du français, ni celle des sciences. Aucune bosse !

« Mireille ne sait bien faire qu'une chose, disait-elle, chanter. Quel dommage qu'elle n'ait pas fait le Conservatoire... ! »

C'était une pierre dans mon jardin. Elle m'avait bien conseillé d'apprendre le solfège au Conservatoire dont l'enseignement était gratuit. Et pour que je puisse suivre les cours, elle m'avait même permis de partir un peu plus tôt de l'école...

Nantie de sa permission, je me présente donc à la classe préparatoire de solfège dans notre beau Conservatoire sur la place du Palais. J'arrive. Il y a vingt-cinq élèves qui connaissent déjà leurs notes. Moi je n'y comprends rien. Et manque de chance, le lendemain je suis alitée avec une grippe. Quand j'y retourne, quinze jours plus tard, on me met au fond de la classe. Ça recommence comme à l'école ! « Et c'est du chinois ! » pensai-je. Je n'y suis jamais retournée.

« On pourrait s'occuper de la maison ? » suggéra Matite, qui aimait bien faire le ménage et la cuisine. Ce qui, je l'avoue, n'était pas ma passion. A mon grand soulagement, papa ne fut pas de cet avis. Matite était encore trop jeune, mais moi j'avais mes quatorze ans révolus : il pensait que ce serait mieux si je trouvais du travail.

« Il vaut mieux avoir un métier, dit-il, pour se défendre dans l'existence. »

J'approuvai. J'avais hâte de mettre ma petite paie dans le budget familial. Cette idée de gagner ma vie me rendait très fière. Je ne serais plus entièrement à charge.

« Oui, papa, moi je veux bien travailler, faire n'importe quoi.

— N'importe quoi... fais attention à ce que tu dis ! Je ne te laisserai pas faire n'importe quoi ! »

On se mit à rire. Je n'étais pas fâchée de penser que mon existence de petite fille était terminée. J'étais une jeune fille qui allait pouvoir aider sa famille. Mais le jour où une petite voisine me passa du vernis à ongles, papa me rappela à l'ordre sévèrement. Il détestait le maquillage et tout ce qui n'était pas naturel. J'osai dire que tante Irène avait un joli rouge à lèvres. Il explosa :

« Joli ! tu trouves ça joli ! Du citron, tu te passes du citron et ça rougit les lèvres tout naturellement ! Et ça blanchit la peau qui est autour ! »

Papa revint un soir en disant :

« Ça y est ! Tu peux te présenter demain à la fabrique d'enveloppes !

— Qu'est-ce que je vais faire, papa ?

— Eh bien, des enveloppes, je suppose. »

Et comme un bonheur n'arrive jamais seul, maman, de son côté, avait une nouvelle sensationnelle : on allait déménager.

« Nous allons habiter une H.L.M. à la Croix-des-Oiseaux ! »

En douce, je remis un cierge à sainte Rita, histoire de la remercier pour la nouvelle vie qui allait commencer.

La Croix-des-Oiseaux... c'était un palace ! Enfin... cela nous parut comme tel : il y avait quatre chambres et une douche ! Et de l'eau chaude coulant des robinets : le luxe. Mes parents avaient leur chambre avec le balcon. Je partageais celle où il y avait le lavabo avec Matite et Christiane, et les deux autres étaient l'une pour les garçons et l'autre pour les filles. Au bas de l'immeuble, il y avait l'épicier, le libraire.

« Je crois que nous allons être très heureux ici, ma caille, me dit maman, et puis grâce à toi, nous allons joindre les deux bouts ! »

Elle disait cela pour m'encourager parce qu'en fait je ne rapportais que 350 francs par mois. Il est vrai que mon travail ne valait guère plus. J'étais entrée avec un titre que je trouvais très beau : « manutentionnaire ». Il y avait environ vingt employés, et moi j'étais à l'emballage. C'est-à-dire que, d'un côté, il y avait les enveloppes et, de l'autre, les cartons pour les mettre. C'était simple... on m'avait mise, moi, la benjamine, avec les deux plus vieux employés, Mme Jeanne et son mari, Louis. Elle avait des cheveux gris très doux et lui ressemblait aux beaux grands-pères que l'on voit sur les images.

« Tu es si petite pour travailler... me disait-elle.

— Ah ! mais je vais sur mes quinze ans !

— Tu veux un bonbon ? »

Elle me montra comment plier le carton pour en faire une boîte. Je la lui passais et elle l'agrafait avec une machine, puis la passait à M. Louis qui mettait dedans les enveloppes.

« Ce n'est pas bien sorcier !

— A cet âge-là, tout amuse ! » disait-elle émerveillée.

5.

A L'USINE

Comme je chantais tout le temps, notre atelier devint le plus gai. Un jour, quand le patron entra, je m'arrêtai net.

« Mais continuez, ma petite. Depuis que vous êtes là, ça va beaucoup plus vite ! »

De temps en temps, il risquait la tête :

« Eh bien, Mireille, ça ne va pas ? Vous ne chantez pas ce matin ? »

Il était vraiment gentil. Je ne voulais pas faire de peine à Mme Jeanne et à M. Louis qui continuaient à m'offrir des bonbons, mais mon rêve était de passer dans l'atelier où l'on faisait les enveloppes. Le travail était payé un peu plus cher. Chacun manœuvrait sa propre machine qui coupait et pliait les enveloppes et mettait la colle. Mais il fallait faire attention car si on ne la bloquait pas au bon moment, elle pouvait vous arracher la main. Pas question d'en confier une à une gamine de moins de quinze ans. Mais comme je voulais gagner un peu plus, je me risquai à demander si je pouvais faire des heures supplémentaires.

« Vous pourriez venir à 5 heures du matin ?

— Oh oui, monsieur !

— Mais ça vous obligerait à partir très tôt... il vous faudrait une bicyclette... »

Le patron me proposa de me la fournir en me la retenant sur mon salaire. La retenue était très petite et, avec ma bicyclette, je pouvais partir tôt ou rentrer tard en cumulant les heures. Mais dans les deux cas, c'était la nuit... et ma bicyclette, j'étais obligée de la rentrer et de la sortir de la cave si sombre de la Croix-des-Oiseaux. Je descendais avec un balai car j'avais une trouille terrible. Mais mon envie de travailler, et de rapporter 500 francs au lieu de 350, était encore plus forte. Maman se doutait bien que j'avais peur. Elle me disait :

« Ne t'inquiète pas, ma chérie, je surveille ! »

En hiver, quand il faisait trop mauvais pour rouler en bicyclette, je partais à pied. J'allais chercher Lucienne, une petite qui habitait non loin de notre H.L.M. et avec qui je faisais le chemin, puisqu'elle aussi travaillait à la fabrique.

L'année suivante, ce fut au tour de Matite d'avoir quatorze ans. Je demandai au patron s'il pouvait engager ma petite sœur. Et, du même coup, laissant ma place à Matite dans l'atelier de Mme Jeanne et de M. Louis, je passai enfin dans celui des machines. Chacune pouvait débiter sept mille enveloppes par jour. Je trouvais cela grisant, comme un jeu. Et si j'arrivais à en faire sortir davantage, en allant un peu plus vite ? Il me fallait seulement changer de répertoire et chanter Trenet plutôt que Piaf... !

Ma fierté de gagner de l'argent, de ne plus entendre maman dire aussi souvent « on ne peut pas encore acheter ça ce mois-ci » me faisait oublier certains moments désagréables, par exemple quand il y avait du mistral. Entre les bâtiments des H.L.M., il s'engouffrait avec une telle violence que ma bicyclette risquait de s'écraser contre le mur. Il n'y avait plus qu'à faire le chemin à pied en se cramponnant au guidon dans la nuit... Mais, désormais, Matite venant avec moi, la peur était coupée en deux !

On se levait à 4 heures du matin, en essayant de ne pas réveiller la maisonnée. Mais papa ou maman était là pour nous faire le café...

A la fabrique, il y eut des fiançailles puis un mariage, et le patron offrit à boire et naturellement on me demanda de chanter.

« Tu devrais bien te présenter au concours ! dit une copine.

— Elle gagnerait pour sûr ! dit une autre.

— Avec la voix qu'elle a ! » renchérit Mme Jeanne.

Le concours, c'était *On chante dans mon quartier,* une initiative de la mairie d'Avignon pour animer la ville, une compétition d'amateurs qui mettait des refrains à tous les coins de rue !

En quittant la fabrique, on passait devant le *Palais de la Bière* où se réunissait la jeunesse des environs. Quelquefois, on prenait un verre, juste au-dessous de l'affiche. Je me glissai au fond de la banquette car je n'étais pas hardie. Les copines avaient plus ou moins rendez-vous avec des copains. Pas moi. Le flirt ne m'intéressait pas. Et puis, j'étais tout à cette idée qui grandissait en secret dans ma tête au point de l'occuper toute : devenir chanteuse. Ça, au moins, c'était un beau métier ! On est en joie toute l'année. On fait plaisir à tout le monde. Pendant que vous chantez, « ils » oublient leurs soucis, leurs maladies. Je le voyais bien à la maison quand on écoutait Edith Piaf...

Au fur et à mesure que s'approchait la date du concours, chaque quartier se passionnait pour celui ou celle qui défendait ses couleurs. Ainsi naquit l'idée. Poussée vigoureusement par Matite et les amis de la fabrique, je me décidai à en parler à maman.

« J'y ai bien pensé, me dit-elle, mais je ne sais l'avis qu'aura ton père... »

Papa, à la fois si gentil et si sévère. Nous n'avions toujours pas le droit de sortir le soir, et il n'était pas question de passer l'heure de notre rentrée, même de dix minutes... Le dimanche, où l'on avait bien le temps de se voir et de se parler, je mis la conversation sur le concours après avoir échangé un regard d'encouragement avec maman.

« C'est superbe, ce concours, dit papa. Si je n'étais pas si vieux, tu vois, je m'inscrirais dans une catégorie...

— Laquelle ? Celle des chanteurs comiques ? » ironisa maman.

Il la foudroya du regard :

« Comique, moi ! Je concourrais dans la catégorie “ Opéra ”, oui ! Comme Mimi devrait concourir dans la catégorie “ Variétés ”. Elle n'y ferait pas mauvaise figure. »

L'idée venait de lui : c'était gagné !

Pas tout à fait. Il s'agissait de me préparer. Premier pas : accompagnée de maman, j'allai m'inscrire au premier étage de la mairie.

« Quel genre ? demanda le préposé.

— Chanteuse réaliste !

— Oh !... mais elle est bien petite !

— Mais j'ai une grande voix, monsieur. »

C'était la première fois que je m'affirmais, moi, si timide. Maman me regarda avec une pointe d'étonnement. Et quand j'y pense, sans me l'avouer alors, c'est à ce moment qu'a dû naître ma volonté farouche de chanter professionnellement. Je sentais confusément que je ne pouvais finir ma vie derrière une machine à fabriquer des enveloppes ou à plier des cartons comme la pauvre Mme Jeanne. Le soir, je me retournai dans le lit.

« Tu ne dors pas ? s'étonna Matite.

— Non. Qu'en penses-tu ? Si je devenais vraiment chanteuse...

— Comme Piaf ou Maria Candido ? Ça changerait notre vie, pour sûr ! »

Je voyais maman peinant, avec son gros ventre... elle attendait le douzième. Une bouche de plus à nourrir.

« Mais, surtout, n'en dis rien. Gardons ça pour nous.

— Je comprends. Pour le moment, c'est un jeu. »

Il y eut, le lendemain, une discussion sur le choix de la chanson. Moi, j'aimais bien *Mon légionnaire,* mais maman s'y opposa fermement.

« Ce n'est pas de ton âge ! »

Le vote se fit à main levée avec une majorité pour *Les Cloches de Lisbonne,* une chanson que Maria Candido avait rendue célèbre. Je passai l'éliminatoire devant les organisateurs. Il y avait M. Raoul Colombe, l'adjoint au maire, président du C.C.A.A., c'est-à-dire le Comité de coordination des activités avignonnaises. Il était épaulé par son adjoint, Jean-Denis Longuet, ex-journaliste au *Dauphiné libéré.* Je remplissais bien les conditions, selon les statuts, à savoir que j'avais quinze ans révolus (je frisais les seize) et je n'étais pas un travesti !

Le grand soir du mois de juin arriva.

« Tu as le trac ? me demanda Matite en me donnant le coup de peigne.

— Un peu...

— Oui mais... ce n'est qu'un jeu... »

Elle me regardait d'un air entendu, protégeant notre secret.

Et voilà. Je suis sur le podium... comme à la salle des fêtes, à ceci près que, cette fois, je suis devant un vrai public, et non pas seulement des amis ; un public venu pour s'amuser à juger, à comparer, à se moquer. Les uns sont très attentifs parce que je suis leur championne, les autres sont turbulents. Je suis décidée à foncer, coûte que coûte. Et je hurle ma chanson. Et, à cette seconde, je me le jure, oui, quoi qu'il arrive, je serai chanteuse !

« Mon dieu ! me dira maman plus tard, ce soir-là, j'ai eu peur que tu la casses, ta voix ! »

Et je vais en demi-finale. Mes sœurs sont encore plus excitées que moi. Mes frères sont des inconditionnels avec le papet, la mamet, le second papet, la tante Irène, mon cousin, la tante Juliette... le pauvre oncle Raoul n'est déjà plus là avec sa bosse pour me porter bonheur. Il va me manquer ce talisman. Cette fois, *Les Cloches de Lisbonne* ne vont pas sonner mon triomphe. Sur le podium de Saint-Ruf, le quartier hors remparts, c'est une jolie blonde qui l'emporte ! Ce n'est pas possible... pas possible...

« Tu ne vas pas pleurer, ma petite, me dit gentiment M. Colombe. Tu es très jeune. Tu as le temps ! Prends celui de travailler ta voix et... à l'année prochaine ! »

Seule Matite savait à quel point j'étais mortifiée. J'avais échoué... et, comme au certificat d'études, il fallait que je me représente. Mais à voir maman de nouveau à l'hôpital avec ses varices... la voir souffrir, la voir s'inquiéter du porte-monnaie, un an d'attente me paraissait insupportable. Je ne pensais plus qu'à réussir.

« M. Colombe a raison, dit papa, il faut que tu travailles ta voix. Tu vas prendre des leçons. »

Je m'inquiétai :

« Au Conservatoire, où c'est gratuit ?

— Tu ne t'y plaisais pas... J'ai une autre idée. Marcel, le bougnat.

— Près du cimetière ?

— Lui-même. Il était ténor de l'opéra de Toulon quand tu n'étais pas encore née. »

J'étais stupéfaite. Et il était devenu bougnat ?

« Eh oui, quand sa voix est devenue moins brillante... il a fallu aller au charbon. N'oublie jamais ça, fillette, si un jour tu fais le métier ! »

En fait, ce n'est pas avec lui que j'allais travailler, mais avec sa femme, Laure Collière. Il avait épousé la pianiste de l'opéra de Toulon qui était devenue la répétitrice de celui d'Avignon. Les leçons allaient occuper sa retraite.

« Pour Mimi, dit-elle à papa, je ferai un prix d'amie. Six francs par leçon, est-ce que ça ira ? »

Je tenais à les payer sur mon salaire de la fabrique. Je calculai vite, en brillante lauréate du certificat d'études (sans mention et sur le fil du rasoir !), qu'à raison de deux leçons par mois, je débourserais 48 francs que je déduirais de mon argent de poche pour ne pas léser le petit budget remis à maman.

« Ça va ! » dis-je.

Je me sentais fière. Heureuse aussi d'être soutenue par papa, tacitement. Il devait bien se douter que, de ce jour, j'en faisais plus qu'un jeu. Un pari sur l'avenir. Mais sans en rien dire, cachant tout ça dans mon cœur. Je me gardai même d'en parler dorénavant avec Matite. Parler, c'est toucher avec des mots, et quand vous touchez une fleur, elle fane. En ce sens, j'étais déjà artiste sans le savoir : j'en avais déjà les superstitions.

Ma première leçon fut catastrophique. Mme Collière avait cru sans doute que je savais déjà le solfège.

« Tu ne sais même pas tes notes ?

— Non, madame.

— Ça ne t'empêche pas de chanter juste, heureusement ! Eh bien, on va commencer par des vocalises... »

Cela me convenait parfaitement. J'éprouvai une vraie joie à faire sortir mes notes. Trop même. Mme Collière dut me tempérer.

« Révérence parler, tu gueules trop, Mireille ! Module ! »

C'était le plus difficile... Mais j'avais envie de foncer. Dans ma tête, j'avais la voix de Piaf qui vous emportait comme un torrent. Mme Collière, cherchant à me canaliser, au fond de moi, n'avait pas toute ma confiance. Bref, comme l'avait dit Fanchon avant elle, j'étais têtue...

« Je ne suis pas sûre que tu aies raison de choisir *L'Hymne à l'amour,* me disait-elle. Tu es trop jeune. »

J'essayais de ne pas trop le montrer, mais ça m'exaspérait. Trop jeune. Encore trop jeune. Quand cesserait-on de me prendre pour un bébé ? Ne payais-je pas mes cours moi-même avec mes sous ? Est-ce qu'un bébé a des sous ?

« Enfin... tu verras bien... » dit Mme Collière.

Et on continua de travailler *L'Hymne à l'amour* deux fois par semaine, rue des Teinturiers. Cependant que, tous les matins, je continuais de me lever à l'aube pour arriver dans notre fabrique d'enveloppes désormais installée à Montfavet. Notre patron avait eu des ennuis avec le renouvellement du bail. Je n'avais pas compris exactement ce qui s'était passé. Le sûr est qu'il avait été obligé de partir à ce que nous appelions la « campagne ». En fait, Montfavet, c'est tout à côté d'Avignon, et le nom a défrayé la chronique à cause de ce fada qui se prenait pour le Christ... Ça ne me plaisait pas bien, ce pays-là, et la seule idée que je pourrais rencontrer ce Christ de Montfavet me faisait faire le signe de croix. Maintenant, puisqu'il y avait plusieurs kilomètres à faire, nous avions, Matite et moi, un Solex, retenu sur notre paie. C'était d'autant plus normal que le bouche à oreille disait que notre patron avait des ennuis d'argent. On s'en était aperçu pendant l'hiver. Il n'y avait pas de quoi payer du chauffage et, comme jadis à la maison, on faisait flamber de l'alcool à brûler quand on avait trop froid aux mains. A cette différence que, chez nous, on le mettait dans des bassines, et qu'à la fabrique, on n'avait que des boîtes de conserve.

Notre contremaître était un Alsacien qui, à ses heures, était gentil, et à d'autres, très dur. Ça ne lui plaisait pas trop que, les jours de mes leçons, je parte un peu plus tôt.

« Mais, monsieur, je me prépare pour le *Critérium de la chanson...*

— Che sais pien, che sais pien, c'est bas le Critérium des enveloppes, hein ? »

Je l'ai revu plus tard. Un jour, il est venu me voir en coulisses :

« Alors, la betite... maintenant, ça va pien pour toi, hein ? Il y a quelque chose dans les enveloppes, hein ! »

Maintenant, mes supporters du *Palais de la Bière,* où je faisais escale de plus en plus souvent, me gonflaient le moral. Surtout Françoise Vidal, dont la maman tenait le salon de coiffure de Montfavet. Elle était « ma » fan.

« Je t'amènerai chez maman pour qu'elle te coiffe quand tu feras le Critérium. »

Elle n'en doutait pas. Françoise avait la permission d'aller au bal. Ça ne m'intéressait pas.

« Tu verras, il y a des garçons très gentils... »

Je secouai la tête. J'avais juste assez de temps pour aider à la maison, prendre mes leçons et rêver à ce que j'allais faire. Elle insistait :

« Mais, le dimanche après-midi, viens au *Bowling* ! »

C'était la discothèque du coin. J'entraînai Matite, mais ça ne me plaisait pas, sinon pour entendre les disques. Mais Edith Piaf n'était pas le genre de la maison. C'était les Beatles. Et Elvis... Venait là un certain Michel, qui avait joué dans la même cour d'école que moi. Devenu grand, s'il me rencontrait avec mes commissions, il ne manquait pas de me porter le panier ; plusieurs fois, il avait joué au ballon avec les jumeaux de six ans plus jeunes que lui.

« C'est rare, disait maman, de voir un garçon s'intéresser aux plus petits ! Il a un bon fond, ce gamin ! »

Je ne pense pas qu'elle était dupe. Elle avait bien deviné que Michel en pinçait un peu pour moi. Comme par hasard, sa bicyclette croisait souvent la mienne. Cela pouvait être aussi pour Matite, qui ne me quittait guère et qui pouffait dès qu'elle le voyait. Il n'avait jamais manqué une fête où je chantais, mais il restait discret. Je crois qu'il avait un peu peur de mon père.

« Tu les couves tellement, tes filles, plaisantait maman, que tu feras fuir tous mes futurs gendres ! »

Un jour, Michel arriva avec des places pour le foot. C'était un fana. Lui-même s'entraînait et il allait voir jouer les copains. Mais, moi, je répétais *La Vie en rose,* Matite déclara qu'elle n'aimait pas le foot, et il se retrouva avec les jumeaux.

Il me dit qu'au *Critérium,* il serait là pour m'encourager et qu'il viendrait derrière le podium, en coulisses.

« Non, non, ça, ce n'est pas possible. »

Il me regarda, étonné :

« Mais je te réconforterai...

— Tu ne comprends pas... Je ne peux que compter sur moi à ce moment-là. Même maman ne peut rien pour moi, ni papa, ni personne ! »

Il me dit qu'il serait sur le côté gauche en regardant la scène, mais comment lui expliquer que je ne regardais pas le public ?

Et j'essuyai mon deuxième échec. Mme Collière avait raison. On m'avait trouvée bien jeune sans doute pour interpréter *L'Hymne à l'amour,* je l'avais senti tout de suite. L'auditoire avait été gentil pour la mignonnette. J'avais été applaudie, mais je n'avais pas emballé. La finale me passa sous le nez. Je n'avais plus qu'à me moucher. Ce que je fis en avalant mes larmes.

« Allons, allons, ce n'est pas si mal, tenta de me consoler papa. Tu en as laissé une bonne flopée derrière toi.

— Oui, mais il y en a une devant ! »

Je me souviens très bien du regard surpris qu'il me lança. Jamais à l'école, même l'année du certificat, il m'avait entendue tenir ce langage. C'était nouveau cette détermination. J'ajoutai :

« Et ça, je ne le supporte pas !

— Tu vas continuer tes leçons ?

— Oui, papa. »

Il sourit. M. Colombe, qui venait gentiment vers moi pour me consoler, m'entendit dire fermement :

« A l'année prochaine ! »

Le lendemain, je retournai chez Mme Collière.

« Ma caille, ça sort plus rond, maintenant, c'est plein, c'est sonore, encore trop... C'est si dur le métier de la chanson.

— Tant pis. Je veux ça. Ou rien. »

Et on reprenait. J'y prenais goût aussi. C'était mon évasion. J'oubliais les soucis qui submergeaient la fabrique où l'atmosphère s'assombrissait de jour en jour. Sans parler de ceux de la maison. On tremblait toujours pour la santé des petits frères plus ou moins fragiles.

« Ah ! ils n'ont pas ta constitution ! » soupirait maman.

Le jour de ses sept ans, Rémi, qui avait eu pourtant déjà sa part d'épreuves, piqua un quarante de fièvre. Il ne pouvait plus parler tant sa gorge était enflée. Le docteur André, appelé une fois de plus en urgence, fit un prélèvement, mais convaincu du résultat : diphtérie. Et, une fois de plus, l'hôpital.

Un autre soir, rentrant de l'usine, Matite et moi fûmes saisies à la gorge par une odeur âcre. On se précipita dans la chambre des garçons. Jean-Pierre avait joué avec des allumettes et sous les yeux écarquillés du petit Philippe, le matelas était en train de brûler... Papa était au cimetière et maman en courses. Matite, Christiane et moi, on se relaya avec des brocs et des casseroles d'eau... On avait tous eu si peur que les parents n'eurent pas le cœur à gronder.

Enfin, le 10 mai de cette année 1964, qui devait être si importante pour moi, maman donna le jour au numéro 13...

Dieu merci ! c'était une fille, qui nous donnerait peut-être moins de tourments que les garçons. L'infirmière, toujours la même, était très contente :

« Je vous l'avais bien prédit, madame Mathieu, que vous nous en feriez treize à la douzaine ! »

Et maman riait, riait... plus gaie qu'elle n'existe pas ! Elle ne reprenait son sérieux que pour me parler du Critérium. Je me présentais encore avec une chanson de Piaf, mais dont la tonalité me convenait, cette fois, parfaitement, tout au moins le pensai-je.

« Et qu'en dit Mme Collière ?

— Que ça devrait aller, cette fois.

— Tant mieux, dit maman, et c'est ma chanson préférée, *La Vie en rose* ! »

Je le savais. C'était aussi pour ça que je l'avais choisie. Quitte à décevoir Michel, mon fan numéro un, persuadé que je la chantais pour lui...

J'avais le trac. Un peu plus que la première fois. Je devais gagner. J'avais, cette fois, bien écouté Mme Collière. J'avais travaillé ma voix tous les soirs, sans complaisance, devant l'armoire à glace de la chambre des parents, imaginant l'image que je représenterais devant le public. Papa avait demandé à tante Irène de m'accompagner au *Muguet de Paris* pour me choisir une robe. C'était le magasin chic d'Avignon. Le fait même que papa entamait ses petites économies pour me l'offrir prouvait qu'il me faisait confiance. Maman veillait sur la petite Béatrice qui n'avait qu'un mois ; tante Irène remplissait son office. Je lui dis que je voulais une petite robe noire toute simple.

« Comme Piaf ? » me dit-elle.

Je fis « oui ».

Il y avait huit mois que Piaf était morte. Sa disparition avait secoué la France, et je me rendais compte à quel point pouvait être aimée une chanteuse populaire. On avait lu le journal à haute voix. On avait vu les photos des obsèques. On avait pleuré chez les Mathieu. Comme si elle avait été de la famille. Et moi, j'étais bouleversée de voir qu'on pouvait ainsi appartenir à tout le monde. Je ne pensais pas que je pourrais la remplacer. Elle reste unique. Papa lui-même avait dit :

« C'est une perte irréparable... »

J'en étais sûre. Chanter ses chansons, quand elle était vivante, me paraissait déjà le meilleur hommage que je pouvais lui rendre. Et, maintenant qu'elle n'était plus, je m'en serais voulu de ne pas le faire. C'était perpétuer son souvenir.

« Tu peux le faire... » dit la mamet, qui m'avait offert son dernier disque.

La petite robe, trouvée au rayon deuil, avait des manches en mousseline. Elle n'aurait jamais été mise par Piaf, mais c'était la plus sobre. Il fallait aussi acheter des chaussures, et je choisis les talons les plus hauts pour me grandir.

« Mais il faudra mettre des semelles, car elles sont bien trop grandes pour vous ! » dit la vendeuse avec une certaine réprobation.

Tante Irène m'avait aussi emmenée chez la coiffeuse, Mme Vidal :

« Garde ta frange : cela te va très bien. »

Et quand elle me vit avec la coupe très courte, encadrant l'oreille, elle dit :

« Tu es très mignonne. On dirait Louise Brooks !

— Qui est-ce ?

— Une actrice de cinéma. Tu n'as pas connu. »

Cela m'était égal. Je ne pensais qu'à Piaf, que je n'avais pas connue non plus.

« Je crois cette fois que tu as une vraie chance ! me dit M. Colombe après la demi-finale.

— La troisième, c'est la bonne ! » dit M. Longuet.

Je me sentais portée par leur confiance. J'allais me retrouver sur le podium de la merveilleuse place du Palais-des-Papes, dominée par ce rocher des Doms, si cher à mon enfance. Il faisait un temps superbe. Le mistral était miraculeusement tombé. La place était noire de monde. Et, tout de suite, j'éprouvai le prodigieux silence, l'écoute quasi religieuse...

Quand il me prend dans ses bras
Je vois la vie en rose... !

... et cette explosion, soudain, cette rafale d'applaudissements qui paraît vous soulever de terre... Jamais je n'avais éprouvé cela.

« Mon Dieu ! mon Dieu ! faites que ça recommence ! »

Je pleurais. Papa pleurait. Maman pleurait. La mamet pleurait. Matite pleurait. Toute la famille pleurait, sauf la petite Béatrice qui, dans ses langes, souriait aux anges, alors qu'elle avait pleuré toute la journée ! Le verdict tomba : cette fois, je remportai le *Critérium !* Il y eut des flashes de photographes, et le pauvre Michel fut débordé par des journalistes, les copines et ceux de la Croix-des-Oiseaux. Son foot ne lui servait à rien dans cette mêlée qui ressemblait plus au rugby !

Il faut l'avouer : pendant une heure, et même plusieurs, je crus ma voie toute tracée. N'avais-je pas gagné le concours ? N'avais-je pas ma photo à la une du *Provençal,* ce 29 juin 1964 ? La réalité était que le lendemain je me retrouvais sur mon Solex en route pour l'usine.

« Le patron va sûrement t'offrir un verre... » avait dit papa.

Il l'offrit, en effet, mais pas tout à fait dans les termes que j'attendais. Il souhaita beaucoup de succès à la petite Mimi... mais, l'air très ému, il nous dit aussi que c'était le verre de l'adieu. Il était obligé de fermer la fabrique... Ainsi, les bruits de faillite qui avaient couru devenaient une réalité. Mme Jeanne pleurait. M. Louis, les yeux baissés sur son chagrin, l'Alsacien, le visage fermé, le patron, enfin, les traits crispés, furent les dernières images de ma vie d'ouvrière.

6.

A NOUS DEUX PARIS

« Qu'est-ce qu'on va faire ? demanda Matite sur la route du retour.

— Maintenant que je suis chanteuse... il n'y a pas à s'en faire ! Je vais gagner ma vie... »

Ce n'était pas si simple... M. Colombe me le fit comprendre. Il croyait que je pourrais faire carrière, et il venait d'expédier à Paris à une grande maison de disques la bande magnétique des chansons constituant mon petit répertoire. Mais la réponse ne viendrait sûrement pas du jour au lendemain. D'autant que c'était le temps des vacances.

Les vacances... cela me donna une idée. J'annonçai la nouvelle à Françoise :

« Pour gagner un peu de sous, je me suis fait engager comme monitrice aux Cigales.

— Mais comment on t'a engagée ?

— Comme ancienne pensionnaire et sœur aînée de famille nombreuse, j'avais de bonnes références ! C'est chic ! je vais faire chanter les enfants ! »

La Caisse des allocations familiales n'était pas comme la fabrique d'enveloppes en faillite. La preuve : elle avait ouvert une nouvelle maison à Rochefort-du-Gard, et c'est là que je découvris mes petits monstres.

Comme je n'avais pas beaucoup grandi, certains me dépassaient de la tête. Ils étaient tous réputés « difficiles », mais, moi, je savais pourquoi ils étaient des enfants à problèmes. C'est que leurs parents en avaient. Je retrouvais ce que nous avions bien connu à « Chicago » : manque d'argent, chômage, alcoolisme, parents divorcés, mésentente familiale, tout ce à quoi — mis à part la bourse plate — nous avions échappé grâce à l'amour des Mathieu. Chez nous, on avait toujours parlé tous ensemble, parents et enfants. Il fallait donc que j'applique la même tactique, obtenir leur confiance et qu'ils me parlent... Pour Matite, la question ne se posait pas car elle s'était fait engager pour garder les tout-petits de la maternelle. Mais, moi, j'avais les dix-douze ans, filles et garçons. Les terribles. Peut-être n'y serais-je jamais arrivée si je n'avais pas été auréolée en quelque sorte par ma victoire au *Critérium de la chanson?* Naturellement, ils ne voulaient jamais faire la sieste, trouvant que c'était bon pour les bébés. Alors, je les faisais chanter. Je leur appris à faire des « canons ». Ils étaient trente : ça pouvait faire une bonne chorale! La glace était rompue et l'agressivité n'existait plus. J'obtenais même des confidences dont certaines étaient dramatiques. C'était un père violent, maltraitant la mère, où la mère partie avec un autre homme, c'était la maladie, quelquefois la mort... ou, tout simplement, la détresse de ne rien comprendre à la vie. Je n'avais pas beaucoup d'avance sur eux... mais, au moins, pouvais-je leur dire que la joie peut exister. Et je les faisais chanter...

Un jour, bien plus tard, à Mexico, tournant pour la télévision, je trouvai sur le plateau une maquilleuse française, Marie-José.

Elle me dit :

« Vous vous souvenez de moi? J'étais aux Cigales... »

C'était une de mes anciennes petites... Elle avait rejoint un oncle qui s'était établi au Mexique et faisait carrière comme esthéticienne. Chaque fois que je me retrouve à Mexico à Televisa, je me remets entre ses mains : elle est une excellente maquilleuse.

Naturellement à mes débuts, je me maquillais moi-même. J'éprouvais un vrai plaisir à me faire un visage. On dit que l'habit fait le moine; il me semblait alors que le maquillage faisait l'artiste. J'ai changé d'avis depuis... C'était aussi une revanche enfantine sur papa qui nous avait toujours défendu les fards. Mais il ne disait plus rien puisque c'était « pour la scène »... Son désir, toujours refoulé, d'être chanteur se réalisait en quelque sorte à travers moi.

Cet automne 1964, qui me parut long comme un hiver, M. Colombe proposa de me faire faire quelques galas ici et là. Papa accepta :

« Cela va t'entretenir la voix... Il ne faut pas qu'elle rouille ! »

L'idée que ça puisse rouiller me remplissait de terreur. Au moins papa m'avait-il fait comprendre qu'une voix, ça s'entretient, ça se soigne, ça se bichonne. J'étais décidée à tout faire pour qu'elle ne rouille pas !

Pour le Critérium, tante Irène m'avait prêté son bleu et son rouge. Pour « mes » galas, j'allais pouvoir acheter les miens aux *Dames de France,* dans l'ivresse complète. Hésitant entre les bleu lavande et les outre-mer, les rose tendre et les rouge cerise, je faisais des essais sans fin avec une grosse vendeuse blonde qui avait l'air d'être la carte échantillon de ses produits. Elle avait un visage d'arc-en-ciel. Elle avait suivi le Critérium avec passion. Je devenais sa cliente préférée, celle qu'elle tutoyait. Papa, malgré l'assortiment que je ramenais à la maison, ne fit aucune réflexion tant ma carrière amorcée ne faisait aucun doute à la maison.

Mais, au premier étage de la mairie où je venais prendre des nouvelles chaque jour, on s'énervait. M. Colombe avait en vain téléphoné à Roger Lanzac pour obtenir mon passage à *Télé-Dimanche,* l'émission la plus en vogue qui mettait en compétition des amateurs de la France entière.

« La petite Mathieu a passé avec succès notre concours régional ; elle pourrait maintenant affronter le national...

— Qu'est-ce qu'il a dit ?

— Qu'ils sont débordés par les demandes des candidats. Qu'il n'y a pas de passage possible avant 1966... »

M. Colombe retéléphona et, cette fois, c'est Roger Lanzac qui s'énerva :

« Je vous dis rien avant 66 ! »

Presque deux ans à attendre... une éternité, plate et vide comme la Durance quand elle est à sec. Le doute qui flottait imprécis devint clair, noir sur blanc, quand arriva la réponse de la firme de disques sollicitée. Malheureusement, elle était négative.

« Qu'est-ce qu'elle dit, monsieur Colombe ?

— Qu'il leur faut un cas exceptionnel... »

Cela voulait-il dire que, moi, j'étais banale ? Je gardai la réflexion avec un pincement au cœur.

« Il faut de la patience, ma petite Mimi, disait M. Colombe. En attendant tu vas chanter au Parc des expositions... »

Je ressortais ma petite robe noire et mes talons hauts. J'arrivais avec mon maquillage dans mon cartable d'école, Mme Collière portait les partitions et se mettait au piano. Au Palais, le public était jeune. Au premier rang tranchait la famille Mathieu, toujours au complet, soudée comme des supporters d'« Allez France ! », et mon sportif, Michel, était là aussi.

« Il ne décolle pas ! disait Matite. Il te plaît ?

— Il est gentil. »

Il avait de la voix. Il était toujours le premier à crier « Bravo Mireille ! », entraînant un public qui était pourtant déjà submergé par la vague yé-yé.

« Eh ! *yé-yé !* qu'est-ce que c'est ? disait papa. C'est de la mode, ça. Ça passera. Toi, tu chantes des chansons é-ternelles ! »

Une grande fille arriva dans les coulisses ; c'était Mauricette. Je ne l'avais pas revue depuis l'école où elle était notre capitaine de basket.

« Oh ! ma Mauricette ! peuchère ! tu as encore grandi !

— Oh ! ma Mimi !... c'est toi qui as le panier maintenant ! »

Le panier... on en avait assez rêvé ! Comme j'étais, à l'époque, désespérée d'être si petite, d'entendre toujours : « Elle ne grandit pas vite la petite ! est-ce qu'elle ne serait pas malade ? — Mais non, peuchère ! répondait maman, agacée. Regardez-moi, on est du même moule ! — Oh ! vous êtes plus grande, vous, madame Mathieu ! — Mais j'ai fini ma croissance, moi ! pas elle ! » Et, de son côté, Mauricette m'avait chapitrée : « C'est un avantage, tu sais, d'être petite ! Tu es au premier rang sur les photos de l'école ! et, au basket, tu peux te faufiler partout, tu m'attrapes le ballon, tu me le passes et moi, je le mets dans le panier ! »

Cette technique s'était révélée imbattable. Et je m'étais réconciliée avec moi-même. Quant à papa, ce soir-là, renchérissant sur les « Formidable ! » de Mauricette, il ne cessait de dire : « C'est une grande, ma fille ! »

Comment, dans cette atmosphère de confiance, aurais-je douté ?

M. Colombe me donna 200 francs, et Matite arrondit ses yeux :

« Tu te rends compte, 200 francs, pour quatre chansons ! C'est ce que tu gagnais en quinze jours à l'usine !

— Oui.

— Alors, pourquoi tu plisses le front ?

— Mais si je ne fais que deux concerts... j'aurais moins gagné en un an qu'en un mois avec mes enveloppes ! »

M. Colombe, heureusement, m'engagea pour un autre gala dans les quinze jours. Et, toujours au premier rang, mes fidèles, les Mathieu. Et puis, derrière, essayant de se faire tout petit, Michel.

Je ne voulais toujours pas qu'il vienne dans les coulisses. Comment expliquer ? Il y avait peu de place, c'était toujours encombré d'instruments, de gens courant ici et là. Moi, toute petite, je passais inaperçue, j'étais comme dans une boîte, bien coiffée, bien maquillée — tout au moins, je le croyais —, prête à en sortir comme une poupée, le visage figé sur ce qui était une peur intérieure très forte, le trac. Pour le vaincre, je sentais, je savais que je n'avais pas le droit de lever le regard, que je devais rester toute ramassée sur moi-même, ne pas perdre un gramme de ma force. Michel, venant m'encourager, m'embrasser peut-être, me faisant fondre, me désarmait, me rendait faillible. Mais comment lui faire comprendre, sans avoir l'air insupportable ? Je lui dis seulement que je ne voulais pas le voir là. Comme après le spectacle, j'étais environnée, absorbée, kidnappée par la famille, Michel se contentait de me faire de grands signes enthousiastes... et je reconnaissais sa voix non pas entre mille, mais entre dix ou vingt, les copains, crier un peu plus fort que les autres : « Bravo, Mimi ! »

Un jour de la fin février, au premier étage de la mairie où je passais selon une habitude bien établie, j'appris la grande nouvelle :

« Mimi ! ça y est, c'est fait ! Tu montes à Paris ! Pour le *Jeu de la Chance !* Dans *Télé-Dimanche !*

— Quand ça ?

— Ton audition pour la sélection des chanteurs amateurs a lieu le 18 mars. Il faudra que tu prennes le train le 16. »

Le train ! Je n'avais jamais pris le train de ma vie. Seulement des cars pour la colonie de vacances. M. Colombe m'expliqua que la mairie me payait le billet.

« Et celui de tante Irène (car maman pouponnait Béatrice, qui n'avait que dix mois) ?

— Non, je n'ai pas de budget pour ça, mais il y aura bien quelqu'un d'Avignon qui prendra le train de Paris ce jour-là... »

Ce fut un colonel en retraite qui allait à une assemblée de la Légion d'honneur. Tout en lui était respectable : la moustache poivre et sel, le ventre, la canne et, bien entendu, la rosette. Il faisait aussi partie de notre comité des fêtes.

« Tu ne parleras à personne dans le train, sauf au colonel Cruzel... s'il te parle ! me dit maman.

— Tu prendras un taxi à la gare de Lyon pour ne pas te perdre ! recommanda papa.

— Ne paume pas les 500 francs que t'a donnés M. Colombe, me souffla Matite. Tu les as bien mis dans ton soutien-gorge ?

— Tu téléphoneras de chez Magali pour nous rassurer. »

Magali Viaud, une fille de Courthézon près d'Avignon, travaillait à Paris dans la publicité. Sa maman était pianiste, et la mienne avait arrangé avec elle ma venue : Magali pouvait me loger dans son deux-pièces. Je n'avais pas grand-chose à emporter : ma petite robe noire, mon maquillage, mes quatre partitions, mes chaussures à hauts talons. Le colonel, quand il me vit à la gare avec ma grande valise — celle de la famille qui avait servi au déménagement — me dit :

« Vous partez pour longtemps ?

— Je ne sais pas. »

J'allais chanter et, qui sait, peut-être allait-on m'engager ? Sur le quai du train — de 13 h 13, ce qui me parut un bon présage — Maman, Matite, Christiane et les autres pleuraient comme si elles n'allaient jamais me revoir. Le colonel prit la valise pour la mettre dans le porte-bagages et constata :

« Bou Diou ! qu'elle est légère ! Vous n'avez pas grand-chose là-dedans !

— Si j'ai besoin, j'achèterai ! »

Je ne me voyais pas déjà en haut de l'affiche, comme le dit Aznavour, mais il me semblait que ma vie se déployait en bel éventail... Papa monta dans le wagon pour me serrer encore fort, très fort :

« Et montre-leur à Paris comment on chante à Avignon !

— Monsieur Mathieu, vous allez être obligé de payer votre billet ! » dit le colonel.

Papa descendit en trombe. J'aperçus Michel sur le quai. Il n'avait pas osé monter... mais il était là avec Mauricette, des copines de l'usine et même les mamans des copines... Françoise Vidal et Mme Vidal, qui m'avait bien coiffée, et les copains de mes frères. On passa de main en main un bouquet qui m'arriva par la fenêtre.

Il y avait même le reporter qui avait couvert le *Critérium*.

« Avez-vous le trac ? » me demanda-t-il.

Comme le train démarrait, je ne pus que lui dire :

« Ma foi, non ! »

C'était vrai. Et je n'aurais eu rien de plus à lui dire, même si on avait eu le temps ! Je me laissai emporter par un immense bonheur, bercée par les roues et les paysages... Les bébés qui prennent le train y sont tellement habitués devenus grands, qu'ils ne connaîtront jamais cette ivresse-là...

Ainsi, pour la première fois, j'étais seule, j'étais libre. Je n'avais pas dix-neuf ans.

Paris... terminus. Le colonel m'avait dit : « Au revoir, petite Mathieu, et bonne chance ! » et il avait disparu, happé par ses amis de régiment. J'étais seule, libre, dans la file d'attente des taxis, devant cette gare de Lyon qui me paraissait aussi grande que le Palais des Papes. Je n'osais trop regarder autour de moi, de peur d'attirer l'attention. De l'air le plus dégagé, je donnai l'adresse au taxi : « Rue d'Aboukir ! » en habituée, et je fus surprise qu'il me dise :

« Vous n'êtes pas d'ici, vous ! »

Papa m'avait bien recommandé de ne parler à personne, mais un chauffeur de taxi, c'était quelqu'un et je lui dis :

« Et comment vous savez ça, vous ?

— C'est pas sorcier : " l'assent ! "

— Vous aussi, vous en avez un !

— Moi ? Pas du tout ! Je suis né ici ! »

Je ne répliquai rien parce que papa m'avait dit de ne pas parler, mais je n'en pensai pas moins. Les Parisiens étaient de mauvaise foi. Cela me mit mal à l'aise. J'essayai de ne pas avoir l'air trop surprise par ce que je voyais, par exemple, les bords de la Seine avec les bouquinistes. Là où, nous, nous aurions mis des melons, les Parisiens vendaient des livres ! Preuve qu'ils devaient lire beaucoup et s'instruire. Quelle figure allais-je faire avec mon petit certificat d'études ? L'angoisse me prit, d'autant que nous arrivions rue d'Aboukir. Je ne sais pourquoi : j'avais imaginé une grande avenue. C'était une rue étroite, face à un immense immeuble que le chauffeur me commenta : « C'est un grand journal... » Le chauffeur prit ma valise.

« Vous n'avez pas grand-chose dedans ! Pourquoi vous l'avez prise si grande ?

— Justement... pour y mettre plein de choses ! »

Je ne savais pas quoi. Mais je ne serai pas prise au dépourvu.

Le couloir de l'entrée était sombre. Et c'était au troisième étage. J'avais un peu peur... heureusement, Magali, que je ne connaissais pas, avait un joli visage. Elle avait vingt-trois ans. Mais il me sembla qu'entre nous il y avait une bien plus grande différence d'âge. Magali avait sa vie, son travail, ses amis, son appartement, son savoir, ses livres, ses armoires pleines. Elle me semblait bien armée pour Paris ! Moi, je n'avais que ma voix et, dans une grande valise, un slip, un soutien-gorge, une robe, une brosse à dents.

Le lendemain, c'était dimanche et, naturellement, je voulais aller à la messe. L'église la plus proche était Notre-Dame-des-Victoires : juste le carrefour à traverser, une petite rue prolongeant la rue d'Aboukir, qui a un nom sentant le Midi, « rue du Mail », et une place, petite, inattendue, provinciale, avec sa grande église l'encombrant toute, le panetier-pâtissier juste en face, pour la brioche au sortir de la messe, comme chez nous.

A l'intérieur, je restai bouche bée. A gauche de la nef, il y a une petite galerie tapissée d'ex-voto... Je n'en avais jamais vu autant... à croire que les Parisiens, ils avaient encore bien plus de problèmes que nous ! Que de guérisons, de vœux exaucés, de « Merci Marie ! ». Près du chœur, je découvris une statue de ma favorite, sainte Rita. Il fallait que je garde de l'argent pour le taxi qui me conduirait au Théâtre 102... Mais il me semblait que j'avais bien assez pour un cierge. Je l'allumai avec ferveur. Tant pis : je ne goûterais pas à la brioche qu'on fait à Paris...

A la maison, nous étions si habitués à *Télé-Dimanche* qu'il nous semblait que Roger Lanzac faisait partie de la famille. On disait : « Tiens, il est fatigué... » Ou, au contraire : « Ah ! il est très bien maintenant ! » On surveillait ses poches sous les yeux, sa voix, son costume, sa cravate.

Aussi je me présente devant lui sans appréhension, lui disant tout naturellement :

« Bonjour, monsieur Roger ! Je suis Mireille Mathieu d'Avignon. »

Il me répond :

« Eh bien, dites donc, vous avez l'accent, vous ! »

Je le sais bien mais ça me défrise qu'on me le dise. Une grande vague de timidité m'envahit soudain. Une dame blonde, le visage avenant, me demande mes partitions.

« Ah, Piaf ! » dit le pianiste d'un air entendu.

La dame me place devant le micro. Comme il n'y a pas de public, *La Vie en rose* et *L'Hymne à l'amour* tombent dans le silence, qui m'impressionne. Une voix sort de je ne sais où :

« Merci, mademoiselle. On vous écrira. »

Je suis déconcertée. Le pianiste me redonne les partitions. J'ose demander à la dame blonde :

« Mais... on m'écrira où ?

— Eh bien... à Avignon. Vous habitez bien toujours Avignon ?

— Et ce sera quand ? »

La dame a un grand geste d'ignorance. Quand ? elle ne peut pas savoir. C'est qu'il y en a des candidats pour ce *Jeu de la Chance...*

« On est plein jusqu'en 1966... »

Ils ne m'ont pas aimée. C'est évident qu'ils ne m'ont pas aimée. S'ils m'avaient aimée, ils m'auraient gardée. Magali essaie de me consoler. Puisque M. Colombe m'a donné 500 francs, elle me propose de faire les magasins. Pas de taxi, cette fois. On prend le métro. Ils n'ont pas l'air gai, les gens, là-dedans, peuchère ! Et on les comprend : ça sent le renfermé, le pas propre, c'est tout gris, comme une fourmilière ?... On traverse les rez-de-chaussée du *Printemps* et des *Galeries Lafayette.* Là aussi, c'est encore plus grand que le Palais des Papes ! Mais rien n'arrête mon regard, parce que je ne vois rien. Magali essaie de m'entraîner dans l'achat d'un collant fumé :

« Il ira bien avec ta robe noire...

— Oh ! j'ai l'impression que ma robe noire, je ne la mettrai plus.

— Allons, allons... dit Magali, je parie qu'avant peu tu seras de retour rue d'Aboukir ! »

J'avais pourtant mis un cierge et pris le train de 13 h 13... Que s'est-il donc passé ? Au retour, ma valise me paraît bien plus lourde qu'à l'aller. Peut-être parce que j'ai le cœur très gros... c'est lui qui pèse.

Papa me reçoit comme une héroïne. Maman est enchantée de la carte postale de la tour Eiffel que je rapporte. C'est ce que j'ai trouvé comme cadeau de plus abordable, à la mesure de mon petit argent de poche. Et je rends ses 500 francs à M. Colombe en lui disant :

« Ça n'a pas marché. Je ne crois pas qu'on veuille de moi à Paris... »

Je me sens craquer. Il a une bonne vue, M. Colombe. La larme au coin de l'œil, ça ne lui échappe pas.

« Ecoute, Mireille... à Paris, ils sont fadas ! Ils savent jamais où ils en sont. Ils vont se réveiller un jour... alors tu remonteras chez Magali. En attendant, garde tes 500 francs et garde ta voix pour des galas. Continue tes leçons : l'été approche. »

La vie reprend, à la Croix-des-Oiseaux, comme avant. Pour ne pas me faire de peine, la famille ne parle plus de Paris. Et moi non plus. Je dis seulement à Françoise :

« Personne ne viendra me chercher ici ! »

Une camarade de classe, Lyne Mariani, me rencontre et me trouve « pas comme d'habitude ».

« Tu nous faisais tant rire... tu entraînais toutes les autres ! »

C'est le fou rire qui a lié la fille de l'entrepreneur et celle du modeste tailleur de pierre... Elle veut me remonter le moral, me sortir, mais ce n'est pas le fait d'avoir été seule dans la capitale, mes dix-huit ans révolus, qui change la politique de papa. L'aînée doit montrer l'exemple : pas de bal, de sorties tardives. Et il y a toujours quelque chose à faire : Philippe, qui n'a que trois ans, court partout comme un vrai « couniéu » (un lapin) ; les jumeaux qui ont treize ans inventent des farces et attrapes. Rémi est le plus calme, mais il faut l'aider à faire ses devoirs, et Sophie est un diable à six ans. Qui a trempé la queue du chien dans le pot de peinture de papa pour l'utiliser comme pinceau ?

Non, rien de changé... et toujours le mistral. Un jour, alors que je suis sur ma bicyclette... il me renverse avec sa force coutumière, et je me retrouve sur un tas de choux-fleurs. C'est étrange, tous ces choux-fleurs en tas, dans un champ. Mais qu'est-ce qu'ils font là ? La maison des paysans est à deux pas et j'ose frapper :

« Pardon, madame, mais qu'est-ce que vous faites de tous ces choux-fleurs ?

— On ne peut pas les vendre. Ils sont un peu abîmés. On les jette.

— Je peux en emporter, madame ? parce que ce serait bien pour nous ! »

J'alerte mes sœurs. On part avec des sacs. On ramène notre tas de choux-fleurs. On les épluche soigneusement et il en reste suffisamment pour faire manger toute la famille avec trois recettes différentes. Maman est enchantée... car elle a toujours le problème aigu de tenir les cordons de la bourse. Et le gâchis de nourriture, elle nous l'a toujours dénoncé comme un crime. Nous ne disons pas le bénédicité comme il est de coutume dans certaines familles pieuses, mais nous faisons la croix sur le pain, et maman dit souvent : « Remerciez Dieu de ce que vous mangez, alors que tant d'autres dans le monde ont faim. » Je n'oublierai jamais les choux-fleurs.

Et M. Colombe, lui, n'oublie pas la petite Mireille. Quand Enrico Macias s'annonce pour un gala au mois de juillet sous un chapiteau, au nom du comité des fêtes, il demande à l'organisateur s'il n'est pas possible de faire passer en première partie une petite protégée de la ville qui a gagné la compétition « On chante dans mon quartier ». On lui accorde bien volontiers. Je vais remettre ma petite robe noire et mes talons, retrouver le geste délicieux d'étaler soigneusement le fond de teint sur le visage qui n'est plus tout à fait le sien, puisqu'on va le donner au public. J'avais vu s'entrouvrir la porte du paradis qui s'était refermée, et voilà qu'elle va se rouvrir brusquement... ma vie coupée se ressoude. Je suis dans la joie. C'est la traînée de poudre dans le quartier et même au-delà.

« Mimi ? Elle va chanter *avec* Enrico Macias... » annonce maman, non sans fierté.

On peut toujours dire « avec », mais c'est plutôt « avant ». Bien avant même, ce qui fait que je n'ai pas beaucoup de chances de le voir ! Je passe tout de suite après l'ouverture. Naturellement, les Avignonnais et les Mathieu au complet me font un triomphe. Je reste en coulisses, qui me paraissent le lieu le plus merveilleux du monde : les câbles qui traînent, la poussière, l'excitation, les « Merde ! lumière ! nom de Dieu ! » s'effaçant pour ne laisser passer que la chaleur des projecteurs, les « Comment vas-tu, coco ? », les « Chéri, tu es sublime ! » et autres douceurs qu'échangent ces messieurs-dames... L'entracte arrive. Je suis là, toujours médusée. L'organisateur du gala accueille, venant de la salle, un grand monsieur, lui disant que c'est vraiment gentil d'être venu, et l'autre répondant que c'est normal, qu'il a promis qu'il viendrait... qu'il va saluer les artistes... et, tout à coup, son œil tombe sur moi. En deux enjambées, il me rejoint :

« Alors, c'est vous, la petite demoiselle d'Avignon... Vous avez une voix. Mais vous avez besoin de la travailler.

— Je sais, monsieur.

— Et vous voulez devenir chanteuse ?

— Je ne veux que ça ! »

Il me regarde en souriant et je dois lever la tête bien haut pour croiser son regard bleu.

« Bien. Je m'appelle Johnny Stark. On vous écrira. »

Ça, je l'ai déjà entendu ! mais je le crois. Je suis même si bouleversée que j'en oublie de regarder Enrico Macias.

De retour à la maison, j'en parle à papa.

« C'est Johnny Stark, tu dis ?

— Oui. Johnny Stark.

— Ça doit être un Américain.

— Sûrement : il y ressemble.

— Et il t'a dit qu'il t'écrirait ? Il n'y a plus qu'à attendre. »

Chaque jour, je guette le facteur, attendant une lettre de New York qui n'arrive jamais. Pas plus que la lettre de *Télé-Dimanche*. Le fil qui me relie à mes rêves est de nouveau cassé. Et la réalité montre sa face, plutôt grimaçante. Le papet tombe malade. Très malade. Paralysé. Il a perdu le geste, la parole. La dernière qu'il m'ait dite : « Quand tu passeras à la télé, c'est moi qui te paierai ta robe ! » Il est devenu comme les saints de pierre qu'il sculptait. Mais les saints ont un visage de bienheureux, et lui a un visage de torturé.

Une conversation entre le docteur et mes parents : « Est-ce que vous avez de l'argent pour le mettre à l'hôpital ? Il est assuré ou non ? — Eh non ! il n'est pas assuré ! C'est un ancien. Un artisan, du temps des anciens, c'est pas assuré. — Vous n'avez pas d'argent, alors ? » Et Papa, furieux : « Alors, on meurt, si on n'a pas d'argent ? On peut payer un tant par mois. » Et maman : « Ecoute, Roger, c'est pas la solution. Il sera comme un " malouso " à l'hôpital... On va le prendre chez nous. Qu'est-ce qu'on lui ferait, docteur, à l'hôpital ? — Rien... quelques massages pour adoucir sa peine, quelques médicaments... — Eh bien, on peut le faire chez nous, ça. » Et papa, ému aux larmes : « T'es une bonne épouse, toi ! »

On transporte le papet à la maison. On lui a laissé la chambre des filles pour qu'il soit plus près de la salle d'eau. Le pauvre... ce n'est pas qu'il peut y aller... mais, pour mes parents, c'est plus facile. Désormais, ils ont treize enfants plus un bien lourd bébé. A 5 heures tous les matins, papa et maman se lèvent pour le nettoyer, le changer. On se relaie pour le faire manger. Les premiers jours, il fait un effort. Mais, peu à peu, il refuse la nourriture. Je ne sais pas si c'est son corps qui ne veut plus, ou si c'est son cœur. Ce qui reste vivant en lui, son regard, nous suit quand nous entrons dans la chambre et semble dire : « Mes pauvres enfants, le mal que je vous donne... » avec une très grande tristesse qui nous gagne. Papa essaie de secouer le découragement. Il lui parle doucement en provençal, et je devine bien ce qu'il dit : « Tu vas tenir le coup ! On veut encore te garder ! On a besoin de toi ! » Et il lui raconte ce qu'il a fait au cimetière, et comment il a pu ranger la sainte-Anne dans le coin gauche de l'atelier...

C'est avec moi qu'il arrive encore à avaler quelques

bouchées : comme pour un tout-petit, je lui chante une comptine en lui présentant cuillerée après cuillerée. Une grosse larme glisse de temps en temps sur sa joue. Je sais que le papet va mourir. J'ai mis un cierge pour qu'il ne souffre pas. Je ne l'ai pas mis pour qu'il reste en vie. Et cela me trouble soudain beaucoup. Ma foi n'a pas été assez forte pour demander l'impossible.

Il s'éteint, le 31 octobre. Un mois après, on opère la mamet. Je sais que mon enfance est finie.

DEUXIÈME PARTIE

1966 : L'ANNÉE LUMIÈRE

1.

LUX OU LANZAC ?

Est-ce pour adoucir le chagrin de la mort du grand-père ? M. Colombe m'annonce une nouvelle qui renoue le fil que je crois cassé. Il a alerté un imprésario de ses amis, Régis Durcourt, et par son intermédiaire arrive ce que je n'espère pas : une audition pour le *Palmarès des chansons* que fait Guy Lux. Il faut me présenter le samedi 20 novembre.

Vite... je cours chez ma copine Françoise. J'ai toujours eu la frange, mais peut-être sa maman peut-elle me faire « quelque chose de plus parisien » et « qui me fasse paraître plus grande » ? Elle me coupe les cheveux et les met bien en pattes le long de ma joue, et elle crêpe une mèche sur le sommet de ma tête...

« Ils vont te manger dans la menotte à Paris ! » me prédit-elle.

Ce n'est pas le cas de papa, perplexe :

« Ça fait un peu bagasse, tu ne trouves pas, Marcelle ?

— Mais non, mais non, répond maman, qui veut surtout me garder le moral. Souviens-toi, Roger, elle avait les cheveux très courts comme ça quand elle était à la maternelle... »

Moi qui voulais paraître grande... c'est raté ! Je reprends ma grande valise, ma petite robe noire et ma croix de Lourdes presque en or, et me voici dans le train, toute seule, avec toujours les mêmes recommandations, et je me retrouve rue d'Aboukir, avec Magali qui est venue me chercher à la gare.

« Mais je le savais bien, moi, que tu reviendrais. Viens ! On va prendre un café ! »

C'est le bistro du coin de la rue. Il est très gai. Il est fréquenté par les journalistes du grand immeuble du coin de la rue du Louvre.

« C'est eux qui donnent les nouvelles ? »

Magali m'assure que oui. Pourquoi sont-ils si gais, alors qu'elles sont souvent si tristes ? Elle me dit que c'est comme les médecins qui ne pleurent pas tout le temps parce qu'ils ont des malades ! Ce qui l'émerveille, c'est que mon audition ait lieu cette fois à l'Olympia.

« Tu te rends compte ! En ce moment, il y a à l'affiche Johnny (Hallyday). Je voudrais bien y aller, moi ! »

La seule chose que je retiens dans mon cœur, c'est que l'Olympia, c'est le fief, le palais, le temple d'Edith Piaf. Je vais mettre mes pieds là où elle a posé les siens, il y a trois ans... Ça me bouleverse. Si j'osais, je baiserais la scène.

« Je m'appelle Jacqueline Duforest.

— Bonjour, madame Duforest.

— Je travaille avec Guy Lux.

— Oui je sais, madame. »

A la maison, on connaît le générique du *Palmarès des chansons.* Elle me met à l'aise, Jacqueline Duforest. Elle est bien plantée, comme on dit chez nous. Elle a l'air gaie avec une bouche gourmande.

« Qu'est-ce que tu nous chantes, mon chou ? (Ça, c'est bien une expression de Paris !)

— *L'Hymne à l'amour.* »

Elle a l'air surprise. Oui, je sais... Mme Collière ne serait pas contente que j'annonce ça. « C'est une chanson encore trop forte pour toi ! » me dit-elle encore et toujours. Mais toujours et encore, je suis têtue. C'est vrai qu'elle ne m'a pas porté chance au *Critérium* d'Avignon, mais c'est toujours vrai que c'est pour moi la plus belle chanson de Piaf, d'abord parce qu'elle l'a écrite, ensuite parce que les paroles me bouleversent profondément.

« A qui tu penses, m'a questionnée un jour Matite, quand tu chantes : *Je me ferais teindre en blonde si tu me le demandais ?* A Michel ? »

J'ai haussé les épaules :

« A personne. A personne, je t'assure... »

Le seul visage masculin que j'avais en tête était celui de papa, si tendre, si fier de moi. Et, pour l'heure, celui du papet. J'ai même peur de craquer en chantant : *Si un jour la vie t'arrache à moi...* Mais je ne craque pas. Je suis même singulièrement sèche de larmes ce jour-là, moi qui en ai versé tant pour lui. Le trac, peut-être ? Ou le fait, me trottant en mémoire, que je n'ai pas mis de cierge pour sa vie. Ou l'ombre de la grande Edith qui me fait écran, peut-être ?

« C'est très bien, me dit Jacqueline Duforest. Vous passerez dans la séquence des " Espoirs ", vendredi prochain. Au revoir, mon petit chou ! »

Je me sens toute ragaillardie :

« Au revoir, madame ! »

Elle ajoute :

« Vous savez qui était dans la salle ? Johnny Hallyday ! Il revient du service militaire. Il fait sa rentrée à l'Olympia... »

Elle a l'air tout émoustillée. Mais chez les Mathieu le rock n'est pas notre tasse de thé. Ah ! si ç'avait été Tino, maman n'en dormirait pas de la nuit ! Pourtant peut-être serais-je émue si je savais la réflexion qu'il a faite et que Jacqueline Duforest me rapportera plus tard : « Elle a une belle voix, la petite, mais Piaf est encore trop proche. »

La rue d'Aboukir résonne de mes « la, la, la » quand le téléphone sonne. C'est M. Colombe.

« Ah ! monsieur Colombe ! Ça y est ! je fais le *Palmarès* vendredi prochain. C'est formidable, non ? Dites à maman que je reprends le train demain matin.

— Non, tu restes ! Devine ce qui nous arrive ! Tu passes à *Télé-Dimanche* ! Oui ! à *Télé-Dimanche !* l'émission de Marcillac ! »

Je suis abasourdie, et lui, à l'autre bout du fil, tout excité :

« A peine tu étais partie, arrive chez ta mère un télégramme te convoquant au Théâtre 102 ! Mais foutu comme l'as de pique, ce télégramme, adressé à Mlle Monique Mathieu à la Croix-des-Ciseaux ! Alors le temps que le facteur s'y retrouve... bref, Roger Lanzac t'attend pour le *Jeu de la Chance...*

— *La Chance !* Quand ?

— Tout de suite, je te dis ! A *Télé-Dimanche,* pour la répétition ! On sera tous devant le poste demain pour te voir !

Allô ! allô ! ta mère a dit que tu boives du tilleul ce soir et demain, avant de chanter, encore du tilleul mais avec du miel ! »

Je prends mes partitions en vitesse. Pourvu que je trouve un taxi ! J'arrive en trombe au Théâtre 102 et j'entends :

« Roger ! Roger ! La voilà ! elle est là, la petite d'Avignon ! »

Un assistant, sans doute. Il avait l'air de me guetter. Comme c'est gentil ! Mais alors, pourquoi Roger Lanzac est-il si furieux ? Les yeux lui sortent de ses valises. Il explose :

« Qu'est-ce que c'est cette manière de courir deux lièvres à la fois ? Alors, je me suis *aussi* présentée au *Palmarès* ! Eh bien, il n'en est pas question ! Il faut choisir ! » Comme je ne comprends pas, j'esquisse un : « Pourquoi ?

— Parce que ça ne se fait pas ! On ne passe pas dans deux émissions en même temps ! »

Je suis ahurie. Il me semble que des chanteurs font *toutes* les émissions ! Ça n'a pas l'air de poser un problème ! Et puis, moi... c'est pas « en même temps », c'est à quelques jours d'intervalle ! Et puis... il est resté huit mois sans me donner de nouvelles, excepté celle que je ne pouvais pas passer avant 1966 ! Enfin, est-ce ma faute si les deux propositions tombent au même moment ! Ce doit être une question d'étoile ! Toutes ces raisons défilent dans ma tête, mais je reste bouche cousue, désemparée... La gentille dame blonde qui m'a reçue la première fois me dit :

« Ne vous inquiétez pas ! La veille de l'émission, on est tous nerveux ! Alors, qui choisissez-vous ? Guy lux ou Lanzac ?

— J'aimerais bien les deux, moi ! »

Elle sourit :

« Ça... ce n'est pas possible ! Vous comprenez, mon petit chou (Ah ! tiens ! elle m'appelle comme Mme Jacqueline Duforest... c'est vraiment une expression parisienne, ça !)... ils sont un peu rivaux. Il faut choisir son camp. »

Le camp du Drap d'Or, François Ier, j'avais potassé ça pour le certificat d'études, mais je ne croyais pas qu'à la télévision, on en était resté à cette époque-là ! Je réfléchis tandis que la dame s'impatiente. Le *Palmarès,* je passe une fois. Le *Jeu de la Chance,* c'est un peu comme *On chante dans mon quartier :* si on vote pour moi, je reviens la semaine suivante.

« J'ai choisi, lui dis-je. C'est vous.

— Eh bien, dit la dame, vous avez bien fait ! »

Elle envoie un jeune assistant prévenir Roger Lanzac. Avant de partir le garçon dit, joyeux :

« Ça va être marrant : la bataille des Piaf ! »

La bataille ? C'est vrai : préoccupée par le choix à faire, je n'ai plus songé à la compétition. Or, il y a une concurrente sérieuse qui a déjà gagné quatre fois de suite. Je l'ai vue à la télé, Georgette Lemaire. Plus âgée que moi, elle est mariée avec deux fils et pas heureuse en ménage, la pauvre. J'ai lu un article qui dit que son mari la bat. Elle chante le répertoire de Piaf, elle aussi, et ça me paraît normal : personne n'a de chansons plus belles... Vite, vite, un coup de peigne et... on y va ! ce que c'est qu'un plateau de télévision ! Chaque caméra est comme une araignée avec des mouches autour ! et ça tire des fils de tous les côtés. Vite, vite ! la partition... Je me prends le pied dans un câble, je la laisse tomber...

« Et dans quel ton ? demande le pianiste.

— Peuchère ! je n'en sais rien ! »

Roger Lanzac, qui m'a entendue, m'imite aussitôt :

« Peuchère ! On ne peut pas dire qu'elle a l'accent de Piaf, celle-là ! »

On rit autour de lui. Je suis rouge. Peut-être aurais-je dû choisir Guy Lux... Georgette Lemaire est de Paris, elle, comme Piaf.

C'est trop tard. Les projecteurs s'allument. Je ne peux plus dire non. Je ne peux plus reculer.

Mais pour toi, Jezebel,
Je ferais le tour de la terre...

J'entends Roger Lanzac demander à un technicien : « Ça va, pour toi ? » Et celui-ci répondre de je ne sais où, car je ne vois rien : « Ça passe. » Ça veut dire sans doute que je suis passable.

« C'est formidable... me dit la dame blonde. Raymond Marcillac est très content.

— Ah, bon ? Merci, madame.

— Appelez-moi Nanou. »

Elle a un joli sourire, Nanou Taddei. Mais, moi, j'ai une

boule à l'estomac. Parce que j'ai envie de pleurer, parce que je voudrais que maman soit là, et Matite, et Christiane...

« Moi, on m'appelle Mimi.

— J'ai déjà entendu ça quelque part ! »

L'humour m'échappe. J'ai peur. Une chose, une seule chose peut me calmer l'esprit : la prière. Par chance, en rentrant rue d'Aboukir, je vois que Notre-Dame-des-Victoires n'a pas encore fermé son portail. A pas rapides, je vais vers la statue de sainte Rita. J'allume un cierge à la flamme d'un de ceux qui brûlent déjà. Rien que ce geste commence à me mettre de l'ordre dans le cœur.

« Enlevez-moi l'angoisse. Faites-moi gagner... pour tous ceux que j'aime, pour les aider comme vous m'aidez... »

Magali me trouva en train de boire mon tilleul.

« T'as pas trop le trac ?

— Ça va.

— Moi, je serais morte de trouille ! »

Je ne prolonge pas la conversation pour rester en tranquillité. Ne pas permettre à une autre pensée de m'envahir. Je vais me coucher et m'endors comme un muret. Car si le ciel m'a donné une voix, il m'a donné aussi la faculté de dormir beaucoup, et l'une est excellente pour l'autre !

Le dimanche matin, avant la messe, toute la famille se succède au téléphone pour me souhaiter bonne chance.

« Nous allons faire une prière pour toi, me dit maman.

— Et, tu sais, Mimi, ne t'inquiète pas trop, me dit papa. Même si tu ne réussissais pas cette fois... c'est pas grave. Tu sais comment doubler ! »

Je suis bien décidée à ne pas le faire. Tout me presse. Le chômage qui me guette depuis la déconfiture de l'usine, ces trois années passées à travailler avec Mme Collière qui ont fait germer ma graine de rêve. J'ai dix-neuf ans, il faut que je m'en sorte, et avec moi, tous les Mathieu ! Il faut que je fasse entrer du bonheur dans la maison encore plus assombrie par la mort de papet. C'est aujourd'hui ou jamais. Je me souviens avoir revêtu ma petite robe noire comme un habit de lumière et, avec la même gravité qu'un torero avant le combat, j'ai fait mon signe de croix.

Le jour de l'émission, la fièvre monte encore de quelques degrés quand c'est en direct. Ce qui, à l'époque, était le cas.

Ensuite, la mode s'en est perdue, au profit d'une perfection technique, sans doute, mais l'émotion du direct est irremplaçable et je suis heureuse qu'on y revienne. C'est du sans filet. Je donne peut-être l'image d'une fille raisonnable, mais, en fait, j'ai le goût du risque ou, tout au moins, de la performance. J'aime vaincre. Vaincre une salle difficile, ou réputée comme telle, me plaît. Et je n'aime pas perdre... même au rami. (Matite me fait même la réputation d'être mauvaise joueuse !)

Ce 21 novembre 1965, je ne sais qu'une chose : il faut gagner. J'ignore tout de la difficulté du métier. Le but est là, tout près, immédiat. Il me semble que je peux le toucher... La maquilleuse m'emmène, m'installe, m'enlève deux poils de sourcil et me dit :

« Il faudra décolorer le duvet de vos bras...

— Aujourd'hui ?

— Non. Plus tard. Si vous avez des manches courtes... »

En scène, isolée dans les projecteurs et sous l'œil des caméras pour la première fois de ma vie, en les tendant, mes bras, vers le public, j'ai l'impression extraordinaire, jamais ressentie encore, de le frôler de mes doigts de d'avoir pour lui le cœur dans les mains.

Mais pour toi, Jezebel,
Je ferais le tour de la terre
J'irais jusqu'au fond des enfers !

Cela se passe à la mi-temps du match de rugby retransmis par *Télé-Dimanche.* Dans la salle, je sens comme une explosion qui me submerge. Oui, j'en suis sûre, j'ai gagné la salle. Mais il n'y a pas que le Théâtre 102. Il y a la France entière — ou presque ! — qui vote. Je me réfugie près de Nanou Taddei, qui, ma parole, en a, comme moi, des larmes plein les yeux. Il n'y a plus qu'à attendre... mais quelle effervescence, quel bouillonnement autour de nous, des musiciens, des techniciens passent : « Formidable ! » Un assistant arrive pour nous dire que « ça téléphone de partout, le standard en est bloqué ! ».

« Ça ne m'étonne pas, dis-je à Nanou. Déjà avec tous les Mathieu et les Avignonnais que je connais, ça fait du monde ! »

J'ai vraiment envie de rire, maintenant. Je m'inquiète de Roger Lanzac. Il m'a embrassée en me soulevant de terre, ce qui ne lui est pas difficile ! C'est donc que sa colère de la veille lui est passée, mais je ne le vois plus ?

« Il guette les résultats avec Raymond Marcillac. »

Un gros monsieur, qui vient de la salle, me demande si j'ai un agent ? Je le regarde sans comprendre. Un agent de quoi ?

« Il y a bien des gens qui vont vouloir s'occuper de vous. Faites attention ! » me dit Nanou.

Et maman qui m'a dit de ne parler à personne ! Mais ici, où tout le monde s'embrasse, c'est bien difficile ! Le jeune assistant revient, hilare :

« Il y a des gens qui téléphonent pour demander si ce n'est pas la voix de Piaf qu'on a passée en play-back ! »

Je ne sais pas ce que c'est qu'un play-back, Nanou m'explique. Dans un sens, je suis contente et, dans un autre, contrariée : ainsi il y a des gens qui ne croient pas que c'est moi qui chante ! Un grand monsieur se fraye un chemin jusqu'à moi. Je le reconnais tout de suite, ce colosse, avec des favoris, des yeux bleu ciel, une allure de cow-boy...

Il se penche vers moi, me prend les mains et me dit :

« Vous me reconnaissez ? »

Si je le reconnais ! Johnny Stark ! Si j'osais, je lui dirais qu'il a du toupet ! Ça fait des mois que j'attends sa lettre !

« Vous aviez dit que vous m'écririez !

— J'ai eu beaucoup à faire... mais, tout à l'heure, j'étais devant mon poste... Vous passez très bien à l'image. Je sursaute : mais c'est ma petite Avignonnaise ! J'étais dans ma tenue du dimanche, la décontractée, la robe de chambre ! Je m'habille, je fonce, me voilà, et on reprend la conversation où nous en étions... »

Il me fait rire. Avec lui, je me crois dans un film !

« Alors, mademoiselle Mathieu, vous voulez toujours devenir chanteuse ?

— Je le suis.

— Holà ! pas encore... vous chantez. Ce n'est pas tout à fait la même chose. C'est un métier très, très difficile. Je ne crois pas que vous en ayez idée. Mais si vous avez du courage...

— J'en ai.

— Elle est l'aînée d'une famille de treize enfants... intervient Nanou.

— Oui, je sais, j'ai entendu tout à l'heure... Mais si je la prends en main, ce sera moi, l'aîné ! C'est moi qui commanderai ! Il y a un martinet chez vous ? »

Je ris :

« Non. Il n'y en a jamais eu !

— Moi, j'en aurais peut-être un ! »

Je ris de plus belle. Il part à la recherche de Roger Lanzac.

« Ah ! si Johnny Stark veut bien s'occuper de vous... c'est une chance, me dit Nanou. Parce que, lui, c'est un grand professionnel. Il s'est occupé d'Yves Montand, de Mariano, de Tino, de Line Renaud, de Johnny Hallyday... »

Elle est là, précisément, Line Renaud, vedette invitée de Raymond Marcillac, et je les vois, Johnny et elle, en conversation animée.

« Vous avez l'air de bien le connaître ?

— Assez bien, me répond Nanou. C'est mon ex-mari. »

A ce moment, il y a une sorte de remue-ménage. Les résultats arrivent... J'ai la bouche sèche. Alors ? alors ?

« Vous repassez la semaine prochaine », me glisse le petit assistant.

Ça y est ! j'ai gagné ! J'embrasserais le sol si j'osais ! Roger Lanzac s'avance dans les lumières et annonce comme un fait unique au *Jeu de la Chance :*

« Georgette Lemaire et Mireille Mathieu sont ex aequo... »

Nous reviendrons toutes les deux le dimanche suivant. Donc, je n'ai pas encore gagné. Je suis à la fois contente et pas satisfaite... Le cow-boy revient vers moi :

« Alors, mademoiselle d'Avignon, heureuse ?

— Pas tout à fait. C'est à refaire...

— Eh oui ! tout est toujours à refaire dans ce métier. Si vous ne comprenez pas ça, il vaut mieux abandonner tout de suite. »

Je fais non de la tête. Je veux continuer.

« Alors, me dit le cow-boy, je vais aller voir vos parents... On partira ensemble.

— J'ai mon billet de retour pour demain matin... »

Je fouille mon sac et en tire ma réservation en deuxième classe. Il sourit.

« Si ça ne vous fait rien, mademoiselle, nous partirons un peu plus tard... et en pullman. Par le train Bleu. »

Le train Bleu... j'en ai entendu parler. Serait-il vraiment bleu ? Il me semble que le cow-boy m'entraîne dans un rêve...

Je ne savais pas que ça allait durer... mais que ce ne serait pas toujours le rêve !

On ne part pas le lendemain. Parce que, le lendemain, il y a ma photo à la une de *France-Soir,* chantant, devant le micro, dans ma petite robe noire aux manches de mousseline. On voit bien la petite médaille de Notre-Dame-de-Lourdes que papa m'a donnée en me disant : « Elle est presque en or... elle te portera bonheur. » Elle m'a porté bonheur.

« Allô ! c'est toi, maman ?

— Oui ! je t'appelle de chez l'épicier ! Tout le monde t'a regardée ici : que tu étais mignonnette ! Mais qu'est-ce qu'il veut dire, ce télégramme ? Tu ne reviens pas tout de suite ?

— Non, maman, j'arriverai demain avec M. Stark. Il veut que je fasse carrière. Il vient voir papa.

— Peuchère ! le pauvre, je vais le prévenir ! Il est au cimetière en train de gratter l'Agathe-Rosalie qui a pris de la mousse !

— Tu as le temps, maman, on n'arrive que demain ! Mais achète *France-Soir* aujourd'hui. Je suis à la une.

— Il n'est pas encore arrivé, *France-Soir.* Tu es dessus ?

— A la une, je te dis ! Sous le général de Gaulle !

— Pas possible ! »

Je l'entends, à la ronde, dire chez l'épicier : « Elle est sous le général de Gaulle ! » J'explique :

« Tu verras : à côté du titre, il y a une grande annonce : “ Voici pourquoi le général de Gaulle ne parle pas à la télévision... la campagne électorale... aujourd'hui Mitterrand, etc. ”, et au-dessous : “ Mireille, la petite chanteuse de *Télé-Dimanche* ” et ma photo !

— Et celle du général de Gaulle ?

— Non, il n'y a pas celle du général de Gaulle... »

Au bout du fil me parvient la voix de maman, qui commente pour la boutique : « Elle a sa photo. Le général ne l'a pas. »

« Et qu'est-ce qu'ils disent sur toi ?

— Je te lis : " Frêle dans sa robe noire, Mireille Mathieu, 19 ans, 1,50 m, a étonné hier les spectateurs de *Télé-Dimanche* en chantant *Jezebel* avec une grosse voix. Elle reprend le train pour Avignon où, dans une H.L.M. douze frères et sœurs, une mère fatiguée et un père tailleur de pierre l'attendent... "

— C'est toi qui leur as dit que j'étais fatiguée ?

— J'ai dit que tu avais mis au monde treize petits.

— Ça ne fait pas bien, je trouve, une mère fatiguée ! C'est tout ?

— Non. " L'attendent pour la lessive, la vaisselle et le ménage... " »

Matite prend l'appareil :

« Et alors, moi, qu'est-ce que je fais !

— Tu m'aides ! Mais je pouvais pas parler de tout le monde ! Je leur ai dit aussi : " Je voudrais revenir à *Télé-Dimanche,* devenir riche et aider les malheureux... "

— Tu leur as dit ça, et c'est dans le journal ? »

Il y a un silence à Avignon, et puis :

« Ecoute, Mimi... maman craque. Elle ne peut plus te parler. Je vais raccrocher pour pas que ça coûte trop cher... »

Dans le petit appartement de Magali, c'est le silence aussi. Je renifle. Je me mouche, j'avale des larmes, il faut que je respire, je manque d'air.

« Eh bien, on va faire un petit tour, me dit Johnny Stark qui m'a apporté une pile de journaux. *France-Soir,* c'est à deux pas. Ce serait gentil d'aller les remercier. Parce que j'espère bien que ce n'est pas la dernière fois qu'ils écrivent le nom de Mireille Mathieu ! »

C'est à deux pas... mais la voiture nous attend en bas avec le chauffeur. Il lui demande de rouler jusqu'à ce qu'on trouve un fleuriste. Je le regarde avec un certain étonnement : il veut m'offrir des fleurs ? Il me dit que ce n'est pas pour moi, mais pour les gens du journal. Je ne m'en rends peut-être pas compte, mais ils m'ont fait là un grand cadeau avec cette photo en première page. Alors, c'est bien que je leur en fasse un petit...

Je n'ai jamais vu une voiture si grande. On pourrait coucher dedans. On appuie sur un bouton, et les vitres descendent toutes seules. Il y a la radio et même un téléphone.

« Il marche ?

— Naturellement, il marche !

— Je pourrais appeler maman ?

— Je n'en vois pas l'utilité, vous venez de vous parler. »

Dans la boutique du fleuriste, il me dit que je peux choisir ce que je veux. Je suis embarrassée. Je ne sais pas trop ce qu'aiment les journalistes. Dans cette grande bâtisse, les bureaux doivent ressembler à ceux de la mairie ? A la mairie, les employés aiment bien avoir une petite plante verte... Il y a de jolies bruyères comme celles que papa met au cimetière...

« Ah non ! dit-il, une belle jeune fille qui vient de triompher devant dix millions de téléspectateurs ne descend pas d'une Mercedes avec un petit pot de la Toussaint ! Elle arrive avec une brassée de fleurs, et les plus gaies possible ! Madame, vous nous faites un gros bouquet, le plus gai possible.

— Avec un ruban ?

— Non, madame, sans ruban, le plus simple qui soit. Un bouquet qui lui ressemble.

— Je l'ai bien reconnue, dit la dame. C'est la petite d'Avignon ! Je vous regarderai dimanche prochain. Et je téléphonerai au poste pour que vous gagniez... ! Pouvez-vous me donner un autographe ? avec une photo ?

— La photo, elle vous l'enverra dans quelques jours. On ne les a pas encore. »

Quand j'arrive dans le hall de *France-Soir,* mon bouquet de fleurs dans les bras, escortée par le grand Butch, je suis heureuse comme une mariée. N'est-ce pas une nouvelle vie que j'épouse ?

Entre les deux ascenseurs, une grande plaque sculptée et gravée tient la hauteur du mur, belle comme celles de nos tombes au cimetière. Je lis : « Pendant plusieurs siècles, ce lieu s'est appelé cour des Miracles... »

« Vous savez ce qu'était la cour des Miracles ? » me demande M. Stark.

Je me sens piégée comme au certif. C'est très vague dans ma tête.

« Les pauvres du Moyen Age ? »

Et j'éclate de rire. Un rire en « ah ! ah ! », bien sonore, celui qui entraînait toute la fabrique d'enveloppes quand ça me prenait, et qui laisse le cow-boy surpris. Je le vois à son œil bleu. Mais c'est que soudain j'ai pensé à notre « Chicago » d'Avignon. Maman disait souvent : « C'est la cour des Miracles ! » Et de gravir aujourd'hui les marches de marbre de *France-Soir,* c'est mon miracle à moi.

« C'était des pauvres mais surtout des truands, me reprend-il, des faux mendiants, des faux aveugles et des faux estropiés. Mais ce n'était plus le Moyen Age quand la police a " nettoyé " tout ça : c'était Louis XIV ! »

Tout le monde connaît M. Stark au service des spectacles. Il entre là comme un cow-boy au saloon. C'est plutôt gai. Une jeune femme blonde s'empare avec mille mercis de mon bouquet. J'apprendrai qu'elle est importante, Mme Fleury, mais comme elle n'est pas plus grande que moi, je me sens à l'aise !

« Vous vous appelez Monique, comme ma sœur. Mais, je l'appelle toujours Matite...

— Eh bien ! dites-moi, vous avez encore plus d'accent en parlant qu'en chantant ! »

Elle est l'adjointe du chef des spectacles, Willy Guiboud, que voilà. Il paraît sur le seuil de son bureau et me dit, me fixant de son œil noir :

« Alors, voilà le petit monstre ! »

Comme je le regarde, saisie :

« Vous ne saviez pas que Johnny ne s'intéressait qu'aux monstres ? Sacrés, bien entendu. »

Je me sens soudain désemparée. Willy est le premier esprit parisien que je rencontre, l'un des plus mordants. Par la suite, je saurai qu'il est aussi des plus fidèles. Mais, pour le moment, il me terrorise. Johnny et lui échangent des propos qui les font rire et qui m'échappent. Et puis il y a diversion : un coup de téléphone et la secrétaire, coiffée à la garçonne et fumant comme du bois vert, dit :

« Vous pouvez monter. Pierre vous attend. »

Dans l'escalier, M. Stark m'affranchit : nous allons voir le grand patron de *France-Soir,* M. Pierre Lazareff.

« Vous savez bien : *Cinq colonnes à la Une.*

— Mon Dieu ! J'en aurai des choses à raconter à maman ! La secrétaire appelle le grand patron par son prénom ! Comme ils sont sympas à Paris... »

M. Stark modère mon enthousiasme :

« Moi, qui aime tant les surnoms, la secrétaire, Jacqueline

Coutellier, en a un : “ Couteau ”, parce qu’au téléphone, elle est prompte à trancher quand on ne fait pas partie des élus ! »

Le bureau de M. Lazareff est plus grand que toutes nos chambres de la Croix-des-Oiseaux réunies ; mais lui est tout petit, et ça me rassure. Au fond, je ne me sens bien qu’avec les petits, parce que je n’en ai pas peur, ou avec les très grands, comme le cow-boy, parce que je me sens protégée. Je comprends qu’on l’appelle « Pierre », M. Lazareff ; il attire le prénom. On a l’impression de le connaître depuis toujours. Il a mis ses lunettes en visière pour mieux me voir de près, sans doute. Il demande à M. Stark des nouvelles de Johnny (et je comprends qu’il est question de Hallyday), et il répond que ça va très bien, qu’il fait l’Olympia avec beaucoup de succès.

« J’en souhaite autant à cette petite, si ses parents acceptent de me la confier. Pour le moment, elle mélange le Moyen Age et Louis XIV... mais il faut dire qu’à quatorze ans, elle était en usine.

— Ce n’est pas grave. J’ai juste un an d’avance sur vous, me dit-il. J’ai quitté l’école à quinze ans. »

Alors ça ! Et il était devenu le patron du plus grand journal de France ! Je lui donne mon plus beau sourire.

« On rattrape ensuite... affaire de mémoire. Vous avez de la mémoire ? »

Je fais « oui » tout en ayant peur de répondre car je sens venir la colle. Elle vient : il me demande le dernier sujet de *Cinq colonnes* la semaine précédente...

« Je vous prie de m’excuser, monsieur, mais chez nous les enfants sont couchés à cette heure-là, et je donne l’exemple comme je suis l’aînée...

— Ils sont treize enfants... commente M. Stark.

— Je sais, je sais, je lis mon journal ! dit-il de sa petite voix pétaradante. Elle est bien élevée... ajoute-t-il. Et encore, à mon adresse : Si vous faites ce métier, il faudra changer d’horaire !

— Je crois que c’est une graine de vedette, conclut M. Stark, sentant que l’entrevue touchait à sa fin.

— Oui... si les “ petits cochons ” ne la mangent pas ! Et il se met à rire, puis : Si vous gagnez, on racontera votre histoire. Elle est très bonne, très humaine !

— Il y a une chose qui l'intéresserait, si c'était possible, elle aimerait bien voir comment se fait le journal. »

C'est vrai, j'ai posé la question dans la voiture. Et nous voilà au troisième étage que l'on appelle bizarrement le « marbre »... Ce qui me fait surgir encore l'image du cimetière de papa et du pauvre papet. On me dit que cela vient des tables de pierre supportant les « formes » en fonte très lourdes. A mon entrée, les typographes s'arrêtent et j'entends : « C'est la petite Mireille d'Avignon » et « C'est la petite Piaf »... Il y a une odeur qui est aussi pénétrante que celle de la colle dans la fabrique d'enveloppes... On m'amène devant ce qui sera la page des spectacles... Il faudra pouvoir lire à l'envers !

« Voulez-vous une morasse ? » me demande le typo.

Il pose une feuille de papier, on l'aplatit... et on me la donne : je suis la première lectrice à savoir que la Gaîté-Lyrique, fermée depuis trois ans, va avoir un nouveau directeur... le correcteur qui relit la page corrige ici et là une lettre, une virgule... et le typo, avec des pinces, aussi précis que pour une épilation, enlève la mauvaise virgule. Je suis fascinée.

Un autre typo arrive avec un petit morceau de plomb dans le creux de la main :

« C'est votre nom, dit-il, tel qu'il a paru ce matin à la une. »

Eh oui, je le retrouve, à l'envers, tout brillant, comme s'il était en argent. Si j'osais, je me le ferais monter en broche !

Oui, j'en suis sûre, ce métier, je vais le faire de toute mon âme.

« Et la prochaine fois, dis-je au typo, mon nom, vous le ferez... grand comme ça ! »

Et mes mains lui cadrent la page entière. Tout le monde éclate de rire, moi en tête. Mais mon cœur est sérieux. Je suis si énervée que je rentrerais bien à pied : la rue d'Aboukir est à deux cents mètres. Mais M. Stark me fait monter dans la voiture.

« Une vedette, ça ne marche pas à pied, et quand c'est une graine de vedette encore moins : elle risque de se perdre ! »

Je lui demande ce que Pierre Lazareff a voulu dire en parlant des « petits cochons » ? Il me réplique que je ne m'en inquiète pas. Dès qu'il flairera un « petit cochon », il m'en préviendra !

« Elle vous paraît un peu loin, la rue d'Aboukir ? C'est à cause des sens interdits ! »

(L'ennui avec le cow-boy, c'est que je ne sais jamais quand il plaisante ou non. Aujourd'hui encore...) En fait, on arrive à Neuilly, dans un très joli immeuble. Il met la clé dans la serrure :

« Voici, Mlle Mathieu ! » lance-t-il à la cantonade.

Paraît une jeune dame blonde, élégante.

« Et voilà Nicole Stark, ma femme. »

Je suis sidérée. Par la moquette. Je n'ai jamais rien vu de pareil. Elle est aussi épaisse que la fourrure que portait hier Line Renaud, et elle est toute bleu ciel. J'ose à peine marcher sur ce paradis. Et il y a des tableaux partout. J'écarquille les yeux. Oh ! une petite danseuse en tutu !

« Vous aimez la peinture ? me demande Mme Stark.

— C'est qu'on dirait Fanchon, la fille de Mme Julien, la maîtresse d'école.

— Ce n'est pas Mme Julien, c'est Degas.

— Deux garçons ? »

Eberluée, je m'approche :

« Bon... grogne le cow-boy. Il y aura à faire ! »

Une petite fille entre en trombe et lui saute dans les bras. Et me voici encore stupéfaite. Jamais je n'ai vu des cheveux aussi « paille ». Ils en sont presque blancs. Ainsi, M. Stark a une femme et une petite fille. C'est très bien. Il a l'air d'un papa gâteau.

« Elle s'appelle Vincence, me dit-il. Et il précise : C'est le féminin de Vincent.

— C'est un nom bien de chez nous, Vincent... dis-je.

— Mais, moi aussi, je suis de chez vous, dit-il. Je suis de Cannes. »

Je ne veux pas le contredire, mais Cannes, c'est pas Avignon !

Il explique à sa femme que je suis une petite fille bien naïve car je l'ai suivi sans inquiétude chez lui.

« J'aurais pu être un affreux Barbe Bleue ! »

Ça me fait rire.

« Maman m'a bien recommandé de ne parler à personne, mais M. Stark, n'est-ce pas, c'est quelqu'un ! »

Je me sens tout à fait en confiance avec lui. Je lui avoue que je le croyais américain et qu'après le gala d'Enrico Macias, je l'ai surnommé le cow-boy. Et c'est à son tour de rire.

« Stark, me dit-il, c'est mon nom. J'ai vécu en Corse jusqu'à onze ans, puis dans le Midi, à Cagnes et à Cannes. Mais j'ai un arrière-grand-père qui émigra au Texas pour élever des chevaux.

— J'avais raison, c'était un cow-boy ! »

Je triomphe. C'est un drôle de mélange, M. Stark, mais je le trouve de plus en plus sympathique.

« Madame est servie », dit la bonne.

Et nous voilà attablés dans la salle à manger avec des couverts en argent, comme chez la petite Roseline... mais il y a trop de couteaux : trois ! dont un comme une petite pelle que la bonne m'enlève alors qu'il est encore tout propre. M. Stark m'observe :

« C'était pour le poisson. Parce qu'on ne mange pas avec le même couteau le poisson et la viande.

— Chez nous, ça ne risque pas, c'est le poisson *ou* la viande *ou,* le plus souvent, des patates !

— C'est vrai que tu as douze frères et sœurs ? demande Vincenze. T'en as de la chance !

— On ne peut pas tout avoir, dit M. Stark. Si tu avais douze frères et sœurs, tu aurais moins de poupées et tu partagerais tes jouets ! »

La chambre de Vincence... une chambre toute rose pour elle toute seule, avec des animaux en peluche partout. Elle est grande pour ses huit ans, et si mignonne dans sa robe froncée à smocks, ses manches ballons, ses jolies chaussures... Je lui dis que je la trouve très belle, et elle me répond que je suis belle aussi, en ajoutant :

« Mais pourquoi tu es tout en noir ? »

Je pourrais lui dire que c'est parce que je n'ai que cette robe-là, mais il me vient une meilleure réponse, tout aussi vraie :

« C'est que le papet est mort le mois dernier... »

Si vraie que de la dire, je revois le pauvre visage de souffrant et... Mme Stark est navrée : on me fait pleurer

« Je vous prie de m'excuser... »

Maman m'a appris à dire ça toute petite :

« Quand tu ne sais pas quelque chose, quand tu as fait une sottise, quand tu as dit ce qu'il ne fallait pas dire, quand tu te conduis comme il ne faudrait pas... avec ça, on te pardonnera toujours. On pardonne aux polis, jamais aux grossiers. »

Monsieur Stark lève le sourcil :

« Laissez-la pleurer, il faut que ça sorte. Elle a eu deux jours d'émotion. Ça prouve qu'elle en a. Vous savez, ma petite Mimi, c'est à l'émotion qu'on reconnaît l'artiste ! »

Il vient de me donner en quelque sorte ma première leçon. Vient la seconde : il n'y a qu'un remède pour remettre les nerfs en place, c'est le sommeil. Il va me raccompagner car, demain, il faut être en forme pour arriver chez les parents en Avignon...

Un train comme celui-ci, j'en avais déjà vu passer... mais jamais je n'avais grimpé dedans ! Un wagon Pullman, la merveille, tout capitonné, avec un compartiment salon pour quatre personnes : il y a un monsieur avec nous, grand, sympathique, portant plein de sacs.

« C'est un grand photographe, me dit M. Stark.

— Pour vous ?

— Pas pour moi, je ne suis plus assez beau garçon ! »

Il est drôle, M. Stark. Il plaisante toujours. Le monsieur commence à faire des « clic ! » et des « clac ! » et je ne sais pas comment me mettre.

« Ne vous occupez pas de lui, faites comme s'il n'était pas là. »

Ce n'est pas lui qui me gêne, c'est une pensée qui finit par sortir tout haut :

« Et si je rate la semaine prochaine ? »

M. Stark me rassure : pourquoi je raterais, alors que j'ai déjà battu l'autre candidate ? Je ne comprends plus rien. « Ex aequo », ça veut bien dire quand on arrive pareils ?

« C'est vrai, dit-il, mais vous aviez tout de même quinze points d'avance. »

Il plaisante encore, ou il dit ça pour me donner confiance ? Il m'explique que les organisateurs ont certainement voulu « fouetter » l'émission. Le match serait déjà fini alors que maintenant le suspense est accru. Ce n'est pas tous les jours qu'une gagnante qui passionne les téléspectateurs pendant cinq semaines se fait coiffer au poteau par une petite inconnue.

« Ils seront dix-huit millions devant leur poste dimanche prochain pour savoir qui va l'emporter, de la petite d'Avignon ou de Georgette Lemaire. Il y a le risque que vous vous effondriez... »

Ah ! ça, non ! je ne vais pas m'effondrer ! Ma chance, notre chance est là. Il faut que je m'en sorte... et avec moi, tous les Mathieu ! Je gagnerai. Je suis sûre que je gagnerai !

2.

LE COW-BOY ET LE TAILLEUR DE PIERRE

Quand nous arrivons à la Croix-des-Oiseaux, l'œil de M. Stark s'arrondit. Evidemment, chez nous, c'est très petit et plein comme un œuf. La famille s'est groupée autour de papa, qui a mis son costume bleu foncé, celui du dimanche. Et il a, à son habitude, gardé le chapeau sur la tête. Le bloc des Mathieu. En face, tout seul, le cow-boy ; et moi, entre les deux.

« On se serait cru dans un film », m'a dit Matite plus tard.

C'est en tout cas inoubliable. Papa attaque :

« Monsieur Stark, vous êtes bien brave de vous intéresser à ma petite. Elle le mérite, peuchère ! Elle est formidable, ma Mimi. Elle a une voix ex-cep-tion-nelle ! Elle tient ça de moi...

— C'est vrai, il a une voix d'opéra, mon mari », dit maman en servant l'anisette.

M. Stark laisse dire. Les enfants connaissent l'opinion de papa (ils l'entendent tous les soirs ou presque quand il est devant sa télé, avec quelques variantes, du genre : « Mimi, à côté de celle-là, c'est la Callas ! »), alors, ils recommencent à se poursuivre avec des cris d'Indiens.

« Matite ! Christiane ! occupez-vous des petits ! Mimi a autre chose à faire ! »

M. Stark prend l'avantage :

« Oui, votre fille a un diamant dans la voix, monsieur Mathieu, mais il est brut, il faut le tailler. Oui, elle a une chance de faire carrière, mais une chance, vous savez, ce n'est rien. C'est ça (et il montre le bout de son ongle). Ce qui compte, c'est le travail. Et le travail, c'est ça (et il montre toute la longueur de son bras jusqu'à l'épaule). Ce n'est pas un métier facile.

— Je sais, monsieur Stark. Mais, ma fille, c'est une besogneuse. Elle fera tout ce qu'il faut.

— Ce qu'il faut, ce n'est pas rien, monsieur Mathieu. C'est travailler sa voix, son corps, ses gestes ; elle a tout à apprendre. »

Les garçons cernent M. Stark :

« Ah ! le cow-boy ! le cow-boy ! »

Je suis rouge de honte.

« Il ne faut pas le prendre mal, monsieur Stark. A la maison, on aime beaucoup les films de cow-boy !

— Je suis flatté, au contraire... !

— Le cow-boy ! Le cow-boy ! hurlent Régis et Guy.

— Ah ! ce sont les jumeaux ! » dit M. Stark.

Là, maman est intarissable sur la série des cinq garçons qui a suivi la série des cinq filles.

« Et maintenant, on alterne, une fille, un garçon ! dit papa, toujours très fier quand on aborde la question de sa progéniture.

— Vous êtes bien organisé, plaisante M. Stark, qui ajoute à l'adresse de maman : Mais vous devez avoir beaucoup de travail, madame. Et tous mes compliments. Chez vous, on mangerait par terre !

— Et que pensez-vous de mon anisette maison, monsieur Stark ? C'est pour les grandes occasions, mais c'est simple à faire, si vous aimez ça. Vous prenez un litre d'eau-de-vie à 40°...

— Marcelle ! gronde papa, on a des choses importantes à débattre !

— ... 50 graines d'anis bien concassées, 500 grammes de sucre, de la cannelle, de la vanille, du macis... et vous laissez macérer cinq à six semaines. Mais vous ne savez pas ce que c'est que le macis...

— Je ne sais pas ce que c'est ! s'indigne M. Stark en prenant l'accent. Eh ! moi, madame, je suis un cuisinier cannois ! »

Là, il a marqué un point.

« Vous cuisinez ! s'extasie maman.

— Oui, madame, et si Dieu nous prête vie, je vous ferai déguster un jour mon omelette aux truffes et ma bouillabaisse ! Elle cuisine, la petite Mireille ? »

Je baisse la tête.

« Moi, je m'occupe surtout de la vaisselle et du ménage...
— La bouffe, c'est très simple, chez nous... » dit papa.
Les jumeaux, comme un fait exprès, entonnent :

Les patates, ça épate
Les lentilles sont gentilles...

— C'est fini, la chansonnette ! bougonne papa. On va vous prendre pour des bedets ! »

M. Stark rompt les chiens.

« Etes-vous libre pour déjeuner, monsieur Mathieu ? Alors, nous allons tous à *L'Ermitage.* »

L'Ermitage, c'est comme le Pullman : on est passés devant mais sans penser jamais y entrer. C'est un restaurant très coté des environs.

« Je vais rester garder les petits...

— Non, madame. J'ai dit " tous ". Vous êtes combien, déjà ? »

Le déjeuner à *L'Ermitage* restera dans la mémoire des Mathieu.

« Même à notre mariage, Roger, on n'a pas si bien mangé ! » dit maman.

C'est la première fois fois qu'elle va dans un grand restaurant. Les enfants, impressionnés, se tiennent tranquilles. Béatrice, dans son couffin, est la seule désintéressée. J'ai l'estomac serré ; c'est moi qui suis sur la table ! M. Stark dit qu'il ne faut pas croire que « c'est arrivé » parce que j'ai eu un succès à Avignon : quand on est débutant et qu'on chante devant la population de sa ville, on fait toujours un triomphe. Ce n'est pas arrivé non plus parce qu'on a gagné la première manche à *Télé-Dimanche.* Il y a toutes les autres...

« Si elle accepte, si elle s'engage à faire ce métier, dit-il, chaque fois qu'elle montera sur la scène, elle devra gagner le match. Je crois qu'elle est courageuse, mais il faudra qu'elle le reste jusqu'au bout. Si je m'occupe d'elle, je ne laisserai passer aucune faiblesse ! »

Ce n'est pas le match qui me fait peur. Ni M. Stark, que Rémi a décidé, au dessert, d'appeler " pépé Jo ". Ce qui me fait peur, c'est de laisser la maison... J'ai cru, mais c'était idiot naturellement, que je continuerais d'habiter là... enfin, peut-être pas là, à la Croix-des-Oiseaux, si je gagne de l'argent. Mais avec tous les Mathieu. Je croyais aller chanter ici et là, pour la télé et, pour faire un disque, passer un jour à Paris de temps en temps. Je n'avais pas réalisé... mais M. Stark est formel :

« Il faut qu'elle habite Paris, mais pas chez sa copine rue d'Aboukir. Il faut qu'elle ait son appartement, sans soucis, pour ne penser qu'à son métier. Il lui faut des professeurs. Et des professeurs en tout... elle a besoin de tout apprendre ! Si vous acceptez, alors " Pépé Jo " s'en occupe complètement. En attendant de lui trouver l'appartement qui lui convienne, je l'installe chez moi, avec ma femme et ma fille. Et on commence la taille du diamant. Un diamant, ça ne se laisse pas toujours faire. Ce sera dur. Pardon ! si je me répète. Mais il faut que vous le sachiez.

— Vous savez, monsieur Stark, moi, quand j'ai quitté la maison, c'était pour aller à la guerre. Sa guerre à elle, ce sera moins triste ! Et c'est un bon petit soldat ! »

Le docteur Monoret me l'a déjà dit un jour. Ce doit être vrai.

« J'en suis sûr, monsieur Mathieu. Mais il ne faudra pas qu'elle ait peur des blessures, si elle veut devenir général ! »

Je ris avec tout le monde sans comprendre de quelles blessures il veut parler.

« Si vous en êtes d'accord, je vais faire préparer un contrat, mais c'est vous, monsieur Mathieu, qui devrez le signer, Mireille étant mineure. Pour plus de tranquillité, vous montrerez ce contrat à quelqu'un de votre entourage...

— Oui, à M. Colombe. C'est lui, avec le comité des fêtes, qui a soutenu Mireille et l'a envoyée à Paris. Vous le connaissez ?

— M. Raoul Colombe... je le connais. J'ai même eu une petite difficulté avec lui. »

Mes parents et moi on se regarde, inquiets.

« Oh ! pas grave. Cela remonte à deux ans. Johnny Hallyday dont je m'occupais, n'a pas honoré un gala à Avignon, et M. Colombe nous a attaqués en justice, mais il a perdu, pas avec plaisir, naturellement. »

Je suis effondrée : M. Colombe en procès avec pépé Jo, alors qu'il y a en France des milliers de comités d'entreprise et des milliers d'imprésarios ! Il faut que ça tombe sur les deux miens !

« Parce que ce n'était pas un caprice de Hallyday — d'ailleurs, avec moi, il n'y a pas de caprices. Il avait vraiment fait une chute de cheval en tournant son film *D'où viens-tu, Johnny ?*... Ne faites pas cette tête-là, ma petite Mireille. Dans ce métier, il y a souvent des petits conflits. Ça s'arrange toujours. C'est une grande famille ! »

Il dit le mot qu'il faut pour me rassurer. Et il nous parle de Johnny, une vraie bête de scène :

« J'ai eu le coup de foudre pour lui, comme tout le public, un soir, à l'Alhambra, il y a cinq ans. Un vrai gentil... Il faudrait le suivre du matin au soir ou, plus exactement, du soir au matin, à cette différence près que lui, le matin, il dort, tandis que moi, je vais au bureau ! »

Il est drôle, M. Stark, quand il raconte. Il nous parle maintenant de l'idole de maman, Tino Rossi :

« Vous voulez savoir comment j'ai rencontré Tino ? Sur un yatch en rade de Cannes qui appartenait à un grand avocat de mes amis. Sur le yatch, il y avait deux invités, Tino Rossi et sa partenaire alors préférée, Mireille Balin...

— Ah oui ! *Naples au baiser de feu...*

— Ah ! ça, vous l'avez vu, madame Mathieu ?

— Non. Seulement les affiches.

— C'était une superbe créature. On était tous là sur le pont, à boire un verre. Mireille Balin était une très jolie femme qui n'avait pas besoin de se refaire une beauté, mais vous connaissez les dames : elle sort son poudrier, et, flop ! il glisse et tombe à l'eau. Il était tout en diamants.

— Des vrais ?

— Des vrais.

— Boudiou !

— Comme vous dites, monsieur Mathieu. Alors Stark qui, à l'époque, était un beau jeune homme roulant des mécaniques, n'hésite pas une seconde, baisse le pantalon et, hop ! en slip, plonge du bateau. J'ai eu beaucoup de chance. Le poudrier aurait pu s'enfoncer dans la vase. Il m'attendait gentiment par cinq mètres de fond. Je refais surface, brandissant le fameux poudrier. Et Tino, de sa voix la plus mélodieuse me dit : “ Eh bien, vous, on peut dire que vous savez nager ! ” C'est ainsi qu'on a sympathisé. La guerre a éclaté. Quand la paix est revenue et moi par la même occasion, j'ai sonné à la porte de Tino et il m'a chargé d'organiser ses tournées. »

La guerre, c'est un sujet qui marque papa. Il interroge M. Stark qui va le passionner avec le récit de son engagement comme volontaire en Afrique du Nord :

« J'avais dix-sept ans, j'ai suivi l'armée américaine et j'ai vu le travail de son théâtre aux armées. C'est même là que j'ai pris le virus du métier, moi dont le papa était horticulteur. A Cagnes, il passait sa vie à faire des mariages de fleurs dans ses serres. C'est comme ça qu'il a obtenu la naissance d'un pois de senteur très long, le plus long du monde !

— Moi, dis-je, ça m'aurait intéressée les fleurs !

— Et quand avez-vous vraiment démarré dans le métier, monsieur Stark ?

— A vingt-deux ans, le 15 août 1946 à Cannes. J'avais organisé *La nuit des vedettes* et l'affiche ne mentait pas. Edith Piaf, Yves Montand, Marcel Cerdan, qui ne quittait pas Piaf à ce moment-là. Mon copain Roland Toutain venait présenter le spectacle au stade des Hespérides en descendant du ciel, pendu par un pied à un hélicoptère ! Tout cela était très joli mais coûtait fort cher, si bien que j'en fus d'un million de ma poche. Toutes mes économies ! La leçon fut rude, mais elle m'apprit le métier. Un coup l'on gagne, un coup l'on perd. Je crois que si vous donnez suite à ma proposition, avec Mireille, on gagnera ! »

Là-dessus, il commande le champagne, un Cristal rosé, son préféré, dit-il.

« Dites-moi, monsieur Mathieu, puis-je me permettre une question indiscrète ? Il vous va très bien : on dirait Gene Kelly, un grand danseur américain, mais pourquoi gardez-vous votre chapeau ?

— C'est pas que j'ai des complexes, dit papa, je le dis : je suis chauve. Mais je me sens toujours vingt ans ! C'est ma femme qui vieillit ! »

On rit. Maman se tape le menton de son index.

« Que nos femmes ne soient jamais veuves ! » dit pépé Jo en levant sa coupe.

Du champagne rose, nous, on n'en a jamais vu. Comme il tombe un peu de mousse sur la nappe :

« Prenez-en tous : c'est du bonheur ! »

Les enfants s'en mettent jusque sur le nez, et même Béatrice en a sa part sur le bout de sa petite oreille jolie comme un coquillage.

« Et à Mimi ! pardon, Mlle Mathieu ! » dit pépé Jo.

Le soir, je retrouve ma place dans le grand lit des filles, près de Matite et de Christiane. Maman est venue bavarder avec nous. On est toutes un peu étourdies.

« Et où couche le cow-boy ? demande Réjane.

— C'est pas un cow-boy, décrète maman, sévère. Avec du champagne rose ! C'est un seigneur ! Et comme tous les seigneurs de passage à Avignon, il couche à l'*Hôtel de l'Europe !* »

Un seigneur. En vingt ans de métier, je l'ai souvent entendu dire de Johnny Stark. Un seigneur, pour son faste, sa façon de recevoir, ou de se faire servir, la main toujours généreuse en pourboires pour les uns, en cadeaux pour les autres ; mais un seigneur redoutable aussi, avec son exigence, sa ponctualité de roi qui ne lui fait admettre aucun retard, sa mémoire d'éléphant qui ne lui fait oublier aucune offense ni aucun bienfait, mais qui le rend aussi très gai convive, plein d'anecdotes, doté d'un grand sens de la farce. Se souvenant de qui aime qui et quoi, pigeant tous les accents du monde, peut-être parce qu'il a beaucoup bourlingué. Il est le champion des blagues au téléphone. Des vedettes averties se sont laissées prendre au piège de ses personnages (un imprésario argentin promettant le Pérou ou un admirateur arabe fournissant le harem...), tout au moins le temps d'une communication. Mais il ne faut pas se fier à ces plaisanteries. Quand il dit et fait, selon son propre terme, des « âneries », c'est pour masquer son inquiétude, des tracas, des soucis, qu'il cache même à des intimes. J'ai mis du temps à le comprendre, alors que, moi-même, je suis très secrète ; que d'instinct, lorsque je l'ai rencontré, mon expérience des êtres étant nulle, j'ai mis toute ma confiance en lui. Moi, si craintive, je n'ai eu peur ni de son allure de géant, ni de la tache de vin qu'il a de naissance sur la joue gauche, ni de sa voix qui enfle volontiers dans une colère vraie ou pas.

« Johnny... mais c'est le meilleur homme du monde », me dit Nanou Taddei.

Je l'ai retrouvée sur le plateau de *Télé-Dimanche* où je vais affronter cinq semaines durant les concurrents. Avec chacun, elle se montre réconfortante, nous guidant vers le pianiste chargé de faire répéter tous ces amateurs que nous sommes. Mais elle a, je le sens, une sympathie attendrie pour la « petite d'Avignon ». Elle m'invite à dîner chez elle, et, ce qui me saute aux narines, ce n'est pas une odeur de cuisine, mais des parfums... Tout son appartement embaume. Or, moi, on me mène par le nez ! Amusée, elle me fait choisir une eau de toilette dans sa salle de bains. Ma première eau de toilette ! Le flacon va sceller notre amitié.

C'est pourquoi, à table, j'ose lui poser une question : pourquoi n'est-elle plus Mme Stark alors qu'elle parle toujours si gentiment de lui ? Elle m'explique que c'est la vie... que pour bien comprendre Stark, il faut savoir qu'il a perdu sa maman très jeune (trente-trois ans, il en avait treize). Une belle grande femme, fine et douce, il l'adorait. Alors, révolté, le petit agneau est devenu jeune loup, le meneur des mauvais élèves, le champion du système D, le costaud qui peut tout se permettre, y compris porter des cheveux longs alors que les hippies ne sont pas encore nés ! et qui se fait mettre à la porte de l'école parce qu'il trousse les filles !

« Je crois qu'il a toujours couru après la tendresse féminine de sa mère... Tomber amoureuse de Johnny Stark est une catastrophe ! L'épouser est pire. Mais, pour vous, ce sera un excellent Pygmalion. »

Je ne sais pas ce que ça veut dire. J'ouvre le dictionnaire en rentrant chez Magali, et j'ai un peu de mal à trouver... à cause de l' « y » !

Ce qui me paraît évident, c'est que M. Stark n'aime pas les petites brunes. Après Nanou, grande et blonde, Nicole, blonde et grande, voici, grande et rousse, une jeune femme qui m'aborde au Théâtre 102 :

« Je suis Nadine Joubert, la secrétaire de M. Stark. »

Elle porte un joli manteau façon panthère et un beau sac

dont je saurai plus tard qu'il est « de chez Hermès ». Elle sent bon. On dirait qu'elle se promène avec un bouquet de fleurs...

« Dès que vous aurez fini, M. Stark nous attend au bureau... au 122, avenue de Wagram. »

« 22 », c'est mon chiffre ! Bon présage. Je suis sur la bonne voie. Cela me met à l'aise. Dans la voiture, je lui demande s'il y a longtemps qu'elle travaille pour M. Stark !

« Oh ! je pense bien ! dit-elle. Depuis quatorze ans ! Je n'avais même pas votre âge quand il m'a engagée ! »

Elle me raconte qu'elle voulait faire du cinéma. Pas comme actrice, mais comme script et que dans ce dessein, après son brevet, elle était entrée dans une école de secrétariat pour apprendre la sténo. De là, elle est entrée à mi-temps dans une agence artistique. Elle croyait que ça la rapprocherait du cinéma...

« Vous ne voulez pas me consacrer votre autre mi-temps ? » lui demanda un grand gaillard, ami du patron, qui venait souvent « flairer des artistes ».

Bien sûr, ça ne pouvait qu'être lui !

« Je ne connaissais rien au music-hall, mais avec ce M. Stark... pas le temps de s'ennuyer, c'était vivant ! Vous verrez si vous travaillez avec nous ! Il organisait les tournées du débutant Gilbert Bécaud et de Line Renaud qui l'a fait monter à Paris après que Loulou Gasté, dans le Midi, fut tombé en arrêt devant les affiches d'Yves Montand. Il y en avait partout. Ce dont il ne se doutait pas, c'est qu'à l'époque, M. Stark les collait lui-même en louant un triporteur ! »

L'image de pépé Jo, sur un triporteur, collant des affiches, me fait éclater de rire si fort qu'on se retourne dans une voiture voisine et que Nadine appuie sur un bouton pour lever la vitre.

« Et voilà, conclut-elle, le travail débordant, il m'a demandée à plein temps et j'ai oublié le cinéma !

— J'imagine que c'est un très gentil patron...

— Epouvantable ! Pas d'heures, pas de dimanche, pas de fêtes. Un jour Paris, demain Londres, ou New York, ou Tōkyō. Le téléphone, le câble, l'avion... Ça n'arrête pas... Mais je ne le quitterais pas pour un empire ! »

En somme, si j'ai été fascinée dès le premier jour par M. Stark, je ne suis pas la seule !

Le « 122, avenue de Wagram » ne ressemble en rien aux bureaux que j'imaginais genre mairie. C'est le style salon, la succursale de l'appartement. Il y a des voilages blancs, de la moquette et des tableaux partout. Il ferait bon faire le lézard ici... mais pépé Jo a d'autres projets. Dès ce soir, je vais habiter Neuilly : Nicole m'a préparé la chambre d'ami, Vincence est toute contente et, dès demain, on s'occupera de ma garde-robe. Le plus important, c'est les chansons.

« Pour gagner le *Jeu de la Chance,* il faut bien sentir ses chansons. Et en prévoir plusieurs... tu peux rester plusieurs semaines. Alors quelles sont tes préférées ?

— *L'Hymne à l'amour...* (il fait une moue). Oui, je sais, Mme Collière me trouve un peu jeune...

— Elle a raison, Mme Collière. Tu es un poussin qui veut faire un cocorico ! »

Je me pince les lèvres. Il se reprend, me tapote la joue, très gentil :

« Ne te chiffonne pas. Tu es si mignonne quand tu souris. Tu feras cocorico, je te le promets, dans toute la France ! Nous disons *L'Hymne à l'amour...* et ensuite ?

— Ensuite... *Je sais comment* et... je ne sais pas.

— Il faut savoir : tu sais ou tu ne sais pas ?

— Monsieur Stark... intervient Nadine, vous l'abrutissez.

— Oh ! vous, Nadine ! dans votre bureau... *Exodus,* tu connais ?

— Oui, mais pas très bien.

— Y a qu'à l'apprendre. Ecoute-moi : parallèlement au *Jeu de la Chance,* je vais te faire faire un petit galop d'essai. Une petite tournée, si tu préfères. Tu lèveras le torchon. »

Je le regarde, effarée. Le torchon ? Je me revois en train de faire la vaisselle.

« Dans notre argot, c'est le rideau. Tu passes aussitôt le rideau levé. Les vedettes seront France Gall et Hugues Aufray. Ils sont très gentils, tu verras. Donc, le 5 décembre, si tout va bien, tu es encore dans le *Jeu de la Chance* pour dix-huit millions de téléspectateurs ; le 6, tu es à Dijon, le 7 à Genève, le 8 à Saint-Etienne, le 9 à Lyon et le 12 de nouveau au *Jeu de la Chance...* s'il plaît au ciel. »

Il l'a dit légèrement, et je lui réponds sérieusement :

« Le Bon Dieu est toujours avec moi. »

Il reste une seconde interdit par la clarté de ma réponse.

« Bon... dit-il. D'ici là, tu ne penses à rien d'autre qu'à tes chansons. Tu n'es pas amoureuse ?

— Quelqu'un croit peut-être qu'il est amoureux de moi, mais moi, non.

— Tant mieux. Parce que, quand on est amoureux, on ne mange plus, on ne dort plus, on ne travaille plus. Si tu veux gagner, il faut manger, il faut dormir et il faut travailler. Ce sont les trois secrets pour ta voix. Il n'y en a pas d'autres... Nadine ! Emmenez-la !

— Vous ne lui avez pas fait peur, au moins ? »

Je ris aux éclats. Il me regarde surpris.

« Tu as un rire de salle de garde... (J'écarquille l'œil.) Bon, elle ne sait pas ce que c'est ! Tu as un grand rire et tu es toute petite. Alors, comme tu ne vas pas grandir, il faudra rapetisser ton rire... A ce soir. »

Sur le pas de la porte :

« Mais papa n'a pas encore le contrat ?

— Y a qu'à le taper, n'est-ce pas, Nadine ? »

Y a qu'à, y a qu'à, c'est le grand Yacca, moitié cow-boy, moitié indien, moitié seigneur, moitié chrétien. Tel est l'homme qui est en train de bouleverser ma vie.

Je ne sais pas encore que je vais bouleverser la sienne.

3.

MA PREMIÈRE TOURNÉE

Emportée par un grand coup de mistral, c'est l'impression que j'ai. A peine le temps de dire au revoir à Magali.

« Je reviendrai prendre le café avec toi ! »

... Sans savoir que, non, je ne reviendrai pas.

« Vous n'avez que cette grande valise ?

— Oui, Nadine.

— Je vais demander au chauffeur de venir la chercher.

— Ce n'est pas la peine, regardez : je la soulève avec un doigt ! »

Les rires fusent dans la voiture. La glace qu'on remonte une fois de plus pour ne pas ameuter les passants. « Ma » chambre à Neuilly. Ma première chambre, toute seule, toute bleue. L'ours en peluche que je fais chanter pour amuser Vincence. Le bain de mousse... comme celui de Marilyn Monroe que j'ai vu dans un magazine.

« Allô ! maman !... de la mousse partout ! Tu fonds dedans ! Ta fatigue aussi fondrait ! Je t'en rapporterai de Paris ! »

Les visages qui s'éclairent partout à ma vue, avenue de Wagram, au Théâtre 102... L'heure de la Chance, à nouveau Nanou et Nadine, excitées.

« Georgette Lemaire parle d'abandonner. Elle discute avec Roger Lanzac. »

On me maquille. Je pense : « Ah non ! si elle abandonne où sera ma victoire ? » M. Colombe, monté d'Avignon, est parti dans un coin avec pépé Jo. Là aussi, ça discute. Mon Dieu ! faites qu'ils s'entendent. Une rumeur fait boum : Georgette

Lemaire va se désister en faveur de Mireille Mathieu. Ça veut dire quoi ?

« Elle a déjà signé avec une maison de disques », dit quelqu'un.

Je n'ai pas le trac. Seulement de la volonté.

« Pense à une seule chose, Mimi, au public. Défonce-toi », me souffle pépé Jo.

Je l'aperçois dans les coulisses avec M. Colombe. Ma petite croix presque en or, mon signe de croix, les lumières. La voix qui part vers le ciel... Les bravos. Le standard bloqué. Les bravos encore. « La petite Piaf ! » qui bourdonne dans la cohue. La grande poigne de pépé Jo qui me fait rempart. Les autographes. Les photos jusque dans la rue. Mais comme ils sont gentils, tous ces gens ! Je voudrais tous les embrasser... !

« Le plus dur est fait ! dis-je dans la voiture.

— Ne crois pas ça. Le plus dur, dans ce métier, n'est jamais fait.

— Et M. Colombe ?

— Banco ! Nous sommes d'accord. »

J'en étais sûre. Ce n'est que par la suite que j'ai eu des échos de leur discussion. M. Colombe, mandaté par mes parents, voulait être associé au contrat.

« Je ne vois pas, dit Johnny, comment j'aurais pu faire participer M. Colombe et le comité des fêtes de la ville d'Avignon à une carrière qui n'était pas encore une carrière... Je lui ai expliqué que ce n'était pas possible. Que je ne pouvais pas prendre conseil de la ville d'Avignon pour chaque démarche que j'aurai à faire ! Chacun son métier. Que jouant sur Mlle Mathieu, c'est moi, Stark, qui faisais la mise. Une mise de fonds qu'on ne pouvait évaluer encore : l'installation à Paris, la garde-robe, les professeurs et, pour commencer, son répertoire : elle n'a pas de chansons. Que faites-vous ? Moi, j'alerte les plus grands qui composent pour elle. Car il faut faire un disque, le plus vite possible. Et pour vendre le disque, il lui faut un public et donc des engagements. En avez-vous ? J'en ai. Je la fais passer à l'Olympia. Le contrat sera en bonne et due forme rédigé par un avocat.

— Je vais passer à l'Olympia !

— Dans un mois !

— Mamma mia !

— Tu peux le dire. Il y a du travail sur la planche. »

Rue Caumartin. Entrée des artistes. Dire qu'il y a trois ans, elle passait cette porte, « elle »... avec Théo Sarapo... Au deuxième étage, j'ai un choc. « Elle » est là. Là, dans sa petite robe noire, tordue par le désespoir...

« C'est la maquette de son affiche, signée Kiffer », me dit Bruno Coquatrix. Encadrée, au mur, derrière son bureau, au-dessus de son fauteuil. Pour qu'elle soit ainsi à la place d'honneur...

« ... Vous l'aimiez bien, monsieur ?

— Oh, ma petite fille, plus que ça ! Johnny le sait bien. Sans Edith, il n'y aurait plus d'Olympia. »

Il offre un cigare à Johnny.

« Vous pouvez le prendre : ce sont les mêmes que les vôtres !

— Ce sont ceux que je vous ai donnés...

— Non, ceux-là, ce sont ceux que je vous ai offerts ! »

Ils sourient et j'éclate de rire, mon rire en ah ! ah ! ah ! qui fait lever le sourcil de M. Coquatrix. Johnny lui dit qu'il faut s'y faire : je passe continuellement du rire aux larmes. S'il me reparle de Piaf, il parie que je vais sangloter.

« Je vais tout de même vous en reparler, jeune fille, parce que c'est vrai ce que je vous disais tout à l'heure. Si Piaf ne m'avait aidé, vous ne seriez peut-être pas là à m'écouter en attendant de signer votre contrat pour le programme de Sacha Distel et de Dionne Warwick ! »

Tirant une bouffée, il marque un temps d'arrêt, pour une réaction peut-être à la phrase magique « votre contrat »... mais ça, c'est l'affaire de Johnny. Ce qui m'intéresse, c'est ce qu'il va me dire d'Edith Piaf. La voix très douce, onctueuse, veloutée comme son regard gris-vert, me raconte comment, il y a quatre ans, il allait « fermer boutique ». Paradoxalement, le triomphe inouï de la revue de Joséphine Baker avait en quelque sorte démarqué l'Olympia. Il avait compté sur Bécaud pour ramener le public au tour de chant, mais Bécaud avait dû interrompre les représentations brusquement. En catastrophe, Bruno le remplaça, mais :

« On ne remplace pas un Gilbert Bécaud et, comme on fait toujours de la corde raide dans ce métier — ce n'est pas Johnny qui dira le contraire — après deux spectacles, bides retentissants, je fermai l'Olympia et m'écroulai à bout de nerfs et de ressources. Dépression. C'est alors que Piaf me téléphona tous les jours alors qu'elle-même venait de passer des moments douloureux. Vous ne pouvez pas savoir, jeune fille, comme une voix amie, quand on est au bout du rouleau, peut vous aider... Et non seulement ça : elle savait qu'une seule personne pouvait remplir l'Olympia jusqu'aux coulisses : elle, et, ce faisant, remettre le théâtre sur pied. Elle y resta trois mois. Elle m'a sauvé de la faillite... Voilà pourquoi son portrait est toujours là, et y restera... Maintenant, parlons de vous. Ma petite fille, quand je vous ai vue à *Télé-Dimanche,* mon premier réflexe a été de téléphoner à Johnny... mais il était déjà devant son poste. C'est dire que je crois en vous. Mais... »

Je le sentais venir ce mais. « Mais » il ne croit pas à une nouvelle Piaf. Il se demande s'il n'est pas prématuré de me lancer sur la scène, alors que je n'ai que des chansons de Piaf. Johnny rétorque qu'ils en ont déjà discuté, qu'il est vrai que je m'imposerai avec un répertoire qui reste à faire, mais qu'il est intéressant de voir l'accueil du public tout de suite.

« Juste un lever de rideau, un test.

— Avec trois chansons de Piaf ?

— Pour le moment, elle n'a que ça. Ce n'est pas à vous que j'apprendrai qu'une bonne chanson, ça ne court pas les rues. Je vais mettre tout le monde dessus, mais ça prendra deux, trois, quatre mois... Je veux qu'elle se frotte au public tout de suite. C'est avec lui qu'elle fera des progrès. »

Le cigare fait sa petite fumée et la voix se voile de douceur :

« Certes, certes... mais c'est risqué. Si vous jouez le jeu, évidemment, je le jouerai avec vous. Qu'en dites-vous, jeune fille ?

— Du moment que je chante, je suis contente ! Et... j'aime bien jouer. Mais je n'aime pas perdre. »

Et j'éclate de rire.

« Heureusement que tu chantes mieux que tu ne ris », me dit pépé Jo en descendant l'escalier.

Il a décidé que, pour mon galop d'essai en province, je garderai ma petite robe noire. On trouvera autre chose pour l'Olympia.

« Mais je vais t'acheter une valise.

— Ah non ! je veux garder la mienne !

— Elle est bien trop grande. Et pas très solide.

— C'est mon porte-bonheur. Je la garderai toujours.

— Ma parole, tu es aussi superstitieuse que Piaf !

— Et vous donc ! J'ai bien vu que vous avez jeté du sel par-dessus votre épaule l'autre jour, quand vous en aviez renversé sur la table ! »

Il m'a accordé la valise. Et j'ai accepté de bon cœur la mallette à maquillage. Mon rêve. De toutes les boutiques courues avec Nicole, mes préférées sont les parfumeries. Je ne me lasse pas des boîtes et des flacons. (A vrai dire cela me passionne plus que le contenu. Et, sur ce plan-là, je n'ai pas changé...)

Les courses. L'ivresse des courses... Oh ! le beau pull ! On entre. On me sort tous les modèles. J'ai toujours eu un faible pour le violet.

« Mais c'est affreux ! dit Nicole. C'est pour les vieilles dames ! »

Nicole sait. Elle a été mannequin. Elle est aussi élégante que les photos de magazine. Elle montre ses genoux, ce que moi j'aime pas faire. Elle me tend un pull bleu, un pull rouge...

« Je peux prendre le jaune aussi ? Parce que, derrière moi, il y a cinq filles, et lorsque j'en aurais assez du rouge, du bleu, du jaune, je pourrai le passer à Matite, Christiane, Marie-France. Mais combien ça coûte ? »

Nicole me dit que je n'ai pas à me préoccuper de ça. Johnny paiera. Une fois pour toutes, il ne faut plus que je m'inquiète de l'argent, mais seulement de moi, pour devenir la plus jolie possible.

« Allô ! maman ! Tu te souviens qu'en courant au Théâtre 102, la première fois que j'étais en retard et tout émotionnée, j'en ai perdu ma toque en fausse fourrure que j'avais achetée 10 francs sur le marché ?

— Eh oui, peuchère ! Elle te tenait bien chaud aux oreilles !

— Eh bien ! j'en ai une autre. En vison ! »

J'entends des exclamations. Ça va faire le tour de l'épicerie. Le lendemain, c'est la première rencontre avec le coiffeur de Nicole, Elrhodes. Nadine explique qu'il faut donner un peu plus de gonflant... Sorties de là, on rejoint Nicole chez le couturier Louis Féraud. Elle est catégorique : il faut qu'il arrive à m'habiller au-dessus du genou !

« Elle est très têtue. Elle ne veut pas montrer ses jambes.

— C'est dommage parce qu'elles sont très bien. »

Je me sens rougir jusqu'aux cheveux. C'est la première fois que je me déshabille devant un homme... Heureusement, il est d'Arles ! presque un « pays ». Il m'en parle, d'ailleurs, et j'en arrive à oublier que je suis en soutien-gorge devant lui.

« Et aussi une robe du soir ?

— Non. Pour le moment, il faut parer au plus pressé. Elle part en tournée. Nous reviendrons ! »

« Allô ! maman ! Tu sais, on m'a un peu gonflé la tête. Les cheveux, je parle des cheveux. Et puis, je vais avoir une petite robe noire à col Claudine gansée de rose. Mais dis à papa que, pour la scène, pépé Jo veut bien que je garde encore la sienne ! Ça lui fera plaisir... Non, maman, je peux pas encore venir. Si tu savais le travail ! Tous les jours, je répète à l'Olympia.

— Sur la scène, déjà ?

— Non, pas sur la scène. Dans un studio au quatrième étage. Avec un pianiste, celui d'Aznavour, M. Byrs.

— Birce ? Il serait pas du Midi, par hasard ? Parce que j'ai connu un Birce qui venait chercher sa carte de pain à la mairie...

— Non, maman, je crois pas, mais il est très gentil quand même. J'ai oublié de te dire, maman, chez le coiffeur, je pouvais plus bouger ! une dame me faisait les doigts de main et une autre me faisait les doigts de pied en même temps ! J'avais l'air godiche, je te dis pas ! Tranquillise papa : le vernis, il est pas rouge, il est blanc !

— Tu ne pourras pas faire un saut après ton *Télé-Dimanche ?*

— Non, maman. On part le lendemain matin pour Dijon... »

La tournée... j'en rêve. Mon premier grand voyage... j'ai un petit pincement au cœur quand pépé Jo me dit qu'il ne part pas avec nous, il a autre chose à faire : les chansons commencent à affluer pour Mlle Mathieu, il faut les écouter, il nous rejoindra en cours de route. Je partirai dans la voiture de Georges Carrière, son comptable, l'administrateur de la tournée. C'est un grand monsieur mince, au nez long, avec parfois un sourire gentil dessous. Point de ralliement, Dijon. Nous habitons tous dans le même hôtel.

Hugues Aufray, la vedette du spectacle, arrive avec ses musiciens. L'année dernière, il était en tournée avec Sylvie Vartan. Je l'adore tout de suite, parce qu'il a l'air d'un grand cow-boy très fin, si fin qu'il pourrait se poster derrière un bouleau... A la répétition, je suis impressionnée. C'est une musique gaie ou mélancolique, mais qui sent bon les grands espaces. Qu'il prenne sa guitare, son harmonica ou son pipeau. Il a le profil d'un aigle qui s'habille en peau de daim. La voix voilée est très prenante, qu'il chante *Y avait Fanny* ou *N'y pense plus, tout est bien.* J'aimerais bien la chanter celle-là.

« C'est du Bob Dylan », me dit-il.

Je ne sais pas qui c'est. Il m'explique. C'est un grand poète chanteur des Etats-Unis. Il ne se moque pas de moi parce que je ne connais pas. Il a fait un long voyage là-bas. C'est ce qui lui a donné l'idée de créer son « skiffle group », rien que des cordes, comme on entend dans les quadrilles de westerns... Il me plaît bien parce qu'il n'est pas du tout yé-yé. Je voudrais l'entendre tous les soirs des coulisses, mais M. Carrière est catégorique. Je dois aller me coucher, ordre de M. Stark. Ça me fait faire la grimace : j'aimerais mieux écouter Hugues Aufray ! Non, non, il faut que je dorme pour récupérer la fatigue des voyages sinon... gare à la voix ! Je rentrerai tous les soirs avec France Gall.

Quand on m'a dit qu'elle était la vedette américaine, j'ai naturellement répondu que je la croyais française. Rires. C'est le terme de music-hall pour désigner la vedette qui passe à la fin de la première partie, juste avant l'entracte et le récital de la tête d'affiche. Bon, maintenant, je le saurai. Elle est très mignonne, France Gall. Elle est accompagnée de son papa, et parce qu'elle me sent un peu isolée, elle me dit tout de suite :

« Si tu veux... viens partager ma loge. »

C'est avec un drôle de plaisir que je trimballe ma mallette et ma robe noire du petit réduit où, sur la porte, on avait écrit à la craie « Mireille Mathieux » avec un « x »... C'est normal, ils ne me connaissent pas du tout ici... je ne suis même pas sur l'affiche, pépé Jo me l'a expliqué : c'était trop précipité... on ne pouvait pas en refaire une... et puis, c'est une bonne façon de voir comment je vais être accueillie. Lumières, et on annonce la surprise, la petite triomphatrice de *Télé-Dimanche.* J'avance en scène et... je suis saisie. Avant que j'aie ouvert la bouche... c'est l'ovation, comme dimanche dernier, quand j'ai gagné !

« Allô ! maman ! Figure-toi que j'ai commencé comme l'autre jour j'avais fini !

— Je comprends rien à ce que tu racontes ! Ça a marché, Dijon ? parce que ce sont pas les mêmes qu'à Paris, là-bas ! »

De son côté, M. Carrière téléphone à pépé Jo :

« La petite a cassé la baraque. Elle a fait autant de succès qu'Hughes. »

La baraque... encore une expression que je vais mettre à mon répertoire d'argot. Avec une autre que me fournit France :

« Eh bien, tu ne m'as pas fait de cadeau ! »

Elle le dit gentiment. Je l'ai bien senti en la regardant depuis les coulisses. C'est pas facile de chanter *Annie aime les sucettes* derrière *L'Hymne à l'amour...* Mais elle a un drôle de métier, France, à côté de moi. Papa Gall nous ramène toutes les deux à l'hôtel, comme deux sœurs. Ça me rappelle les miennes, et je me sens bien avec eux. C'est une famille musicienne. Papa Gall ne va pas tarder à m'impressionner quand j'apprendrai qu'il a fait le conservatoire et écrit plein de chansons pour Piaf et Aznavour, dont *La Mamma,* qui me fait pleurer chaque fois que je l'entends. Je n'ose pas lui demander s'il voudrait écrire quelque chose pour moi, puisqu'on cherche des chansons, parce qu'il est normal qu'il préfère sa petite fille. Il vient de lui composer *Sacré Charlemagne* qu'on aime bien chanter en chœur, ça nous fait rire. Je demande à France :

« Tu as connu Piaf ?

— Je pense bien. J'allais souvent dans sa loge avec papa à l'Olympia. »

Je l'envie. Ça, c'est un point commun qu'on ne pourra jamais avoir. On en a d'autres : sa maman chantait, comme mon papa, à l'église, et elle a des frères jumeaux. La comparaison s'arrête là, car ils sont ses musiciens et ça me rend rêveuse. Si Régis et Guy grattaient un jour de la guitare, on partirait, comme eux, tous ensemble... J'ai le temps de voir venir, ils n'ont que treize ans ! Elle me parle aussi de son grand-père organiste, qui a cofondé les Petits Chanteurs à la croix de bois. Les Petits Chanteurs ! J'adore ! J'ai leur disque de Noël ! Et elle me raconte son grand prix de l'Eurovision, dont elle a l'auréole toute fraîche : un vrai cauchemar. Les musiciens de l'orchestre l'ont sifflée à la répétition parce qu'ils n'aimaient pas sa chanson *Poupée de cire, poupée de son,* et quand elle a gagné, la concurrente anglaise, furieuse, est venue pour lui crêper le chignon !

« Ah ! ce n'est pas un métier de tout repos qu'on a choisi !

— Mais on l'ai-ai-ai-me !

— Chut ! y a des clients qui dorment ! » dit papa Gall.

Je resterais bien toute la nuit avec eux, mais il faut aller se coucher. On rentre chacun dans nos chambres.

Et là, commence l'angoisse.

Pour la première fois, je suis seule, vraiment seule.

Chez pépé Jo, les portes restent ouvertes entre Vincence et moi. Ici, j'ai fermé la porte à clé. Tout me paraît étrange et étranger. J'ai peur. C'est idiot, mais j'ai peur. Dans ce grand lit froid, je ne peux pas dormir. Moi, habituée depuis toujours à la chaleur douce de mes sœurs, à nos éclats de rire, oh ! comme la maison me manque tout à coup. Mes petits frères que je bordais, la petite Béatrice que je dorlotais...

Le lendemain, à Saint-Etienne, c'est pire. Les bruits me paraissent plus effrayants. Les ombres plus menaçantes, la solitude plus lourde. Ils seraient bien étonnés, les spectateurs de l'*Eden Cinéma* qui m'ont crié « bravo ! » ce soir, de me voir sanglotant dans mon oreiller et n'osant pas éteindre la lumière.

Pendant le trajet de Saint-Etienne à Lyon, M. Carrière m'observe du coin de l'œil et s'inquiète de ma santé. Je lui dis que, le changement sans doute, je dors très mal. Il me conseille une bonne sieste à l'hôtel.

« Oh ! non ! je vais rester à toute la répétition... »

Je ne me sens bien qu'au théâtre. Là, je retrouve une famille. Je chantonne avec les Skiffle et Hugues. Je regarde attentivement comment France bouge en scène. Et comme « je lève le torchon », je ne vois pas pourquoi je quitterais la loge. J'observe comment elle se maquille. Elle m'a dit que j'y allais un peu fort avec le rouge. Et qu'il fallait tailler mes crayons très fin. Je suis heureuse.

Mais quand le rideau est tombé, qu'il faut revenir à l'hôtel, je m'assombris, et papa Gall m'en fait la remarque.

« Je n'aime pas la nuit.

— En cela, tu ne ressembles vraiment pas à Piaf ! »

Quand, à Genève, je vois arriver pépé Jo, j'explose de joie. Il assiste à la répétition et... ne me dit rien. C'est probablement que tout va bien. Je ne le vois pas dans les coulisses le soir. C'est qu'il doit être dans la salle. Après le spectacle, comme c'est notre dernière, il donne un petit souper pour toute la troupe. Comme c'est gai, comme je me sens bien. Les uns et les autres racontent plein d'histoires.

Celle d'Aznavour, au temps où il faisait un duo avec Pierre Roche. Charles, complexé par sa taille, portait des semelles compensées. En visite chez un imprésario capable de les engager, Charles tout en parlant croise sa jambe et l'imprésario, apercevant sa grosse semelle, souffle à Roche : « Mais il a un pied bot ! » Charles, qui ne s'était aperçu de rien, continuant à baratiner, décroise sa jambe pour croiser l'autre, et l'imprésario, horrifié : « Deux pieds bots ! »

Celle de Bourvil, qui arrive chez son copain accompagnateur, l'accordéoniste Etienne Lorin, et le voit, transpirant, monter des sacs de charbon chez lui. « Attends, mon vieux, je vais te donner un coup de main ! » Et il met un sac sur son dos, le grimpe, redescend quatre à quatre pour prendre le suivant. Le concierge sort comme un fou de sa loge, l'empêche de prendre le sac et hurle à l'adresse de Lorin : « Vous n'avez pas honte de faire porter du charbon à M. Bourvil ! »... Et Bourvil ajoutait : « C'est comme ça que je me suis aperçu que j'étais devenu vedette. »

Celle de Marten... celle de Barclay... Je n'ai pas l'habitude de me coucher tard. Les yeux me piquent. Pépé Jo m'envoie me coucher. Demain, avant de prendre l'avion de Paris, nous ferons quelques emplettes... Je les quitte, mais ce n'est qu'un au revoir. Hugues va passer à l'Olympia en mars. Je lui promets d'aller l'applaudir. Et France promet de venir voir le programme de Distel. En fait, nous n'allons plus les uns et les autres nous revoir vraiment. Nous ne ferons que nous croiser.

Le lendemain, je découvre Genève... en coup de vent. Lequel est assez vif. Pépé Jo reluque le cache-nez que j'ai mis autour du col roulé.

« C'est pour ma voix, dis-je.

— C'est le meilleur moyen de t'enrhumer. Enlève-moi ça.

— Mais j'ai tellement peur de la perdre. C'est tout ce que j'ai !

— Tu ne peux pas plus la perdre que ton regard, ton bout du nez ou tes cheveux... »

Ils sont riches, en Suisse. Ils ont un grand jet d'eau au milieu du lac rien que pour faire joli. Et des belles boutiques partout, garnies pour les fêtes de Noël. Noël... ce sera le premier Noël que je ne passerai pas à la maison. Il faut que je pense à rapporter un petit cadeau pour chacun, sans oublier personne...

« Et toi, qu'est-ce que tu veux ?

— Une paire de chaussures.

— Tu ne préfères pas un petit collier ?

— J'ai ma croix presque en or.

— Un petit bracelet ?

— J'aime pas les bijoux. Je préfère les chaussures. »

Nous voilà partis à la recherche de la chaussure idéale, ce qui n'est pas si facile quand on chausse du 33. Elles sont toujours trop grandes. Johnny me fait remarquer que les Suissesses ont de grands pieds, et que nous, on use nos semelles ! Peut-être devrais-je voir le rayon fillette ? Je réponds que les fillettes n'ont pas de talons et que c'est la question : j'en voudrais. Pas trop hauts... mais tout de même ! On reprend le périple des boutiques et, enfin, tout à coup, de ravissantes chaussures... rouges ! Ma taille, les talons comme il faut et la couleur de la ganse qui va border le col Claudine de la robe que me fait M. Féraud. Le bonheur, quoi !

Mais, quand on arrive à Neuilly :

« Qu'est-ce que c'est que cette horreur ! dit Nicole. Des chaussures rouges ! On ne verra qu'elles et on ne regardera même plus ta figure ! »

Et, le lendemain, on commande des chaussures sur mesure. Noires.

Pépé Jo a une autre surprise pour moi. Le lendemain, il fait fermer les rideaux. Il descend un écran. Chic ! un film !

« Pas n'importe lequel, dit-il. Le tien. Je t'ai filmée à Genève. »

Ah ! c'est donc pour ça qu'il n'était pas dans les coulisses. La projection commence... Ce n'est pas possible... c'est moi ! Il a coupé les applaudissements et les bravos. Il n'y a plus que les trois chansons. Il rallume. J'ai le feu aux joues.

« Comment te trouves-tu ?

— Affreuse ! »

J'espère vaguement une petite protestation. Elle ne vient pas.

« Et vous... vous me trouvez comment ? »

Ça tombe sec.

« Epouvantable ! »

De rouge je dois devenir très blanche. J'ai le cœur glacé. J'entends à peine ma voix.

« Qu'est-ce qu'on va faire ?

— Revoir le film, pour commencer. »

Il repasse les images. Et les arrête.

« Tu vois... tu vois comment tu es entrée en scène ? Comment tu marches ? Qu'est-ce que tu fais avec ton bras, là ? Regarde ta bouche, tu grimaces. »

C'est un vrai supplice de revoir ces trois chansons comme ça... Il rallume. Je risque tout doucement :

« Pourtant... j'ai été applaudie...

— Tu as vu toi-même. Il faut se méfier plus des applaudissements que des sifflets. Ils t'ont applaudie parce que tu les attendris, avec ta petite frimousse et ta grande voix. Et ta belle histoire. Tout le monde aime les contes de fées, tu sais.

— Qu'est-ce que je dois faire ?

— Travailler... Mais il faut que je te complimente tout de même. Tu sais encaisser. C'est la première qualité d'un boxeur champion. Et tu vas voir que le show-biz, ça n'est pas très éloigné de la boxe. »

Le coup est rude. Mais, comme dit Johnny, j'encaisse.

« C'est dans combien de temps, l'Olympia ?

— Onze jours.

— Je n'aurais pas le temps d'apprendre tout ça.

— Non, bien sûr. Ne pense pas à apprendre. Pense à effacer. Efface. Efface la grimace. Les mouvements de bras. La marche raide... Je te donne un truc : penses-y avant de t'endormir. Le travail va se faire tout seul la nuit. Et, le jour, tu cravaches. »

4.

LE PREMIER OLYMPIA

Plus de courses, plus de parfumeries, plus de chausseurs. Neuilly-l'Olympia. L'Olympia-Neuilly. Neuilly-l'Olympia.

Dans le studio du quatrième étage, rue Caumartin, Henri Byrs, le pianiste, arrive toujours gelé. Il n'aime pas l'hiver. Il dit :

« Brrr... j'ai un pied à la fraise et un pied à la vanille ! »

Et je pouffe de rire. Le rire, c'est bon pour ouvrir la voix. De temps en temps, Bruno Coquatrix vient jeter un œil :

« Ça va, jeune fille ?

— Oui, mon oncle ! »

Pépé Jo se pointe et écoute attentivement.

« Elle est un peu en dessous, non ?

— Oui, elle a tendance.

— Fais attention, Mireille, tu détonnes un peu.

— Bien, Johnny. On reprend mon bibyrs. »

Télé-Dimanche, maintenant, c'est presque la routine. J'arrive. Je gagne. Cette fois, on me photographie entre Eddie Barclay et Charles Aznavour. Ils m'aiment bien, je le sens. Charles m'écrit deux chansons. Eddie va faire mon premier disque. A condition d'avoir toutes les chansons, bien sûr. En deux mois, pépé Jo en écoutera quatre cent cinquante...

« Et alors ? demande Barclay.

— C'est une avalanche de refrains filles à matelots. Le contraire de ce qu'il lui faut. Mais tous pensent à Piaf.

— Décoller cette étiquette-là prendra du temps.

— Pour l'heure, ça la sert. J'ai signé le *Ed Sullivan Show.*

— Non ?

— Si. Le 3 mars, on sera à New York. »

C'est ainsi que j'apprends que je vais découvrir l'Amérique.

Eddie n'en revient pas. Le *Ed Sullivan Show* est l'émission la plus célèbre des Etats-Unis. Les artistes les plus connus pleurent pour la faire.

« Eh bien, moi, je l'ai obtenue avec une facilité enfantine. Accord par retour. Depuis quinze jours, j'ai alerté tous mes amis, Leslie Grade à Londres, mes correspondants à New York et Los Angeles : " L'oiseau rare, la voix de Piaf et jolie comme un cœur... " »

J'entends. Ainsi, pépé Jo qui m'assène des directs à l'estomac me tient quand même pour un champion en herbe. Nos regards se croisent. Et comme s'il me devinait :

« Mais je t'avais prévenue que ce serait dur ! »

En attendant, il me donne une grande joie : un aller-retour en Avignon pour porter les cadeaux de Noël que je ne fêterai pas avec eux tous. On prend l'avion, pour aller plus vite. Ma grande valise, elle a trouvé son emploi ! Quand on arrive, on peut dire que la Croix-des-Oiseaux est en ébullition. Il y a non seulement les quatorze Mathieu, mais tante Irène et la grand-tante Juliette, les cousins-cousines, les voisins-voisines... J'ai les bras chargés de chocolats suisses, de poupées, de bonnets de velours achetés à Genève... Il y a des écharpes, il y a des bonbons. Je me fais l'effet d'une fée, c'est délicieux, les visages heureux.

Maman a préparé les treize desserts rituels qui portent bonheur pour toute l'année, et papa a monté la crèche. Elle s'est agrandie. Il y a de nouveaux santons.

« Regarde, Mimi ! celui-là, je lui ai offert quelques moutons de plus et les rois mages ont trois chameaux au lieu d'un. C'est plus logique. »

Il est ému, papa.

« Devant sa télé, il sanglotait, ton père ! Dans la rue on le salue maintenant. On dit : " C'est le papa de Mireille Mathieu ! " »

Au moment des adieux, tout le monde est silencieux. Même Béatrice paraît comprendre que le moment est important. Dans les bras de maman, elle regarde Roger Mathieu, sous son chapeau, s'adresser, le ton grave, à son aînée :

« Mireille... tu es une brave fille. Reste-le. Sois simple et sérieuse. Pour donner l'exemple.

— Oui, papa. »

Je ne dis plus un mot, parce que je ne peux pas. J'embrasse les grands, les petits. On pleure, sans trop savoir pourquoi. Parce qu'une séparation, ça déchire toujours un peu, même quand c'est pour le bonheur. Et je m'engouffre dans la voiture avec pépé Jo. Le bruit du moteur ramène les gosses à la vie. Ils courent dans notre nuage de poussière en criant :

« Mimi ! Mimi ! »

Le public va-t-il m'aimer autant qu'eux ?

Ma loge est tout là-haut, à l'étage le plus gai de l'Olympia, au troisième, à côté de celle des danseurs. Ils sont tous beaux. Leur maître surtout. George Reich, un Américain très blond aux yeux très clairs. Il est si magnifique que je n'arrête pas de le regarder.

« Ne rêve pas trop... me dit en souriant une danseuse qui rattache son collant. Les filles, c'est pas sa tasse de thé ! »

Je ne comprends pas ce qu'elle veut dire.

A l'étage de la scène, il y a la double loge de la vedette, celle de la vedette américaine et le bar des artistes. C'est le dernier salon où l'on cause. Sauf qu'il n'y a pas de fauteuils, seulement trois ou quatre tabourets près des tablettes courant le long du mur, sous les affiches en tous genres. Machinistes, artistes, rejoints parfois par des amis de l'extérieur, viennent se rafraîchir ou se réchauffer, patienter entre les répétitions ou en attendant leur entrée. Derrière le comptoir, la dame du bar est blonde, grassouillette, très gaie, joyeusement maquillée et elle s'appelle... Mimi.

Mimi apporte les boissons dans les loges. Mimi réconforte les traqueurs, Mimi remonte l'artiste qui sort de scène en se tapant sur le ventre (« C'est un bide »), Mimi sable le champagne des triomphes et administre les remontants comme une infirmière. Elle a toujours de l'alcool à portée de main.

« Un jus d'orange, s'il vous plaît, madame.

— Appelle-moi Mimi, ma petite Mimi ! »

Elle devient rapidement « ma caille ». Bien entendu, tonton Coquatrix est toujours là, calme (je ne l'ai jamais vu courir, je ne l'ai jamais entendu crier), la voix égale et le sourire aux lèvres.

« Même quand il perd, il sourit toujours, dit Mimi.

— Quand il perd quoi ?

— Quand il perd aux courses ou avec un spectacle.

— C'est toujours plein.

— Mais ce n'est pas toujours plein de gens contents ! C'est un public qui remue, ici. Et quand il se met à " emboîter " ! »

« Emboîtage », un mot de plus à mon vocabulaire. C'est précisément celui que Bruno a employé à mon sujet :

« Je crains l'emboîtage... un phénomène de rejet. Mais si, Johnny. Les gens ont tellement aimé Piaf. Ils portent encore son deuil. Ils peuvent ne pas admettre qu'on s'empare de son répertoire.

— A la télé, ils l'ont plébiscitée.

— Je sais. A la télé. Mais à l'Olympia... c'est le fief de Piaf. Enfin... ! on va bien voir... »

Naturellement, je suis à l'écart de cette discussion. Mais je les vois souvent en conciliabule, fumant leur cigare. Je suis heureuse. Un théâtre, c'est comme une famille nombreuse. On se tutoie, on se fait des blagues, on rit, on chante, on partage, on se voit en robe de chambre, on s'aide à s'habiller. La femme de « mon oncle », Paulette Coquatrix, a l'œil là-dessus. Elle s'occupe des costumes. Pourquoi est-ce que je l'appelle « ma cousine » ? Probablement parce qu'elle me paraît trop jeune pour être ma tante. Leur fille, c'est Pat, Patricia, qui vient de se marier il y a six mois.

« Ah ! si tu avais vu ça ! me raconte Mimi. Quel branle-bas ! On a profité d'un jour de relâche entre les Soviétiques et les Israéliens. A peine avait-on baissé le rideau sur le music-hall de Moscou et vu disparaître le dernier spectateur, qu'on a enlevé les fauteuils d'orchestre. On a mis un grand plancher. On a accroché un énorme lustre. On lui a mis plein de rubans. On a accroché au rideau de velours rouge toutes les corbeilles de fleurs qui arrivaient de partout. On a dressé les buffets avec tous les plats et on a drapé de rouge toute la sortie de secours qui servait d'entrée aux trois mille invités. Et il n'y avait plus qu'à ouvrir le bal ! Le lendemain, hop ! on a tout remis en place et l'Olympia est redevenu l'Olympia pour le music-hall d'Israël. Le mariage de sa fille, ça a été le plus beau spectacle de Bruno ! »

Patricia, jeune mariée, s'occupe des relations avec la presse. Elle a presque mon âge, des yeux verts magnifiques et des cheveux de madone italienne.

« L'annonce de ton voyage à New York vient de paraître, dit-elle. J'ai des demandes d'interviews.

— Non, non, après sa première », dit Johnny.

Ça me fait plutôt plaisir. Autant je suis à l'aise avec la troupe, autant avec les journalistes, tant il y a de questions, j'ai toujours l'impression de repasser le certificat d'études, et je recommence à buter sur les syllabes. On laisse passer Thérèse Fournier. Je la trouve gentille. C'est elle qui a fait mon premier papier dans *France Soir.* C'est une grosse fille avec un joli visage que j'ai toujours l'air de surprendre.

« Tu lis *Lisette !* C'est un journal de petite fille.

— Je suis habituée.

— Tu as pris l'avion. C'était comment ?

— C'était... on voit rien.

— Alors, tu vas aller à New York ?

— Oui.

— Tu vas boire du whisky ?

— J'en ai déjà bu un dans un cocktail à Genève. Et j'ai mangé de la langouste. C'était la première fois.

— Alors ?

— Ça m'a rendue malade.

(Elle écrira : « Rien ne l'étonne, rien ne l'émerveille. »)

— Tu te souviens du jour où tu as vu Piaf ?

— Je ne sais pas... pour Noël, je crois. J'étais dans la salle à manger avec Christiane, et Piaf chantait *Milord.* Ça m'a fait quelque chose... d'inimaginable... je sais pas comment dire... si on m'avait dit, “ soigne-la ”, je l'aurais fait. »

(Elle écrira : « Inimaginable aussi, cette rencontre entre Edith Piaf et ses passions de femme et cette fillette qui n'a pas vécu. »)

A quelques heures de la première, Nadine, qui a installé ma loge et joue les chiens de garde, s'avise que, pour le souper qui sera offert par Bruno Coquatrix, je n'ai pas de manteau ! Tout a été si précipité ! Il faut absolument un petit manteau noir pour mettre sur la robe livrée par Féraud. Et la voilà partie, sa crinière rousse au vent d'hiver, dans la rue Caumartin pour trouver un « petit manteau »...

C'est d'ailleurs l'affolement dans tout le théâtre. Pour lui porter bonheur, Dionne veut absolument joindre son mari resté en Amérique et s'énerve avec la communication. Doudou, le chef électricien, se met en colère après un projecteur. Un danseur s'est tordu la cheville. Faut-il appeler un docteur ? Paulette me dit que j'ai trop de noir aux yeux, que je me prends pour les Brutos (c'est un numéro comique qui vient d'Italie et qui a tellement bien marché dans le programme de Claude François que Bruno l'a fait revenir dans celui de Petula Clark, puis dans le nôtre. Ils se fourrent du noir jusque sur les dents pour paraître édentés, et Aldo sourit exprès pour me faire rire).

Patricia vient m'embrasser en coup de vent avant de gagner le contrôle où elle va accueillir les journalistes. Ai-je le trac ? Oui. Non. Il faut gagner. Nadine revient avec le petit manteau trouvé à *L'Atelier,* une boutique voisine :

« Elle voulait me le raccourcir pour demain ! Je lui ai dit que ce n'était pas possible, qu'il me le fallait tout de suite ! Quand elle a su que c'était pour la petite Piaf, elle a tout laissé tomber, y compris une cliente qui ne se décidait pas pour de l'écossais, et voilà ! »

Malheureusement, il est encore trop long. Simone, l'habilleuse, dit qu'elle aura bien le temps de le mettre à longueur avant la fin du spectacle. Et les fleurs arrivent toujours dans la petite loge. Des fleurs, encore des fleurs. Monsieur le curé Gontard serait content ! Il y en a plus que dans son jardin au printemps.

« Oh ! quel est le malotru qui a envoyé ça ? » s'écria Simone.

« Ça », ce sont des œillets doubles, roses, superbes. Elle appelle Jean, un des danseurs qui passe dans le couloir.

« Emporte-moi ça ! »

Jean les prend comme s'ils lui brûlaient les mains.

« Donne-les à qui tu veux !

— Ah non !

— Alors, donne-les à la poubelle ! Et, se tournant vers moi : ça porte malheur. Si M. Coquatrix voyait ça ! »

Je ne lui demande pas pourquoi ça porte malheur. Avec la mamet, j'ai été rodée à conjurer les malédictions. Et les télégrammes sont autant de bénédictions. Jusqu'ici, je croyais qu'ils n'arrivaient que pour annoncer des catastrophes. Ils sont signés Line Renaud, Charles Aznavour, Hugues Aufray, France Gall... et, je n'en crois pas mes yeux : « A Mimi d'Avignon, Momo de Ménilmontant souhaite la bienvenue et le succès dans le monde du spectacle. Signé Maurice Chevalier. »

« Il est dans la salle ?

— Non. Il vient toujours en matinée. Mais il y a Ray Ventura, Salvador, Bécaud, Aznavour... »

C'est formidable ! Comment pourrais-je avoir peur maintenant ? Pépé Jo, au contraire, est crispé, même s'il ne veut pas le montrer. Il marche de long en large en me donnant les dernières recommandations. La sonnerie annonce le quart d'heure avant le spectacle. Nous descendons. Dans l'escalier, les « merde ! » porte-bonheur claquent entre les boys et les girls. Pépé Jo m'embrasse très fort, avant de rejoindre dans la salle Nicole et Vincenze. Jamais je n'ai entendu autant de « merde ! ». Mimi, sur le seuil de son bar, me donne l'avant-dernier, et mon oncle Bruno, le dernier, en ajoutant : « Touche du bois ! », désignant le porteur du décor. Les danseurs sortent en nage du premier ballet. J'entends Sophie Agacinsky qui présente le spectacle : « Mireille Mathieu ! » Je fais le signe de croix... Le rideau s'ouvre.

Je suis seule, maintenant. Seule, même s'il y a cinquante personnes derrière moi et deux mille devant, qui applaudissent avant que j'ouvre la bouche, peut-être parce que je parais encore plus petite sur la grande scène, que j'ai l'air désarmée, sans défense. Mais j'en ai ! Toute seule pour me battre, j'aime ça.

J'aime ça plus encore quand l'orchestre attaque l'introduction, que le silence s'établit, à couper au couteau, comme on dit.

« Ecoute-moi, mon ami... »

Quelle belle phrase pour affronter mon premier public de l'Olympia.

Aimes-tu la liberté ?
Voudrais-tu t'enfuir d'ici ?
Voudrais-tu t'en évader... »

Sans les voir, je les sens, attentifs...

Je sais comment scier tous ces barreaux.
Je sais comment avoir le cœur libre et heureux..
Dors...

La note. « Tiens la note », a dit pépé Jo. Je la tiens. Elle file. Elle meurt. Et dans les bravos, j'ai l'impression de naître.

C'est ma vie.

Rien ne m'arrêtera plus que la mort.

La deuxième chanson, on l'a choisie parce que c'est Noël, que je l'aime particulièrement. Elle m'apporte des images personnelles, les visages de mes petites sœurs quand nous étions dans la maison pointue et qu'il faisait si froid. Dans l'introduction, il y a *Sonnez hautbois, résonnez musettes !* que nous chantions à l'école...

Je cours après le paradis
Car c'est Noël à ce qu'on dit.
Le Noël de la rue
C'est le froid de l'hiver
Dans les yeux grands ouverts
Des petits de la rue...
Le Noël de la rue
C'est la neige et le vent
Et le vent de la rue
Fait pleurer les enfants.
Ils sont blottis comme des Jésus
Que sainte Marie aurait perdus...

Elle m'émeut en piochant dans mes souvenirs, cette chanson. Oh ! évidemment, on ne courait pas sur nos petits pieds nus, mais :

La lumière et la joie
Sont derrière les vitrines...

on a connu ça.

Mon petit, amuse-toi bien
En regardant, en regardant
Mais surtout ne touche à rien
En regardant de loin.

Dans les applaudissements, j'entends quelques « bravo ! ». Ce doit être pépé Jo... Mais n'y en avait-il pas plusieurs ? Pas le temps de penser, l'orchestre enchaîne *L'Hymme à l'amour...*

Cette fois, j'en suis sûre, les « bravos ! », c'est pas seulement pépé Jo ! Il y a ceux d'Aznavour — je reconnais sa voix entre mille. Je tombe en coulisses dans les bras de Bruno, mais il me repousse en scène pour saluer une fois, deux fois, trois fois... Comme je me sens gauche, perdue, maladroite. C'est fini. C'est gagné ?

« On va voir ça après l'entracte », me dit-il, et je ne comprends pas bien pourquoi.

« M. Stark reste dans la salle pour prendre la température et surveille les opérations. »

Quelles opérations ? C'est simple : une vingtaine d'employés de l'Olympia distribue un bulletin aux spectateurs. Il y a trois questions :

« Avez-vous aimé Mireille Mathieu ? »

« " Sa " ressemblance avec Piaf vous gêne-t-elle ? »

« Avez-vous assisté à l'un des galas de Piaf ? »

Le dépouillement a lieu pendant le tour de Sacha Distel. Ainsi, c'était ça les conciliabules. Bruno et Johnny avaient décidé de jouer le jeu à fond. Nadine me fait remonter dans la loge pour me démaquiller, me recoiffer pour le souper. J'entends le bruit de la fin du spectacle, l'envahissement des coulisses, des pas dans l'escalier, le toc-toc ! à la porte. Aznavour, Petula Clark et Dalida ont pris la peine de monter les trois étages pour féliciter la débutante. Et quand on connaît les coulisses un soir de première à l'Olympia, c'est courageux, sportif, amical. Je ne l'oublierai jamais. J'ai trouvé là trois amis pour toujours.

Nous descendons pour baigner dans une joie totale. Bruno et Johnny rayonnent. Les résultats du sondage de l'entracte sont inespérés.

« Allô ! maman !... Tu m'entends toujours ? Il fallait donc répondre par " oui " ou par " non ".

— Un référendum. Comme pour le général de Gaulle !

— A la première question, “ Avez-vous aimé Mireille Mathieu ? ” 95 % de oui.

— Eh bien, peuchère ! c'est mieux que le général !

— A la deuxième, “ Sa ressemblance entre guillemets avec Piaf vous gêne-t-elle ? ” 90 % de non. Et à la troisième, 50 % ont dit qu'ils n'avaient pas vu Piaf en scène.

— Naturellement. Mais il n'y avait pas besoin d'un référendum pour savoir tout ça ! Il fait froid à Paris ? N'oublie pas le foulard autour du cou ! »

Dans ma tête, c'est clair : le public m'aime comme je suis, la petite Piaf qui lui rappelle la grande qu'il a tant aimée.

A ma stupéfaction, ce n'est pas l'avis de pépé Jo.

Un matin suivant :

« Où sont donc mes disques de Piaf ?

— Tu les retrouveras plus tard.

— C'est vous !

— C'est moi. Je ne veux plus que tu écoutes Piaf. »

Les yeux me sortent de la tête.

« C'est comme ça, Mireille. Ça ne m'intéresse pas d'être le manager d'un phono. »

Je me sens bouillir.

« Est-ce qu'on envoie des fleurs, des télégrammes à un phono !

— Tu te crois vedette ? Eh bien, tu ne l'es pas ! Tu es en bas de l'affiche, Mireille. Tout reste à faire.

— Mais qu'est-ce qu'on a fait, alors, jusqu'ici ?

— Rien. On a mis le moteur en marche avec très peu d'essence dedans. Ça peut s'arrêter demain. Si c'est ça que tu veux, si ça te suffit d'avoir reçu des fleurs et des télégrammes à l'Olympia, alors tu retournes en Avignon. »

Il ment. Je sais bien qu'il ment. Il a signé pour l'Amérique ! On dirait qu'il devine tout ce que je pense :

« Je ne mens pas, Mireille. On peut tout stopper là. Ça ne dépend que de toi. Si tu veux aller plus loin, il faut travailler. Tu nous as entendus en parler, Eddie, Bruno, Charles, Henri... (Contet, le parolier de Piaf, l'auteur du *Noël de la rue.*) — Je les ai entendus. Mais je n'y ai prêté qu'une oreille. — Ce n'est pas le succès de l'Olympia qui doit te leurrer.

— 95 % m'ont bien aimée !

— Exact. Quand on aime, on pardonne beaucoup. Ils t'ont pardonnée parce que tu es mignonne, attendrissante, naïve, débutante. Mais ils ne te rateront pas la prochaine fois. Il faut que tu t'écartes de Piaf. Ou tu ne deviendras jamais une vraie vedette. Tu ne seras que sa doublure. »

C'est dur. Après la joie de cette première qui était comme un rêve. C'est minuit une, quand Cendrillon a perdu son carrosse ? Je m'enfonce dans le silence, les yeux baissés. Ça se prolonge. J'ai plus envie de parler. Plus envie de rien. Il soupire :

— Tu veux voir la presse ?

— Nadine m'a montré *France-Soir*. Je les ai mes huit colonnes à la une !

— Je ne parle pas de ça, Mireille. Oui, elle est très bien, ta photo. Tu es très gaie, très belle. Tu as un très joli sourire pour présenter les vœux de Noël aux lecteurs. Tu n'as pas trop de noir aux yeux...

— On voit bien mes ongles longs !

— Oui, mais moi je ne parle pas de ça. Je parle des critiques. Tiens. Lis. Voilà le Carrière et voilà le Perez. Ce sont des gens qui voient tous les spectacles. Ils ont des points de comparaison. Ils savent. »

Il me tend *Le Figaro :* « (...) Un véritable phénomène appelé Mireille Mathieu, le spectre vivant de Piaf. Dommage que cette hallucinante identification risque de compromettre l'éclosion d'un puissant talent original. Mais dira-t-on, Piaf ne faisait-elle pas à ses débuts penser à Fréhel ? » Et *Combat :* « (...) C'est la jeune chanteuse que la télévision a révélée tout récemment. Nous nous méfions beaucoup de ces découvertes intempestives, de ces perles de concours, et il y avait, cette fois encore, plus de raisons de se méfier puisqu'on y présentait Mireille Mathieu comme une nouvelle Edith Piaf. Eh bien, Mireille Mathieu triomphe de tout, de la comparaison avec Piaf, d'un lancement fracassant, d'un succès qui éclate comme une bourrasque. Il faut sur-le-champ qu'on lui écrive des tas de chansons. Il ne faut pas qu'elle devienne l'ombre de Piaf, et nous devons la retrouver dans six mois avec un répertoire à elle. »

« Voilà, dit Johnny. Tu les retrouveras si tu travailles à oublier madame Piaf. »

Le coup de massue.

« Vous me brisez mon idole.

— Oh ! je t'en prie, Mireille, ne joue pas Raimu ! *(Un silence.)* Personne ne peut briser Edith Piaf. Mais elle, elle peut te briser. »

Le silence, toujours.

« Est-ce que tu comprends ce que je te dis ? Ou es-tu complètement inconsciente ? *(Il soupire encore.)* Ah ! la la !... je savais bien ce que je faisais en t'offrant ce parfum pour Noël ! Quand je l'ai vu, j'ai tout de suite pensé qu'il était pour toi. »

C'est mon premier parfum. Le parfum de Grès. Il s'appelle *Cabochard.*

Quand Johnny me parle, je sens qu'il doit avoir raison. Mais dès que j'entre dans le tourbillon de l'Olympia, les rires, les fleurs, les compliments, j'oublie. Je demeure la petite Piaf.

Dans le brouhaha du bar de Mimi, un soir, deux petites phrases à mi-voix me parviennent. Elles ne me sont pas adressées mais sont faites, peut-être, pour que je les entende.

« Elle est gonflée, la petite, de chanter *L'Hymne à l'amour !* »

Je vois la rose. Je ne sens pas l'épine. Elle montre pourtant sa pointe.

« Gonflée, ça ne suffit pas. Vous avez la mémoire courte, les gars ! C'est pourtant pas vieux, trois ans ! Quand “ elle ” arrivait les jambes enflées... “ Elle ” pouvait plus mettre de chaussures. “ Elle ” venait en charentaises... Le public était là pour la voir mourir en scène ! »

Les phrases qui font mal. Trois coups d'un seul : une flèche pour moi, une image de Piaf à pleurer, et celle d'un public inconnu, méchant. Je me sauve sans rien dire. Est-ce ça, les blessures dont Johnny avait parlé ?

Quelle confusion ! A la maison, c'est pas comme ça. Elle me manque, la maison. Mais elle va devenir si belle grâce à moi. Et je suis ainsi faite, bien qu'ayant de la mémoire, j'ai la faculté d'oubli. La vie fait tout pour ça : elle m'offre tant de brassées de fleurs en ce moment.

Aujourd'hui, par exemple, est un grand soir. L'Olympia est fini. Et comme le dit pépé Jo : « Mlle Mathieu va faire ses débuts dans le monde ! »

Pierre Cardin donne une grande réception chez lui. Je suis la « surprise » pour ses invités. Nous arrivons dans la fin de l'après-midi pour répéter. Sa maison est splendide, quai Anatole-France. J'appelle ça un palais... Le grand salon vitré donne sur la Seine. On voit passer le bateau-mouche ! Sur les tables et les buffets, les domestiques installent de jolies petites lampes et des chandeliers d'argent.

« Aurez-vous assez de place, mademoiselle ? » me demande M. Cardin.

Très intimidée, je reste muette, et Johnny répond à ma place :

« Oh ! elle ne bouge pas beaucoup ! (pas du tout ! devrait-il dire) et devant le piano, ce sera parfait. »

M. Cardin ne ressemble à personne que j'ai rencontré, sauf peut-être au portrait de Chopin que j'ai vu dans le dictionnaire. Avec le sourire en plus. Il s'occupe de tout, déplace un objet, en apporte un autre, fait venir des boissons... Le hall est transformé en vestiaire ; il y a partout des petites pièces et des recoins, de jolis meubles, des tableaux. Il nous mène dans sa propre chambre qu'il met à disposition. Elle est relativement simple, comparée au salon. J'installe ma trousse de maquillage dans sa salle de bains. Et puis... répétition.

« Je te ferai signe, me dit Johnny. Si je sens que ça accroche bien, tu ajoutes *Jezebel,* et si ça marche toujours, *La Vie en rose.*

— Pourquoi ça ne marcherait pas ?

— Parce que c'est le Tout-Paris, des gens très difficiles, qui ont tout vu et pas seulement à Paris, mais à Londres ou à New York. Ta chance, c'est qu'ils adorent découvrir et faire des réputations. »

Pierre Cardin, qui survient, entre dans la conversation :

« Par exemple, ce soir, il y a Juliette Achard, vous savez, la femme de Marcel Achard, l'auteur de *Patate.* (Non, je ne savais pas. Pour moi, *patate* c'était un plat.) C'est une femme mer-veilleuse ! que j'aime tendrement. Elle a aidé à me faire. Elle était ma première cliente quand je faisais des robes sous les toits dans ma petite chambre. Juliette voit tout, la Comédie-Française comme Johnny Hallyday. Elle adore Hallyday. Eh bien, quand Juliette adore, on peut dire que le Tout-Paris suit. »

Je dois passer après le dîner, vers minuit. Il n'est que 7 heures du soir. Pépé Jo dit que, pour être en forme encore à minuit (« Comme Cendrillon ! » pensai-je), moi qui n'ai jamais veillé si tard (« Vous comprenez, monsieur Cardin, comme elle passait en lever de rideau, à 10 heures, elle était au lit »), il faut que je me repose. Question de voix.

« Eh bien ! dit M. Cardin, elle a ma chambre. Et je vous fais envoyer un petit en-cas. »

Un valet nous apporte des assiettes avec des petites tranches de pain pleines de petites billes noires.

« Qu'est-ce que c'est que ça ?

— Des lentilles du Morbihan », dit pépé Jo.

Je fais la grimace :

« Ça sent le poisson.

— Toujours, les lentilles du Morbihan.

— J'aime pas ça.

— Tu aimeras plus tard. Mais alors, tu demanderas du caviar... Allez, maintenant, Nadine, vous me la couchez ! »

C'est ainsi que je peux me vanter d'avoir dormi dans le lit du Français le plus affiché dans le monde.

Quand Nadine me réveille une demi-heure avant mon passage et que Pierre Cardin vient aux nouvelles :

« Oh ! mais comme c'est merveilleux de pouvoir dormir comme ça, dit-il, n'importe où, à tout moment, comme un bébé !

— Mais c'est un bébé, dit pépé Jo, et c'est moi la nounou ! »

Une grande belle femme blonde aux cheveux laqués, de celles dont on dit qu'elles ont « un chic fou », dans une robe tube en crêpe rose, le col froncé et tout constellé de pierreries, les bras nus et le genou découvert comme le veut la mode, vient s'inquiéter de moi. D'après ce que je comprends, c'est elle qui a reçu les invités. Je demande à Nadine si cette dame est l'épouse de M. Cardin ?

« Mais non, Mimi ! Elle est la directrice de sa maison de couture et la femme de M. Hervé Alphand, qui était notre ambassadeur aux Etats-Unis et qui est maintenant au Quai.

— Au Quai ?

— Au ministère des Affaires étrangères, Mimi. Quand on dit le Quai... »

Oh ! que c'est difficile, Paris ! il y a toujours plusieurs mots pour dire la même chose !

M. Cardin vient me chercher et m'annonce lui-même aux invités. Ils sont tous autour de tables comme nous l'étions au *Palais de la Bière,* en plus chic, naturellement. Des applaudissements, des murmures, heureux, me semble-t-il, et j'attaque *Je sais comment.*

Après chaque chanson, je guette l'œil de pépé Jo. Ça va. Je chante mes cinq titres. Je crois bien que j'aurais pu en chanter un sixième...

M. Cardin m'entraîne autour des tables. Il y a des princesses, des princes, des ministres, des gens du monde et... Juliette Achard, rousse comme Nadine, avec un teint transparent. Elle m'embrasse avec effusion, me disant que je l'ai bouleversée, et je me sens tout imprégnée de son parfum. Bon. J'ai gagné le Tout-Paris.

Ma petite robe noire « de pensionnaire », comme l'écrira une journaliste — car il y a beaucoup de journalistes —, doit trancher sur ce bouquet de femmes.

« N'aimeriez-vous pas être habillée par un grand couturier ? » me demande-t-elle.

Je suis rouge de honte. J'ai beaucoup de peine à articuler.

« M. Féraud est un grand couturier... mais, je sais, sur moi, les robes ne font pas d'effet. »

C'est ce qui a échappé un jour à Nicole Stark. Sur le coup, j'avais été blessée. C'est cicatrisé. Et, au moins, cela a fourni ce soir une réponse à une question embarrassante...

Aujourd'hui est un grand jour. Je vais chez le pape. Celui de la chanson. Maurice Chevalier. La voiture a traversé le parc de Saint-Cloud et, arrivée dans Marnes-la-Coquette, a pris une montée à travers bois, fléchée « La Louque », puis a stoppé devant une façade blanche aux volets verts, avec des lanternes de bronze.

On sonne à une porte en verre dépoli. Une respectable femme de chambre vient nous ouvrir, un maître d'hôtel nous fait passer dans le hall où nous accueille un Chevalier grandeur nature sur toile peinte. Le Maurice en chair et en os, le teint frais, une perle à sa cravate, nous attend dans le salon, entouré de ses familiers, Félix Paquet et son épouse Maryse, son secrétaire et sa femme, Madeleine. Ils ont des sourires épanouis, comme le maître de maison qui me tend les bras et m'embrasse.

« Ah ! la gentille petite môme ! Et vous remarquez que je n'ajoute pas Piaf. Parce qu'il y a une grande différence entre vous deux. La môme Piaf marchait sur le trottoir de l'ombre et vous, Mireille, vous êtes sur le trottoir du soleil. »

En une phrase, il m'a tracé ma voie.

« En quelques mots, dit Johnny qui rayonne, vous lui avez dit ce que j'essaie de lui faire comprendre depuis le début.

— C'est-à-dire combien de temps ?

— Six semaines.

— Eh bien, dites donc ! vous êtes un fonceur, vous ! Je l'ai vue à la télé, elle passe très bien. »

Je ne peux pas baisser mes yeux, rivés sur les siens, si bleus, sur son sourire comme celui de ses photos. Et cette voix, à l'accent de Paris, qui m'en fait perdre le mien !

« J'ai appris qu'elle allait faire le *Ed Sullivan Show ?* Formidable !

— Oui, le 3 mars.

— On sera en Amérique en même temps. Je pars le 12 février pour Porto Rico. Figurez-vous que je remplace là-bas Jimmy Durante qui a soixante-treize ans. Autant dire, un bleu ! Et puis j'enchaîne sur Chicago, Dallas, Houston... Elle fera tout ça, un jour, la petite ! Avec votre jolie petite gueule, Mireille, vous ferez le tour du monde ! Mais, moi, je suis éberlué, à mon âge ! Soixante-dix-huit, tout de même. Je me disais : je vais laisser aller la nouvelle vague. D'ailleurs, je l'avais bien senti aux environs de 1957... je n'intéressais plus. Ça ne m'étonnait pas. Et me voilà en Amérique, histoire de me changer d'air et les idées aussi. Là-bas, miracle ! Ça repart ! On m'engage. A mon âge ! On me fait des propositions de films, avec Gary Cooper, avec la petite Leslie Caron, avec Walt Disney... Je deviens une tête d'affiche internationale comme jamais je n'ai été. On me réclame... en scène ! Je refais mon récital. Ça a l'air bête de dire ça, mais c'est à soixante-quinze berges que j'ai eu mes meilleures critiques ! Alors, vous voyez, Mireille, c'est un foutu métier. Vous croyez le connaître et puis... les hauts et les bas ! »

Il m'invite à faire le tour de la maison.

« Vous êtes déjà entrée dans un musée ? (Je fais non.) Eh bien, ici, ça y ressemble ! à Bruxelles ? Alors vous verrez le Manneken-Pis ? Vous n'aurez peut-être pas le temps. Les gens ne comprennent pas ça. Nous, il faut choisir : voyager en touriste ou en artiste. Quand vous devez être en scène le soir, vous ne pouvez pas escalader les clochers et courir les points de vue. Bref, Manneken-Pis, c'est ce petit bonhomme-là, une fontaine pisseuse en quelque sorte. Les jours de fête, les Belges l'habillent. Alors moi, en... quelle année, Félix ? C'est ça, 1949, j'ai offert au Manneken-Pis un petit smock et un canotier. La foule, ce jour-là ! Et, en hommage, les Bruxellois m'ont remis cette petite copie en bronze. Ça vous fait rire !

— Ça me fait penser à mon petit frère.

— Il ne porte pas le canotier, votre petit frère. Ni les smocks ?

— Non, mais il a le reste... »

On s'esclaffe.

« Vous savez, Mireille, quand le beau-frère d'Aznavour, Garvarentz, m'a apporté sa musique du *Twist du canotier,* je me suis dit : " C'est que je suis encore dans le bain. " Alors, n'oublie pas ça, comme dans ce métier on apprend toujours, j'ai été prendre des leçons à l'Opéra ! Ça peut paraître bizarre, mais ils ont un très bon prof de danse-jazz, là-bas, un Noir superbe, Gene Robinson. Et puis, l'autre jour, je vais en matinée voir Johnny Hallyday à l'Olympia. Ma grande surprise, ça n'a pas été Hallyday. C'était, à l'entracte, les gosses qui m'ont reconnu et qui m'ont dit : " Alors, Maurice, on twiste ! " »

A chacun de ses objets, il a une histoire à raconter. Il y a, dans un écrin, la clé de la ville de Washington qu'on lui a donnée il y a trois ans, il y a un guerrier tout en or, appuyé sur son glaive, qui est l'oscar en quelque sorte du show-biz, qu'on lui a décerné pour un demi-siècle d'activité. Et toujours en or, une muse tendant une couronne, donnée par Hollywood... et puis la photo dédicacée d'Eisenhower, de la reine d'Angleterre et de Marlène Dietrich.

« Ah ! elle !... j'ai eu un grand faible ! »

Devant le portrait d'un vieillard, je lui demande si c'est un de ses grands-pères ? Il me répond que non, que c'est un Picasso. Johnny vient à mon secours en disant que je ne sais pas grand-chose, vu que je ne suis jamais sortie et que je n'ai que mon certificat d'études.

« Moi aussi ! dit Maurice. Vous savez à quel âge j'ai débuté, ma petite Mimi, pour 3 francs par jour au Casino des Tourelles ? A treize ans et demi ! Alors, tout ce que j'ai appris, c'est pas à l'école ! »

Il me fait raconter ma vie, la famille, maman... et il m'emmène voir la sienne : un grand portrait peint sur de la laque. *La Louque* est une vieille dame très jolie, très fine, avec une petite toque posée sur ses cheveux blancs, et les mêmes yeux bleus, lumineux que ceux de Maurice. Il me prend par la main et m'entraîne gentiment dans le parc. Nous ne sommes plus que tous les deux. Il me dit qu'il faudra revenir quand ce seront les beaux jours... Voici le théâtre de verdure qu'il a fait faire...

« Pour donner des représentations là ?

— Pourquoi pas ? Chanter, si tu veux. J'aime bien roder mon tour ici, tout seul, en pleine nature... La même chose, faut des chansons bien à soi. »

Et comme je lui dis qu'Aznavour m'en écrit :

« Ah ! lui, c'est un cas ! Je l'ai à la bonne parce qu'il a de l'estomac. Je l'ai vu quand il chantait *Tant de monnaie* et que les titis lui lançaient des pièces sur la scène en criant : " Ramasse et tire-toi ! " Il ne bronchait pas, il continuait. Je lui avais dit : " Vous arriverez ! " Mais je me demandais bien comment ! Et puis, un jour, quand j'étais dans ma période de creux de la vague, j'ai appris que, dans un dîner, des artistes m'avaient débiné (à Paris, vous verrez, ça arrive souvent !), et que le petit Aznavour avait été seul à me défendre en disant : " Dites donc pas de bêtises ! Vous lui devez tous quelque chose. C'est le premier qui a apporté le rythme en France. " Depuis, on est devenu très amis. Stark a bien fait de le lui demander. Vous êtes en de bonnes mains.

— Merci, monsieur Chevalier ! »

Qu'est-ce que je peux lui dire d'autre ? Je voudrais bien, mais je ne sais pas. Ce que je sais, c'est qu'il me rend toute en paix : Johnny, c'est bien ; Aznavour, c'est bien ; l'Amérique, c'est bien. S'il le dit, lui, le grand Chevalier, c'est que c'est vrai. Il me le semblait, mais... je me sens si ignorante. Jamais je n'oublierai cette première rencontre avec M. Chevalier. C'est à partir de ce moment-là que je me suis sentie moins bête.

Nous avons rejoint les autres, et nous sommes sur le pas de la porte. Les adieux sont chaleureux et très gais. Il me dit encore, brusquement sérieux :

« Vous savez, j'ai eu une grande chance, celle de naître pauvre. Dès le début, il fallait que je gagne ma vie pour aider la petite mère Chevalier. Ce qui fait que je n'ai eu que trois choses importantes : Dieu, ma mère et mon travail. Chanter est devenu une religion pour moi. Eh bien, je crois que vous avez la même chance que moi. »

C'est comme si je baignais dans le soleil. Je me sens devenir chevalier au sens propre, comme celui sur l'image de mon livre de classe. Maurice m'a donné pour la vie une devise. Donc une armure, que je crois invulnérable, ne sachant pas lire l'avenir.

La veille de son départ, je lui téléphone :

« Monsieur Chevalier, c'est Mireille...

— Oh ! que c'est gentil ! Appelez-moi Maurice ! J'ai envie de modifier ma chanson pour vous. Vous la connaissez : *Mimi la blonde qui fait le tour du monde?* Je n'ai qu'à changer de perruque et je chanterai *Je suis Mimi la brune qui depuis Trafalgar fait le tour de la lune quatorze fois un quart !* »

Et on rit, on rit. Je lui dis que je viens lui souhaiter un bon voyage et j'ajoute :

« Vous prenez l'avion ?

— A mon âge, Mimi, on n'a plus le temps de prendre le bateau. »

5.

MON PREMIER DISQUE : *OUI JE CROIS*

Et moi, je n'ai plus le temps de respirer. Jamais je n'aurais cru qu'un petit disque puisse donner autant de travail. Johnny a fait le tri de toutes les chansons qu'il a reçues et écoutées. Il en a sélectionné quatre. Ce sont celles d'Aznavour ? Il me détrompe. Elles ne sont pas encore finies. Une chanson ne se fait pas comme une omelette ! Elle peut s'écrire en un jour comme en dix ans. Et quand on la tient, on n'est pas sûr pour autant qu'elle sera un succès.

« Pourquoi ?

— Parce que c'est comme ça. Tu sèmes à tout vent et toutes les graines ne font pas une fleur. Mais il y a un garçon qui m'a envoyé une chanson, et celle-là... On va aller le voir. »

Il habite Pigalle, une toute petite chambre de bonne. Dieu sait que j'ai l'expérience des pauvres logis. Mais je n'ai jamais vu ça. Est-ce pauvre d'ailleurs ? Allez donc savoir... De la chambre, je ne vois pas grand-chose parce que tout est noir, les murs, le plafond, les meubles, la fenêtre camouflée. Et pour éclairer — si l'on peut dire ! — le tout, une ampoule rouge ! Si j'écoutais ma frousse, je serais déjà en bas sur le trottoir. Mais Johnny fait comme si nous étions dans le salon de Pierre Cardin, très à l'aise.

Le garçon va avec la chambre : cheveux noirs, yeux noirs. D'une voix feutrée, il nous explique qu'il ne peut écrire que la nuit, mais que la nuit ça dérange les voisins ; alors c'est le moyen qu'il a trouvé, se mettre dans le noir, pour composer sans embêter personne.

« Autrement, je mets l'accordéon sous mes draps, mais c'est pas pratique ! »

Il empoigne l'instrument et commence à chantonner : *C'est ton nom qui berce mes jours et mes nuits...*

Sa musique lancinante m'enchante. Il nous précise que les paroles sont de Françoise Dorin :

C'est ton nom qui partout me poursuit
C'est ton nom qui fait maintenant que j'oublie
Tous les noms qui ont rempli ma vie...

« Banco ! » dit Johnny.

Et c'est ainsi que Francis Lai devient non seulement mon premier compositeur, mais « mon » accordéoniste. Eperdue d'émotion, j'apprends qu'il a suivi Piaf les deux dernières années de sa vie. *Emporte-moi, Le Petit Brouillard, Le Droit d'aimer, Roulez tambours, Le Rendez-Vous, C'était pas moi, Les Gens, L'Homme de Berlin...* tout ça, c'est de lui.

« Vous le saviez, Johnny ?

— Oui. Mais ce que je ne savais pas, c'est qu'il est fils d'horticulteur. Comme moi. »

C'est ainsi que se forme notre petite mafia méridionale. Aznavour nous délègue dans le même temps son chef d'orchestre, né à Marseille, Paul Mauriat. Comme dit Johnny : rien qu'à nous entendre parler, ça sent l'ail ! Ce garçon mince, au cheveu plat, à la petite moustache, fait une musique ample, forte, richement orchestrée. Il a fait *Mon credo* sur mesure, pour moi et sur des paroles d'André Pascal :

Oui je crois
qu'une vie ça commence avec des mots d'amour...

Mais qu'est-ce qui se passe dans ma tête ? Est-ce parce que Francis me raccroche à ma chère Piaf ? Toujours est-il que j'apprends avec facilité *C'est ton nom* et renâcle sur *Mon Credo.* Pourquoi ? Est-ce que le titre me paraît un peu sacrilège ? Suis-je gênée par cette succession de *Je crois...* qui n'a rien à voir avec le *Je crois en Dieu...* que je pratique ? Toujours est-il que ça ne sort pas. Chaque fois que je dois attaquer *Mon credo...* j'ai mal à la gorge. Johnny est furieux.

« Mais c'est vrai, Johnny, j'ai mal là.

— Non, ce n'est pas vrai ! C'est ici que ça ne va pas ! »

Et il se frappe le front.

Le jour J de l'enregistrement se rapproche. Je m'angoisse. Moins quinze, moins quatorze, moins treize...

« Attention ! Mimi, le compte à rebours est commencé. Le studio est loué. Je ne peux plus reculer, et il faut que le disque soit fini avant le départ pour Bruxelles. »

Nadine, elle, crie victoire. Elle a trouvé un appartement non loin de celui de la famille Stark. C'est une location toute meublée, et c'est très mignon : un salon, deux chambres, une cuisine, une salle de bains que je trouve « immense » (avec une fenêtre !). Elle a aussi engagé une petite bonne pour s'occuper de Mlle Mathieu. Par conséquent, rien ne peut m'empêcher de travailler en paix. Si, la peur. Quand la petite bonne a fini son travail, l'idée de se retrouver seule dans son appartement...

Nadine a pour mission d'expliquer à M. Stark que je n'ai jamais eu l'habitude. Je ne peux pas. C'est plus fort que moi. Il est abasourdi. Il y en a des filles qui demanderaient leur indépendance ! Ne plus avoir la famille sur le dos ! Vivre sa vie !

« Eh bien, oui, mais pas moi. Je suis très heureuse, pépé Jo (et les larmes ne sont pas loin...), mais la maison me manque tout de même. A rentrer dans cet appartement, toute seule, je vais me sentir orpheline. Chez vous, je suis bien aussi...

— Tu ne peux pas rester chez moi, Mireille, réfléchis ! Tu vas recevoir des gens, des auteurs, des musiciens, des copains du métier, des gens importants, des journalistes... Il faut que tu aies ta maison. Et tu seras très contente, très fière, crois-moi.

— Je crois pas.

— Bon. Alors, on en discutera en Avignon. »

En Avignon, on ne m'a pas vue depuis deux mois. L'arrivée au pays dépasse l'imagination de la petite ouvrière de l'usine d'enveloppes en faillite... Il y a une réception à l'hôtel de ville ! M. Henri Duffaut, le maire, fait un discours :

« La cité est maintenant célèbre pour trois raisons : le pont, les papes et vous ! »

La fanfare m'accompagne jusqu'au théâtre voisin, pour signer des autographes. Les jeunes me portent en triomphe sur leurs épaules, comme si j'avais gagné un match de foot ! Ce qui me touche profondément, c'est de voir tout à coup Mme Julien qui embrasse son petit cancre :

« Tu sais comment je récompense les enfants maintenant ? En leur parlant de toi !

— Vous ne pouvez pas me donner en exemple !

— Mais si, Mireille. Au contraire. Tout le monde n'est pas doué pour les études. Tu prouves que l'on peut réussir quand on sait cultiver ses dons. »

Chaque jour, je m'aperçois que sans Johnny, je serais perdue. A la maison, c'est maintenant avec lui le conseil de famille. Il faut d'abord faire taire Régis qui, du haut de ses neuf ans, veut nous expliquer pourquoi il veut être « foute-balleur », tandis que Roger, son aîné, déclare qu'il veut être boulanger « parce que tout le monde achète du pain ».

« Revenons à Mireille, dit pépé Jo. Elle ne veut pas rester seule à Paris.

— Forcément, elle peut pas rester seule ! dit maman. Mais, moi, je peux pas venir, avec les petits et mon mari et les autres filles encore plus jeunes qu'elle.

— Peut-être ma sœur Irène... suggère papa.

— Oh oui ! Tantine ! (J'ai toujours adoré Tantine, qui est aussi ma marraine et qui n'a pas eu la vie facile.)

— Mais tu te rends compte de ce que tu vas lui demander, à ta sœur ? Abandonner son fils pour ta fille !

— Mais il est grand, son fils ! La preuve en est qu'elle est deux fois grand-mère.

— Et puis, elle a son travail.

— Puisqu'elle va en avoir un autre. C'est plus amusant d'être avec Mireille dans le « chaud-bise » que d'usiner dans la Javel.

— Elle y est depuis vingt-cinq ans dans son usine. On la respecte là-bas !

— Alors, tu crois qu'on va pas la respecter à Paris ? »

Tantine est arrivée à la gare de Lyon.

On lui avait décrit Nadine-la-Rousse, qui porterait un manteau bleu et aurait un bouquet de roses à la main. Nadine a tout de suite reconnu Tantine, pas très grande, nette comme un sou neuf, avec des yeux violets, comme elle n'en avait jamais vus.

Tantine a trouvé l'appartement joli, surtout la cuisine. Et comme elle est fin cordon-bleu...

« Tu n'auras rien à faire, ma Tantine. Il y a une petite bonne ! »

Mais comme Tantine est, disons, méticuleuse, elle n'arrête pas. Elle organise la maison, les penderies, les placards. Et on parle, on parle, on parle.

« Ne parle pas trop, Mireille. Il faut que tu dormes, pour ta voix. Demain tu fais ton disque. »

(Johnny lui a fait la leçon.)

Le lendemain.

« Si tu avais vu, Tantine ! Un orchestre pour moi toute seule ! Quarante musiciens et huit choristes ! Dans un studio grand dix fois comme ici ! Tous derrière leur pupitre, et Paul Mauriat à la place du chef. Tu te rends compte ! C'était beau ! " Mon " orchestre ! J'étais émue, boudi... J'ai ri, j'ai pleuré, je ne sais plus. C'est encore un plus grand choc que lorsque je me suis trouvée face au public la première fois. Et si tu voyais comme c'est difficile. Ils répètent... s'arrêtent pour des trucs de solfège, tu vois ? Alors ils corrigent sur leur partition... quel travail !

— Et toi, tu as chanté ?

— Non, pas encore. J'ai écouté " mon " orchestre, " mes " choristes pour bien me mettre dans la mémoire, tu vois ? Je commence demain.

— Alors, dors, tu sais, pour ta voix. »

Le lendemain, le studio est vide. Où sont-ils donc ? La grève ? Johnny m'explique que non. Maintenant, les musiciens ont fini leur travail. Commence le mien. Dans la cage de verre, il n'y a plus que Paul Mauriat, le preneur de son et Johnny. Et moi, dans le grand studio. Avec un casque sur la tête et des écouteurs aux oreilles. J'entends l'orchestre.

« Ça me gêne, ce casque !

— Tu vas t'habituer. »

Pas si vite que ça. Ça me trouble, ce truc. Et puis, ce que j'aime quand je chante, c'est d'avoir des gens. J'ai toujours eu des gens : mes frères et sœurs, les copines, les enfants, le public. A l'Olympia, c'était délicieux, avec les musiciens derrière moi qui m'ont applaudie en même temps que les spectateurs devant... Chanter pour personne, devant un micro, ça me déboussole.

« Mais tu chantes pour des milliers, Mireille ! Comprends-le une fois pour toutes. »

A *Télé-Dimanche,* je n'avais jamais fait attention au micro. Ici, il est là, sous mon nez, mon œil est rivé sur la cage de verre, mes oreilles sont casquées et il y a des fils partout, je me sens devenir machine.

« Stop ! Mireille, tu n'y es pas. Recommence.

— Stop ! Tu détonnes.

— Stop ! Tu n'es pas partie. Qu'est-ce que tu attends ?

— Stop ! Tu vas trop vite !

— Stop ! Qu'est-ce que tu dis ? Je ne comprends pas. Tu boules ! »

Des heures. La même phrase. Je recommence. Et je recommence. Et je recommence.

« Du début, s'il te plaît, Mireille. »

Quand ce n'est pas Johnny, c'est Paul :

« Le rythme, Mireille.

— Double croche, Mireille. La, la la.

— Ne hurle pas, Mireille. Entends la musique. »

Non, jamais j'aurais cru que c'était ça, enregistrer un disque. Je comprends bien qu'il faut que ce soit parfait, que, dans une salle, l'émotion peut faire passer des fautes, mais si je ne suis pas parfaite, peut-être est-ce trop tôt pour faire un disque ?

« Il faut que ce disque sorte, Mireille. Sans disque, tu n'existes pas. Tu n'es plus sur les ondes. Le public t'oublie. Qu'est-ce que c'est aujourd'hui la petite Mathieu ? Une fille qui a réussi *Télé-Dimanche* et qui a fait deux semaines à l'Olympia. C'est rien du tout, ça. C'est trente mille personnes.

— Et les quatorze millions de téléspectateurs alors ?

— Ils en ont déjà vu d'autres que toi depuis. Pour que tu restes dans la course, Mireille, il te faut un disque tout de suite. Tu n'existes plus dans six mois si tu n'y arrives pas. »

Je sais qu'il a raison.

Mais, le lendemain, ce n'est pas mieux. De 8 heures à midi,

encore et toujours *Mon Credo.* Les mêmes petits bouts de phrase qu'on reprend.

« *Oui, je crois qu'on pourra mêler nos larmes et nos joies...*

— Stop, Mireille. C'est froid. Où sont tes larmes ? Où sont tes joies ? »

Les larmes, elles viennent. En torrent. Je n'y arriverai pas. J'enlève le casque. Dans le silence du studio, il n'y a que mes reniflements, mes sanglots et... ce n'est pas croyable... venant de la cage de verre... oui ! pépé Jo sifflote ! Paul ne dit rien. Le preneur de son ouvre un journal. Ils attendent que ça passe. Comme si c'était de la pluie !

Ça dure. Le temps que je me calme toute seule. Je fouille mon petit sac, je prends le mouchoir, je me mouche. Dans la cage de verre, personne ne bouge. Je m'éclaircis la voix. Je remets le casque.

« Je suis prête ! »

Johnny cesse de siffloter, le technicien plie le journal, la musique démarre. Paul bat la mesure et me fait signe... Je vais au bout.

« Pour aujourd'hui, ça ira, dit Johnny de l'autre côté de la glace. On recommence demain. »

... *Oui, je crois* —... que sans l'affection, la douceur, la chaleur de tantine je n'aurais pas tenu !

Enfin, *Mon credo* est en boîte. Je pense qu'avec *C'est ton nom* que je sens bien, ça ira tout seul. Eh bien, non.

« Stop, Mireille ! *C'est ton nom qui* berce *mes jours et mes nuits.* On comprend *verse.* Articule. On recommence du début. »

Francis Lai essaie de me réconforter :

« Ne t'en fais pas, Mimi, c'est comme ça pour tous les artistes. On prend les meilleurs bouts et on colle ! »

Mais ce qui ne colle pas, c'est que j'ai dépassé le temps prévu, donc qu'il faudra payer des heures supplémentaires de studio, et qu'elles coûtent cher. Pépé Jo ne m'en dit rien, mais Nadine me l'a expliqué. Si Barclay est le distributeur, il est le producteur. A la maison, le soir, je suis soucieuse.

« Pépé Jo a misé sur moi comme sur un cheval, mais si je n'arrive pas au poteau ?

— Mais si, mais si, tu y arriveras, me dit Tantine. Tu es notre Roquépine[1] ! »

Un pli barre pourtant le front de pépé Jo depuis quelques jours. Contrairement à ce que je crains, je n'en suis pas la cause. Mais c'est pire... Au bureau de l'avenue de Wagram, Nadine me dit qu'une fois de plus, il doit être avenue Gabriel, à l'ambassade des Etats-Unis, au département de l'Immigration.

« Pourquoi ?

— Parce qu'on n'a toujours pas ton permis de travail. »

Elle m'apprend que les Américains sont très stricts sur la question. Même pour une seule participation à une émission aussi célèbre que le *Ed Sullivan Show,* pour tout artiste étranger, il faut un permis. Johnny revient et, à sa mine, on comprend tout de suite que le permis n'est pas encore arrivé...

A dire vrai, je ne réalise pas du tout l'importance de la chose. Je suis tout au plaisir de retrouver Sacha et Dionne, et l'ambiance de l'Olympia à Bruxelles.

L'Ancienne Belgique est un vieux théâtre chargé d'histoires du music-hall et plein de fantômes, de fresques et de portraits.

« De Chevalier à Distel aujourd'hui, tout le monde est venu chez moi », me dit le directeur, M. Mathonet.

Je parcours la guirlande de photos :

« Oh ! les Beatles ! J'adore ! (Ce sont les seuls Anglo-Saxons que je connaisse avec Elvis.) Oh ! tiens ! celui-là, je ne l'aime pas ! »

Pépé Jo me regarde, estomaqué et sévère :

« Tu connais Trini Lopez ?

— Non.

— Tu as vu son film *Made in Paris ?*

— Non.

— Tu l'as vu en scène ?

— Non.

— Alors, pourquoi tu n'aimes pas Trini Lopez ?

— J'aime mieux Sacha. Je l'écouterais jouer de la guitare toute la journée. »

Pépé Jo explose à mi-voix :

---

1. Cheval de course célèbre qui remportait victoire sur victoire à cette époque-là.

« Mais il ne t'a rien fait, Trini Lopez ! Je te souhaite avoir un jour le nom qu'il a ! Je te souhaite aussi qu'on ne dise jamais " J'aime pas Mathieu ! " Tu es vraiment une enfant ! Imagine qu'un journaliste ait traîné l'oreille, et on lirait demain " Mireille Mathieu n'aime pas Trini Lopez ! " De quoi aurais-tu l'air ? »

Il n'a pas l'air content.

« Tu ne sais rien, Mireille ! Quand on ne sait rien, la plus grande preuve d'intelligence est de se taire.

— Je ne le disais qu'à vous.

— C'est déjà trop. Tu ne m'entends jamais dire du mal de quelqu'un qui fait ce métier : il est bien trop difficile.

— Vous n'aimez pas tout le monde non plus, vous.

— Je ne dis rien, je n'en pense pas moins, je n'engage pas. C'est tout. »

Il n'est vraiment pas content. Au bout d'un moment, il me dit qu'on répète pour les musiciens et la technique, que le filage aura lieu ce soir, et qu'en attendant je ferai mieux de rentrer pour me reposer. Il va me faire raccompagner... Mais la perspective de me retrouver seule dans la chambre d'hôtel, aussi jolie soit-elle, me fait monter une boule dans la gorge. Avec l'attaché de presse de la maison Barclay, me voilà donc au bar de *L'Amigo,* buvant un jus de fruits. On parle avec le barman qui paraît bien brave. Il s'appelle M. Myrtil. Je lui dis que je m'ennuie quand je ne chante pas, et que si j'avais su ne pas répéter cet après-midi, j'aurais fait quelque chose, par exemple, j'aurais chanté pour des enfants... j'aime chanter pour eux. M. Myrtil nous dit que, oui, « Les petites abeilles » seraient transportées de joie d'accueillir Mireille Mathieu. C'est une maison de jeunes handicapés. Est-ce très loin ? Non, pas très. Une demi-heure en voiture. Et nous voilà partis.

M. Myrtil a dû prévenir de notre arrivée car, aussitôt la porte franchie, ils sont là, tous les petits et...

Mon Dieu ! jamais je n'oublierai ça. Je ne pouvais pas imaginer... des béquilles, des prothèses, des bras recroquevillés, des jambes estropiées, des têtes déformées, énormes... Le choc est si violent que je ne peux pas m'en empêcher, je fonds en larmes. Des petites mains m'accrochent : c'est un petit garçon qui essaie de me consoler. Il ne peut pas marcher.

« Polio... et il est orphelin », me dit-on.

Oh ! je voudrais le prendre, l'emporter, le soigner... quand je pense à mes petits frères, si heureux... Je soulève le petit, le mets sur mes genoux. Je lui demande son nom :

« Bruno.

— Eh bien, Bruno, nous allons chanter tous ensemble *Alouette, gentille alouette...* »

Quand j'ai épuisé mon répertoire de chansons enfantines, il faut songer à partir. Bruno ne me lâche pas. Je lui promets que je reviendrai.

(Je tiens parole. Chaque fois que je reviens à Bruxelles, je m'arrête chez « Les petites abeilles ». Des quatre coins du monde, je fais partir une carte pour M. Myrtil en lui demandant d'embrasser « Les petites abeilles ». Et récemment dans les coulisses du Palais des Congrès, j'ai vu arriver un jeune homme... je l'ai reconnu de suite à ses yeux. C'est Bruno ! Il ne boite plus. Il est guéri.)

Je rejoins pépé Jo à la répétition, très ponctuelle. J'entre en scène. *Jezebel* passe bien. Mais en attaquant *Le Noël de ma rue,* je revois les regards et les petits visages et brusquement, je craque :

« Je vous prie de m'excuser... »

Les musiciens s'arrêtent. Pépé Jo vient vers moi, navré, affectueux :

« Mais voyons, Mimi, ce n'est tout de même pas pour ce que je t'ai dit tout à l'heure ? Alors, c'est pour ta première ? C'est dramatique si tu te mets dans un état pareil... »

Je secoue la tête et lui explique ma visite aux « Petites abeilles ». J'attends qu'il se fâche... mais il ne dit rien, sinon pour proposer aux musiciens cinq minutes de pause, le temps que je me remette, et à moi, un mouchoir et un grand verre d'eau.

« Ça va », dis-je.

Tout doucement, il me dit :

« Tu te rends compte, Mimi, ce serait catastrophique si cela t'arrivait devant le public. Et tu comprends pourquoi je te demande de te reposer avant de chanter. »

Il a raison. Je suis trop perturbée. Je ne suis pas présente.

Mon oncle Coquatrix me dit : « Ça ira ! » Ce qui veut bien dire que ça n'a pas été !

Près de l'*Hôtel Amigo,* en se dirigeant vers la merveilleuse Grand-Place, il y a contre le mur un gisant de bronze dont le coude est comme un soleil à force d'être caressé par les passants. C'est un saint que je ne connais pas, 'T. Serclaes, mais qui doit avoir des vertus, comme tous les saints. M. Myrtil m'a dit qu'il fallait faire un vœu tout en le caressant de l'épaule au talon en passant par le coude, bien entendu. Mon vœu est simple. Il faut que je gagne ce soir.

C'est un bon saint. La preuve en est que dès mon apparition en scène les applaudissements crépitent. Le bon public.

« Merci, petite. Tu nous chauffes bien la salle ! » me dit l'un des quatre Brutos.

Le grand Aldo me fait pouffer de rire. Quand il se présente : « Maccione ! », il miaule en même temps ! Naturellement, je reste en coulisses pour écouter Dionne Warwick. Quel mélange de velouté et de force dans la voix...

A côté de moi, pépé Jo me murmure :

« Regarde comme elle marche... Regarde bien. Ce métier, il entrera aussi par tes yeux. »

Elle est superbe, Dionne, dans son fourreau pailleté. Elle a six ans de plus que moi et soixante-dix paires de chaussures ! Le premier jour où nous avions répété, elle m'avait dit : « Oh ! le joli petit pied ! » Je l'appelle « ma caille ». Elle me répond « darling ». Je ne comprends pas ce qu'elle chante, mais c'est très beau : *Aye craé eulone...*

« Il va falloir que tu apprennes l'anglais, me dit Johnny.

— Le permis est arrivé pour l'Amérique ?

— Non. Pas encore.

— Mais je sais déjà parler l'anglais.

— Comment tu sais ?

— En regardant les films de Laurel et Hardy à la télé. »

Et je baragouine en imitant très bien Stan et Oliver. Il hausse les yeux au ciel. Il y a des minutes où je le décourage.

Le 1er mars, il me dit :

« On ne part pas, Mireille.

— On ne part pas en Amérique !

— Eh non. Tu parles d'une publicité si tu es refoulée à l'aéroport ! Déplorable ! On ne plaisante pas avec ça, là-bas.

— Mais pourquoi ils ne me le donnent pas le permis ? Je les aime bien, moi, les Américains !

— Mais ils ne te connaissent pas. Ils me l'ont dit : le permis, c'est pour un artiste exceptionnel, *une star.* Ils demandent la preuve d'engagements importants. Comme référence, nous, on a Bruxelles, quatre villes françaises, l'Olympia et toujours le bas de l'affiche. »

Il appelle Jack à New York et Teddy à Londres.

Jack Bat, c'est le « découvreur de talents » d'Ed Sullivan, et Teddy Wimpress, un imprésario. Le premier a été alerté par le second. S'ensuit une conversation téléphonique à trois, d'où il ressort que Teddy veut qu'on annule, mais que Jack ne le veut pas.

« Mais de toute façon, dit Johnny, c'est trop tard, maintenant, Jack. Le permis n'arriverait pas avant notre départ ! D'autant qu'ils m'ont demandé incidemment si je savais qui était responsable d'avoir obligé un ministre à se lever à 3 heures du matin à propos de ce permis. J'ai répondu que ce n'était pas moi ! Bon. A vos risques et périls, alors.

— On part ?

— Oui. On part. Mais on n'est pas sûr d'arriver ! »

La dernière à Bruxelles a lieu le 2 mars. Le 3, on quitte Paris... Quel temps fait-il à New York ? Tantine reste calme comme s'il s'agissait d'aller de Marseille en Avignon. Ce n'est encore qu'un voyage de quelques jours. Elle ne m'escorte pas.

« Quand tu reviendras, j'aurai fini d'arranger l'appartement ! »

Mon premier grand voyage. Dans l'avion, pépé Jo et ses amis : le Jan des duettistes qui a laissé son cousin Jil à Paris. Il va écrire des paroles pour moi.

« Tu comprends, avec la vague yé-yé, on se recycle ! »

Ils ont fait des chansons pour Johnny (Hallyday) : *Depuis qu' ma môme, Kili watch...* Il est très drôle. Il y a aussi Teddy, l'imprésario qui m'a fait engager par Ed Sullivan, Eddie Barclay, qui a emmené cinq personnes de son état-major, deux photographes et François Rauber, le chef d'orchestre. Le steward nous offre le champagne... mais tout le monde est un peu crispé à cause du permis. Sauf moi. Je ris, je mange, je dors. J'entends vaguement la voix de pépé Jo : « Elle est complètement inconsciente ! » Et celle de Barclay, placide : « Si on la refoule... on reprendra l'avion ! »

6.

MA DÉCOUVERTE DE L'AMÉRIQUE

L'arrivée sur la passerelle. Photo. La petite Mimi et les grands messieurs.

« Je ne vais rien comprendre, Johnny !

— Tu dis “ Hello ! ” et tu souris. »

Le bureau de l'immigration. Au-delà, Jack Bat qui fait des signes. Du genre :

« Du calme. Ne vous pressez pas.

— Qu'est-ce qu'il veut dire ?

— Qu'on va coucher là ! »

Le groupe passe bien. Visas « Touriste ». Sans problème. A moi. L'officier de police :

« Miss Ma-ti-ou ?

— Hello ! » (Et le sourire.)

Il baragouine quelque chose et me tend... le permis ! Chic alors !

« Mireille ! Reste calme ! Il te demande de retourner de l'autre côté de la barrière... et de la repasser avec ton passeport et ton permis.

— Mais c'est lui qui...

— Ne discute pas. Va là-bas.

— Vous venez avec moi ?

— Non. Tu vas toute seule, et tu reviens, comme si tu débarquais. C'est la règle. »

A la sortie, photo. Avec Jack, Jan, François et les autres, tous poussant un soupir de soulagement.

Par quel miracle, le permis ? Je l'apprendrai plus tard.

Grâce à M. Hervé Alphand qui, cinq mois auparavant, avait quitté son poste d'ambassadeur pour le « Quai », et qui avait assisté, il y a tout juste un mois, à la soirée quai Anatole-France. C'est probablement lui qui a tiré le ministre américain de son lit. J'ai bien fait, ce soir-là, de coucher dans celui de Pierre Cardin ! Pour être en voix et impressionner Son Excellence qui a certifié qu'en France, oui, j'étais bien une star !

« Holà ! dit Johnny. Ce permis ne te permet pas une chose : c'est de le croire ! Parce que tu n'es pas encore une star. Mais on fait comme si tu étais déjà une star pour que tu deviennes un jour une star. »

Ça, c'est bien une phrase à la pépé Jo. Il me souffle le froid et le chaud, comme on dit chez nous. Et ça se termine toujours par : « Mais ce sera dur ! »

« Allô ! maman ! Il y en a du bruit dans l'épicerie... Tu m'entends ?

— Oui, je t'entends, mais il y a du monde autour de moi ! Alors, c'est comment Nouilleorque ?

— C'est grand !

— Ça te plaît ?

— ... pas trop ! Faut tout le temps lever la tête. On a le torticolis.

— Y a du monde ?

— Plein. Mais tout de même, je me demande s'ils en ont assez pour remplir tous ces gratte-ciel. Des petites comme nous... on se sent vraiment des naines !

— Y a des belles rues ?

— ... oui. Y a pas de chiens.

— (Dites donc... ils n'ont pas de chiens !) Eh bien, c'est pas un pays pour Youki, ça.

— Peut-être que j'en verrai. Je viens juste d'arriver. Je défais la valise.

— Tu es bien logée ?

— Oh oui ! dans un palace, *Waldorf*, une très belle chambre. Je n'aurai pas peur parce que pépé Jo a la chambre à côté, avec un salon pour recevoir les journalistes et, de l'autre côté, il y a Jan. Mais, tu sais, mon petit poste de radio, il ne marche pas.

— Tu l'as cassé ?

— Non. Mais tu comprends la France, c'est trop loin... »

Le rappel à l'ordre de pépé Jo :

« Raccroche, Mimi, on nous attend au restaurant pour déjeuner.

— Pardon, maman, mais je raccroche. M. Sullivan nous attend au restaurant pour déjeuner.

— A cette heure ?

— C'est midi, ici, maman.

— Midi ! que chez nous, la nuit, elle tombe déjà ! »

Oui, c'est le monde à l'envers et je suis toute déboussolée. Johnny a des gens à rencontrer et charge Jan de me faire voir un peu la ville. Au retour, il me demande mes impressions. J'hésite. Il me presse. Si j'étais toute seule, je reprendrais l'avion tout de suite. Pas question d'être sur le trottoir du soleil ici ! Les maisons sont si hautes qu'il n'arrive même pas en bas.

Il me dit que New York donne toujours cette impression-là aux Européens qui débarquent. C'est le malaise le premier jour ; le lendemain, ça va beaucoup mieux ; le troisième jour, on commence à dire « I love New York » ; quand on repart, on jure d'y revenir. Et à part ça ?

A part ça, j'ai mangé du pop-corn, Jan m'a photographiée devant le grand Atlas de bronze qui est à deux « blocs » (j'ai déjà appris un mot !), je suis entrée dans la cathédrale de Saint-Patrick pour faire une petite prière, on a pris un taxi pour l'Empire State Building — le plus haut du monde, m'a dit Jan. Au cent deuxième étage, on a vu le soleil et New York au-dessous. J'ai cherché notre gratte-ciel du *Waldorf*... mais il y en avait trop. J'ai dit à Jan que j'avais oublié mon parapluie à Paris et on a été en acheter un au magasin voisin, chez *Macy's*. J'ai eu le tournis. La gare de Lyon, c'est rien à côté. Jan a posé la question pour moi : ils ont onze mille employés ! J'ai ri ! Pépé Jo braque sur moi son œil bleu. Apparemment, il ne voit pas ce qu'il y a de drôle là-dedans. On a repris un taxi et nous voilà, mais j'ai tout de même mal aux pieds.

« Bon, dit Johnny. Maintenant, les vacances sont finies. Tu sais l'heure qu'il est ?

— 7 heures.

— Non, 1 heure du matin. Alors, petit déjeuner dans la suite, et au lit. Tu as besoin de ta voix demain. Qu'est-ce que c'est que ce foulard ?

— C'est la Liberté. J'ai trouvé ça chez *Macy's*.

— Tu le mets où tu veux, mais pas autour du cou. Perds cette habitude-là, Mireille. Je te l'ai déjà dit. Le Bon Dieu t'a donné une voix solide, formidable. Ne la traite pas comme si elle était fragile ou elle va le devenir... »

L'emblème des studios de la C.B.S., c'est un œil. Un gros œil qu'on retrouve sur le building. Il n'est qu'à deux blocs, mais, avec les sens uniques, le détour rallonge le trajet et en route dans la limousine, Johnny me fait la leçon : je ne dois pas oublier que j'ai une chance inouïe, que les seuls Français invités pour le *Ed Sullivan Show* ont été Maurice Chevalier et Montand, que même Aznavour ne l'a pas encore fait, que c'est le show le plus suivi avec les vedettes les plus populaires ; la preuve en est qu'aujourd'hui il y aura les Suprêmes et le grand acteur Ray Milland. Je ne connais pas. Mais Johnny, si. Ou plutôt non, il ne l'a jamais rencontré, mais il a vu ses films. Et, ma parole, il est fan ! Il me raconte *Lost Week-end* qui a valu à M. Milland un Oscar... Johnny me dit qu'il a tourné aussi avec Paulette Goddard et Ginger Rogers. Tout ça ne me dit rien. Et faut-il vraiment retenir tout ça ?

Les studios de la C.B.S. ne ressemblent en rien au Théâtre 102. Il y a une demi-douzaine de caméras géantes comme de gros insectes environnées de fourmis qui s'agitent : des techniciens, des machinistes, des habilleuses... Tout est multiplié, et je me sens de plus en plus petite et transparente.

«Hello ! monsieur Stark ? I am Mr. Stark. »

C'est le coproducteur de l'émission, et il porte le même nom que pépé Jo.

« Mais non, Mimi, je t'assure, nous ne sommes pas cousins. Aucun rapport de parenté. »

Le fait est que Johnny porte toujours autour du cou une petite croix et que dans le col ouvert de Mr. Stark, j'aperçois une étoile de David. Enchanté, Mr. Stark se met en quatre pour M. Stark. Il va voir M. Ray Milland et lui glisse dans l'oreille les informations sur cette jeune Française qui débarque sur le plateau avec douze personnes. Johnny va enfin serrer la main de son idole. Je le vois très ému. Il me fait signe de venir et me présente. Je serre vigoureusement la main de la star :

« Bonjour, monsieur Milande. »

Je sens Johnny confus. Il doit lui expliquer en anglais que je sors de mon village. Mais le grand acteur a l'air très content.

« Monsieur Milland dit que tu as une très jolie frimousse et que tu devrais faire du cinéma. »

Johnny est aux anges.

Il ne va pas le rester. C'est à moi.

Mr. Bloch, le chef d'orchestre, me demande : « Dans quel ton ? » Je commence à comprendre pourquoi Johnny a emmené avec nous François Rauber : c'est lui qui répond, car les tons, pour moi, c'est du chinois. Mais ce que je sais reconnaître, c'est que les musiciens sont super. Ils répètent une fois, François fait une remarque sur un forte. On me met en place dans les lumières. M. Sullivan n'est pas là, et c'est son gendre qui assume la répétition.

« Mimi, comme si tu étais en direct : fonce ! »

Je fais le signe de croix. Intro de *L'Hymne à l'amour,* et... je pars en retard. J'ai pourtant observé François près de la caméra qui me bat la mesure... Les musiciens se regardent. François explique à Mr. Bloch que je débute, que je n'ai pratiquement pas fait de scène, que j'ai le trac, que je suis *terrified* d'être à New York... On reprend.

Intro. Cette fois, j'ai effectivement tellement peur que je pars en avance. Les musiciens se regardent. François va près de Mr. Bloch. Tête de Johnny.

« Qu'est-ce qu'il y a, Mimi ?

— Je sais pas. On reprend. »

Je le sens sur les nerfs. Et moi donc. Mr. Stark — l'autre — me propose de boire quelque chose. Un peu d'eau, je veux bien, j'ai la bouche sèche.

Troisième essai. Je pars bien. Mais j'arrive mal. Je suis crispée. J'aperçois le regard de Teddy marquant une certaine inquiétude. Une voix clame dans le haut-parleur je ne sais quoi.

« Qu'est-ce qu'il dit ?

— Comme ils ne peuvent pas perdre de temps parce que les Suprêmes[1] attendent leur tour, on reviendra répéter cet après-midi. »

---

1. Et, parmi elles, une certaine Diana Ross, encore inconnue.

Dans la limousine :

« Tu vois ce que sont les Américains, Mimi. De grands professionnels. *One, two,* ça part. François va te faire répéter à l'hôtel. Ne pleure pas, ou alors pleure un bon coup, si ça doit te soulager. Ce n'est pas ta faute. C'est peut-être la mienne. Je veux aller trop vite... »

Eddie Barclay reste impassible derrière son cigare :

« Ça ira très bien. Je vous invite tous à dîner ce soir !

— Alors, pas trop tard. Il faut qu'elle dorme. »

Le samedi, répétition générale et enregistrement de mes deux chansons :

L'Hymne à l'amour et *Mon credo.* Cette fois, je suis bien partie et bien arrivée. J'aurais bien voulu voir la tête de Mr. Sullivan, mais il reste invisible.

« Est-ce mieux, Johnny ?

— C'est pas mal. »

Pour achever de décontracter l'atmosphère, c'est lui qui nous emmène tous dîner. Il a écarté les restaurants typiques à la mode comme *La Fonda del Sol* ou *Hawaïan Room* (« Non, non, rien d'exotique ! je la veux en forme pour demain ! »). Il a retenu un salon à la *Tavern on the Green,* « pour me réconcilier avec New York », dit-il. C'est au cœur de Central Park, en pleine verdure, loin du trafic. Seule une calèche à l'ancienne mode passe de temps en temps. Les chauffeurs escamotent les limousines. Il ne fait pas assez chaud pour profiter de la terrasse, mais le salon donne sur ce paysage insolite de la campagne au cœur de la ville. Au loin, les gratte-ciel, tout allumés, font comme de grands candélabres. Teddy, Eddie, Jack, Jan et, bien entendu, Johnny font tout pour me faire rire et oublier que demain, en quelques minutes, je vais jouer ma carte américaine.

Enfin, le voici, Mr. Sullivan. Le sourire américain. Un tonus qui vous ferait croire que vous êtes la personne la plus importante du monde. Sans comprendre l'anglais, je sais qu'il me présente de telle façon que je suis obligée de « casser la baraque ! » à moins d'être minable : « la petite chanteuse de France dont la voix me rappelle celle de la grande Edith Piaf... »

A la fin, comme ça me paraît léger de lui dire : « Hello ! », je joins le geste à la parole :

« Je vous fais une bise. »

Avé l'assent.

Cela paraît incroyable, mais c'est l'évidence : l'importance de l'émission est telle que des lettres arrivent à C.B.S. par le courrier pour demander à me revoir, que sur le trottoir du *Waldorf,* on me demande des autographes, et que des gens me reconnaissent dans la rue.

« Sais-tu combien tu as eu de téléspectateurs, Mimi ? quatre-vingt-dix-huit millions.

— Boudiou... ! »

Je commence à aimer New York !

Johnny nous emmène au Radio City Music Hall où, en permanence, alternent film et attractions, dont celle des plus célèbres girls des Etats-Unis, les Rockettes. J'essaie de les compter, mais je n'y arrive pas, car elles bougent comme une seule fille. Trente-deux ! Trente-six ! Trente-cinq !

— Sûrement pas, Mimi, elles vont par paires.

— Et il y a combien de places ici ?

— Six mille deux cents.

— J'aimerais bien un jour chanter dans une grande salle... »

De retour à l'hôtel, une surprise de taille : les Coquatrix sont à New York pour le récital de Charles Aznavour ! On y va tous ! Il faut soutenir le petit Français, quoique Charles ait déjà démarré une vraie carrière américaine. Ses disques sont dans les magasins de Broadway. Et dire que « le » mien n'est pas encore sorti à Paris ! Charles a fait adapter la moitié de ses chansons...

« Tu vois, Mimi, il faut que tu apprennes l'anglais », me souffle Johnny.

Sur le même ton, je lui dis :

« Je sais déjà à peine parler le français ! »

Et je pouffe de rire. Ce qui fait retourner un rang.

« Et il faut que tu apprennes à rire moins fort ! »

Après le spectacle, on va souper chez Sardi, le restaurant des artistes où, après une première, on attend les critiques des premières éditions du matin. A Charles, qui en est à son énième passage à New York, je dis combien je me suis sentie comme une puce écrasée par la ville en arrivant.

« Mais avec dans ta poche un engagement pour le *Ed Sullivan Show !* Moi, j'ai débarqué en 47 — tu étais à peine née

— avec juste ma méthode Assimil. La seconde fois, cinq ans après, c'était un peu mieux : j'étais le régisseur-éclairagiste de Piaf. Et je levais le torchon. »

Bruno Coquatrix rappelle que, il y a trois ans, il a fait le Carnegie Hall et qu'il avait laissé sa place à son éminent collègue américain, Schubert, la chaîne de théâtre. Eddie Barclay se souvient qu'on avait dû mettre des spectateurs sur la scène, et que Charles chanta avec deux cents personnes assises de chaque côté comme au temps de Molière...

J'ouvre mes oreilles en priant le ciel que ce qui m'entre dans la tête y reste : le temps de Molière, le Carnegie Hall, la chaîne Schubert... Mes oreilles et mes yeux. Avec eux, retenir, apprendre, retenir... et aussi les bonnes manières, ne pas rire trop fort, ne pas mélanger ses couverts, ne pas boire son verre d'un coup. Ah ! ah ! ah ! ah !

« Qu'est-ce qui te fait rire, Mireille ? »

Je leur dis, ou je ne leur dis pas ? Tant pis, je le dis :

« Je pense que, ce soir, à cette table, je ne suis pas la seule à n'avoir que le certificat d'études...

— Très juste, dit Charles. C'est pour ça que je fais toujours des fautes d'orthographe !

— C'est vrai ! dis-je, enchantée. Mais comment tu fais pour écrire ?

— J'écris comme je le sens. C'est le plus important. Pour les fautes, il y a toujours une bonne âme, quand ce ne serait que mon éditeur, pour me corriger ! Ce qui est important, ce n'est pas comment s'écrit le mot, c'est sa musique. »

Le lendemain, la leçon était bien différente, avec le tour de chant de James Brown. Un jeune Noir, tout en blanc et tout en transe qu'il communique à la salle. Garçons et filles grimperaient au rideau s'il y en avait, debout, hurlant, contenus à grand-peine par le cordon de policiers en bas de la scène. De temps en temps, un gorille emporte l'inanimé ou l'hystérique comme un paquet. Je suis épouvantée. Si maman voyait ça... elle ne voudrait plus que je fasse le métier ! Mais, moi, je ne veux chanter que pour rendre heureux les gens.

« Mais il va mourir en scène ! » dit Paulette Coquatrix.

On l'imagine K.O. en coulisses. Mais ressuscité, il revient pour saluer, mesurant du regard son public, avant de disparaître dans les cris. Protégés par les gorilles, nous sommes hissés, poussés vers l'entrée des artistes ; puis dans sa loge.

James Brown est parfaitement décontracté, souriant. Autour de lui, tout s'organise dans le calme : la thermos pour lui, les sièges pour nous ; l'habilleur prépare son prochain costume pour la séance suivante... et James se pose des bigoudis sur la tête.

En sortant, Johnny me dit :

« Tu as vu la maîtrise. Il n'a jamais perdu le contrôle. Sa “ folie ” est un chef-d'œuvre.

— Je l'engage, dit Bruno.

— Mais il va casser tous les fauteuils de l'Olympia ! »

Bruno répond qu'il a l'habitude. Bécaud a cassé les premiers !

Je suis songeuse. Pour moi, cette musique-là, c'est un peu la musique du diable.

Comme pour me donner une réponse, en nous promenant le dimanche matin à Harlem, nous passons devant une église, dans Amsterdam Street, et nous y entrons, Johnny et moi, sans nous douter que nous allons assister à un spectacle extraordinaire. Je suis surprise par le lieu. Rien à voir avec nos églises qui nous entourent de leurs ombres et de leurs lumières : ici, tout est clair comme une salle de classe. Rien à voir avec nos silences : ici, des centaines de Noirs frappent dans leurs mains, rythmant le tempo de la chorale...

Notre intrusion — les seuls Blancs — a l'air de passer inaperçue. Sauf qu'une mama, coiffée, comme elles le sont toutes, d'un chapeau à fleurs étonnant, se pousse sur son banc en nous faisant signe de nous asseoir. Les voix sont superbes, profondes, convaincantes. Sans comprendre les paroles, on sait qu'elles louent Dieu.

Au premier rang, il y a des paralytiques sur leur civière, avec leurs infirmières en blouse blanche et, devant eux, à genoux, des enfants qui mêlent leurs petites voix aux cantiques, pardon, aux gospels. Le rythme s'accélère, s'amplifie, la voix du « bishop » se fait de plus en plus forte pour jeter une phrase qui demande, me dit Johnny, la bénédiction du Seigneur... et, soudain, une fille se lève et se met à danser, les yeux au ciel, suivie d'une autre, d'une autre encore... C'est incroyable,

Roger Lanzac me présente, le 21 novembre 1965, au *Jeu de la chance de Télé-Dimanche*. J'ai dix-neuf ans, le répertoire de Piaf *(Jézebel)* et douze frères et sœurs. A la répétition, parce que je m'emmêlais dans mes partitions, il m'a dit que j'étais une comique. C'est vrai que je riais beaucoup, si contente d'être là !

Roger et Marcelle, mes parents, entourés de leur couronne d'enfants. Cinq filles qui se suivent : après moi, Monique, dite Matite (parce que je prononçais mal « ma petite » en tant qu'aînée !), Christiane, Marie-France, Réjane et les trois garçons : les jumeaux Régis et Guy, et Roger. Papa dit qu'on est sa seule richesse.

Sur la photo, comme dans la classe, je suis au dernier rang (la troisième en partant de la gauche). J'arrive toujours en retard parce qu'il faut s'occuper des petits avant de partir. Je n'ai pas le sourire. Je prends des coups de règle sur les doigts, parce que j'écris de la main gauche... et je suis devenue dyslexique.

Maman nous habille toutes pareil. Fière, elle ne veut pas de vêtements « de charité » ou « au rabais ». Quand on arrive à la douzaine d'enfants et qu'on sort tous ensemble, les gens disent : « Tiens ! une colonie ! »

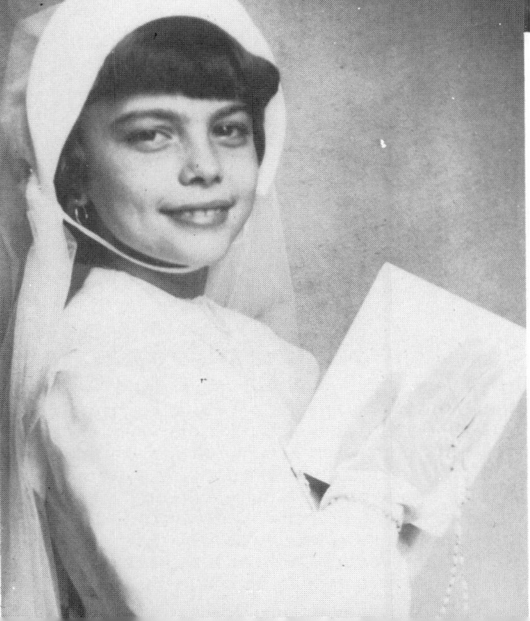

La robe de communiante va servir à toutes les filles. Je l'étrenne, à la fois ravie et sérieuse. Élevée dans le culte des saints, chantant à l'église avec papa, ma foi ne fera que grandir avec moi.

Le même jour, j'étais convoquée pour une audition au *Palmarès des chansons* et au *Jeu de la chance*. J'avais choisi ce dernier. Mais Guy Lux, sans rancune, m'a vite appelée ensuite, et j'ai fait l'émission sous l'œil joyeux de Jean Bardin, Bruno Coquatrix, Johnny Stark et toute la famille montée d'Avignon à Paris. *(Cl. Hugues Vassal.)*

Laure Collière, mon professeur de chant à Avignon et ma tante Irène, mon chaperon à Paris. Laure me prépara pour le concours d'amateurs dans ma ville natale, « On chante dans mon quartier ». Irène me donna dans la capitale la douceur d'un foyer dont j'avais encore besoin. Mais je ne suis jamais devenue un cordon bleu ! Elle me suivit partout sans broncher, à New York, Hollywood, Londres, Berlin, Moscou... *(Cl. Philippe Le Tellier - Paris-Match et Norbert Unfried - Presse-foto.)*

Noël 1985. Le premier Noël sans le père... Maman, en deuil, est entourée de ses enfants et petits-enfants. Réjane, Marie-France, Jean-Pierre ; les jumeaux sont mariés. Sur mes genoux, je porte la petite Aurore, la fille de Jean-Pierre. L'arbre de Noël est là. La tristesse n'empêche pas les traditions. Au contraire *(Cl. Télé 7 Jours.)*

Cette crèche a mon âge. Papa la fit de ses mains quand je n'avais que cinq mois. Les santons se multiplièrent au fil des ans, symbole de la famille...

Pour les soixante-dix-neuf berges de Maurice, je chante *Ma pomme* à la télé. Il m'a fait répéter la chanson à Marnes-La-Coquette, m'aidant à me dégager du fantôme de Piaf. A l'Olympia, je reçois les premiers télégrammes d'amis du métier : Aznavour, Dalida, Line Renaud... Je les épingle au mur. Au centre, celui de papa et maman. *(Cl. Hugues Vassal.)*

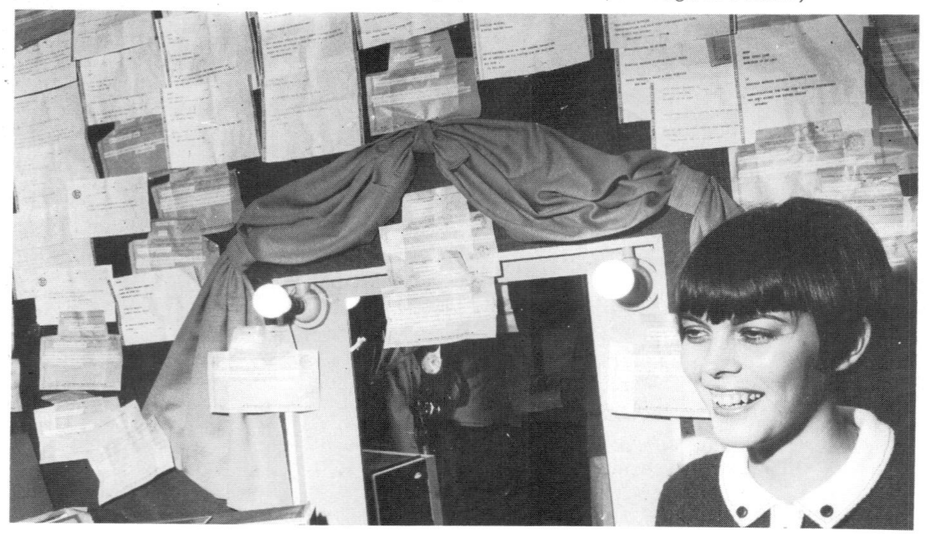

J'apparais toute petite sur la grande scène de l'Olympia, le 15 septembre 1966. Bruno Coquatrix m'accueille dans les coulisses. J'ai gagné ce soir ! Quelques jours après, j'enregistre *Mon credo (Oui je crois...)*, mon mon premier disque. On en vend 1 335 000 exemplaires en cinq mois. *(Cl. Philippe Le Tellier / Paris-Match.)*

J'adore faire les *shows* des Carpentier à la télévision : ils me permettent de changer de tête et de me déguiser en Carmen, en madame Butterfly, ou en petit Mozart. Mais c'est très sérieusement que je vais poser devant le sculpteur Aslan pour le buste de Marianne qui ornera les mairies. *(Cl. Pierre Vauthey/Gamma, Henri Tullio et J. Andanson/Sygma.)*

surprenant... Elles dansent de toute leur âme, comme moi lorsque je chantais à l'église de Notre-Dame et que notre curé Gontard célébrait la messe.

A la sortie, le « bishop » aux cheveux blancs, crépus, vient nous saluer. Johnny parle avec lui, me présente, et me traduit :

« La prochaine fois, me dit-il, il faudra que tu chantes avec eux. »

Oui. Je me sens décidée à apprendre l'anglais ! J'aimerais tant chanter des gospels...

De retour à l'hôtel, Johnny me dit qu'il faut faire les bagages. Déjà, on rentre ?

« Non, on part pour Hollywood !

— Mais c'était pas prévu ?

— Maintenant ça l'est. Il faut battre le fer pendant qu'il est chaud après l'*Ed Sullivan Show.* »

Ça pourrait se chanter. Jan en fait un refrain, pendant le voyage, qu'on reprend en chœur — c'est pas triste ! — sans toutefois les voix des Coquatrix et d'Eddie Barclay, restés à New York. Premier arrêt avant la Californie, Las Vegas, la perle du Nevada :

« Allô, maman ? Devine où je suis ? A Las Vegas ! Tu sais... la ville des machines à sous. C'est pas croyable, tu sors de l'avion, tu es déjà sur de la moquette avec des machines à sous de chaque côté. Il y en a partout, tu ne peux pas leur échapper. A cette heure, j'ai gagné 4 dollars.

— Ça fait combien, ça ?

— Je sais pas. Mais j'ai pu acheter un rouge à lèvres, des cartes postales et une casquette avec des étoiles.

— Tu es bien logée ?

— Oh oui ! J'ai une grande chambre, d'un côté, celle de Jan, de l'autre, un salon pour recevoir les journalistes, et la chambre de pépé Jo. C'est un hôtel comme tu n'en as jamais vu. Ils sont tous comme ça, ici, avec des casinos dedans, et des théâtres. Où nous sommes, c'est où Line Renaud menait la revue l'an dernier. On mange et on boit pendant le spectacle.

— Et tu vas chanter là-bas ?

— Non, mais pépé Jo connaît beaucoup de gens et il pose des jalons, comme il dit.

— C'est une jolie ville ?

— Pépé Jo dit que c'est une ville-champignon, comme en parlait mon livre de classe. Qu'avant il n'y avait rien ici et qu'à chaque voyage il trouve du neuf. Mais, tu sais, c'est pas une ville, c'est une avenue ! Imagine notre rue de la République, mais en plus grand et avec tout du long des casinos. Les lumières, je te dis pas ! C'est les vitrines de Noël tous les jours ! Et il y a pas de pendules.

— Pas de pendules ?

— Non. Comme ça, dans les casinos, on sait pas l'heure et on joue, on joue... Toutes les vedettes viennent chanter ici : Dean Martin, Sinatra... Je commence à connaître parce qu'il y a la télévision qui marche jour et nuit.

— Jour et nuit ! mais ils dorment quand ces gens-là ? Et tu manges quoi ?

— Il y a toutes les nourritures, même chinoise, si tu veux. L'américaine, c'est beaucoup de viandes et des glaces avec plein de trucs dedans. Il y a aussi un machin rigolo : du beurre de cacahuètes.

— Ils n'ont donc pas de vaches ?

— Ici, non, je crois pas. Tout autour, c'est le désert. Un désert tout rose avec la montagne dans le fond. Au couchant, c'est très beau... »

Johnny m'interrompt :

« Tu as une idée du prix du téléphone, Mimi ?

— Non.

— Cher ! Alors, abrège, tu raconteras tout ça à maman plus tard. Demande si tout le monde va bien et raccroche.

— Oui, pépé Jo. Tout va bien à Avignon ?

— Sauf la mamet. Ça va pas fort. Papa, ça le soucie. Matite fait toujours sa confection de tabliers. Les robes, ça l'amuserait plus... Christiane, ça va à l'hôpital. Elle sait bien faire un pansement. L'autre jour, Rémi est tombé, le pauvre. Si tu voyais ce qu'elle lui a fait : une merveille. Marie-France a mal aux dents, Réjane... Roger... Guy... »

7.

MES PREMIERS PAS A HOLLYWOOD

Les palaces se suivent et ne se ressemblent pas. Le *Beverly Hill Hotel* à Los Angeles, à côté du *Dunes* de Las Vegas, c'est le calme. Pépé Jo y a ses habitudes. Il n'a pas retenu des chambres dans l'hôtel, mais un des bungalows — plusieurs pièces, un salon, la cuisine, le bar, une vraie maison — en pleine « jungle » : des palmiers, des lianes, des plantes exotiques, et comme il fait nuit, malgré des petites lumières ici et là sous les arbres, c'est gigantesque, impressionnant, bizarre.

Si bizarre que la nuit je ne ferme pas l'œil. Il y a des bruits, des cris de je ne sais quelles bestioles et, surtout, soudain, quelque chose comme un rugissement. Un lion? je suis sûre que c'est un lion! Le lendemain quand, dans le salon, les valets apportent les petits déjeuners sur les tables roulantes et que pépé Jo m'appelle, je suis encore assise sur mon lit, hébétée.

« Qu'est-ce qui t'arrive ?

— Le lion... ! »

Je lui explique :

« Mais c'est pas vrai ! Ah ! tu es bien la fille de Tartarin de Tarascon, toi ! Ton lion, tiens, le voilà ! »

Jan arrive en s'étirant.

« C'est lui qui ronflait ! »

En plein jour, la « jungle » est rassurante, fleurie, ma seule promenade à pied. A Los Angeles, on ne marche pas. On roule. Des kilomètres de plages, des kilomètres d'avenues, des kilomètres de parcs entourant les villas des stars, et puis, « HOLLY-

WOOD » sur le plus grand panneau du monde : ils ont écrit le nom magique sur une montagne !

Le séjour ne va pas être calme du tout à partir du moment où le grand Joe Pasternak entre dans ma petite vie. « Grand », mais non par la taille. Johnny m'a prévenue :

« Tu vas rencontrer un très, très grand producteur.

— Hello ! monsieur Pasternak !

— Hello ! Mireille... call me Joe ! »

M. Pasternak n'est plus très jeune. Il a le front haut, parce qu'il n'a plus beaucoup de cheveux, le regard transparent et malicieux, le sourire qui fait remonter les joues. Peut-être parce qu'il ne filme que des comédies musicales. Il n'y a que ça qui l'intéresse. Il nous en parle avec passion. Il m'a donc vue dans l'*Ed Sullivan Show,* m'a trouvée très photogénique et a décidé de me faire tourner.

« Mais elle ne parle pas un mot d'anglais ! observe Johnny.

— Elle m'a dit " hello " très bien. On lui apprendra. »

Il dit qu'il s'y connaît en débutantes. Il raconte à Johnny comment, il y a vingt ans déjà, il a mis Deanna Durbin au sommet à Universal, qui l'avait « piquée » à M.G.M. et comment, revenu à M.G.M., il a fait la fortune de Kathryn Grayson...

« Dans *Vacances à Mexico,* j'ai réuni avec elle trois débutantes : Janes Powell, Judy Garland et Liz Taylor ! Pas mal, hein ? Ensuite, je l'ai encadrée par Sinatra et Gene Kelly dans *Anchors aweigh...*

— Mais c'est là-dedans que Kelly danse avec Jerry, la souris du dessin animé ?

— Techniquement, c'était un tour de force. Vous avez vu le film, Johnny ? Puis, j'ai donné à Kathryn ni plus ni moins que Mario Lanza comme partenaire. C'est aussi moi qui l'ai fait débuter à l'écran.

— Ah ! Lanza !

— Oui. Mais le caractère... moins bon que la voix ! Pendant *Le Grand Caruso* cela a été... à peu près. Mais ensuite ! Heureusement qu'il avait enregistré les chansons du *Prince étudiant* avant que je sois obligé de résilier son contrat ! Et c'est Edmund Purdom — charmant garçon ! — qui avait l'air de chanter. Et ça a très bien marché. C'est moi aussi qui ai fait débuter Carrol Baker dans *Easy to love* avec Esther Williams. »

... Tout ça me passe au-dessus de la tête !

« Alors, voilà, Johnny. Avec la petite, je veux faire un remake d'*Une étoile est née.*

— Mais elle n'a pas d'expérience...

— On lui apprendra le chant, la danse.

— Mais Judy Garland...

— Il y a douze ans de cela, Johnny ! Le temps que la petite soit prête, un an ; que le film soit réalisé, un an encore. Je vous assure, c'est une bonne idée ! »

Nous sommes dans son bureau et, si je comprends bien, il est là depuis vingt-quatre ans, bien avant ma naissance ! Il montre des photos encadrées : ses stars... Eleonor Powell, Lena Horne, Lucille Ball, June Allyson, Gloria DeHaven, toutes belles, si bien habillées, maquillées... Je pourrais devenir comme ça ? Qui c'est, ça ? Doris Day dans un cirque pour *Jumbo.* Et là, Ann-Margret dans *Made in Paris...*

« M. Pasternak demande si tu vas au cinéma ?

— Oui, j'ai vu les Fernandel et les Pagnol. »

C'est au tour de Joe de nager un peu. Il me prend affectueusement par les épaules. Il me voit déjà dans « son écurie ». Il propose de me faire visiter les studios le lendemain.

« Vous êtes content, Johnny ? Je vais avoir deux pépé Jo maintenant !

— C'est formidable, Mireille. Mais ne l'appelle pas " pépé ". Ça le vexerait peut-être, lui ! »

Los Angeles, c'est le contraire de Las Vegas. Il y a la mer, des plages superbes, une pagode chinoise qui est le théâtre où ont lieu toutes les premières de films sur le Hollywood Boulevard. Et puis un théâtre en plein air inouï... le Hollywood Bowl (« Combien de spectateurs, Johnny ? — Je ne sais pas, cent mille peut-être... »). Oh ! la la ! Chanter là, un jour...

Le rêve... le rêve, je le touche du doigt en entrant dans « la ville » M.G.M., une vraie ville avec son hôpital, son musée et, bien entendu, les studios. Et dans un studio, qui tourne pour Joe Pasternak ? Elvis Presley ! les Beatles et Elvis, ce sont les seuls que je connaisse grâce au *Bowling* d'Avignon. Si Françoise Vidal et les autres me voyaient !

« Elvis a tourné pour moi l'an dernier, *Girls happy,* dit Joe, et on remet ça cette année avec *California Holiday.* »

Elvis nous arrive, en chair et en os, car c'est la pause. Très beau, très gai, très « clair », malgré les cheveux sombres. Il a de la lumière. Il porte un pantalon noir, un gilet doré à franges et une chemise de soie bleu clair. Joe explique que c'est la tenue de son personnage, un chanteur pop qui se double d'un coureur automobile :

« Tout ce qu'il faut pour plaire aux femmes, même si ça ne doit pas plaire aux critiques ! Mais je dis toujours que ce ne sont pas eux qui payent les billets ! »

Elvis est escorté de son « pépé Jo », le colonel Parker qui ne le quitte pas d'une semelle. C'est le colonel qui règle ses rendez-vous, ses contrats, son emploi du temps.

Elvis ne connaît pas Avignon. Mais Paris, oui. Ah ! Paris... ! Je voudrais bien parler avec lui, mais il y a deux barrières, sa langue et ma timidité. J'ose tout de même lui dire :

« Je vais apprendre l'anglais très vite, pour pouvoir bavarder avec vous ! »

Joe, enchanté, traduit. En ajoutant d'autres choses car sa phrase est quatre fois plus longue que la mienne. Qu'est-ce qu'il a dit ?

« Qu'il veut refaire *Une étoile est née* avec toi. Et, pourquoi pas, le prochain Presley. Et Elvis a répondu que tu avais un très joli visage... »

Le metteur en scène Norman Taurog nous rejoint. (Johnny me souffle qu'il a fait les films de Jerry Lewis et Dean Martin.) Il me prend le menton.

« Nice face... El, ready ? »

C'est fini. Avec un grand sourire, El m'embrasse, me dit « Good Luck ! » et je réponds : « Goude loque ! »... et le photographe va éterniser l'instant.

Johnny reçoit le colonel Parker. Il s'entend très bien avec ce grand type sec, droit comme un « i », qui ne laisse approcher son Elvis par personne. Il souligne le privilège, l'exception de m'avoir laissée photographier avec lui. Nous dînons ensemble — sans Elvis, hélas ! —, et il est question du million de dollars net de taxe qu'Elvis touche par film. Et il en tourne deux par an... Les questions d'argent m'ennuient parce ce que si je sais très bien ce que je peux acheter avec 4 dollars gagnés à la machine (d'ailleurs, j'en ai 12 maintenant : ils ont fait des petits !), je ne réalise pas ce que peut être 1 million de dollars. Ce que je sais, c'est que je veux gagner beaucoup d'argent pour venir en aide à ceux qui n'en ont pas, à commencer par ma famille... Ça viendra trop tard pour le papet... pour le pauvre Charlot de mon enfance... Trop tard, déjà. C'est ce qui me rend triste, parfois. Quand j'ai le temps d'y penser. Car Joe nous entraîne dans un tourbillon. Il nous fait inviter partout, à commencer chez sa femme, Mme Pasternak, une belle femme brune. Leurs deux fils, dont un petit, parlent un peu le français. L'aîné veut venir à Paris... Le secrétaire, qui est aussi prof de tennis, est d'origine française : Pierre Grelot. Avec lui, je vais enfin savoir ce qui se passe autour de moi. Quand j'entends « Doris ! » ou « Shirley ! », il complète ; « Day » ou « MacLaine », ce qui ne m'éclaire pas pour autant. Je ne peux pas dire qui je rencontre puisque je ne les ai pas vus à l'écran et que tout va très vite. Au premier regard, ils me disent « Hello, Mireille ! » On a l'impression qu'on se connaît depuis toujours et hop ! ils s'en vont dans un autre coquetèle. Qui sait si je les reverrai ?

Joe ne perd pas une occasion pour insister : il adore les Français. Il a fait tourner Dalio, Louis Jourdan, Danièle Darrieux, Lila Kedrova... Pourquoi pas Mireille Ma-tiou ?

Le soir, Johnny me dit :

« Te rends-tu compte de ta chance, Mireille ? Mais il faut la saisir. Des débutantes, des jolies filles, il y en a des paquets, ici. Il faut que tu parles l'anglais très vite.

— Oui, Johnny. »

Dans une autre réception, un ami de Joe nous accoste :

« J'ai une affaire merveilleuse pour vous. Un feuilleton en cinquante épisodes pour la télévision. L'histoire d'une petite orpheline de la Louisiane. Elle perd ses parents dans un accident de voiture en 1938. Elle tombe amoureuse d'un garçon appelé sous les drapeaux, et elle se fiance avec lui la veille de l'attaque japonaise sur Pearl Harbour. Il meurt sous les bombes et... »

Je pleure déjà. Mais alors, je ne chanterai pas ? Non. Ce qui l'intéresse, c'est mon visage.

En rentrant au bungalow avec Johnny et Jan, je dis :

« Mais moi, ce que j'aime, c'est chanter !

— Ne t'inquiète pas, Mimi. Laissons venir. On choisira. Maintenant, il faut faire les bagages.

— On rentre ?

— Non, on part, pour Honolulu ! Tu fais un show avec Merv Griffin là-bas et tu auras une surprise... »

La surprise, déjà, c'est Honolulu. Je croyais que c'était la porte à côté. Non seulement il faut prendre l'avion, mais il faut voler longtemps. J'ai le temps de faire une réussite avec Jan. Mais, une fois arrivés, c'est bien encore l'Amérique, la limousine, l'hôtel dans les palmiers, les grandes plages, l'équipe de télé avec à la place d'Ed Sullivan, Merv Griffin, plus massif d'allure, en chaussures de tennis. J'apprends que, chez lui, c'est héréditaire. Son père, ses oncles étaient champions de la raquette. Il ne me parle pas de mon visage — ce « nice face » que j'entends souvent — mais de ma voix. Peut-être parce qu'il a débuté comme chanteur dans un orchestre ? Il sait tout faire, Merv : jouer du piano, chanter, bien sûr, jouer la comédie, inventer des jeux. (La roue de la fortune, c'est lui !) Il remarque que je suis très joueuse, et qu'en attendant mon tour, toute seule, avec ma « patience » achetée à l'aéroport, j'essaie de mettre des yeux (des petites boules noires) aux animaux d'un petit zoo. Ça peut durer des heures, je suis obstinée.

L'orchestre attaque *Mon credo*. Est-ce parce qu'il y a ici un air de vacances ? Je me sens venir les ailes...

« C'était bien, pépé Jo ?

— Très bien. Je me demandais si j'avais raison de programmer une chanson méconnue plutôt qu'un tube comme *La Vie en rose*...

— Je serais contente pour Paul Mauriat que ça marche.

— Ah ! tu vois que tu t'y fais à *Mon credo !* »

Il m'a parlé de « surprise ». Où est-elle ? Est-ce le dîner typiquement hawaïen avec les ukulele en accompagnement ? Non. La surprise arrive demain.

Elle est de taille. Elle a forme humaine. Quatre cameramen de l'équipe de Raymond Marcillac pour *Les Coulisses de l'exploit !* Ils viennent tourner sur l'île de Hawaï. Pépé Jo a arrangé la chose et nous voilà au Sea Park Life. C'est un superbe musée océanographique. L'attraction principale est l'immense bassin des dauphins apprivoisés que l'on traverse en pirogue.

Je suis avec intérêt l'installation des caméras. Les dauphins sautent comme chez nous les chèvres ! S'approche une belle pirogue conduite par une jolie Hawaïenne toute fleurie.

« Voilà, Mireille, monte dans la pirogue !

— Moi ?

— Evidemment, toi !

— Mais vous savez bien que je ne sais pas nager !

— On ne te demande pas de nager. Tu vas te promener tranquillement parmi les dauphins.

— Mais c'est qu'ils sont pas tranquilles, eux ! Regardez comme ils sautent ! Ça va chavirer ! »

Les techniciens s'en mêlent. Mais non, ça ne peut pas chavirer. Le bateau est trop plat. Ce n'est pas profond du tout.

« Peuchère ! Toute debout dedans, j'aurais encore de l'eau par-dessus ! »

Pépé Jo s'impatiente. Je fais perdre du temps à toute une équipe venue spécialement de Paris !

« Mais vous savez bien que j'ai très peur de l'eau ! »

Jan vient à la rescousse. Il y a vingt personnes qui regardent, prêtes à plonger si, par hasard, si vraiment je le faisais exprès, je tombais à l'eau ! Pépé Jo se fâche. Il emploie la grande menace : si je n'obéis pas, ce n'est pas à Paris que je rentrerai, mais en Avignon.

Aidée de Jan, je me risque dans la pirogue en poussant un cri à chaque mouvement. J'y tombe assise, terrifiée.

« Et souris !

— J'ai peur !

— Mais, voyons, il n'y a pas-de-dan-ger ! me crie Jan.

— Toi, con, tais-toi ! Je chanterai plus tes chansons ! »

Ça m'a échappé. Tant pis !

« Tu es crispée, Mireille ! Tu ne risques rien ! hurle pépé Jo, alors que le bateau s'éloigne et que je vois un dauphin approcher.

— Je vous en prie, pépé Jo, je vous en prie ! Je chanterai même du rock si vous voulez ! »

Paris. L'appartement joliment arrangé par tantine. Elle a mis des fleurs partout, un bel édredon vieil or sur mon lit... Les deux petites sœurs, Matite et Christiane, sont venues m'attendre. Elles sont coiffées comme moi, maintenant. On a pour ainsi dire la même taille, c'est très pratique. Je vais pouvoir partager les blouses, les pulls, les T-shirts. On défait les bagages. Tout ce que j'ai rapporté de New York, Las Vegas, Los Angeles, Honolulu...

« Peuchère ! Mais on pourrait monter un magasin avec tout ce que tu rapportes ! dit Matite.

— Je vais vous prêter deux valises pour emporter tout ça. Maintenant, j'en ai plusieurs ! »

J'ai pensé à tout le monde. J'espère n'avoir oublié personne. Le chapeau de cow-boy pour papa, ça le changera, et une écharpe pour l'épicière vu le dérangement au téléphone.

« C'est pas un dérangement. Ça lui attire des clients ! Mais... tu es sûre que tu ne dépenses pas trop !

— Je ne compte pas. Ça me change !

— Mais tu vas descendre bientôt en Avignon ? »

Ça me fait peine, mais je suis bien obligée de leur dire que c'est pas possible pour le moment, qu'on repart en Amérique dans quatre semaines. Il faudra bien expliquer ça à maman. Pépé Jo joue la carte américaine « à fond », comme il dit. Alors, il faut que je travaille beaucoup. Et tout en même temps, puisque je ne sais rien : l'anglais, la diction, la voix...

« Mais la voix, t'as pas besoin ! »

C'est normal qu'elles ne comprennent pas. Je ne comprenais pas, moi non plus, il y a trois mois. Je leur dis ce que j'ai appris : les cordes vocales, c'est un muscle. Il faut les entretenir, les fortifier. Comme un coureur fait de son jarret, un pianiste de ses doigts. Pour le moment, je chante deux chansons, et ça va. Mais, dans la tournée d'été, il en faudra dix au moins, et chaque soir. « Il faudra que ça tienne », comme dit pépé Jo. Il a de grands projets, de grands espoirs... Je les charge d'expliquer à papa, car ça se dit mieux de vive voix qu'au téléphone... (Au fait, je l'ai maintenant « mon » téléphone ! il y a même quatre appareils, un dans la cuisine et un dans la chambre de tantine, un dans la mienne et un dans le salon !) La preuve qu'il croit en moi, pépé Jo, c'est qu'il va abandonner ses autres artistes pour ne s'occuper que de moi.

« Il abandonne même Johnny Hallyday ? demande Matite.

— Oui. Même Johnny. Pépé Jo dit que maintenant, Johnny n'a plus besoin de lui. Tandis que moi... »

Tous les jours, Nadine vient me chercher pour faire des photos, passer dans un studio de radio, rencontrer un journaliste... C'est ainsi que je fais connaissance d'Yves Salgues de *Jours de France*. Je me sens tout de suite en sympathie. C'est un homme jeune, très mince, avec un accent qui n'est pas le mien mais reste ensoleillé (il est du Lot). D'une voix très douce, il me pose des questions sur l'Amérique et je lui parle de Disneyland, mon vrai jour de vacances... où j'ai voulu tout essayer, avoir peur dans la *maison* hantée, rire avec les *pirates,* m'éveiller dans le sous-marin *Nautilus,* m'enchanter avec Mickey et Pluto, rencontrés en chair et en os à deux pas du *château* de la belle au Bois dormant...

« Mais, voyons, Mireille, tu as aussi vu M. Pasternak à Hollywood ! »

Nadine me remet sur les rails, et comme Yves Salgues connaît aussi M. Pasternak, cela va tout seul.

Ma tête sort pleine page sur la couverture avec le titre « Mireille Mathieu... La gloire en trois mois ». Je feuillette pour voir les photos à l'intérieur : me voici à Disneyland, en Avignon parmi mes fans... Pépé Jo m'enlève le magazine, il faut aller répéter.

« Il est bien, le papier ?

— Très bien, me répond-il. Tout y est, tes impressions, tes projets. Dépêchons-nous. »

Pépé Jo a une pendule dans la tête.

A peine sorti, le disque a marché tout seul. Il a rejoint en flèche celui des Beatles en tête des ventes ! Quand je dis « mon » disque, je devrais dire *Mon Credo.* C'est lui qui passe toujours et partout.

« J'ai bien fait de te " torturer " jusqu'aux larmes ! dit Johnny. On va recommencer ! »

Jacques Plante, l'auteur des chansons de l'opérette *Monsieur Carnaval,* Aznavour en ayant fait la musique, nous apporte une valse lente dont il est le compositeur et le parolier. C'est *Le Funambule.* Je l'adore ! Elle balance bien. Elle est tendre :

Tout là-haut dans la nuit
Marche un funambule
En habit de clair de lune
Et de diamants.
Il s'avance en jonglant
Par-dessus la foule
Les gens retiennent leur souffle
Le cœur battant.
Il plane sur la fête.
Par-dessus les têtes...

Il y a une partie parlée. Cinq vers seulement, mais encore faut-il bien les dire, « pour ne pas foutre la chanson en l'air », dit Johnny. Nous arrivons donc chez Robert Manuel, sociétaire de la Comédie-Française et professeur au Conservatoire. La Comédie-Française, je sais que c'est à la parole ce qu'est l'opéra au chant. Johnny m'a dit que M. Manuel a joué aux côtés de Brel *L'Homme de la Mancha.* Enfin, il est ami intime de Maurice Chevalier, et c'est d'ailleurs Maurice qui nous a soufflé son nom, en disant qu'il avait appris beaucoup de choses avec lui... M. Manuel est gai, rond, avec de bons yeux, un parler qui me fait rire même si la voix gronde.

« Elle a de belles miches ! constate-t-il. Et, devant mon œil écarquillé : Ce n'est pas ce qu'on dit chez toi ?

— On dit qu'on est une belle plante. »

Il acquiesce.

« Une belle plante. Avec de belles miches. Je t'écoute. »

J'essaie mes cinq vers :

Celui que j'aime est un poète.
Lui non plus n'a pas les pieds sur terre.
Lui aussi fait de la corde raide
Au-dessus du vide
Au-dessus du vide de mon cœur.

— Oh ! là là ! L'assent ! Tu ne viens pas de Pontoise, c'est sûr ! Reprends... Qu'est-ce que tu dis ? Ça se bouscule au portillon ! Recommence.

— Elle est dyslexique, précise Johnny.

— Je confonds les “ b ” et les “ p ”...

— J'entends bien. *(Il a l'air écroulé.)* Il faut que tu travailles un crayon entre les dents tous les jours, pendant une demi-heure... Pour ar-ti-cu-ler. Tu répèteras : *Petit Pot de Beurre, quand te Dépetit Pot de Beurreriseras-tu ? Je me Dépetit Pot de Beurreriserai quand tous les Petits Pots de Beurre se Dépetit Pot de Beurreriseront.* »

J'éclate de rire, ce rire gras en Ha ! Ha ! Ha ! qui agace Johnny.

« Elle a du souffle ! dit-il. Ça ferait une belle soubrette ! En attendant, ne pense pas aux mots, mais à ce qu'ils veulent dire. *Celui que j'aime est un poète...* Vois-le, ton poète. Inverse les mots sans cesser de le voir. Dis-toi : " Mon poète est celui que j'aime... " ou " J'aime celui qui est un poète... " Le *sens*. Pas les *mots*. C'est ainsi que tu seras simple et vraie. »

Telle est ma première leçon — qui ne sera pas la dernière — avec M. Manuel.

C'est chez le coiffeur que *Jours de France* me tombe entre les mains. Là, j'ai le loisir de le lire :

« Elle a conquis cent millions d'Américains avec deux cris du cœur : *L'Hymne à l'amour* et *Mon credo*. En France, il lui aura suffi de trois mois pour faire oublier avec son premier disque huit années de bruit, de cris et de fureur. » Et l'article : « Au siècle des guitares branchées sur le 220 volts, elle est du temps du piano. A l'ère où les célébrités se désignent exclusivement par leurs prénoms, elle ignore quasiment l'existence de Johnny, Claude, Sylvie ou Dick.

« Pourtant depuis quatre mois à peine qu'on parle d'elle, Mireille Mathieu a réalisé en un trimestre ce que d'autres — ainsi Petula Clark — mettent dix ans à accomplir... La consécration internationale par la télévision américaine dès le départ... un cas unique dans les annales du spectacle : elle est la seule chanteuse dont les débuts se confondent avec un sacre... en connaissant en tout et pour tout trois chansons par cœur. En 1966, il en faut beaucoup moins pour susciter une légende. Mireille Mathieu est prisonnière de plusieurs légendes dont les unes lui sont aussi favorables qu'hostiles. »

Hostiles : le mot me cloue.

« A ce qu'on appelle — dans la profession — le " miracle Mireille ", une poignée de détracteurs opposent l' " imposture

Mathieu " et rabaissent l'événement au niveau d'une opération publicitaire. »

Yves Salgues prend ensuite ma défense, parlant du miracle de la voix d'une petite Provençale issue du peuple et venue au monde avec le sûr et mystérieux instinct de la chanson... Il donne la énième version de ma vie, et le voyage en Amérique, et les projets jusqu'en 67... Mais je n'y prête plus attention.

Rentrant à la maison, je pioche dans mon gros dictionnaire. Je veux être sûre des termes...

« *Détracteur :* personne qui cherche à rabaisser le mérite de quelqu'un. »

« *Imposture :* tromperie de celui qui se fait passer pour ce qu'il n'est pas. »

C'est donc bien ça. Tantine voit tout de suite que je ne suis pas dans mon assiette. Mais je ne dis rien. Pauvre tantine ! A peine arrivée à Paris, la mettre dans le souci, dans la honte. Jamais il n'y a eu d'imposture dans la famille... Mais, une fois dans ma chambre, je n'y tiens plus, je téléphone à pépé Jo.

« Je vous dérange ?

— Non. Je suis avec Nicole et Vincence. Elles t'embrassent... Vincence demande quand vous vous amuserez à refaire des dictées ensemble. Je lui dis que, pour le moment, tu as autre chose à faire. Qu'y a-t-il, ma petite Mimi ? »

Alors, je fonds. « L'imposture Mathieu » ! Voilà pourquoi il m'a retiré le magazine des mains. Mais je l'ai lu chez le coiffeur ! Pourquoi ai-je des ennemis ? Que vont dire mes parents ? Il me calme. Il viendra me voir demain matin. Il me demande de lui passer tantine, qui est à la cuisine. Un moment après, elle me rejoint, avec son petit sourire habituel, très fin. Le magazine ? Naturellement, elle l'a lu. Quelle importance ? Elle m'essuie mes larmes, me cajole, me prépare un tilleul.

Cette nuit-là, je vais dormir près d'elle. Dans sa chambre, elle a fait installer des lits jumeaux, disant qu'on sera ainsi toujours à même d'accueillir une petite Mathieu de passage. Mais elle devine peut-être que la petite Mathieu qui aura le plus besoin de ce refuge, des longues parlotes avant de tomber endormie d'un bloc... ce sera moi.

Le lendemain matin, pépé Jo arrive à l'heure du petit déjeuner. Tantine a préparé les œufs coque et les toasts.

« Mangeons d'abord, dit-elle. Vous parlerez sérieusement ensuite. »

Sérieusement, j'ai du chagrin et je le dis. « Imposture », ça ne passe pas.

« Mais ce n'est peut-être pas toi qu'on attaque, Mimi. C'est peut-être moi...

— Et pourquoi ce serait vous ?

— Mais parce que c'est comme ça, Mimi, et pas seulement dans le show-biz. C'est partout. Dès que quelque chose existe, tu as des gens qui préféreraient que ça n'existe pas ! Le monde est comme ça.

— Pas chez nous. Pas à la maison. »

Pépé Jo soupire. Tantine lui ressert du café.

« Tu peux toujours rentrer, Mimi, si tu veux... »

Je sais bien — il sait bien — que je ne retournerai pas en arrière. Je n'en ai pas le droit. Tout le monde croit en moi, maintenant, toute la famille. J'ai prié, j'ai été exaucée. Je suis sur une route. Comme m'a dit tantine hier soir : « Ne regarde pas les ornières ! Marche au milieu et regarde droit devant toi ! »

Pépé Jo continue : s'il n'avait pas confiance en moi, aurait-il abandonné toutes ses autres affaires ? Toute son équipe est maintenant mobilisée pour moi, six personnes travaillent pour que tout soit le mieux possible pour moi... Je ne dois penser à rien d'autre qu'à chanter, et chanter le mieux possible. Le reste les regarde.

« Et moi qui croyais en avoir fini avec les états d'âme des artistes ! Heureux encore que tu ne m'aies pas réveillé à 4 heures du matin ! Ça m'est arrivé ! L'heure de la déprime ou de la fiesta ! Je me disais : voilà une petite fille gentille, docile, qui va bien m'écouter et on va construire une belle carrière. Et je suis tombé sur un cheval-papillon !

— Qu'est-ce que c'est un cheval-papillon ?

— Ah ! tu souris ! C'est un drôle d'animal. C'est toi : forte comme un cheval et fragile comme un papillon. Un petit rien et tu perds tes couleurs... »

Quelques jours après, nous allons déjeuner à Marnes, chez Maurice Chevalier. Johnny lui fait part de mes états d'âme. Alors, Maurice me raconte les siens à ses débuts au Parisiana :

« Je fréquentais le café des artistes voisin et, un jour, que j'arrivais fringant — j'avais vingt et un ans et ça faisait sept ans que je trimais et je commençais à gagner bien ma vie —, un comique un peu sur le retour m'apostrophe : " Alors, vedette du siècle, tu daignes te mélanger aux petits crabes ? " Je lui ai répondu qu'il avait sûrement bu. Ça le déchaîne. Il m'insulte : " Vedette de mes fesses, on va régler ça dehors ! " Il voulait absolument se battre, et moi, pas du tout. D'abord, parce que j'étais un gentil pacifique, ensuite, parce que j'avais peur. La mère Pagès, qui tenait le café, me dit : " T'as raison ! Maurice. Ou il faudrait que tu te battes avec tous les cabots qui sont ici. Ils sont tous jaloux de toi ! " J'en revenais pas. Je suis devenu tout blanc. Je n'en ai pas dormi. Le lendemain, je me suis inscrit à un cours de boxe anglaise. C'était la grande mode. Et, un mois après, j'ai repris la conversation avec le comique là où on l'avait laissée. C'est lui qui s'est défilé !

— Mais, Maurice, moi, je peux tout de même pas apprendre la boxe ! »

On rit, bien sûr. Et il ajoute :

« Ce qui serait inquiétant, voyez-vous, c'est si le public vous aimait moins. Le petit monde du show-biz vous aimerait sûrement beaucoup plus ! »

En Avignon, aussi, on papote :

« Elle doit en gagner de l'argent, votre fille ! »

Alors, Johnny envoie une lettre à papa :

« Le 29 mars 1966,

« Cher Monsieur,

« Après trois mois de travaux effectifs, il me semble utile de dresser un bilan et de vous en faire part afin que nous en tirions ensemble les conclusions pour l'avenir.

« Nous avons beaucoup travaillé, et les résultats, quoique modestes, restent encourageants. Je n'ai d'ailleurs qu'à me louer de la bonne volonté de Mireille, mais elle a, finalement, infiniment plus à apprendre que je ne l'imaginais lors de nos premiers contacts. A dire vrai, il s'avère que nous nous devons de repartir de zéro et de canaliser l'un et l'autre son enthousiasme bien compréhensible pour l'obliger à acquérir *les éléments de base d'une réussite durable.* Or, Mireille n'est pas armée pour le travail qui l'attend et cela représente, au détriment de la rentabilité immédiate, beaucoup d'efforts de sa part comme de la mienne.

« Pour votre information, je vous confirme que j'ai dû engager un professeur d'anglais, un professeur de chant, un chef d'orchestre, un conseiller pour la presse, la radio et la télévision, et, prochainement, il nous faudra un professeur de maintien, un professeur de danse et un professeur de diction. Tout cela impose des investissements considérables dont vous mesurerez l'ampleur lorsque vous saurez que le voyage aux Etats-Unis a coûté plus de cent vingt mille francs.

« En ajoutant le budget courant et quotidien à Paris, nous sommes encore loin d'un bilan positif, puisque indépendamment du disque qui vient de sortir, Mireille n'a gagné à ce jour que les cachets ci-dessous :

« 4 jours en tournée avec Hugues Aufray	800 francs
« Olympia, 24 jours à 200 francs par jour	4 800 francs
« Galas de l'Ancienne Belgique du 25 février au 2 mars, 300 francs par jour	1 800 francs
	7 400 francs

« Il ne faut pas pour autant se laisser aller au découragement devant l'ampleur de la tâche, mais si je vous ai parlé de deux ans d'efforts, ce délai me paraît toujours valable, et ce n'est qu'à ce moment que nous pourrons récolter le fruit de nos efforts. J'ai toute confiance dans le talent et la bonne volonté de Mireille, et je sais que je suis assuré de votre clairvoyante compréhension.

« Bien cordialement à vous,

« J. Stark. »

Il n'empêche que la découverte brutale de mes « détracteurs » a cassé en moi quelque chose... un peu de mon enfance, peut-être ? Mais je n'ai pas le temps de me prélasser dans mes « états d'âme ». La vie est trépidante, remplie à ras bord. De 10 à 14 heures, je répète mes chansons avec le cher Henri Byrs. Déjeuner archiléger et cours de chant chez Jean Lumière. Le meilleur moment de la journée.

Il habite, du côté de la salle Pleyel, un petit appartement chargé de souvenirs. Je le trouve très beau, bien qu'il me dise avoir plus de soixante-dix ans ! Un visage très fin, des yeux doux...

« Quel joli nom, monsieur Lumière !

— Je ne suis pas parent de l'inventeur du cinématographe. Je m'appelle Anezin... »

Il a l'accent ! Il est d'Aix-en-Provence ! Un pays ! Comme le mien, son papa adorait l'opéra... entre deux bouteilles (il était négociant en vins !).

« Vous savez, maman vous adore. Elle connaît par cœur *Un amour comme le nôtre* et *La Petite Eglise.* Elle chante ça souvent :

Je sais une église au fond d'un hameau
Dont le fin clocher se mire dans l'eau...

— Vous avez la voix juste et un beau timbre, me dit-il. Mais, moi, ce que je vais vous faire travailler, c'est le souffle. Si vous avez du souffle, Mireille, vous pouvez faire ce que vous voulez de votre voix. De mon temps, il n'y avait pas de micro. Il fallait que la voix porte naturellement au fond de la salle. Vous voyez, moi, je n'ai pas beaucoup de voix... contrairement à vous. Si je n'avais compté que sur elle, je ne dépassais pas le dixième rang.

— Alors, qu'avez-vous fait ?

— J'ai eu beaucoup de chance. Je débutais dans un cinéma à Marseille quand une grande dame de la chanson m'a découvert : Esther Lekain. C'était une chanteuse-diseuse, comme on disait à l'époque. Elle détaillait ses chansons. Et elle les vivait comme une actrice. Elle m'a appris ça. Et elle m'a baptisé Lumière... Quand je suis monté à Paris, je suis entré au Conservatoire pour apprendre " à dire ", à bien parler, à articuler... J'ai même décroché mes premiers prix de comédie et de tragédie !

— Mais, alors, vous auriez pu devenir acteur ?

— Mais je préférais la romance. Je savais exprimer, mais

envoyer au fond de la salle... c'était une autre histoire. C'est alors que j'ai rencontré une autre dame, une chanteuse d'opéra, qui elle m'a enseigné le souffle : Ninon Vallin. Je dois tout à ces deux dames. Maintenant... nous allons travailler. Vous avez une forte voix, mais ce n'est pas pour cela que vous avez un grand souffle. Cela n'a aucun rapport. Couchez-vous par terre.

— Comment ?

— Par terre, bien à plat. Je vais me coucher près de vous et vous allez poser votre main sur mon ventre... »

C'est bien étonnant. Si maman me voyait ! Aucune inquiétude, cependant, parce qu'il a un bon regard... et que son pianiste est installé au clavier. M. Lumière commence à vocaliser, et je sens effectivement où il fait naître son souffle et... ça me fait éclater de rire. Mon rire en Ha ! Ha ! qui fait se retourner les gens...

« Riez ! riez ! ma petite Mireille, ça fait du bien ! Mais votre rire, il vient mal, il vient de l'arrière-gorge et vous le crachez par le nez ! Vous vous étouffez avec ! Si votre souffle part *du ventre,* vous pouvez rire une heure sans vous fatiguer ! On recommence... »

La leçon d'anglais est beaucoup moins rigolote. Le professeur est plus jeune que M. Lumière, quoique respectable. Je le surnomme Waterloo, ce qui est de très mauvais augure. Victoire pour lui, défaite pour moi. Cent vingt minutes d'anglais par jour, c'est ce que Johnny souhaite. Mais, pour débuter, Waterloo pense que soixante suffiront, et moi, déjà à quinze, je décroche. Je croyais qu'apprendre l'anglais, c'était baragouiner tout de suite... Waterloo m'explique la grammaire, alors que j'ai déjà du mal avec la française !

Et des tas d'événements viennent me distraire. Par exemple, je vais au siège de la Fédération de football pour tirer les équipes qui vont disputer les demi-finales de la coupe. Ça, c'est amusant ! Ma venue provoque une grande perturbation, rue de Londres. Le standard ne répond plus parce que toutes les petites sont en train de me demander des autographes... Le président Chiarisoli est très impressionnant derrière ses lunettes, mais je ne suis pas fâchée de l'impressionner à mon tour, en lui disant que je sais qu'Angers est quatrième en championnat. J'adore le foot. Ça me fait crier. Ça soulage. Entre une émission de variétés et la retransmission d'un beau match, je n'hésite pas : je choisis le ballon !

Six jours après, autre événement : nous fonçons vers Brest, et là, dans la rade, le *Richelieu.*

Il paraît n'attendre que moi ! Et c'est vrai ! C'est ce qu'a imaginé Jean Bardin pour son émission *Les Quatre Cents Coups.* Nous voilà reçus à la préfecture maritime. Les uniformes, les décorations et les pompons. Tout se gâte quand il s'agit de monter dans un hélicoptère... Je souffle à pépé Jo :

« Mais on ne peut pas y aller à pied ? »

Il me fait signe que non.

« Je vais être malade ! »

Il me fait signe que non.

« Je pourrai pas chanter ! »

Il me fait signe que si.

Quand je pense à toutes mes copines d'Avignon qui rêvaient toutes d'aller à Toulon pour voir des marins... Il y en a, paraît-il, deux mille qui m'attendent !

« Regardez, mademoiselle, me dit le copilote, la vue... ! »

Mais, moi, je suis en train de prier la Vierge, et quand on prie, on ne peut pas regarder ailleurs. Johnny fait les commentaires sur la rade — splendide —, sur la foule en bas — énorme —, sur le croiseur — gigantesque — enfin, sur la descente :

« On y est, c'est fini. Respire un bon coup, Mimi ! »

Le pilote me demande mes impressions, et tout ce que je trouve à dire, c'est : « Dommage qu'il n'ait pas d'ailes... » Le pied à terre — si l'on peut dire, car en fait on est sur le pont avant —, j'ai l'impression d'entrer dans une de ces comédies musicales que M. Pasternak m'avait fait projeter à Hollywood : ils sont là, les deux mille marins, artistiquement disposés notamment sur quatre gros canons. Et le petit Jean Bardin, avec qui je me trouve si bien parce qu'il n'est guère plus grand que moi, me poste parmi eux, et c'est parti, la chorale :

C'est nous les gars de la marine
Du plus petit jusqu'au plus grand
Du moussaillon au commandant !

Après... c'est le pur plaisir. Il n'y a plus qu'à chanter *L'Hymne à l'amour* ou *Mon credo,* peu importe, c'est la joie.

Chanter en plein air, comme pour remplir tout Brest... et, après, les bérets dans les airs, les autographes à n'en plus finir, la visite de fond en comble de ce bateau qui n'en finit pas de vous présenter des escaliers, des passerelles et des pompons rouges ! Oui, ça valait bien la peine d'avoir une peur bleue pendant trois minutes en hélico.

Maurice Chevalier me téléphone le lendemain. Il a vu mes *Quatre Cents Coups*. Il va faire les siens... et il me demande si je veux bien être sa partenaire... Albert Raisner souhaite que je représente la France dans son festival franco-allemand en compagnie de Jacqueline François, Jacqueline Boyer et Henri Salvador... et Johnny et moi repartons pour New York et Los Angeles, en éclair.

Ainsi voici le troisième géant de la télévision américaine : après Ed Sullivan, Merv Griffin, Johnny Carson m'accueille dans sa célèbre émission *To Night Show*. Ce n'est pas un progrès depuis mon premier voyage, il y a trois mois. Je ne peux toujours placer que six mots : « Hello ! Yes ! No ! I love you ! » Mais, avec un grand sourire, ça passe très bien. Pépé Jo me gronde un peu. J'ai bien essayé d'apprendre quelques phrases toutes faites par Waterloo, mais elles me paraissent si tarabiscotées que j'en laisse la moitié en route. Alors...

« Tu as pourtant de la mémoire. Tu as de l'oreille.

— Oui. Mais je me bloque quand c'est de l'anglais, et pas quand c'est des chansons... »

Mes chansons, ça, je les possède. Elles me circulent dans la tête, comme le sang. Mon *Funambule,* je le balance dans le ciel avec joie :

Il danse sur le monde
Je ne suis qu'une ombre
Il n'est qu'un éclat !

Pierre Delanoë, le parolier de Bécaud, m'a écrit :

Qu'elle est belle, qu'elle est belle
Dans sa robe de mariée.
J'aurais tant voulu porter
La même...

Ça me sort du cœur si facilement qu'un journaliste qui comprend le français me pose la question : « Quand allez-vous vous marier ? »

Décidément, ils sont pareils des deux côtés de l'eau. Maman, au téléphone chez l'épicier, est aux cent coups :

« Tu sais ce qu'on m'a mis sous le nez chez le boulanger? Un journal, avec toute une histoire comme quoi “ la nouvelle Piaf vit son premier drame d'amour ”...

— Quel drame d'amour ?

— Je te le demande. Tu as un drame d'amour ?

— Mais, maman, je te l'aurais dit !

— C'est pas sûr... Tu es secrète, parfois.

— Qu'est-ce qu'ils disent ?

— “ Que, pour ne pas gêner ta fulgurante ascension vers la gloire... ” (je lis, hein !)... celui que tu avais décidé d'épouser a résolu, la mort dans l'âme, de se retirer de ta vie... »

J'imagine les clients de l'épicerie traînant devant les paquets de pâtes en attendant la suite.

« Alors, tu avais décidé d'épouser qui ?

— Mais personne, maman !

— Ils disent que c'est quelqu'un d'Avignon !

— Alors, tu le connaîtrais !

— C'est bien ce qui m'ennuie. Déjà celui-là, je le connais pas ! Alors maintenant que tu vas aux Amériques... ! Ton père, il est bouleversé aussi.

— Ecoute, maman, dis à papa, j'ai déjà pas le temps d'apprendre à perdre mon accent ! Tout se bouscule...

— Et pourquoi perdre ton accent ? De toute façon, un accent, ça se perd moins vite que la vertu ! Et, précisément, je voudrais pas qu'on te bouscule !

— Maman, si je te jure sur sainte Rita que tout va bien, est-ce que tu me crois ?

— Eh oui.

— Alors, je te le jure.

— Alors, ça va. Quel temps y fait, à Nouillorque ?

— Du vent.

— Ne me dis pas qu'ils ont le mistral ?

— Un genre. Entre les gratte-ciel, ça fait appel d'air. J'ai un peu peur de prendre l'avion de Los Angeles demain.

J'aimerais mieux que le vent tombe plutôt que l'avion, tu vois ! (Je fais un signe de croix, et maman doit faire le même de son côté.)

— Ils ont bien des trains ?

— Mais on n'a pas le temps. Allez... je t'appellerai de Hollywood. Tu fais la bise à tout le monde autour... »

A Beverly Hills, Joe Pasternak est bouillonnant d'idées. Il a un scénario pour moi, *Concours de beauté...* Pierre Grelot explique : une histoire à la fois touchante et gaie : « Une famille nombreuse... presque votre histoire, Mimi. Un concours de beauté au lieu d'être un concours de chant...

— Mais je chanterai quand même ?

— Naturellement ! »

Une chose me tracasse. Un concours de beauté... Les filles se présentent généralement en maillot de bains... Or, je déteste me mettre en maillot. Déjà à la piscine d'Avignon, avec Françoise, j'avais du mal, et elle me mettait un peu en boîte parce que je n'aimais pas me montrer. Je trouve que j'ai une trop grosse poitrine pour ça...

« Mais, à Hollywood, on arrange tout ! dit Pierre en riant. On a vu des filles nous arriver et repartir avec des dents, des cheveux superbes, comme elles n'en avaient jamais eu ! Quoique, pour vous, les dents, les cheveux sont impeccables. Et les seins... ça s'arrange, c'est même ce qui s'arrange le mieux ! On a les meilleurs chirurgiens à Hollywood... »

C'est comme s'il avait mis un serpent dans mon assiette. Il me coupe l'appétit. Heureusement, arrive une énorme distraction avec Danny Kaye. Encore un monsieur que je ne connais pas. Mais lui, apparemment, a vu le Johnny Carson et mène le *Ed Sullivan Show.* Il me dit en mélangeant si drôlement le français et l'anglais, avec des gestes et des mimiques qui me font éclater de rire :

« Miss Ma-tiou, je vous *veux* dans *mon show,* le *mien,* compris ? C'est O.K. ? »

Je remarque qu'il a des mains très fines, très expressives. Pierre me dit qu'elles lui servent beaucoup dans son numéro désopilant du chef d'orchestre. Musicien lui-même et fan des plus grands, notamment de Karajan (ça ne me dit rien, mais je ne bronche pas et j'enregistre), il les a tant observés qu'il en a fait une imitation irrésistible qu'on lui demande dans tous les pays. Il accepte à condition que ce soit pour l'enfance malheureuse. Je demande s'il a été pauvre lui-même ? Pas riche, mais pas malheureux, et tellement doué... A cinq ans, dans une revue, il jouait un pépin de pastèque !

« Un pépin ? »

Je ris en le regardant qui continue de parler à Joe avec ses mains, tandis que Johnny est en conversation avec « son Stark », M. Schwimmer. Pierre poursuit son explication : tout a commencé il y a une dizaine d'années ; en allant tourner un film en Asie, Danny s'est trouvé dans l'avion avec quelqu'un de l'Unicef, cette œuvre des Nations unies pour l'enfance, et lui a proposé de l'accompagner en tournée d'inspection. C'était alors la guerre... ils sont arrivés dans les avant-postes. Il a été bouleversé par ce qu'il a vu, notamment ces pauvres gosses affamés, certains ayant tout perdu, y compris leur famille... Il nous a dit que « plus rien ne pouvait ensuite être comme avant et qu'il n'aurait pas trop de toute sa vie pour aider ces vingt-cinq millions d'enfants... » Je lui demande s'il est possible à Hollywood de gagner tant d'argent qu'on puisse aider vingt-cinq millions d'enfants ? Pierre sourit. Même avec ses films, ça ne suffirait pas ! Mais il est comme un commis voyageur : il fait des galas, qui rapportent beaucoup d'argent, il mobilise les gens, il fait un film dont la recette ira à l'Unicef, il se donne corps et âme, il n'arrête pas.

Je regarde ce grand rouquin aux yeux comme des billes qui fait se tordre les invités.

« Mais en quelle langue parle-t-il en ce moment ?

— Il imagine un dialogue entre un Arabe et un Japonais, mais, en fait, il ne parle ni la langue de l'un ni la langue de l'autre ! Il est si habile à piquer les accents... C'est un de ses grands trucs. Demandez-lui s'il parle le français. »

Je m'enhardis :

« Vous parlez le français, monsieur Kaye ?

— Malheureusement, me répond-il avec l'accent de Paris, je ne le parle pas du tout ! »

Et, là-dessus, il enchaîne une suite de phrases sans aucun sens où on reconnaît au passage quelque mots comme « formidable », « Oh ! là là ! », « c'est pas croyable ! » « allez-vous bien ? » pour finir avec « mon » accent qu'il a saisi instantanément :

« Je parle le français du sud, mademoiselle ! »

C'est génial.

Quand nous rentrons au *Beverly Hills Hotel,* Johnny me dit que c'est arrangé, je ferai partie de son show télévisé en décembre, et Mr. Schwimmer va m'organiser demain une projection du *Joyeux Phénomène,* qui date de vingt ans déjà et lui valut sa notoriété...

« Si je restais à Hollywood... j'irais au cinéma tous les jours ! Je suis sûre que j'apprendrais plus vite à parler qu'avec Waterloo !

— Ça risque de t'arriver. Joe est fermement décidé à te faire tourner.

— Mais je veux pas être en maillot de bains !

— Tu feras ce qu'on te dira... mais on n'en est pas encore là ! »

C'est un vendredi 13 porte-bonheur. Le salon est soudain envahi de roses de la part d'un milliardaire, précise Johnny : « Stanley Marcus ».

« Imagine une chaîne de Samaritaine de luxe, aux Etats-Unis. Il voudrait que tu viennes chanter à Dallas. C'est sa ville. Il propose cinq récitals à l'Opéra...

— A l'Opéra ! C'est papa qui sera fier !

— Ne t'emballe pas. Tu n'as pas le matériel pour un récital. Tu n'as que dix chansons et encore... elles ne sont pas toutes bonnes. »

Je suis déçue. Johnny me dit que rien n'est perdu. On va trouver une autre formule... Le dimanche arrive une floraison de roses encore plus importante que la première. Pour me remercier de venir en octobre à une grande manifestation française : tous les magasins Marcus seront à l'heure de Paris avec des produits français. Ainsi, je chanterai dans des grands magasins ? Ça ne ressemble pas à l'Opéra ! Johnny me rassure encore. Il n'en est pas question. Clou de cette quinzaine, un gala ultra-chic dont je serai la tête d'affiche.

Le lundi est une journée marquante : Joe, obstiné, me fait faire des essais aux studios M.G.M. Un avant-goût d'une journée de star : levée tôt, la loge du maître maquilleur. Il faut un peu creuser les joues, remonter le sourcil, mettre en valeur le menton. Mon Dieu... j'ai l'impression que tout est à refaire ! Il parle un peu le français, il est très doux, il dit que c'est un plaisir, que je suis très jolie, mais... que l'œil agrandi, la pommette plus saillante ce sera beaucoup mieux, etc. J'aimerais bien voir ce qu'il fait, mais je n'ai pas le droit de bouger.

Ensuite, c'est la coiffure. Le chef coiffeur garde la mienne. Tant mieux. Sur le plateau. Je ne trouve pas que cela diffère beaucoup de ceux de la télévision. Sauf qu'il est plus grand et qu'il y a beaucoup de monde autour de la caméra. Moteur. Johnny me traduit :

« Souris. Tu vois quelqu'un... tu fais bonjour. Tu es heureuse de voir ce quelqu'un... Le contraire. Cela t'ennuie terriblement... autre chose. Tu vois Danny Kaye ! il te fait rire... Stop.

— Ça ne va pas ?

— Si. Mais on va changer ta coiffure. »

Cinq fois, le coiffeur va donner un volume différent. Ça ne m'ennuie pas du tout. Je trouve même que c'est amusant. Joe m'embrasse avec effusion.

« Wonderful ! » dit-il.

Et ça, je comprends très bien ce que ça veut dire. Il ajoute « my little star ! » et là aussi, je comprends. Ça y est ! je parle anglais !

« Je voudrais bien ! dit Johnny. Ce qui est sûr, c'est que tu es diablement photogénique. »

8.

MES QUATRE MOUSQUETAIRES

Quand nous rentrons à Paris, il y a « l'affaire Mathieu ». Je n'en ai pas conscience parce que vous avons décidé que je ne lis pas les journaux.

« Sauf les bonnes critiques..., ai-je dit.

— Ni les bonnes ni les mauvaises, décrète pépé Jo. Les bonnes, c'est pire : tu te crois arrivée. Or, dans ce métier — et souviens-t'en quand je ne serai plus là —, on n'est ni grande ni arrivée, jamais. Tout est toujours à recommencer.

Je ne sais donc rien. Mais, une fois de plus, chez le coiffeur... une dame me dit :

« Oh ! Mireille Mathieu ! Il n'a pas été gentil avec vous, Léo Ferré, dans *Le Nouveau Candide !* »

Nadine fait des yeux furibonds, mais c'est trop tard. Léo Ferré... celui qui chante *Paris-Canaille* que j'aime tant... Pourquoi ? La dame enchaîne :

« Oh ! remarquez que c'est surtout Barclay qu'il accroche ! »

Eddie, si gentil... Pourquoi ? Je n'en saurai pas plus pour le moment, mais... par quel hasard le journal me tombe-t-il sous les yeux ? Un musicien, peut-être, un régisseur l'aura laissé traîner à l'heure de la pause ? Quoi qu'il en soit, il est là. Je le prends... je ne le prends pas... La tentation de savoir... Je tire la page en douce, pour le lire ce soir en secret dans ma chambre :

« J'ai entendu Mireille Mathieu, cette petite qu'on fait pousser sur la tombe de Piaf. » Moi, je ne trouve pas ça méchant. Sur les tombes, nous, on fait pousser des fleurs.

« Cette petite, c'est une affaire commerciale prise au sortir de la télévision, Barclay m'a dit l'autre jour : Je n'ai pas le droit de laisser Mireille Mathieu. Quelqu'un d'autre la prendra si je ne le fais pas. » Je ne trouve toujours pas ça très méchant. Bien sûr qu'il faut vendre du disque, sans ça pourquoi en faire ? Eddie a bien fait de lui répondre ça.

« (...) Je ne peux pas porter de jugement de valeur sur des gens qui font le même métier que moi-même si je le fais depuis vingt ans et eux depuis quinze jours. » Je comprends, mais il y a bien eu un moment où lui-même n'avait que quinze jours de métier ?

« (...) A partir du moment où ils se vendent, même en vente forcée, ils peuvent bien s'acheter des trucs et des bagnoles avec le produit de cette vente, personne n'a rien à dire. » Pourquoi dit-il vente forcée ? On ne force jamais quelqu'un à acheter un disque. C'est lui qui décide si ça lui plaît ou non. Oui, c'est vrai que j'ai dit que je voulais acheter une voiture à papa. Parce que quand je le vois peiner avec sa charrette pour traîner des pierres... Il ne sait peut-être pas, Léo, comme ça peut être lourd... et par tous les temps... et puis, papa pourrait emmener les enfants en promenade le dimanche, un peu plus loin qu'au rocher du Dom... et avec maman, qui a tant de peine à porter Béatrice commençant à se faire du poids avec ses deux ans...

« (...) C'est le prix de leur esclavage. L'esclavage ça existe encore pire qu'avant. » Oh ! ça, je ne crois pas. Dans mon livre d'Histoire, j'ai bien vu comment étaient les esclaves ! C'était affreux. « (...) Avant l'esclave pouvait se révolter, tuer son maître à l'occasion. Aujourd'hui, il est sous contrat. On ne peut pas tuer Barclay. Il est gentil, il a un bon cigare, une belle moustache, et puis, il vous invite à déjeuner tous les jours. Il est adorable, M. Barclay, mais c'est tout de même un négrier. » Dictionnaire : « qui fait la traite des Noirs ». Ah oui ! comme dans le film qu'on a vu l'autre jour à la télé. Mais c'est la dame chez le coiffeur qui est méchante : elle n'a pas compris qu'il s'amuse avec les mots ! « Moi aussi, je traite bien avec les négriers. Je signe même des contrats, et quand c'est signé, je m'exécute, je suis honnête. Si je le décide, je le fais. Seulement, moi, je peux me défendre, je suis esclave à moitié affranchi ou provisionné. »

C'est tout. C'est cet article-là qui fait tant de foin ? Peut-être que je ne comprends pas bien. Mais ce que je ressens, moi, c'est que Léo Ferré ne doit pas être très heureux... c'est sans doute pour ça qu'il écrit de belles chansons. De la feuille de journal, je fais une petite boulette de papier. Et je la jette par la fenêtre. Elle amusera beaucoup le petit chat de la concierge.

Quelques jours après, Nadine arrive avec un paquet de *Télé 7 Jours*. Elle est rayonnante :

« Regarde, Mimi, le titre : " LES AMIS DE MIREILLE MATHIEU PRENNENT SA DÉFENSE " C'est superbe ! Lis ! Maurice Chevalier... Louis Féraud, Eddie Barclay, Raoul Colombe ! »

Mes quatre mousquetaires ! Ça me touche profondément que M. Colombe rappelle mes efforts dès l'âge de quinze ans pour décrocher le premier prix du *Critérium !* C'est vrai, mon Dieu ! maman me croyait endormie et, les yeux fermés, j'étais en prière dans mon cœur.

« Tantine ! Tantine ! viens vite ! »

Tante Irène sort de sa cuisine en s'essuyant les mains (elle prépare une tarte).

« Ecoute, Tantine ! " Moi qui connais très bien Mireille, je puis affirmer que les détracteurs, heureusement peu nombreux, qui disent qu'elle commet une imposture en imitant Piaf, et en rabaissant son extraordinaire ascension en la faisant passer pour une opération publicitaire, se trompent totalement. C'est une artiste-née ". Ça, c'est M. Colombe ! Louis Féraud me décrit comme terriblement bagarreuse. " Il est très difficile de lui faire entendre raison lorsqu'elle est décidée à quelque chose. Elle refuse 85 % de la mode. Elle tenait à sa petite robe noire, et j'ai eu du mal à la mettre en scène tout en rouge... "

— Autrement dit, intervient tranquillement Tantine, il s'est aperçu que tu étais têtue. Il ne dit pas que tu es affreusement désordre ?

— Non ! Il dit que ma personnalité éclate quand je suis en confiance, que je chante pendant les essayages et repars en chantant ! C'est vrai que j'ai fait des progrès depuis le jour où, il y a cinq mois, je n'osais pas me mettre en combinaison devant lui !

— Et Maurice ? »

Car Tantine a une vraie passion pour Chevalier.

« Il reprend ce qu'il m'a dit à notre dernière rencontre, qu'à ses débuts on l'accusait d'imiter Dranem comme on accusa Piaf d'imiter Fréhel : “ Il faut quelque temps pour se dégager des admirations de sa jeunesse et conquérir sa propre personnalité. Mireille Mathieu a réussi trop vite aux yeux des envieux et des jaloux, mais elle continuera. Sa voix d'or est puissante, mais aussi légère, faite pour la lumière. Son seul problème : qu'elle ne laisse pas les margoulins la lui abîmer. Alors vous verrez sa carrière éblouissante. »

Tantine se lève, prétextant que sa pâte va tourner, mais je sens bien que c'est pour cacher son émotion.

Enfin, mon « négrier », Eddie Barclay, parle de « phénomène vocal » : « Le microsillon qui marque ses débuts compte parmi ses quatre titres un *Credo* qui eût exactement convenu à Piaf. C'était un disque test. Il en est déjà à trois cent mille exemplaires vendus... Ce qui caractérise le plus Mireille Mathieu ? C'est sa volonté. Elle sait où elle va et où elle veut aller. »

Oui, mais... je voudrais aller, pour l'heure, et de tout mon cœur, en Avignon. Ah! si je pouvais voler à l'hôpital et embrasser la mamet !

« Elle n'est pas bien vaillante, m'a dit tout à l'heure maman au téléphone. Elle voudrait tant te voir ! »

Ce n'est pas possible. Il y a les dix chansons à répéter pour ma première grande tournée — soixante galas ! Je l'ai expliqué à maman, qui a soupiré.

« Mais dans six jours, c'est mon retour au *Palmarès des chansons* et vous serez tous dans la salle. La mamet ne pourra pas venir ? Vraiment ?

— Vraiment, Mimi. Elle n'est plus assez solide. Elle est comme un petit païun (fétu).

— Mais tous les autres seront là ? Promis ? »

Toute la famille que je veux tirer d'affaire. Et, après elle, ceux que je pourrai... Je pense souvent au pauvre Charlot qu'on aidait de notre mieux alors qu'on n'avait pas grand-chose. Ce que je pourrais faire maintenant pour lui... et c'est trop tard. Dans ce Paris, quand je vois un clochard dormir sur une bouche de métro, ça me bouleverse. Je voudrais savoir comment et pourquoi il en est arrivé là. J'ai toujours peur qu'il soit mort.

Non, je ne peux pas voir la mamet. Tout ce que je peux faire, c'est prier pour elle. Après la répétition, un assistant de pépé Jo est chargé de me raccompagner à Neuilly dans sa Volkswagen blanche. Je lui demande de m'emmener au Sacré-Cœur. Il renâcle un peu. Il croit que la petite Avignonnaise veut faire du tourisme. Il s'agit bien de ça ! Mais faut-il lui expliquer ? Je suis pudique aussi quand il s'agit de ma foi. Avec un sourire auquel j'ai remarqué qu'on ne résiste guère à Paris, j'insiste.

« Alors, cinq minutes », me dit-il.

Mais c'est la fin de l'après-midi et il y a des embouteillages. On arrive enfin en haut de la butte. C'est vrai que c'est la première fois que j'entre dans le Sacré-Cœur. J'en avais envie depuis longtemps puisque, en arrivant, c'est la première église que j'ai vue... Je suis éblouie par les mosaïques, les marbres et les statues ! « Ma » Jeanne d'Arc, à cheval ! « Mon » Saint Louis, à cheval aussi ! Sans doute ai-je perdu du temps, car à peine suis-je en prière que mon chauffeur vient me récupérer.

« Je n'ai pas fini, lui dis-je. Venez baiser les pieds de la Vierge avec moi.

— Mais je ne fais jamais ça !

— Il n'est jamais trop tard. »

Le malheureux, espérant sans doute en finir plus vite, s'exécute à toute vitesse. Et voilà qu'il m'entend dire :

« J'ai fait vœu aussi de faire le chemin de croix. »

C'est comme un pèlerinage que j'accomplis pour la guérison de la mamet. Entre chaque station, il me montre l'heure :

« Vous savez que M. Stark n'aime pas qu'on soit en retard !

— Je le sais. Mais Dieu doit être toujours le premier servi.

— L'église va fermer ! » me dit-il.

Et, à ce moment, la voix du bedeau :

« Mais non, mais non... que Mlle Mathieu prenne son temps ! Dieu n'est jamais pressé ! *(Et il ajoute à voix basse :)* Je vous ai vue à la télévision ! »

Mais le Seigneur n'est pas avec nous à la sortie : il pleut à verse, une de ces pluies de printemps vigoureuse, tenace. L'embouteillage est décuplé, mon chauffeur, de plus en plus énervé. Il en emboutit le pare-chocs de la voiture qui précède... En arrivant à Neuilly, il devient un peu plus rouge :

« La voiture de M. Stark ! »

C'est vrai : elle est en bordure du trottoir où il me plante. Il s'enfuit dans sa Volkswagen.

Dans l'appartement, Johnny, lui, est encore plus rouge que lui, de colère.

« Regarde ! dans quel état as-tu mis ta tantine ! On imaginait le pire. Un accident ! J'ai déjà prévenu la police ! Tu devais être ici à 6 heures ! Il est 9 heures du soir ! Veux-tu me dire ce que tu as fait ?

— J'ai été au Sacré-Cœur. »

Il ne me croit pas. Je vois bien — et j'entends ! — qu'il ne me croit pas. Alors, Tantine, de sa voix douce :

« C'est sûrement vrai, Johnny. Mireille ne nous a jamais menti. Et elle a sûrement prié pour vous aussi ! »

Il lève les yeux au ciel et reste sans voix.

Je plains ceux qui n'ont pas connu leurs grands-parents. J'entends souvent parler du fossé des générations. Cela n'a pas été le cas chez les Mathieu, mais il est vrai que les parents ont souvent tant de tracas qu'ils peuvent paraître énervés, lassés, sans attention, indifférents. Les grands-parents, eux, ont du temps pour la douceur, le jeu, la caresse, le regard, le sourire. Même chez nous, où nous étions les seuls trésors, la mamet nous avait donné tout cela en prime. La pensée qu'elle puisse disparaître m'était intolérable. Je demandais à Johnny si je ne pouvais pas faire un aller-retour en avion pour aller l'embrasser et il me dit que non. Cela me parut très dur. Je l'ai détesté, à cette minute. Ce n'est que bien plus tard que j'ai compris. La mamet n'était plus celle que je connaissais, gaie, alerte, nous emmenant dans la campagne pour ramasser ses plantes. La mamet qui connaissait les légendes venant de loin et qu'on se répétait de bouche à oreille le soir... qui connaissait aussi le sens caché des rêves. Combien de fois, depuis qu'elle vivait avec le second papet, avait-elle surgi à la maison, ayant pressé ses petits pieds — les mêmes que les miens — sur la route pour nous dire :

« J'ai rêvé cette nuit que... »

Et c'était toujours des récits fabuleux qui nous laissaient, nous, les petits, la bouche ouverte. Il était question de cascades qui prenaient feu, de rochers sur des sommets de montagnes...

de licornes avec leur corne tournée comme un sucre d'orge sur le front...

« Il va sûrement vous arriver quelque chose ! Que devez-vous faire aujourd'hui ? » Ou bien : « Attention ! Je voyais de grosses vagues sur la mer si grosses que les oiseaux n'osaient plus voler ! »

Au matin, quand elle habitait encore avec nous, elle m'interrogeait toujours :

« Alors, qu'as-tu vu cette nuit ?

— De l'herbe.

— Très bien, mais de quelle couleur ?

— Verte.

— Très verte ? alors, c'est bien. »

Ou alors :

« L'eau que tu as vue, elle était trouble ? »

— Un peu. Pas très. Mais elle était drôle. Plutôt comme de l'huile !

— Lourde, alors ? Ah ! j'aime moins ça ! »

C'est sans doute à cause d'elle que je cultive mes rêves, que je revois toujours la même petite maison au bord de la mer bleue... Et que souvent j'aime bien m'endormir parce que je sais que je vais la retrouver, ma petite maison.

Mais ce n'était plus cette mamet-là. La maladie l'avait terrassée, amoindrie, marquée. Johnny en avait parlé avec tante Irène. Sa vue ne pourrait que me bouleverser profondément, au moment où j'avais besoin de toutes mes forces pour la tournée d'été précédant l'Olympia en tête d'affiche. Il usa d'un subterfuge. La tournée comprenait beaucoup de villes du Sud-Ouest. Il arrangea une interview d'avant-première « très utile » à Bayonne. Et, comme si l'idée lui venait soudain :

« Nous ne serons pas loin de Lourdes. Si tu le veux, nous y ferons un saut... »

Il enchaîna sur autre chose, mais cela avait fait tilt. Je ne pensais plus qu'à ce vrai pèlerinage, où je pourrai prier pour la guérison de la mamet. L'interview de Bayonne ne m'a laissé aucun souvenir. Mais je sais que nous sommes arrivés le vendredi soir à 18 heures à Lourdes. Je ne vois rien de la ville, que mon but. Les grands malades ne sont plus là, les piscines à cette heure sont fermées. Sous un voile noir, recueillie, je mets un cierge dans la grotte et fait le chemin de croix vers l'église du Rosaire. J'achète des médailles pour tous mes frères et sœurs, les parents, tante Irène. Et une pour pépé Jo, que je découvre moins mécréant que je ne le pensais. A 22 heures, nous sommes dans le train de Paris. Je suis apaisée. J'ai fait ce qu'il fallait.

« C'était mon cadeau pour la fête des mères... amener Marcelle à Paris pour ton *Palmarès* avec tous les enfants, même la petite Béatrice ! J'ai travaillé les dimanches et les jours fériés pour payer aux garçons un blazer gris et aux filles un manteau blanc. Ils sont beaux, hein ?

— Oui, papa, très beaux ! »

Il est heureux, il rayonne. J'aime le voir comme ça. Pépé Jo avait retenu pour mes quatorze fans préférés trois compartiments de première et des places au wagon-restaurant. Ils ont été déçus de ne pas me voir dans la journée, mais il fallait que je répète. Si bien que je les ai revus en même temps que les téléspectateurs sur le petit écran de contrôle, quand la caméra s'est braquée sur eux. Je donnais des bourrades à Jacqueline Duforest :

« Regarde ! là, c'est Matite ! là, Sophie ! les jumeaux ! tu vois les jumeaux ! »

Le théâtre 102 était plein, salle et coulisses bondées avec les soixante-sept gosses de Paris et les soixante-dix chanteurs de Créteil, les footballeurs strasbourgeois, les cascadeurs dont l'un avait l'œil tuméfié par un coup d'épée...

« Quelle horreur ! me dit maman, quand je lui raconte la chose, c'est toi qui aurais pu te trouver en face ! Mais c'est dangereux cette télé ! »

Une caméra était tombée par terre, une Cadillac amenée en scène avait enfoncé le plancher et la fille des cow-boys de *La Vallée des Peaux-Rouges* était pleine de bleus. Comme avait dit Guy Lux :

« Il y a des jours avec ! »

Maintenant, c'est une splendide fête des mères à la maison.

« Et la mamet ?

— Elle est sortie de l'hôpital. »

Je pousse un cri de joie.

« Oh ! merci, mon Dieu !

— Elle tenait absolument à te voir. Alors, on l'a ramenée à la Croix-des-Oiseaux. Tante Juliette veille sur elle. Elles t'ont vue dans le poste.

— Oh ! que je suis contente ! Si on l'a laissée sortir, c'est qu'elle va beaucoup mieux, n'est-ce pas ?

— ... Bien sûr... bien sûr.

— C'est pour elle que j'ai chanté *Jezebel !* »

Elle m'a passé son amour de Piaf en héritage. Sans elle, je ne serais peut-être pas devenue Mireille Mathieu. L'étincelle, c'est elle qui l'a eue la première. Ses yeux, quand elle écoutait un disque d'Edith...

« Mimi ! montre-nous ta garde-robe ! »

Tous s'émerveillent de tout.

« Toi qui aimes les chaussures ! s'extasie Matite, tu en as au moins quatre paires !

— Six ! »

J'ouvre les placards, et tantine montre la cuisine modèle.

« Mais avec tous ces trucs-là, s'exclame maman, tu n'auras plus rien à faire, Irène, tu auras toujours les mains propres ! »

Pépé Jo a fait livrer du champagne. On trinque à la santé de la mamet, à mon succès.

« Tu vas bien nous sortir un fiancé à Paris, dit maman avec un clin d'œil.

— Tu sais... je n'ai pas beaucoup le temps !

— Si ça se trouve, plaisante papa, Irène sera fiancée avant elle ! »

On s'esclaffe. Je veux garder Matite et Christiane pour les coucher à la maison et retrouver nos fous rires du soir.

« Pas question ! tranche tante Irène. Tu as tes cours de gym et d'anglais demain matin. Et tu répètes demain après-midi. Il faut que tu dormes vite et bien. D'ailleurs, Johnny a tout prévu. Vous avez vos six chambres à l'*Hôtel Saint-Pétersbourg*...

— Oui, oui, c'est parfait, dit maman. Nous nous sommes organisés : les deux petits couchent dans notre chambre, Matite et Christiane ont la leur, Marie-France et Réjane aussi, Sophie partage celle de Jean-Pierre ; les jumeaux sont ensemble ; Roger et Rémi partagent la sixième, tout est en ordre, et c'est beaucoup plus grand que la Croix-des-Oiseaux ! »

Je suis déçue. J'aurais bien voulu me retrouver une fois encore avec eux tous. Mais il faut être raisonnable.

« J'ai un si grand lit pour moi toute seule. Vous avez vu, les filles, l'édredon jaune d'or et les draps brodés...

— Mais j'ai vu que tu as gardé ton vieux peignoir, me dit Matite. Pourquoi ? Il commence à être fatigué. Il n'a plus de couleur.

— Je sais. Mais je me sens bien dedans.

— Johnny ne veut pas que tu l'emportes en tournée. Nadine t'en a acheté un ravissant en satin rose, dit Tantine. C'est celui-là que je mettrai dans tes bagages. »

Les petites sœurs veulent voir le peignoir rose. C'est vrai, il est très joli.

« C'est un vrai peignoir de star ! dit Matite. Tu ne l'aimes pas ?

— Si, si... mais comment te dire... dans l'autre, je suis chez moi... »

Réjane, qui compte mes robes dans la penderie, s'écrie :

« Douze ! elle en a douze !

— Mais c'est un conte de fées que tu vis, ma petite Mimi ! dit maman. Tu t'en rends compte, j'espère ?

— Oh oui ! Vous allez le partager avec moi. Je vais vous acheter une grande maison... dès que je pourrai ! »

Papa me prend dans ses bras. Il ne peut plus parler. Maman dit :

« Roger ! ne pleure pas ! Ce n'est plus l'heure. Il faut que la petite aille se coucher ! »

Hélas ! le lendemain, c'est l'angoisse qu'on partage. Un télégramme est arrivé : « Mamet hospitalisée d'urgence. Etat grave. » Toute la famille, sauf moi, a repris le premier train. Je ne peux pas retourner en Avignon. La tournée commence dans deux semaines. Pépé Jo dit que je ne suis pas prête. C'est la vérité. Malgré moi, ma pensée s'évade vers la mamet.

« Mon pauvre petit... mon pauvre petit, me dit Jean Lumière en me donnant sa leçon, je sais que c'est dur. Tu te sens nouée partout à l'intérieur...

— Oui, monsieur...

— Il faut que tu passes cette épreuve. Si tu échouais et si ta mamet l'apprenait, elle en serait encore plus malade.

— Aidez-moi...

— Je ne peux rien faire. Je ne peux que te dire que la seule personne qui peut t'aider, c'est toi. Il faut que tu réussisses ta tournée. C'est très important au début d'une carrière. Des gens croient que tu es un feu de paille. Il faut leur prouver que tu es faite du bon bois.

— Je voudrais bien... comment ? »

Je me sens désemparée. Mon conte de fées tourne au cauchemar. Je ne suis pas Cendrillon qui va au bal, je suis le Petit Poucet perdu dans une grande forêt noire.

« Allonge-toi par terre. Elle est bonne la terre, pour toi, Mireille. Elle t'a déjà donné beaucoup. Fais-lui confiance. Tu es fatiguée, je sais. Abandonne-toi. Respire lentement, sans effort. Calme-toi. Pense à la mamet qui veut que tu réussisses. Pense à son sourire...

— Je sais... mais à force de penser à elle... j'oublie le texte de mes chansons...

— Elles vont revenir. Ne t'inquiète pas. Elles font partie de toi. Elles te reviendront... »

Et c'est ainsi, à force de patience, que Jean Lumière, doucement, m'enseigne la leçon qui va me servir toute la vie.

« Ne t'enferme pas dans ton chagrin. Mais ne le fuis pas non plus. Ceux qui seront dans la salle pour t'entendre, ils ont aussi des peines, des soucis, des deuils, peut-être. Quand tu chanteras le chagrin, ils sentiront que tu es proche d'eux. Donne-leur tes joies, mais donne-leur aussi tes peines. »

Je m'angoisse à l'idée de faire les vocalises. Mais il me dit que les vocalises ne passent jamais bien par une gorge nouée. Nous verrons ça demain. Et, avec une voix qui berce, il me fait respirer, respirer, respirer...

9.

LA MORT DE LA MAMET

« Etat stationnaire... état stationnaire..., c'est ce que me dit toujours maman au téléphone. Et toi, ma chérie ?

— Tu ne vas pas le croire... J'ai reçu un beau carton, comme pour un faire-part de mariage, tu sais, mais avec la couronne de Monaco. C'est une invitation de la princesse Grace... »

La princesse Grace... je sens que le nom seul illumine maman comme une madone. Je me souviens quand elle s'est mariée, j'avais une dizaine d'années, et tante Irène avait rapporté à la maison des magazines avec les photos du mariage princier. On avait passé une veillée à les regarder. Elle était si superbe avec son voile brodé. On avait même joué « au mariage de la princesse » avec mes frères et sœurs. Roger, qui n'avait que deux ans, avait fait le rôle d'Oliver, le caniche, avec lequel Grace était arrivée à Monaco. Il était sur toutes les photos ! Et j'allais la voir de près, la princesse...

« Pourvu que tu n'aies pas le mal de mer », s'inquiète maman.

Car il s'agit de la Croisière du centenaire de la ville de Monte Carlo sur le nouveau paquebot *Renaissance* qui reliera Monaco à l'île d'Elbe.

Comme d'habitude, pépé Jo résout les problèmes :

« Un : tu prendras des comprimés. Deux : quand on a quelque chose à faire, on n'a pas le mal de mer. Trois : tu chanteras *Le Funambule;* si tu tangues, on croira que tu le fais exprès. Quatre : il te faut une robe blanche. Nadine, prenez rendez-vous chez Féraud. Cinq : dis-moi, comment tu vas dire bonjour à la princesse ? »

Quand il me pose des questions, je sais que c'est toujours pour me coller ! J'essaie de deviner.

« Je la remercie de m'inviter sur son bateau.

— Non. Ce n'est pas son bateau.

— Je lui dis : “ Bonjour, princesse ! ”

— Non.

— Madame la Princesse ?

— Non.

— Madame... euh... Votre Altesse ?

— Non. *Tu te tais.* Tu ne dis rien. Tu attends qu'elle te parle, si elle te parle. Tu ne lui tends pas la main. Tu attends qu'elle te tende la main... peut-être ! Et tu lui fais la révérence. Tu vas prendre des cours de révérences.

— Mais je sais ! »

Il a empoigné sa caméra. Il va me refaire le coup de Genève. Mais, cette fois, il va être surpris. Les révérences, ça me connaît ! On plongeait en courbettes quand on jouait à Cendrillon avec les copines... Alors ! Je m'exécute, sûre de moi. Sauf que ma jupe est étroite et qu'elle remonte sous les fesses. Mais, en jupe longue, ce sera superbe.

« N'est-ce pas, Johnny, que c'est superbe ?

— Un seul juge de paix : ça ! »

Il tapote sa caméra et la tend à Nadine. Que Bruno s'occupe de faire développer tout de suite.

Bruno, c'est l'homme à tout faire dès qu'il s'agit de la technique. Excellent technicien de sono, Pépé Jo se l'est attaché en permanence. A l'affût des dernières trouvailles dans le domaine, d'origine italienne, pas très grand, toujours souriant, avec ma manie de donner des surnoms, il est devenu, pour moi, « Piccolo ». A force de m'entendre, Nadine et Yvonne, la secrétaire de l'avenue de Wagram, en font autant, et « Piccolo ! » échappe même à pépé Jo. Le lendemain, Piccolo apporte le film. Séance de cinéma au bureau. On tire les rideaux. Projection. Catastrophe.

« Comment la trouvez-vous ? Nadine ? Piccolo ?

— Peut-être un peu empruntée... dit-elle.

— ... mignonne, dit-il.

— Et toi, Mireille, tu te trouves comment ?

— Pas très bien...

— J'espère ! Regarde : le derrière qui relève, les pieds écartés, le petit doigt ridiculement levé, le sourire figé... Nadine, trouvez-moi Jacques Chazot. »

Jacques Chazot, je le connais. Il est star à la télé, et je le vois souvent dans les magazines. Je suis un peu effrayée parce que je sais qu'il est une des dents dures du Tout-Paris et qu'il a beaucoup d'esprit. Il va me trouver très bête...

« Mais non, dit Johnny. Il met au pilori les Marie-Chantal et les Marie-couche-toi-là. Mais toi, tu es une Enfant de Marie ! ça ira très bien. De toute façon, il ne s'agit pas de tes états d'âme, mais de tes pieds !

— Le fait est que son premier mot s'orne d'un grand sourire : " Ah ! bravo ! Vous êtes à l'heure ! " »

Il semble penser que ce n'est pas courant dans le show-biz. Le rendez-vous a été pris aux Studios Wacker, place Clichy, où les danseurs retiennent des salles pour travailler. Il y a des portes qui claquent dans les couloirs, laissant échapper des petites danseuses, qui ressemblent à celles de Degas — leçon retenue ! — vues dès ma première visite chez Johnny. Mais celles-ci ont les cheveux collés par la sueur, la fatigue marquant leur visage. J'aperçois en passant une classe : filles et garçons portent des cuissardes, des gros pulls, des châles autour des reins, alors que le soleil, presque celui de juin, nous caresse gentiment. Ils font chauffer leurs muscles, comme moi j'apprends à me chauffer la voix. Une voix autoritaire scande : « Et une, et deux, et trois, et quatre... On recommence ! »

On recommence. La phrase de pépé Jo pendant mes enregistrements. On recommence... on recommence... c'est aussi la phrase que va employer M. Chazot. Il m'a fait enfiler un vieux jupon en guise de robe du soir.

« Avant votre révérence, il faudra arriver jusqu'à la princesse. Marchez... Ah non ! pas comme ça. Vous ne faites pas votre service militaire ! »

Effarée, je découvre que je croyais savoir marcher depuis l'âge de quinze mois, et que c'était une illusion... Je ne sais pas grand-chose, même pas ça !

« Souple, souple, dit-il. *(Il me remue les bras.)* Détendez-vous. *(Il me torture les épaules.)* Souple de là aussi... Tenez-vous droite ! Sans raideur... Ne baissez pas la tête. Ne balancez pas les bras. Laissez-les couler le long du corps, naturellement. »

Mais mon naturel à moi, c'est d'être un « bon petit soldat » : on me l'a toujours dit ! Il va falloir que je porte des bottins sur ma tête tous les matins, pour m'exercer à redresser le cou, marcher sur la pointe des pieds pour les assouplir ainsi que les genoux... La première leçon est finie et je n'ai pas encore appris la révérence, je ne sais pas encore marcher ! Il faudra dix leçons pour que je plonge légèrement, sans me plier en deux comme un casse-noix. On recommence... on recommence... et je me mets à adorer Jacques Chazot. Il est aussi rigoureux, pendant le travail que drôle à la récré ! Il a l'art de raconter les histoires, ce que j'admire car, moi, je ne sais pas bien les dire. Mais je peux les entendre cent fois, je ris toujours ! L'âge des actrices est un sujet inépuisable :

« Elle a au moins soixante ans !

— Mais non. A peine cinquante. Mais avant Jésus-Christ. »

Leur coquetterie aussi :

« Mais oui, nous sommes de vraies girouettes. Nous nous fixons lorsque nous sommes bien rouillées ! »

Et la vacherie :

« Oh ! quel beau vison tu as ! dit l'une.

— C'est très pratique, dit l'autre. Tu devrais t'en acheter un, toi qui es toujours fichue comme l'as de pique. Là-dessous, tu peux mettre n'importe quelle robe minable. Tu es toujours chic ! »

Je ne sais pas si c'est parce que je confonds toujours ma droite et ma gauche, ou parce que je suis encore dyslexique par moments, mais avec moi, ça deviendrait : « Elle a au moins soixante ans lorsque nous sommes bien rouillées et avec l'as de pique tu es toujours chic ! » Ce qui ne voudrait plus rien dire du tout !

« Allô, maman ? Je suis à Monaco. Si tu voyais comme c'est joli ! Il y a des guirlandes de lumières, des drapeaux, la ville est comme posée sur l'eau et brille de partout. On dirait un bijou. Tu vois : un gros clip en diamants et... tu entends le feu d'artifice ? Il illumine tout le port.

— Alors, tu as chanté sur le bateau.

— Oui ! Il est beaucoup plus petit mais plus joli que le *Richelieu* !

— Mais tu ne pars pas avec ?

— Non. Le bal a lieu en ce moment à quai. Je n'ai jamais vu d'aussi belles robes, maman. C'est à ne pas croire que ça existe vraiment. Il y a des dames qui ont des diadèmes comme des reines.

— Ce sont des reines ?

— Je ne sais pas. Peut-être... elles y ressemblent.

— Tu as vu la princesse Grace ?

— Oui. Avant le spectacle, Rainier et Grace sont venus dans le petit salon où on était, les artistes, avec le champagne et ce qu'il fallait. Mais je peux pas boire avant de chanter, sauf le tilleul de tantine. J'avais mon thermos dans un coin. La princesse avait des fleurs et un bijou aussi dans les cheveux. C'est une lumière, cette femme ! M. Chazot sera content : j'ai fait ma révérence en ne regardant pas mes pieds, mais elle.

— Elle t'a parlé ?

— Elle m'a dit qu'au palais, on m'aimait beaucoup ! Ils nous ont remerciés, et je trouve que c'est plus gentil avant qu'après. On a moins le trac !

— Attends... je te passe ton père ?

— Allô, Mimi ? la Callas, tu l'as vue ?

— Non, papa. Ici, j'ai entendu dire qu'ils sont fâchés, les Onassis et les Rainier. »

Papa a la voix désappointée :

« Ah !... ç'aurait été l'orgueil de ma vie de savoir que ma petite fille a chanté devant la Callas !

— Ça lui aurait pas plu, mes chansonnettes... peut-être.

— Mais si ! proteste-t-il. C'est une dame qui sait ce que c'est qu'une voix. Comme moi je le sais quand on connaît l'opéra. Je ne dis pas que tu es la Callas. Mais un sourire d'elle, ça vaudrait les compliments de la terre entière !

— Et la mamet ?

— Etat stationnaire... *(La voix s'est assombrie...)* Tout à l'heure encore elle nous a parlé de toi. Elle voulait savoir comment était ta robe. Mais maman ne la connaît pas, ta robe de gala. J'espère qu'il y aura des photos ?

— Oui, papa... C'est terrible d'être si près... On repart demain matin à la première heure parce qu'il y a la répétition avec les musiciens. J'y arriverai... mais c'est dur, dix chansons d'affilée ! Pendant la tournée, quand on sera vers Lyon, je pourrai faire un saut... »

Nous partons avec cinq musiciens dont mon cher Francis Lai. Le coup d'envoi est à Genève dans la patinoire qui contient six mille spectateurs assis et douze cents personnes debout ou installées sur des chaises de renfort. Je prends conscience de quelque chose d'inconnu : une atmosphère d'arène, l'ambiance d'une manifestation sportive.

« On refuse du monde », dit le directeur, épanoui.

Je pense : « Fernand Raynaud refuse du monde », car c'est lui la tête d'affiche de la seconde partie. Moi, je fais la première avec mes dix chansons dont celle que Michel Legrand m'a écrite : *Veux-tu qu'on s'aime.*

« Détrompe-toi, me dit Fernand. Ils viennent te voir, toi. Tu es tout de suite derrière Hallyday en tête des ventes de disques, lui avec une seule chanson, toi avec deux ! »

C'est vrai que dès que j'annonce *Qu'elle est belle* et *Mon Credo,* les deux chansons en question, la salle croule.

Fernand Raynaud m'aime bien. Je l'aperçois souvent entre les portants de la scène : il m'écoute chanter... et il regagne sa loge pendant l'entracte. Cet entracte... c'est sa bête noire. Une tournée d'été, ça se passe dans les casinos, les théâtres de verdure, des scènes de plein air, et l'entracte déclenche une ambiance de foire. Il y a les marchands de bière, de limonade, de pochettes surprises, de nougats, de ballons... Quand Fernand entre en scène, il y a encore le choc des bouteilles vides qu'on jette dans les paniers, les papiers de bonbon qui crissent, les cris des enfants. Un soir, il n'en peut plus et sort en hurlant. Le lendemain... avant que l'organisateur annonce l'entracte, c'est lui qui surgit en scène. Il attaque son tour. Les marchands sont sidérés. Les voilà en coulisses, furieux. Ils entourent pépé Jo, exigeant qu'il arrête Fernand Raynaud !

« Arrêter Fernand quand il est en scène ? leur dit-il en gardant son calme comme un cow-boy parmi les Indiens. Autant stopper le Paris-Vintimille en faisant du stop !

— Oui, mais nous, c'est notre boulot ! On perd toute notre soirée ! »

Johnny demande à combien ils évaluent leur perte et leur dit :

« Venez. Je vais vous régler. »

Ils sont tous brusquement calmés et le suivent en silence. Tous les soirs, pépé Jo prend les devants en payant les limonadiers de la perte qu'ils vont subir. Le troisième soir, Fernand sortant de scène dit à Renée, sa femme, qui lui donne la réplique notamment dans le célèbre sketch du *22 à Asnières :*

« On m'avait dit que les marchands feraient un scandale si je supprimais l'entracte et, tu vois, ça se passe très bien ! »

De sa voix douce, elle lui donne la raison. L'œil bleu de Fernand reste stupéfait :

« Mais il ne m'en a rien dit, Johnny ! Eh bien... c'est un seigneur ! »

Je ne suis pas peu fière de mon pépé Jo. C'est vrai qu'il arrondit les angles. Et c'est vrai que Fernand explose de temps en temps. Quand, par exemple, on est invité à souper chez un préfet après le gala et que la préfète commence à attaquer Jean Nohain. Jaboune, pour Fernand, est sacré. C'est lui qui l'a découvert et il estime, comme nous, que *Trente-Six Chandelles* est une émission fantastique qui amuse d'ailleurs la France entière, sauf madame la préfète. Comme elle insiste lourdement, il se lève, la traitant de « grande conne » et continue sur le même ton car il a l'improvisation facile. De même qu'on ne peut pas l'arrêter en scène, on ne peut pas le stopper dans ses élans de Fernand Raynaud. La douce Renée, qui forme avec lui un couple parfait depuis plus de dix ans, sait que c'est inutile. Stupeur dans la salle à manger. Ils quittent tous deux la table et le préfet menace :

« Vous ne remettrez plus les pieds ici !

— Tu as été un petit peu fort quand même... lui dit Johnny le lendemain.

— C'est elle qui a été fort. Je ne permettrai jamais qu'on

touche à un cheveu de Jaboune même quand il les aura tous perdus [1] ! »

Fernand est encore plus superstitieux que moi, ce que je croyais impossible. Il ne dit jamais que ça va bien de peur que ça aille mal. Alors son expression favorite est « ça bricole ! »

On part tous en caravane : il y a la voiture de Johnny conduite par Victor, notre chauffeur, un ex-cameraman de la télé que pépé Jo a embauché, et qui nous transporte tous les trois avec tante Irène ; les deux voitures des musiciens, la camionnette de Piccolo avec le matériel son et lumière, et Fernand dans sa grosse voiture, qu'il pilote plus vite que tout le monde, mais il n'arrive pas forcément avant nous, car il aime faire des haltes, ayant des copains dans tous les coins.

J'aime l'atmosphère de la tournée, la route, les voyages, les gens qu'on rencontre, l'imprévu de tous les détails et, pourtant, la rigueur, l'équilibre, qui font que, tous les soirs, il y a le rendez-vous à ne pas manquer avec le public. Je ne regrette pas la rue de Chézy, ni Paris. Je ne m'y attendais pas mais... je me découvre une âme de saltimbanque ! (Une vraie saltimbanque n'aurait pas autant de bagages...)

Dans chaque ville, il y a des rencontres avec les journalistes, avec les disquaires, et ce n'est pas ce que je préfère. Ma timidité revient. Je voudrais être ailleurs. Tante Irène me prépare soigneusement. Les cheveux méridionaux sont solides, capables de supporter bien des épreuves de vent et de soleil, mais ils graissent vite. Alors, pour qu'ils soient superbes, le plus naturellement possible, elle me fait le shampooing chaque jour avec un produit très doux pour les chevelures d'enfant. Mettre les rouleaux, sécher, repasser la robe de scène, préparer celle pour la réception avec les notables de l'endroit, et une autre encore, décontractée pour les interviews, ranger mes affaires dans la loge et les remballer après le spectacle, tout cela est un drôle de travail auquel il faut ajouter le soin de mes états d'âme, comme dit Johnny. Ce qui fait que nous arrivons très tôt au théâtre quel qu'il soit : je répète avec les musiciens, j'essaie avec

1. Le plus drôle est que moins d'un an après, la même ville a rappelé Fernand Raynaud : le préfet avait été changé !

Piccolo les éclairages et les micros... et je ne vois rien de la ville.

« Naturellement, vous avez vu notre cathédrale (ou notre musée, ou notre panorama) ? » me dit-on dans les dîners.

Devant la réponse négative, les regards se navrent. Je promets de revenir... et, le lendemain, on reprend la route. Le plus difficile est de préserver mon sommeil auquel Johnny tient tant. Mais soit à l'arrière de la voiture, soit dans la loge, je m'écroule souvent.

« C'est une bénédiction du ciel de dormir ainsi n'importe où... » dit tante Irène.

Mais ce bel équilibre craque soudain à Gérardmer.

Je suis dans la loge. On va lever le rideau dans deux heures. J'ai fait mes vocalises, vu les places des lumières, essayé les micros. Tante Irène entre... et à son visage très blanc, je devine :

« La mamet ?

— Oui...

— Elle est très mal... ? »

Le silence. Irène me serre dans ses bras.

« C'est fini. »

Je ne peux pas crier quand j'ai mal. Ça reste à l'intérieur et ça me broie le cœur. Je voudrais fuir, m'envoler à tire-d'aile vers Avignon, me poser près d'elle, mettre mon visage sur le sien, peut-être encore une fois voir ses yeux, toucher ses mains qui m'ont si souvent calmé le front quand j'avais la fièvre. Si j'avais été là, j'aurais pu la bercer, doucement, l'aider à mourir, peut-être lui murmurer une des chansons qu'elle aimait tant, lui dire : « Je t'aime, je t'aime, on se retrouvera, je te rejoindrai un jour, Dieu réunit ceux qui s'aiment... tu sais bien, les chansons ont toujours raison... » Mais c'est tante Irène qui me berce, qui me murmure les mots de consolation, qui me passe de l'eau fraîche sur le visage...

« Je veux leur parler... Il y a bien un téléphone ici ? Quand est-elle morte ?

— ... Hier matin à 5 heures.

— Et vous ne me le dites que ce soir !

— Mais on ne le savait pas, Mireille. On vient d'être prévenu seulement maintenant. Elle est décédée à l'hôpital, tu sais. C'est là-bas qu'ils l'ont veillée. Ils ne pouvaient pas t'y faire venir. Et puis, ils savent que tu chantes tous les soirs... »

Johnny est resté à la porte de la loge. Tantine lui dit que je veux téléphoner en Avignon tout de suite. Il m'emmène dans le bureau de la direction. Mais, naturellement, le numéro de l'épicerie ne répond plus. Il est trop tard.

« Nous les appellerons demain. Tu ne peux plus rien maintenant.

— Je voudrais parler à papa. Il doit avoir tant de peine... C'est sa maman !

— Mimi, il y a déjà des spectateurs qui arrivent... certains viennent des environs, parfois de loin... Te sens-tu le courage de chanter ?

— Il le faut, n'est-ce pas ?

— C'est le métier... mais si tu ne peux pas... on fera une annonce.

— Et puis ?

— Et puis, je demanderai à Francis Lai et aux musiciens de tenir le temps voulu. Fernand n'est pas encore arrivé.

— Non. Je vais me préparer. »

Je lui demande de passer le mot : qu'on ne me parle de rien pour ne pas que je craque. Dans la glace de maquillage, je vois mes yeux rouges, gonflés. Comme si les larmes m'avaient vidé le corps, j'ai la gorge sèche. Je ne sais pas si la voix va sortir.

« J'ai ajouté beaucoup de miel dans ton tilleul... » me dit Tantine.

C'est drôle comme, dans les chagrins, les gestes deviennent machinaux. On est comme dédoublé. Elle me fait boire, me coiffe pendant que j'étale le fond de teint et en me regardant dans la glace, je suis une autre... Brusquement, alors que je ne m'y attendais pas, la voix de la mamet. Je l'entends comme si elle était là : « Pas trop de rouge, Mireille, ou tu vas avoir l'air d'une bagasse ! » Les larmes reviennent. Un flot de larmes qui lave tout le visage. Il faut tout recommencer. J'essuie. On recommence. Cette petite phrase clé qui me poursuit. Recommencer. Toujours recommencer.

« Tu es sûre que tu peux ? » me dit tantine.

Je remets le fond de teint. Et beaucoup moins de rouge. Je suis sûre que la mamet préfère...

Je ne sais pas comment je chante, si c'est bien, si c'est mal. Je sais que *Mon credo* me sort du corps comme un couteau.

J'entends les bravos, les bravos encore plus forts que d'habitude. Johnny m'escamote dans la voiture et nous filons vers l'hôtel.

« C'est drôle, Johnny. Le public, j'ai eu l'impression qu'il savait... Quand je suis entrée en scène, les applaudissements étaient très forts, mais personne ne parlait. Généralement, ils font des réflexions à voix basse entre eux ; j'en attrape quelques-unes, parfois, c'est sur ma robe, ma coiffure ou, tout simplement, pour dire : la voilà...

— C'est possible, dit Johnny. Il y a quelques lignes dans le journal...

— Ah ! je comprends ! C'est pour ça que tante Irène m'a...

— Il valait mieux que tu l'apprennes par nous que par d'autres. De toute façon, ça ne pouvait rien changer. Demain, nous sommes à La Voulte-sur-Saône. La distance est moins grande. Après le spectacle, on prendra la route. Tu passeras la matinée en Avignon. Mais on ne pourra pas rester pour les obsèques à 14 heures. Il faut repartir avant : tu chantes à Saint-Etienne le soir... »

Je lui dis que je ne veux pas voir de journalistes. Je ne veux pas parler. Mais en scène, oui, je continuerai. Et c'est bien que le public sache... je lui donne ma vie, il est normal qu'il me donne sa compassion.

A La Voulte-sur-Saône, il y a trois mille personnes sous un chapiteau. Dans la caravane qui me sert de loge, Fernand Raynaud entre tout doucement. Il me tend un papier plié en deux et ressort. Je le déplie. Je lis :

« Les plus grandes douleurs s'estompent petit à petit. Heureusement, tu as le courage de continuer, chère Mireille, de prouver que tu es la plus grande chanteuse de France. Tout le monde ce soir t'admire encore plus. » Il a signé : « Fernand Raynaud »... la plus grande, moi, qui me sens si misérable, si petite.

J'arrive à temps pour revoir son visage. Comme elle paraît petite aussi et fragile dans le cercueil. On le ferme. Maman me dit, sans le vouloir, la phrase la plus cruelle :

« Jusqu'au dernier moment, elle t'a appelée, la pauvre

mamet. Tu es venue trop tard. Mais je sais, tu ne pouvais pas faire autrement. »

Papa que je croyais si fort pleure comme un petit garçon perdu. Les frères et sœurs, même les plus petits qui l'ont connue moins que nous, partagent la désolation. Johnny m'enlève à ces embrassades sans fin trempées de larmes, maintenant qu'arrivent les voisins, les amis, des curieux peut-être. Il me semble qu'il y a plein de gens que je ne connais pas. Je me serre contre Irène. Nous reprenons la route vers Saint-Etienne.

Ce sera toujours une scène derrière un rideau rouge et le micro, tel un perroquet, répétant plus fort les mots que je lui confie tout bas. Et puis toujours les bravos qui me tombent de la tête aux pieds et qui m'empêchent de bouger. Fernand ne manque plus de me regarder des coulisses comme s'il voulait me dire : « Je suis là. On t'aime ! » Et je me sens forte. J'ai tenu. Je tiens. Je tiendrai. Comme si j'avais encore ma main dans la poigne solide de la mamet quand nous allions à travers champs traquer les simples et qu'elle m'empêchait de trébucher.

10.

MILLIONNAIRE A VINGT ANS

Je ne lis pas la presse de la journée. Johnny me dit qu'elle est bonne. Mais parce qu'il est bien difficile de résister à la lecture d'un magazine qui vous met en couverture, j'apprends dans *Jours de France* que « classée hors catégorie (on ne l'apparente ni à la vague adulte ni à la nouvelle vague) elle fait d'ores et déjà figure de numéro un qui ne doit son succès à aucune école. La force de Mireille, c'est d'être une chanteuse classique d'expression moderne... » Je crois que papa aimera la formule.

« Te sens-tu de force, me demande Johnny, à chanter *La Marseillaise* à Deauville pour le 14 Juillet ?

— Vraiment ? On me le demande ? Mais c'est un honneur !

— Tu parles ! Tu succèdes à Chevalier, Trenet, Gréco, Bécaud... »

Comme tout le monde, ou presque, de *La Marseillaise,* je ne sais que le premier couplet. La suite de la tournée va se faire au son de l'hymne national que je ne cesse de mâcher pour avoir les paroles en bouche :

Que veut cette horde d'esclaves
De traîtres, de rois conjurés ?
Pour qui ces ignobles entraves
Ces fers dès longtemps préparés ?

C'est pire que *petit pot de beurre...* Je n'y arrive pas. Cela devient « *traites de rois, ces fers si* ou *ces fers pour* ».

« Mais, pépé Jo, il n'y a plus d'esclaves ni de rois aujourd'hui, on ne pourrait pas sauter la strophe ?

— Tu acceptes de chanter *La Marseillaise* ou tu n'acceptes pas ? Tu m'étonnes, Mireille, avec un papa chauvin et patriote comme le tien, qui se découvre quand il entend *La Marseillaise* à la radio !

— Oui, mais c'est l'air, c'est pas les paroles. Ce que c'est difficile !

— Je suis sûr qu'il les sait, lui.

— Papa, ce qu'il chantait c'était *La Marseillaise des prisonniers :*

Dans le cul, dans le cul
Ils auront la victoire.
Ils ont perdu
Toute espérance de gloire.
Ils sont foutus
Et le monde en allégresse
Répète avec joie sans cesse
Ils l'ont dans l' cul
Dans l' cul.

Pépé Jo est effondré. Non, bien sûr, on ne cultive pas le mot grossier chez les Mathieu. Mais on a des images. Elles disent bien ce qu'elles veulent dire.

« C'est vrai que Roger aimait bien chanter ça ! » dit tantine, venant à mon secours.

Pépé Jo admet que c'est plus facile à retenir que « *Tremblez tyrans ! et vous perfides, l'opprobe de tous les partis...* » encore un truc, « *l'opprobe de tous les partis* », que je ne peux pas arriver à articuler.

« Mords ton crayon et répète, comme te l'a dit Robert Manuel. *L'opprobe* et pas *l'eau propre !* »

Finalement, on garde les *cohortes étrangères* et *l'opprobe* si je parviens à l'articuler (« Recommence... recommence ! »), mais on coupe la *horde d'esclaves* et la strophe sur les *complices de Bouillé,* le pauvre bien oublié. Et, pourtant, je sais qui il est ! J'ai regardé dans mon dictionnaire qui fait partie de mes bagages. C'est celui qui a essayé de faire fuir Louis XVI en Allemagne. Il n'empêche, moi, je préfère *Le Chant du départ.*

Je trouve que c'est une meilleure chanson. J'espère bien avoir l'occasion de la chanter un jour.

« Peut-être, dit Johnny. Mais apprends *La Marseillaise.* Crois-moi : elle te servira davantage ! »

Elle me vaut, en tout cas, d'habiter à Deauville, dans l'*Hôtel Normandy,* l'appartement du roi Farouk !

Je vais souffler mes vingt bougies loin des miens.

A Hossegor. L'année dernière, à la colonie de vacances, maman m'avait envoyé le beau gâteau qu'elle avait fait. J'avais partagé avec « mes » enfants. Ça me paraît loin… loin… Cette année, c'est moi qui vais faire un cadeau aux parents : la voiture de leur rêve qui va tant leur épargner de courses à pied et de fatigue. Je peux me le permettre : Johnny m'a dit :

« Ça y est, Mireille. Tu es millionnaire ! »

C'est un mot magique, même pour ceux qui, comme moi, ne savent pas compter. La voiture a été livrée en Avignon. Papa n'en revient pas. Il va pouvoir enfin utiliser ce permis qui ne lui a jamais servi…

C'est le temps des vacances, et Johnny a rassemblé pour mon anniversaire des amis qui sont dans les parages : il y a Roger Hanin, Guy Lux, Jean Poiret et Françoise Dorin, Michel Creton et Maurice Biraud… Il y a des fleurs, des cadeaux, un poudrier en argent, un mouton en peluche et beaucoup de rires. Johnny dit qu'on aurait dû m'offrir une bouée, car je me refuse toujours à aller nager ou à me risquer dans l'eau… ! Son cadeau est somptueux :

« Je sais que tu restes fidèle à ta médaille “ presque en or ” et que tu n'aimes pas les bijoux. Mais ceci n'est pas un bijou : c'est un instrument de travail ! Tu as tendance à toujours être en retard. »

C'est une montre en or. Tantine s'émerveille. Elle me la fixe au poignet avant que nous descendions rejoindre nos invités. Je ne sais pas encore que je vais aimer les montres… au point que cela tournera à la collection !

Le tour de France continue. A Bordeaux, je reçois un drôle de coup de fil :

« Mademoiselle Mathieu, accepteriez-vous de poser nue ?

— Non. Pourquoi ?

— C'est très sérieux. “ Les peintres témoins de leur

temps " exposent en janvier à Galliera. Le sculpteur Mougin a décidé de vous prendre comme modèle.

— Je suis très honorée. Mais nue, non. Pas même en maillot de bain.

— Ah ? Bon. Il sera très déçu. Ça n'a jamais déshonoré personne ! En cas de réponse négative de votre part, il m'a dit qu'il ne renoncerait pas pour autant : tant pis. Il imaginera ! »

Paris-Match m'affiche en couverture avec ce titre : « La France en vacances acclame sa voix rauque. Est-ce la fin du temps des yé-yé ? » Et, à l'intérieur, le bilan des tournées d'été porte en titre : « Au box-office des plages, c'est encore Mireille qui gagne » :

« Elle chante depuis six mois. Elle n'a plus une date libre avant février 1967, l'Olympia à mi-septembre, les U.S.A. (télévision) en octobre et en décembre. Objet de curiosité autant que d'affection, Mireille atteint tous les publics. Elle a fait salle comble au casino de Deauville, elle va revenir au casino du Canet-Plage, où l'on a dû refuser du monde le 18 juillet ; elle a rempli le casino du Touquet, on a refusé cinq cents personnes au casino de Royan où elle doit revenir le 31 août ; le théâtre de plein air du Pharo, à Marseille, a regretté de ne pouvoir la garder pour une deuxième représentation ; il est venu deux mille cinq cents personnes mardi dernier, il en serait venu autant.

« Mireille est attendue avec sérénité par les casinos de Divonne, le théâtre de verdure de Nice, le casino de Dieppe, le théâtre de verdure de Clermont-Ferrand qui contient six mille à sept mille personnes ; à la foire de Maubeuge, elle a chanté en matinée et en soirée devant douze mille à quinze mille personnes. Son cachet est de 6 000 francs. »

L'article passe ensuite en revue Adamo, la révélation de l'été dernier, qui parcourt la France au volant de sa Mercedes ; Aznavour, que peu de casinos peuvent engager car son cachet va jusqu'à 15 000 francs, mais il gagne en fait peu car c'est tout un spectacle qu'il présente dont il assume les frais.

Vu son succès à l'étranger, c'est la première fois qu'il fait la France depuis trois ans. Bécaud affiche complet une semaine à l'avance et se fait suivre de cinq musiciens et de son piano ; Sacha Distel est stable et fait soixante-cinq galas soit vingt de plus que l'an dernier. Jacques Brel est la valeur sûre. « Lorsqu'il a payé son équipe, il ne lui reste plus rien. Il lui arrive encore de chanter pour son plaisir... » conclut le journaliste.

Comme le temps cavale... j'ai parcouru dix-neuf mille cinq cents kilomètres en soixante-trois jours et chanté soixante-dix fois.

Cela passe vite : me maquiller, répéter, rouler, rouler, chanter, dormir, recommencer, travailler les prochaines chansons avec Francis Lai, recommencer... Parfois, je suis triste, triste à mourir. Alors, je pense à mes chansons. Le cafard, ça vient et puis ça part. Dimanche dernier, à Nay, entre Pau et Lourdes, un petit pays de trois mille cinq cents habitants, on s'est arrêté dans une auberge au bord du Gave... Il était 5 heures du matin (j'avais chanté à Saint-Céré...) et l'air était un vrai miracle dans la lueur tendre de la fin de nuit. Je me disais que j'aimerais rester là, regarder le soleil monter dans le ciel... mais il fallait aller se coucher. Tantine m'a réveillée à 6 heures du soir. A 19 heures, tantine me dit : « Il faut que tu manges. » Elle a commandé la dînette : un steak archigrillé, une salade et des fraises sans crème. A 19 h 30, Victor est au volant : direction Pau. Un peu de route encore. Je m'emmitoufle dans mon châle parme. Je sais que Johnny n'aime pas cette couleur, il trouve que ça fait vieille dame. Tant pis ! Moi j'aime. Tantine a suspendu ma robe de scène dans la housse en plastique à la portière arrière. Je suis à l'avant parce que je peux me mettre dans le fauteuil qui bascule et je m'endors. On me réveille parce qu'on est arrivé devant la villa du président du comité des fêtes, qui nous accueille en attendant la représentation.

« Si on répétait ? » dis-je à Francis Lai.

Il empoigne son accordéon électrique. C'est un son superbe qui me fait sortir la voix.

C'est ma première chanson d'amour
Je vous la donne sur des je t'aime...

Dans la rue, des gens s'arrêtent. Des jeunes gens crient, pour rire :

« Plus fort, Mireille ! »

On rit. Je m'approche des fenêtres ouvertes... Ils vont avoir un petit concert gratuit.

Il est temps de gagner la loge. Cette fois, c'est une cabine de bains... car pour arriver à la scène, il faut traverser une piscine !

Vite, Tantine me pose les cinq rouleaux et colle ma frange et mes pattes avec du scotch.

« Tu peux chanter douze chansons ce soir », dit Johnny.

C'est le rodage pour l'Olympia... Je me maquille. Et puis je m'allonge sur le sol. Je respire comme me l'a indiqué Jean Lumière. Voilà : je suis calme, je peux enfiler ma première robe de scène, la petite rouge et les chaussures à talons carrés, celles que je préfère. C'est très important d'aimer ses chaussures. On marche mieux. Le speaker annonce : « Johnny Stark est très fier de vous présenter Mireille Mathieu ! » et j'entre... Tantine reste dans la coulisse, avec le châle et le verre d'eau.

Demain nous allons remonter sur Paris. Le temps de nous envoler pour l'Allemagne où je dois faire une émission très importante de télévision.

« Allô, papa ? comment vas-tu ? Je suis à Berlin ! Non papa, je n'ai pas le temps, mais j'ai aperçu le Mur par les vitres de la voiture, en me rendant au studio. Je trouve ça terrible, papa... même " s'ils ne l'ont pas volé ", comme tu dis. Ça me met mal à l'aise...

— C'est pour ça que tu as une petite voix ?

— On m'appelle pour répéter. Je vous téléphone demain ! »

Je ne lui mens jamais mais... je ne veux pas qu'il se tourmente. C'est si facile quand on est loin. Je ne suis pas bien, c'est vrai. On a dû appeler le docteur. Je ne tiens pas debout. « Surmenage... dit-il. Et puis... une maladie de jeune fille. Une hémorragie. Je vais lui remonter la tension. Elle n'a que 8½... »

Il a fait la piqûre. Je me repose. J'ai voulu appeler la maison. Mais... qu'est-ce qui m'arrive ? Même leur parler, cela me paraît insurmontable. Johnny a le front soucieux. Tantine m'observe. Le docteur est parti en disant que le pouls était meilleur.

« Je passe dans combien de temps ?

— Tu as une bonne heure devant toi...

— Ah ! bon ! Ça ira... »

Et je m'endors. La main de la mamet m'entraîne vers le

rosier de la maternelle... mais il y a un grand trou et je tombe et on me siffle, on me siffle... je tombe... Je me réveille en sursaut. J'éclate en sanglots. Tantine est là. Elle me force à boire je ne sais quoi.

« Le docteur a dit de te donner ça... Comment te sens-tu ?

— Mieux. C'est le rêve... la mamet.

— Crois-tu que tu vas pouvoir chanter ? »

Elle a l'inquiétude dans les yeux. Il faut mon sourire pour la réconforter :

« Oui, je crois que je peux chanter *Oui, je crois !* Ce qui serait terrible, c'est... si ma carrière s'arrêtait, aussi vite qu'elle a démarré ? Tu vois, Tantine, c'est ça aussi qui me ronge les sangs. Plus que les voyages, la foule, le public... La mamet me tient la main, mais, des fois, je rêve que le public me siffle et que la misère revient. Ça me fait peur.

— Moi, ce qui me fait peur, c'est ta mine de tout à l'heure. Elle est meilleure maintenant, heureusement. »

Johnny revient. Il me demande si je crois pouvoir me mettre debout pour aller jusqu'au plateau. Si je crois réussir à donner ma voix ?

« Tu n'auras pas besoin de forcer. Ils sont formidables. Ils ont mis des micros partout... tu n'as pas à te soucier. »

Je m'appuie sur lui et quand nous arrivons dans le décor, toute l'équipe applaudit. Le docteur est resté là. Il reprend le pouls. Il me sourit. Hein ? elle m'a fait du bien, sa petite piqûre ! Je ne voudrais pas l'offenser... mais le meilleur médicament, c'est les bravos !

J'ai hâte de continuer la tournée en France.

Ce sont les premiers jours de septembre, un mois que j'aime. Il est encore tout gonflé de l'été, riche en couleurs, dans ce pays qui n'en manque pas. Nous sommes de nouveau dans le Sud-Ouest, entre Toulouse et Foix. Johnny fait retenir des chambres dans les relais-châteaux ou les auberges en pleine campagne pour que je me repose le mieux possible. Aujourd'hui, j'ai dormi onze heures. Je me sens reposée, heureuse. J'ai envie de mettre ma robe blanche à rayures orange. Avec Francis, on décide de répéter en plein air. Au passage, je vais cueillir des gueules-de-loup...

« Regarde, Francis, c'est de la petite tomate sauvage ! On

s'en faisait des paniers à la maison ! tu comprends, ça ne coûtait rien !

— Que veux-tu chanter ? *Un homme une femme ?*

— C'est superbe de chanter ça ici ! »

Francis prend son accordéon.

C'est vrai que lorsque le ciel est beau, on devient des anges. Les mots les plus simples ont des ailes :

Ton cœur y croit
Encore une fois
Tout recommence
La vie repart...

Le chapiteau est dressé pour deux mille personnes à Pamiers. Avant d'y arriver, passant par la ville, la cathédrale de Saint-Antonin semble me faire signe. Je demande à Johnny qu'on s'arrête rien qu'un petit moment, le temps de mettre un cierge. Elle est toute en brique avec une couronne de créneaux... comme un château. Il faudrait que je trouve le temps d'envoyer à Hugues Aufray une carte postale : c'est un des fiefs de ses ancêtres, les comtes de Foix. « Saint-Antonin a été martyrisé ici en 506 », dit la notice. Je demande à Tantine si elle en sait davantage sur ce saint. Mais non... Hélas ! c'est la mamet qui les connaissait tous...

Le soir, j'ai enfilé mes douze chansons sur le fil des applaudissements. Johnny, qui me surveille en coulisses, me renvoie en scène en me disant :

« Vas-y ! *Un homme une femme !* »

Je suis troublée. Ce n'était pas prévu. Au lieu de *da ba da...* je fais *da da dé !*

« Ça ne fait rien, dit Johnny à la sortie, c'est yé-yé ! C'est très bien ! »

Mais moi, je ne suis pas contente. Je me battrai. Comme c'est drôle... il y a neuf mois, je n'avais pas peur du tout et, maintenant, je tremble. J'ai mal partout... L'approche de l'Olympia en vedette, est-ce que ce n'est pas trop gros pour moi ?

Au souper, je ne sais comment, la conversation roule soudain sur la guerre. Et je fonds brusquement en larmes. Tout le monde se tait, tout le monde me regarde.

« Je sais pourquoi, dit Johnny. C'est à cause de l'Olympia... Ça va t'arriver encore, Mimi, c'est normal. »

Quand j'y suis passée la première fois, je ne pensais qu'à chanter, sans savoir quoi, ni comment. Maintenant, je me tourmente, je m'interroge, je me sens en déséquilibre, et pourtant c'est mon bonheur de vivre, chanter. Je ne sais rien faire d'autre. Je suis incapable. Je suis ignorante. Je ne sais que chanter. Et si je perdais ma voix ? Qui peut m'aider ?

Au coucher, en me portant sa tisane miracle, celle qui fait dormir, Tantine me dit :

« Mais pourquoi t'inquiètes-tu, ma chérie ? Tu as la voix du Bon Dieu. Il te l'a donnée. Pourquoi veux-tu qu'il te la reprenne ? Tu ne lui fais donc plus confiance ? »

Ça, ce serait le péché...

« Prie pour moi, Tantine. »

Elle a son clair sourire.

« Mais je le fais tous les jours. Tu ne risques rien. »

Et, pourtant... quelques jours plus tard...

La tournée touche à sa fin. Nous sommes rentrés à Paris le temps de changer de bagages et de reprendre la voiture pour faire des photos dans la campagne de Mantes. Après ce que nous venons d'avaler comme kilomètres, c'est une promenade de plaisance : nous continuons sur Trouville où je vais chanter ce soir. On emmène Nadine, qui, durant l'été, est restée stoïquement avenue de Wagram. Toutes les trois, Tantine, Nadine et moi, sommes dans la première voiture, et Johnny suit dans la seconde avec Francis Lai et les musiciens. Piccolo est parti à l'avant pour voir la technique. Tout à coup, sur l'autoroute, que se passe-t-il ? On n'a pas le temps de comprendre. Victor dérape et heurte le bas-côté. Il descend pour voir les dégâts et une autre voiture, qui n'est pas à nous, n'ayant pu freiner, nous emboutit à l'arrière à la place où, pour une fois, précisément je suis. Le choc est si violent que la portière saute et que je suis projetée à l'extérieur. Dans la collision, j'ai perdu mes chaussures. Pieds nus, comme une folle, je cours dans le fossé en chantant à tue-tête :

Viens dans ma ville !
Viens dans ma rue !
Et peut-être que tu verras
Que cette femme qui t'aime
C'est bien moi !

La voiture de Johnny a stoppé près de la nôtre. Il court après moi. Il est bouleversé.

« Qu'est-ce que tu as, Mireille ? Qu'est-ce qu'il te prend ? Tu es blessée ? »

Dans son œil, je vois qu'il pense que j'ai perdu la raison.

« Non... je veux voir si je n'ai pas perdu ma voix. Je chante ce soir. »

Il m'entraîne doucement dans sa voiture. Nadine sort de la nôtre en se tenant la nuque. Tantine n'a apparemment rien et vient me rejoindre. Victor, aidé des musiciens essaie de dégager les bagages de la malle arrière. Ils n'y arrivent pas : elle est complètement écrasée.

« Mon Dieu ! heureusement que les instruments sont avec nous ! s'écrie Francis.

— Et ma robe ! ma robe, elle va être tout abîmée ! »

On recherche mes chaussures qui ont été valser à plusieurs mètres. Johnny dit que tant pis pour les chaussures, il faut partir tout de suite, voir un médecin au plus vite. On laisse Victor et son épave. Je n'ai rien senti sur le moment, mais, maintenant, j'ai mal partout, surtout aux jambes. Au théâtre, quand Piccolo nous voit arriver dans cet équipage, il est sens dessus dessous. On m'étend sur un canapé. Le docteur Giraux arrive : rien de cassé. Des contusions multiples, notamment aux jambes. Une piqûre, des cachets... Il a l'habitude des artistes : il soigne Cecile Sorel !

« Mais, docteur, il ne faut surtout pas que je dorme ! J'entre en scène dans une heure et demie !

— Tranquillisez-vous : c'est un remontant. Vous avez une tension très basse... »

Il examine tantine et Nadine. Et constate que nous avons eu de la chance. Sans doute. Mais mes jambes ?. Vais-je avoir des bleus ? Je débute dans dix jours à l'Olympia... !

J'essaie de me calmer avec les exercices de respiration, mais les côtes me font mal quand je respire. C'est l'heure déjà d'entrer en scène. Le docteur me dit qu'il demeure en coulisses. Tantine, qui a été très secouée, reste dans la loge, et c'est Johnny qui me passe le verre d'eau. Plus souvent que d'habitude, je suis obligée de revenir derrière le portant pour boire. J'ai la gorge horriblement sèche et les tempes qui battent. Mais enfin... je vais jusqu'au bout. Et le succès est tel qu'il faut bien bisser *Mon credo.* Cette fois, c'est bien fini. Je sors et je m'effondre pour le compte, en larmes, dans les bras de Johnny. On ne laisse passer personne dans les coulisses. Le docteur me redonne je ne sais quoi. J'ai l'impression que je ne peux plus me relever. Qui me traitait de pantin de Johnny Stark ? Cette fois, c'est vrai je ne suis plus qu'un petit pantin cassé.

« Vous aviez encore combien de galas à faire ?

— Deux, avant l'Olympia : Dieppe et Chauvigny.

— Annulez-les, monsieur Stark. Il faut dix jours de repos complet. »

« Paris, le 5 septembre 1966.

« Mes chers parents,

« Je n'ai pas pu vous avoir ce soir au téléphone, j'aurais pourtant bien voulu bavarder avec vous tous.

« Tout va bien pour le moment, je suis heureuse et je répète " dur " (malgré les interdictions des médecins que j'ai vus après mon terrible accident), mais vous savez bien que ma vie, c'est de chanter, alors !

« J'ai un trac fou pour l'Olympia, c'est tellement grand, grand et important pour moi qui suis si petite.

« J'espère vous voir tous très bientôt et vous embrasse bien tendrement tous les deux. Une distribution de baisers aux petits et de grosses bises aux grandes sœurs,

« Mireille. »

« Vous rendez-vous compte, mademoiselle Mireille, qu'il y en a qui mettent des années à descendre les trois étages ? »

C'est mon habilleuse qui parle. Elle m'appelait « Mimi » la dernière fois et je lui demande de continuer. C'est vrai que je ne suis plus là-haut dans la petite loge, près de celle du corps de ballet. Mais dans celle des vedettes, tapissée de rose et de jaune, à quelques mètres de la scène. J'ai même un téléphone, un frigo avec du champagne dedans. A mon habitude, je suis là très tôt. Et Patricia me demande si elle peut accorder quelques rendez-vous à des journalistes. Je sais qu'on ne peut pas refuser. Mais je ne suis pas très intéressante : je n'ai pas d'histoires croustillantes à raconter.

« Comment ! me dit le premier que je reçois, mais vous avez votre accident ! A moins que... »

Ah ! il y a anguille sous roche. Je le vois à son air. J'attends qu'il s'explique.

« Il y a des gens, dans le métier, qui disent — c'est une boutade, bien sûr — que Stark serait bien capable d'organiser un soi-disant accident pour qu'on parle de vous. Il faut avouer que cela vient juste à point avant l'Olympia ! »

Que faire ? Il y a des moments où je regrette de ne pas connaître le judo. Bon. Respirons à fond. Mon silence le désarçonne. Il fait machine arrière. Ce n'est qu'une boutade, comme il le disait... Nadine apparaît avec des achats de maquillage. Je fais les présentations. Son œil bleu décèle le malaise... Je lui dis que monsieur me parlait d'un accident truqué... Le pauvre. Il ne sait pas que si on touche à un cheveu de M. Stark, ce sont tous ceux de Nadine qui se dressent sur sa tête tandis que la voix monte à leur poursuite :

« Voulez-vous le certificat médical ? le constat ? les rapports d'assurance ? la déclaration des témoins ? les radios des côtes de Mimi ? celles de mes vertèbres cervicales ?... »

Le petit jeune homme s'esquive.

« J'aimerais mieux que tu sois là tout le temps, Nadine. J'ai pas envie de parler. »

Johnny heureusement arrive et prend le relais pour le suivant, le reporter de *L'Aurore.* Johnny lui explique que je ne devrais pas être là, le docteur ayant prescrit un repos complet. Pourquoi ? Choc nerveux.

« Pour la première fois, elle m'a désobéi.

— Pourquoi ?

— Parce qu'elle veut chanter. »

Johnny lui dit qu'il m'a même envoyé une lettre à ce sujet.

« Vous lui écrivez ! dit le journaliste fort surpris.

— Ça m'arrive. Comme vous le savez mieux que personne, les mots s'envolent. Les écrits restent.

— Mais... vous vous voyez tous les jours... !

— Pratiquement, oui. Mais c'est une vieille habitude que j'ai gardée du XVIIe siècle où, se voyant tous les jours — Paris était très petit à l'époque —, on ne s'en écrivait pas moins ! Mireille est une petite personne réfléchie, calme, honnête, qui ne pense qu'à son métier. Dans la tranquillité de son appartement, elle travaille. Et une lettre qu'elle peut relire, dont elle pèse les termes, lui enseigne plus qu'une tirade faite dans l'énervement.

— Mais cela n'a pas eu d'effet ?

— Non. Parce que cette fois il s'agit de sa force intérieure et elle seule en est juge. »

Le journaliste traduit assez bien cette conversation, dépeignant Johnny et ses gestes paternels envers sa pouliche, sa façon de récupérer mon manteau, mon sac... que je laisse facilement traîner derrière moi.

Ce qui les intrigue, les journalistes, c'est la manière dont je peux passer mon temps.

« Quand je n'ai pas de gala, de répétition, je reste à la maison avec Francis Lai, Paul Mauriat... et on fait de la chanson. Je n'aime pas sortir. Je ne lis jamais. Je ne vais pas au cinéma. Je ne vais pas voir ma famille. Je donne tout à la chanson. C'est ma vie. Le Bon Dieu m'aidera à tenir le coup. De toute façon, rien d'autre ne m'intéresse. L'argent, je n'y pense pas. »

Ça me paraît clair une fois pour toutes. Mais il faudrait le répéter à chacun et tout le temps. Il faudrait que j'en fasse un disque ! Mais ils ne me croiraient pas.

« Quand Antoine chante : *Je n'aime pas Edith Mathieu,* ça vous chagrine ?

— Ça me fait rire. Ce qui m'embêterait, c'est qu'il m'appelle Mireille Antoine. »

Je ne suis pas fâchée de ma réponse.

« Allô ? Mireille ? C'est Maurice !

— Oh ! monsieur Chevalier ! comme je suis heureuse de vous entendre ! Vous ne pouvez pas savoir... !

— Comment ça va, mon petit chou, après cet accident ?

— Ça va... et ça ne va pas. Je ne sais plus si c'est le choc ou le trac. Il y a beaucoup de choses qui se sont passées en quatre mois.

— Je sais tout cela. »

Je lui dis que Johnny m'a laissée libre d'annuler si je ne me sentais pas bien, mais qu'il me semble que je me sentirais encore plus mal si je renonçais !

« Vous le verrez, Mireille, tous les moments de l'existence se résument à ça : faire face. Il vaut mieux attraper un torticolis en visant trop haut que devenir bossu en regardant trop bas !... Je vous fais rire ? C'est que la tension remonte ! »

Je lui avoue que, souvent, je me sens triste de ce qui se dit autour de moi ou de ce qui s'écrit...

« Ma petite enfant, de mon temps, il y avait un critique, un très grand critique, qui a failli me décourager à vie... et, quelques années après, il m'a trouvé irrésistible. Ses compliments m'ont fait moins de plaisir que ses critiques ne m'avaient fait de peine. Parce que j'avais commencé à comprendre que, pour nous, Mireille, gens de scène, nous n'avons que deux chefs : le public et le directeur. Bruno Coquatrix vous a engagée et le public vous adore. C'est tout.

— Et vous, monsieur Chevalier, vous viendrez à ma première ?

— Je vous téléphonais pour vous le dire ! Et dès qu'elle sera passée, on déjeune ! »

Bruno Coquatrix a affiché en première partie Georges Chelon, qui est un chanteur délicat, et deux champions de l'Olympia, Roger Pierre et Jean-Marc Thibault. Ils ont un tonus qui déborde de la scène dans les coulisses. Ils battent en France le record de durée des tandems. Ils sont si complices que si l'un commence une phrase, l'autre peut la finir : cela fait dix-huit ans qu'ils travaillent ensemble. Si l'on estime qu'un enfant de deux ans prend conscience de ce qui l'entoure dès qu'il marche, leur carrière est aussi longue que ma vie ! Ils ont pourtant l'air de collégiens.

Parce qu'ils sentent mon angoisse, ils veulent me la faire

oublier. Ils me racontent que, sortant du petit cabaret de l'Amiral, quand ils ont affronté l'Olympia pour la première fois, quelqu'un leur a dit : « C'est le cheval du manège des Tuileries qui veut courir à Auteuil. » Des copains leur avaient prédit, pour leur bien s'entend, un désastre. Or, ils ont fait un tel tabac qu'une des invitées, la comtesse de Toulouse-Lautrec, célèbre sous le nom de Mapie pour ses recettes de cuisine, a vigoureusement rythmé leur chanson intitulée *La Vaisselle,* en tapant sur une casserole qui était l'accessoire remis aux spectateurs de marque.

Bruno aime bien ce genre d'attention. Il est enchanté de l'initiative de Johnny et d'Eddie Barclay qui ont envoyé avec les invitations un plan d'Avignon, revu et corrigé, où les rues sont rebaptisées du nom de mes chansons, alors que chacun d'eux s'est offert un boulevard, ne laissant à Bruno qu'une rue ! Ce plan est tiré à part de la pochette du disque, spécialement imprimé à quinze cents exemplaires pour les privilégiés de cette première.

Au mur de ma loge, comme autant de papillons épinglés, les télégrammes. Les visiteurs, avec stupéfaction, remarquent qu'à côté des signatures bien de chez nous, comme Sacha Distel, Adamo, Line Renaud, Dalida, Petula Clark, Hervé Villard, Robert Manuel, Jacques Chazot... tant d'autres, il y en a de fameux hollywoodiens, Joe Pasternak ayant mobilisé son écurie : Frank Sinatra, Dean Martin, Sammy Davis Jr., Bing Crosby, Joan Crawford, Fred Astaire, Danny Kaye. Je lis dans un regard particulièrement ironique : « Envoyé de l'avenue de Wagram ! Un coup de Stark ! » Il n'imagine pas que Joe Pasternak me considère déjà comme faisant partie de cette écurie-là. Pourquoi le détromper sur l'erreur d'adresse : ils viennent tous de Pelagio Road, Hollywood.

Premier arrivé dans les coulisses, Vick Vance, le reporter de *Paris-Match,* me dit :

« Ils te font un accueil de reine ! »

Et « ils » arrivent : Maurice Chevalier et Félix Paquet, Aznavour et la blonde Ulla, Eddie Barclay et une nouvelle epouse, Henri Varna, Juliette et Marcel Achard, Pierre Barouh et Anouk Aimée, main dans la main, réunis une fois de plus par *Un homme, une femme...*

J'ai retenu la leçon de Chevalier. Le public ? je l'ai entendu me faire quinze rappels. Reste le directeur. Bruno, avec son calme légendaire qui fait difficilement connaître, non ce qu'il pense, mais ce qu'il en est, car il prend avec le même flegme le triomphe ou l'échec, Bruno n'a qu'un mot :

« Gagné ! »

C'est aussi le lendemain le titre de *France-Soir,* avec la photo à la une de Maurice me tenant dans ses bras. Mais il y a une grande différence, je trouve, avec celle d'il y a neuf mois : j'étais seule, sans parrain glorieux, dans ma petite robe noire, le visage épanoui. Il est maintenant un peu creusé, comme le regard qui se pose sur Maurice, presque grave. Ma robe est très jolie, brodée de pierreries. L'article dit que j'ai la maîtrise d'une vedette et parle du frisson de tendresse qui a passé sur la salle quand j'ai présenté l'orchestre de Paul Mauriat « avé l'assent ». Neuf mois... le temps de faire un enfant. Je viens de me mettre au monde, née enfin adulte.

11.

TROISIÈME TRAVERSÉE DE L'ATLANTIQUE

L'Olympia, c'est une halte dans le tourbillon de ma vie : j'y reste trois semaines tout en préparant le départ pour l'Amérique, le troisième de l'année et celui qui risque d'être le plus important, celui des décisions. Une petite jeune fille américaine me suit partout, hante ma loge, avec le devoir de me faire parler américain, ce qui fait qu'elle parle toute seule !

Louis Féraud prépare ma garde-robe et il y a les essayages nombreux. Il me fait, entre autres, une robe mini noire éclairée de motifs géométriques : une spirale jaune, des carrés rouges, un ovale bleu qui ressemble à un poisson. Pour la scène, une autre robe mini pailletée bleu ciel. Pour un gala, une jupe longue de velours framboise sur laquelle il pose comme un sweater ceinturé bas... J'ai été charmée par un manteau en poulain, orné d'un col blanc... il faut choisir les chaussures, les sacs, penser aux écharpes...

Les journées sont fort courtes puisqu'il est impératif que je dorme dix à onze heures. Il paraît que la presse est partagée... mais je n'ai pas le temps de la lire. Je sais que, contrairement à *France-Soir* qui me sacre déjà, *Le Monde* trouve que j'ai beaucoup à apprendre ; je n'ai pas réussi à émouvoir *Combat* mais que *L'Humanité* estime que mon emprise sur le public est certaine. Retrouvez-vous avec ça...

La Saint-Maurice, c'est le 22 septembre. Je fais livrer à l'interprète de *Ma pomme* soixante-dix-huit énormes pommes à Marnes-la-Coquette. Une par berge ! Il me remercie avec un télégramme qui va rejoindre sur mon mur les précieux papillons.

« Merci, adorable Mireille, pour ces pommes championnes. J'attends d'être majeur pour demander officiellement votre main. Vous pouvez compter sur votre ami Maurice. »

Quand maman lit cela, elle me dit, avec une pointe d'inquiétude :

« Il plaisante ?

— Bien sûr !

— Ah bon !... Parce qu'il est quand même un peu vieux pour toi ! »

Elle me fait rire. Elle est venue faire un saut à Paris avec un certain mystère.

« Il y a des choses, tu comprends, qu'on ne peut pas se dire au téléphone dans une épicerie !

— Maman, je te le dis... trouvez-vous une jolie petite maison... je vous l'achète ! Je ne voulais gagner le *Critérium* que pour ça ! Le temps est venu...

— Tu es sûre ?

— Je suis sûre que vous pouvez commencer à la chercher.

— Pas trop petite quand même... On est quatorze... sans toi.

— Je dis " petite " pour " mignonne ", mais tu as raison, il faut qu'elle soit grande. Vous avez vécu assez entassés toute votre vie.

— D'autant que, bientôt... c'est ce que je voulais te dire... on sera quinze !

— Quoi !

— Oui... le quatorzième est en route !

— Papa le sait ?

— Té... comment il ferait pour l'ignorer ? Tu penses bien qu'il y est pour quelque chose ! Je suis contente : ça va l'égayer un peu ! »

Quelle femme extraordinaire que maman... toujours gaie et vaillante. Chaque grossesse lui est pourtant si pénible avec ses jambes. Je l'enlace :

« Je suis fière de toi. On ne dirait jamais. C'est pour quand ?

— Dans six mois.

— Que dit le docteur ? Il pensait qu'on pouvait t'opérer les jambes ?

— On verra ça après. C'est coûteux.

— Mais ça ne fait rien. Maintenant, je peux payer ! Demande-lui si on ne peut pas t'opérer tout de suite ! Tu préférerais un garçon ou une fille ?

— Un garçon. Ça ferait l'égalité des sexes : sept et sept.

— Oh oui ! C'est un chiffre porte-bonheur. Je mettrai un cierge à sainte Rita. Comment veux-tu l'appeler ?

— Vincent.

— Ah ! j'aime ! C'est bien de chez nous ! Soigne-toi bien. Pense à ce que disait la mamet : mange beaucoup de choux, de champignons et de topinambours. Pourquoi tu ris ?

— On dirait que c'est toi la mère qui parle à sa fille. »

Maman est repartie. C'est vrai que je me sens fatiguée comme une future grand-mère. On prépare le deuxième disque. On répète à l'Olympia. Johnny met au point des détails d'orchestration avec Paul Mauriat. Ça n'en finit pas. Je voudrais me pelotonner quelque part. La fosse d'orchestre est déserte, accueillante, pleine d'ombre. Je m'y glisse. A l'abri d'une harpe. C'est joli, une harpe. Ça me fait toujours penser aux anges...

Je suis réveillée en sursaut, hébétée. Le régisseur me secoue :

« Elle est là ! Elle est là ! Je l'ai trouvée ! »

Il paraît qu'on me cherche partout depuis une heure, qu'au moment de répéter la chanson, plus de Mireille. On a appelé (je n'ai rien entendu... quand je dors !). Johnny était aussi furieux qu'inquiet. Il croyait que j'étais rentrée à la maison ou que je léchais les vitrines des environs (comme c'est vraisemblable ! je ne quitte jamais le théâtre !).

« Pourquoi enlevée ? »

Ça lui a échappé. Embêté, il dit :

« On ne sait jamais. Des fous. »

C'est ainsi que je découvre que des lettres de menaces arrivent au bureau.

« Mais c'est normal, c'est normal ! dit Nadine. Tous les artistes en reçoivent !

— On veut enlever tous les artistes ? qu'est-ce que tu racontes ?

— Non... mais des fous, tu sais ! des menaces de kidnapping... mais rassure-toi, ça n'arrive jamais ! D'ailleurs, tu vois comme l'Olympia est toujours gardé. »

C'est vrai. Il y a une porte, avec un solide gaillard, une cage de verre, avec un autre, une barrière... la porte donnant sur la salle est double et gardée, elle aussi.

« On en a connu des ruées ici ! Les fans, c'est des fous ! » dit le gardien.

Radouci, Johnny annule la répétition et m'envoie dormir dans la loge en attendant la représentation. Je retombe dans un sommeil lourd, truffé d'images angoissantes, bizarres, de figures menaçantes... Je finis par m'éveiller et, par crainte de me rendormir, j'appelle Francis Lai. On va répéter nos chansons. Dès que je chante, les images noires s'enfuient. Tout devient simple.

Je suis une fille simple.

C'est ce que je dis à Johnny lorsque, préparant le voyage en Amérique, il me dit que je devrais emporter quelques bijoux.

« Ça ne me va pas.

— Il y a bijou et bijou. Tu ne vas pas mettre ceux de la bégum. Un joli collier d'or discret, une gourmette, une paire de boucles d'oreilles discrètes, elles aussi, tout cela pour la ville et non pour la scène, bien entendu, je t'assure que cela est digne de Mireille Mathieu tête d'affiche, qui n'est plus une pauvre petite débutante. Tu garderas ta médaille presque en or en dessous.

— Johnny a raison, dit tantine. Tu es une demoiselle, tu n'es plus une enfant. Quoique, parfois, je me demande... tes affaires toujours en désordre...

— C'est parce que j'ai pas eu l'habitude d'en avoir beaucoup.

— Non, Mireille. C'est parce que tu ne sais pas ranger !

— Ah ! ce que tu es maniaque, Tantine !

— S'il te plaît, Mireille ! »

Son ton sévère.

« Tête d'affiche et tête de bois. Mais, avec moi, ni l'une ni l'autre !

— Vous vous disputerez un autre jour, tranche Johnny, pensez à vos bagages ! »

Je comprends que Johnny fasse des jaloux : il est génial. Nous partons, cette fois, en emmenant François Reichenbach, le cinéaste, et ses assistants. François va réaliser pour la télévision, et les fêtes de fin d'année, *Le Conte de fées de Mireille Mathieu.* L'idée m'enchante. Le premier contact avec François n'a pourtant pas été le coup de foudre. Il s'en est franchement expliqué, d'ailleurs :

« Au début, je ne voulais pas l'entendre parce que j'avais peur de tromper une autre chanteuse... »

C'est ainsi qu'il commence le commentaire du film. A moi, il me dit plus doucement qu'à notre première rencontre :

« Vous comprenez, mademoiselle, c'est très difficile pour moi de vous écouter parce que j'ai adoré et j'adore toujours Piaf.

— Je comprends très bien, monsieur. Moi aussi. Si elle n'avait pas existé, je n'aurais peut-être jamais eu le choc et je collerais toujours des enveloppes ! »

Son regard a changé. Je le connais bien, maintenant, son regard. Il peut tout voir et ne rien voir, à son gré. Quand il n'est pas intéressé, il devient un étain mal fourbi. Il avait accepté de nous rejoindre à Avignon lorsque j'avais été reçue à l'hôtel de ville... Il allait voir sur place le petit monstre dont tout le monde parlait, avec curiosité, sans agressivité car il est incapable d'en avoir, mais froidement. J'étais contente parce qu'il avait filmé M. Colombe, si ému dans son discours, parlant de « la chanson rajeunie, pleine de fraîcheur », de la petite « Avignonnaise 100 %, si attachée à sa ville natale et à sa famille si méritante... », finissant en annonçant que je reviendrai chanter pour les enfants inadaptés du Vaucluse. J'étais contente qu'il y ait une caméra puisque tous les Mathieu étaient là, m'entourant, devant le buste de Marianne. J'étais contente, parce que j'ai toujours aimé les images. Ce sont elles qui me marquent, plus que les mots, n'ayant pas beaucoup lu. Le jour où j'ai dit ça à Reichenbach, il y a eu une étincelle dans ses yeux.

« Vous connaissez Cocteau ?

— Le monsieur qui a fait *La Belle et la Bête ?* J'ai vu des photos dans un magazine avec un article sur Jean Marais, mais je n'ai pas encore vu le film. J'aimerais bien... quand j'aurai le temps... Et puis, je sais qu'il est mort le même jour que Piaf. Je l'ai vu dans les journaux. »

Le regard est devenu d'un bleu très tendre.

« Ce monsieur était un ami. Il m'a dit un jour : “ Les

images que tu filmes ce sont des mots. Monter un film, c'est en faire des phrases... " Sans le savoir, vous dites la même chose. Je vous montrerai des dessins de lui... »

Quand il a appris que j'étais née un 22 juillet, il a sursauté :

« Ah ! je comprends ! vous êtes un Cancer ! Comme moi ! Je suis né le 3 ! Comme Cocteau, Cancer, lui aussi... C'est le signe de l'œil, de l'imagination. Petit, je ne parlais pas beaucoup, ce qui énervait mon père, me croyant sournois. Quand il a compris que je n'étais qu'un regard, il a décrété que j'étais un rêveur. Observateur était plus juste. Tu dois bien aimer observer ?

— Oui. Mais c'est vrai que je parle pas beaucoup, sauf avec la famille... »

On était devenus amis, passant au tutoiement sans nous en apercevoir, et avec les Cancers, l'amitié, c'est pour la vie.

On se découvre au fur et à mesure des points communs : il était cancre à l'école... parce que rêveur. Il connaît les opérettes par cœur, parce que sa maman avait une très jolie voix, et elle en jouait une fois l'an pour une bonne œuvre. Il sait regarder le ciel puisqu'il joue avec la lumière. Il vous dit, par exemple : « Ah ! ce soir, la lune est complètement blanche, si on se lève tôt demain, tout sera rose ! » J'aurais envie de voir tous ses films... Il me dit qu'il m'en fera des projections. L'année dernière, il a eu la palme d'or au festival de Cannes pour *La Douceur du village*. Il m'en raconte le début : une classe et le maître dit : « Parlons de la vache. Je vous le demande : la vache est-elle utile à l'homme ? Oui. Pourquoi est-elle utile à l'homme ? Parce qu'elle lui donne sa peau. Et qu'est-ce que la peau de la vache ? C'est du cuir, ce cuir qui sert à faire vos cartables solides qui résistent à la pluie. Mais ce n'est pas tout. Que donne la vache ? Eh bien, elle donne son lait. Résumons. Elle donne sa peau, sa viande, son lait, ses cornes. Elle donne tout. Donc la vache est un animal utile. » Et François ajoute : « Des mots simples, répétés, deviennent un poème admirable parce qu'il est vrai. »

Et moi, c'est une poésie que je comprends.

Il me dit :

« J'aime bien ton sourire. C'est un charme. Le charme, c'est comme les miracles, cela s'explique ! Sourire, c'est déjà aimer. »

Et moi, ce que j'aime avec François, c'est qu'il a autant

d'oreille que d'œil. Convaincu, maintenant, il a accepté l'idée de Johnny de reconstituer le *Critérium* qu'il n'a pas connu. Me voici, pour la plus grande joie d'Avignon, d'un coup d'aile, à nouveau devant le gros micro, dans ma petite robe noire de mes débuts, chantant *L'Hymne à l'amour,* en plein air... avec un joli ciel bleu, voilé d'un peu de ouate blanche, et un public nombreux, joyeux, chaleureux, devant moi... Il joue d'autant plus le jeu de ce pseudo-*Critérium,* que le concert est donné au profit des jeunes inadaptés.

Et, maintenant, nous sommes en partance pour une Amérique qu'il connaît si bien :

« La première fois que j'y suis allé, mon Constellation a presque mis vingt-quatre heures !

— Tu y allais pour quoi faire ?

— Vendre des tableaux de famille. C'était le prétexte. La vraie raison, c'était voir. »

Il me dit que son premier geste a été de prendre une carte d'immigré et que, au lieu de quelques mois, il resta des années...

« Tu sais pourquoi j'ai acheté ma première caméra là-bas ? Parce que n'avais pas envie d'envoyer des cartes postales ! »

Dans l'avion, déjà, il me filme.

« Mais j'ai envie de dormir.

— Aucune importance, dors, ne t'occupe pas de moi. Fais comme si je n'étais pas là.

— C'est difficile !

— Bon. Eh bien, fais comme si j'étais là, mais sans caméra : elle n'est que mon œil. »

Tante Irène me borde et je pars au pays de ma petite maison blanche, au bord d'une mer bleue... mais, au réveil, c'est tout autre chose. Pour aller de l'aéroport au Waldorf Astoria, un hélicoptère privé nous attend. « Ça ne durera que six minutes », me dit-on. Mais quand on est mort de trouille, les six minutes, c'est une entrée dans l'éternité.

« Ne filme pas, François, on va tomber ! »

Je suis sûre que l'aiguille de l'Empire State Building va nous rentrer dans le ventre... on lui échappe.

« Rasez un tout petit peu plus les gratte-ciel ! » demande François au pilote.

C'est là que j'ai compris que pour attraper une image, il vendrait son âme au diable !

On atterrit sur le toit de la Panam, en plein cœur de Park Avenue. Est-ce imaginable ? François raconte que la première fois qu'il filma New York, fasciné par les lignes verticales et les lignes droites des rues, distrait, il a mélangé ses bobines et rechargé avec une pellicule impressionnée. Ce qui fait que ça a donné une ville encore plus fantastique, que les gens ont cru à une trouvaille, ont crié au génie, alors que ce n'était, dit-il, qu'une bêtise !

« C'est comme ça que je suis devenu cinéaste, parce que mon premier film a remporté deux prix, celui du festival de Tours et celui d'Edimbourg ! »

Et on rit, on rit... ! D'autant que nous sommes tous logés ensemble au Waldorf Astoria dans l'appartement réservé habituellement au ministre Dean Rusk : quatorze pièces ! qui communiquent toutes entre elles. La grande famille ! pépé Jo et sa femme Nicole, Bruno, Popaul (Mauriat), Francis Lai, Francis et ses trois assistants. Tante Irène, les pieds pour la première fois dans un palace, pas dépaysée, imperturbable, elle défait les valises et me coiffe les cheveux, en vitesse. Une équipe de télévision allemande m'attend... sur le toit. C'est à peu près tout ce que je verrai de New York cette fois : les toits en terrasse des gratte-ciel qui n'ont rien de très propre... on l'oublie parce qu'on cherche quel gratte-ciel va dépasser l'autre. Il en pousse toujours un, on casse et on recommence. La Panam n'existait pas, il y a quatre ans, m'assure François. Il filme tout ce qu'il voit : l'équipe allemande en train de me filmer, mes hésitations, la phrase qui m'embête à dire :

« C'est merveilleux pour une petite Parisienne de se retrouver sur les toits à New York et de dominer cette énorme ville... »

J'éclate de rire : je ne suis pas parisienne ! Je suis d'Avignon, ça s'entend !

« Mais le film est pour l'Allemagne, Mimi. A New York comme à Berlin, Avignon ça ne veut pas dire grand-chose ! »

Je reprends :

« C'est merveilleux pour une petite Parisienne... »

Et je pouffe. Ce qui me plaît c'est de chanter à tout vent sur cet irrésistible air de valse : *Viens dans ma ville, viens dans ma rue !*

Quelle sacrée chanson de plein air !

« Ne nous regarde pas, Mimi ! »

C'est pas bon. Il faudra recommencer demain. Maintenant, il faut songer à se préparer pour la soirée. La grande soirée, celle de Maurice qui passe dans l'Empire Room du Waldorf. Il paraît que c'est la salle la plus chic de New York, donc du monde. Le gros œil de la caméra de François m'espionne devant mon miroir.

« Tu aimes bien te maquiller, on dirait ? Tu le fais avec soin...

— J'adore ça... si je m'écoutais, je m'essaierais de nouvelles têtes, je me ferais des yeux bleus ou violet... pépé Jo me fait la guerre... Moins que papa qui ne voulait même pas de poudre de riz ! »

Je mets dehors François pour que tante Irène me passe ma robe choisie par Nicole, rose brodée de pierreries qui étincellent au cou et aux poignets. Il faudrait peut-être qu'il aille s'habiller lui aussi : quand il a une caméra en main, François oublie qu'il est derrière, oublie le boire, le manger, l'habit. C'est comme s'il n'existait plus !

L'Empire Room, c'est donc un cabaret avec des tables et des dames pleines de diamants qui se reflètent dans les verres. Ça brille de partout. Les Français que nous sommes ont leurs tables aussi ; en bordure de piste, la mienne. Quand le présentateur annonce « *The Number One Frenchman Maurice Chevalier* », je l'avoue, j'ai un petit frisson de fierté. Il entre sous les bravos, vif, élégant, dans son smoking, avec ce sourire qui remporte la victoire tout de suite. Peut-on croire vraiment qu'il a soixante-dix-huit berges ? Il en aurait quarante que les dames ne seraient pas plus épanouies. Il prend son canotier, s'en coiffe et chante *You're felling blue...* et je remarque que les hommes ont l'air aussi heureux que les femmes. Les plus jeunes doivent penser qu'ils ont de beaux jours devant eux, et les vétérans, que tous les espoirs sont permis puisqu'ils sont, comme Maurice, à l'Empire Room ! Et puis, tout à coup, il parle, il parle de moi parce qu'il me désigne et descend près de notre table... et je devine bien qu'il me présente : « *She is wonderful...* Mireille Mathieu ! » Il m'entraîne sur scène... où je n'ai plus peur du tout. La scène, c'est vraiment mon paradis à moi.

Celui que j'aime est un vaurien
Qui chante du soir au matin
Un artiste
Egoïste
Qui tient ma vie dans ses mains.

Que je l'aime, cette chanson d'Aznavour ! Je ne m'en lasse pas. Le public non plus, j'ai l'impression...

Celui que j'aime est un voyou
Mais il m'aime
Et je l'aime
Et le reste, je m'en fous.

Quand je vais me rasseoir dans la salle, tante Irène me glisse :

« Je me demande où tu vas chercher tout ça ?

— Mais c'est pas moi, tantine. C'est Aznavour. »

Claude Philippe, le directeur du Waldorf, un Français, me dit qu'il y a assemblé ici tout ce que New York compte de VIP et, devant mon œil fixe, d'ignorance, il précise. « Les gens les plus importants » :

« Vous avez gagné en quelques minutes ce que d'autres mettent des années à obtenir... et que, le plus souvent, ils n'obtiennent jamais. »

Grâce à Maurice, je ne suis pas dupe. Il m'a présentée, me dit François, à la fois de plaisante et d'affectueuse façon, comme « sa petite fiancée, la découverte de la télévision, célèbre en France en une nuit »...

« Dans ces cas-là, il n'y a plus qu'à paraître...

— Oui... mais tu aurais pu chanter faux ! »

Après son tour, fêté, acclamé, on trouve Maurice dans sa loge, comme un boxeur après le round, le cou dans une serviette-éponge. J'ai à peine de voix, maintenant, pour le remercier. Je lui souris, mon sourire le plus grand possible pour qu'il puisse voir le fond de mon cœur.

Et comme le gros œil est toujours là, indiscret, il dit, s'adressant à Johnny près de moi :

« J'ai dit tout ce que je pense... elle a quelque chose que n'ont pas les autres... Elle est entrée dans ce métier-là tout de suite, lancée par ses dons, sa petite gueule, sa voix, tout ça, avec une pureté, une propreté que nos chanteurs n'ont pas souvent eues. C'est pour ça qu'il faut qu'elle s'en aille vers la joie... elle peut chanter le rythme, elle peut chanter le soleil, elle peut se former comme une artiste extraordinaire. Ça va faire un petit as. Aimé des gens très chics comme ça, c'est du pur, et aimé du populaire, parce que c'est une petite môme bien, vous comprenez ? »

Si on comprend... ! Pépé Jo, tantine ont la larme à l'œil, et moi, j'ai un grand soleil à l'intérieur. Il faut que je me souvienne de ces phrases-là, que je les garde pour les jours où je ne serai pas heureuse, où je serai découragée, qui sait ? M. Chevalier vient de me faire le plus grand cadeau du monde : il m'a tracé la voie.

Il me fait encore un autre cadeau. Il me demande quelle est sa chanson que je préfère ? Réponse immédiate : *Ma pomme.*

« Les Américains l'aiment bien aussi. Pourquoi ne la chanteriez-vous pas dans le show de fin d'année d'Andy Williams puisqu'il veut vous avoir ?

— ... parce que je ne la sais pas.

— Eh bien... je vais vous l'apprendre. On commence demain ? »

Le lendemain, dans la pièce où Johnny a fait installer le piano, Popaul au clavier, hilare, Maurice en veste sport, me donne sa leçon :

« *Ma pomme... c'est moi... ah... ah... ah... ! J' suis plus heureux qu'un roi !* Allez-y, mon petit chou...

— *Ma pomme...* (je me reprends) ; *Ma pomme...*

— Ah ! ça fait deux pommes, ça ! »

On s'écroule de rire. Je reprends parce que je sais qu'il n'y a pas plus sérieux qu'une chanson qui ne l'est pas !

« *Ma pomme... c'est moi... ah... ah... ah... !*

— C'est mieux, me dit-il, encore un peu trop chanté. Ça vient. »

Je recommence en me regardant dans la glace comme lorsque j'étais petite devant l'armoire des parents. Il faut que j'arrondisse bien la bouche pour que le son sorte tout rond, comme il le fait si bien : *ah... ah... ah... !*

« C'est un cri d'homme du peuple, vous comprenez ? Il y a

de la gouaille, là-dedans. Il n'y a pas de gouailleurs à Avignon ?

— Si. Mais on nous dit que c'est un trufarèu...

— Elle est l'opposé de Piaf, insiste Maurice. C'est une comique, cette môme-là, en même temps qu'elle peut être une grande chanteuse. »

Quel compliment ! Je voudrais lui donner toutes les fleurs du salon. Comme il me semble que je ne peux pas lui sauter au cou, j'entonne à pleine voix *Les gars de Ménilmontant*... pour lui montrer qu'il n'y a pas que les chansons de Piaf que je connaisse par cœur... !

Et voilà, il faut déjà partir. On est remonté sur les toits pour achever la télévision allemande, et maintenant on est de nouveau en plein ciel, dans un joli avion blanc qui porte en grosses lettres EXPO MONTRÉAL.

Peut-être parce que j'en ai un, j'adore les accents. Il y a quelque chose de vrai, là-dedans, qu'on ne peut pas renier. Sa terre, qu'on dit qu'on emporte à la semelle de ses souliers, elle s'effrite, elle s'en va... parce qu'on nettoie les souliers. Elle vous reste dans la bouche, quand on a l'accent. Celui de Montréal, il est si fort, si bien attaché, que malgré les gratte-ciel, ce côté petit New York, on se sent bien, comme à la campagne. Mieux : une campagne française. Je me sens à l'aise, ici. Ce qui fait que lorsque M. François Chamberlain, un jeune notable, m'accueille, devant les caméras, les photographes, les radioreporters, tout le saint-frusquin, en m'offrant une grande étole qu'il me met autour des épaules — car il fait déjà frais —, je ne me retiens pas et je lui dis :

« Je vous fais la bise ! »

C'est le festival de la Chanson populaire dans leur Palais des sports. Il est trois fois plus grand que celui de Genève. C'est la première fois que je chante devant vingt mille personnes. Mais Johnny m'a appris que le public, ça n'en faisait jamais qu'une. Pour le reste, c'est le même rituel : Piccolo qui règle les micros et les lumières, la répétition avec les musiciens, Popaul et Francis étant les solistes, « admis » exceptionnellement dans un orchestre américain, tantine en coulisse avec le tilleul, le verre d'eau, le châle ; la sortie des artistes avec les signatures de photos. Ce qui change ici, c'est qu'ils vous tutoient avec affection.

« Je te mets juste “ Mireille ”...

— Oh oui !... on pourra te revoir demain ?

— Mais non, demain... je suis partie ! »

Leur regard navré. C’est vrai que, parfois, j’aurais envie d’aller chez eux, de voir comment ils vivent, de me mettre à leur coin de feu, d’en savoir plus, d’être une vraie amie... je ne leur donne qu’un baiser furtif, et j’ai pris l’habitude de tendre ma joue sans embrasser moi-même, à cause du maquillage.

Tantine, qui me voit songeuse avant de m’endormir, me demande ce qu’il y a.

« Ces gens qui m’aiment... je suis avec eux comme la princesse du conte... tu sais, la coquette, que racontait si bien la mamet ; elle passait de l’un à l’autre, oubliant le dernier dès qu’elle avait le dos tourné...

— Mais tu leur as donné ta voix, ton sourire, ton cœur... ils gardent ton souvenir, ton disque, ta photo... que veux-tu faire de plus ?

— Oui, je sais... »

Elle éteint la lumière. Le silence est lourd.

« Tu te souviens de la fin du conte, tantine ? La princesse a été changée en grenouille. »

Le silence encore plus lourd. Elle rallume.

« Pleure un bon coup. N’en aies pas honte. Ça t’arrivera encore plus d’une fois en pensant à la mamet. »

Ce n’est pas la mamet. La mamet, elle est toujours près de moi, elle ne m’a pas quittée. C’est la grenouille. Je connais bien son cri. On l’entendait certains soirs à « Chicago », et cela m’angoissait toujours : ni cri vraiment, ni chant... Et si, un jour, je perdais ma voix ? Que deviendrais-je ? Je n’ai que ça...

12.

ARTISTE ET PAS TOURISTE

Je n'ai pas vu les forêts d'érables et leurs feuilles rouges de l'été indien. Je n'ai pas vu la Fontaine des Grâces de Saint-Joseph. Je n'ai pas flâné autour du lac des Castors. Je n'ai pas pris une calèche pour gravir le mont Royal dont je n'ai vu que la grande croix qui, le soir, tout illuminée, continue de protéger la ville. Artiste et pas touriste, comme dit Maurice.

« Mais vous reviendrez, vous reviendrez ? Pour l'Expo ? »

On perçoit son grand chantier, les grues comme de longues jambes marchant sur les deux îles au milieu du fleuve, si beau, si large, bien plus large que notre Rhône. On se demande comment cela sera fini dans six mois ? Une grande horloge fait le compte à rebours : 198 jours, 14 heures, 3 minutes, 20 secondes ! Voilà le temps qui reste, à cet instant précis, avant l'inauguration officielle. Partout dans la ville, on trouve déjà le titre de Saint-Exupéry qui donne son nom à l'expo : *Terre des Hommes*. Je trouve ça si joli... « Force-les à bâtir ensemble une tour et tu les changeras en frères... » Un Canadien m'offre à l'aéroport avant le départ *Le Petit Prince*. Je me souviens que Mme Julien, un jour, nous en avait lu une page : « Dessine-moi un mouton... » Mais je ne pourrai pas le lire dans l'avion. Là, tous ensemble, on continue à faire de la musique et je travaille mes chansons. Inlassablement, je les répète. Parce que j'ai toujours beaucoup de mal à bien articuler.

Johnny, Francis ou Popaul me rappellent à l'ordre :

« Le portillon ! » (sous-entendu : « Ça se bouscule au portillon ! »)

Le Petit Prince reste mon rendez-vous caché du soir, avant de m'endormir... Je le regarde, si frêle, si joli avec ses cheveux blonds, tel que l'a dessiné Saint-Ex (je sais maintenant qu'on l'appelle Saint-Ex, quand on l'aime). Je le lis lentement, parce que je n'ai jamais su lire vite. Et je relis même, parce qu'il y a des phrases qui chantent.

En arrivant à Kennedy Airport, avant de prendre l'hélico de la Panam, nous tombons au milieu d'une classe maternelle. Des petits Noirs et des Portoricains qui visitent et, à ma vue, s'arrêtent, fascinés par ma minijupe et mon chapeau rouge. On leur explique que je suis une *French Singer.* Ils m'entourent. Je les embrasse. Je leur dis :

« Que vous êtes mignons ! J'ai l'impression que vous êtes mes petits frères et sœurs ! J'en ai treize ! Je vais bientôt en avoir quatorze ou quinze ! »

Je n'ai plus pensé aux journalistes venus nous attendre... et c'est ainsi que le lendemain :

« Allô, maman ! Tu vas bien ? Je suis à New York !

— Tu n'as pas eu mal au cœur ?

— Non. Et toi ?

— Moi non plus ! Ça va.

— Tu sais, maman, que tu es célèbre en Amérique : on sait que tu attends ton quatorzième ! C'est déjà dans les journaux ! »

C'est vrai que je ne vois pas le pays comme une touriste, mais je vois ce que les touristes ne voient pas. Par exemple, à Dallas... où nous sommes vingt-quatre heures après pour cette fameuse *Grande Quinzaine française,* organisée par Stanley Marcus, le propriétaire d'une chaîne de grands magasins. Son slogan est : « Vous pouvez trouver ici tout ce que voulez, d'une aiguille à coudre à un Boeing ! » Et, le plus fort, c'est que c'est vrai ! Mais j'ai un choc quand nous sommes accueillis par ce M. Marcus : c'est Victor Hugo. Exactement le vieillard à barbe blanche de mon dictionnaire !

Plus étonnant encore, il a mobilisé toute une troupe de cow-boys, comme dans les films, chapeaux, lassos, revolvers et chevaux, pour nous saluer et nous escorter... Des cow-boys, il y en a, paraît-il, cinquante mille, venus des quatre coins du Texas pour cette *Quinzaine.*

Nous sommes tous logés au *Sheraton* où va avoir lieu dans la

Ballroom la soirée de gala. Pas besoin de sortir de l'hôtel, tout est à l'intérieur : les boutiques, les souvenirs... Si Maurice Chevalier n'est pas au programme de M. Marcus, parce qu'il est engagé ailleurs, il y a un nom archicélèbre, Lily Pons, qui sera présente dans la salle.

« Elle a été découverte par l'Amérique, comme toi, à dix-neuf ans, me dit François Reichenbach, et maintenant, une ville des Etats-Unis porte son nom ! »

Est-ce possible ? Elle est bien entendu logée dans le même hôtel.

« Tu es la petite dernière, dit Johnny. C'est à toi de la saluer... »

Je la demande au téléphone :

« Est-ce que je peux parler à Mme Lily Pons, s'il vous plaît ? (C'est elle !)... Madame, c'est Mireille Mathieu à l'appareil... Je m'excuse, madame, si je ne vous ai pas appelée... (tante Irène, Johnny, Nicole, les musiciens sont suspendus à mes lèvres. Pourvu que je ne bafouille pas !) Je vous remercie de tout mon cœur ! (Elle va venir m'entendre ce soir !) J'ai tellement peur de chanter devant une aussi grande dame de la chanson...

— ... que vous ! souffle Johnny.

— Que vous. Merci, madame ! (Elle dit qu'elle veut rencontrer mon manager...) D'accord, madame. A ce soir... (je pouffe de rire). Oui, madame ! »

Je raccroche et Johnny me demande ce qu'il me prend à rire comme une folle ?

« Elle m'a dit qu'elle serait à la table... " 22 comme les flics ! " Elle m'a dit : " Comme les flics ! " et avec l'accent américain[1] ! »

Nicole est allée faire des emplettes, et moi, comme d'habitude dans les heures qui précèdent, je reste au calme dans mon peignoir rose dragée. Popaul me fait vocaliser... et me laisse. Je sais que, ce soir, il y aura dans la salle le gouverneur général du Texas, notre ambassadeur à Washington, M. Charles Lucet et sa

1. J'ai revu plus tard Lily Pons dans sa propriété de Cannes, qu'elle aimait tant...

femme, deux cent cinquante personnalités de la finance, de la politique, du cinéma, du théâtre...

François, imperturbable, continue de me filmer. Il n'a pas arrêté d'ailleurs. De temps en temps, il est à plat ventre, par terre, mais il tourne toujours. Je me disais : il doit dormir avec sa caméra ! Eh bien, c'est vrai. Comme il manque toujours de sommeil parce que, la nuit, il court à la poursuite d'images insolites dans les quartiers chauds, on le cherchait partout dans l'aéroport de New York, pensant qu'il allait rater l'avion, quand un de ses assistants l'a découvert dans un coin, un immigrant, pelotonné à même le sol, sa caméra sous la tête, à la fois son oreiller et son nounours !

« François, si ça t'ennuie pas...

— Si ça NE t'ennuie pas... (Il s'est mis en tête d'aider Johnny à me débarrasser de mon habitude de ne pas employer la négation. Je sais : il vaudrait mieux que je parle un français correct à l'étranger. Mais ça m'embête, moi, les négations !)

— Si ça NE t'ennuie pas, tu veux bien arrêter de tourner ? Je vais mettre mon vieux peignoir et Johnny serait furieux que tu me prennes avec ça. Il NE sait pas que je l'ai emmené... »

Je le sors du fond de la valise. François regarde cette chose, si souvent lavée, reprisée.

« C'est quoi, ça ? Ton gri-gri ?

— Peut-être. Je NE sais pas. Je me sens bien dedans. Il me redonne des forces, tu comprends ? »

Il comprend. Mais il soupire :

« Ah ! quel dommage... quelle image... toi, toute fraîche, dans ce vieux machin. Tu ne veux vraiment pas ?

— Non. »

Et, devant son œil bleu, surpris, frustré :

« Ah ! j'ai bien le droit à ma vie privée, non ? »

On rit.

« Et si je reste, je te gêne ?

— Non. »

Chacun dans notre fauteuil. Moi, les yeux fermés. Les siens bien ouverts, en sentinelle. C'est ça, l'amitié.

Le gala est un succès. En entrant sur scène, la première personne que j'ai vue au premier rang... Lily Pons. Elle m'a fait un gentil signe... et j'ai senti tout de suite que mes notes auraient des ailes... M. Marcus est enchanté. Si enchanté qu'il ne sait quoi faire, il tient à son idée : me faire chanter à l'opéra de Dallas. Je peux tout lui demander me dit-il, emporter ce que je veux dans ses magasins demain ! Mais François a une meilleure idée : ne pourrait-on aller à Huntsville voir le rodéo des bagnards ? M. Marcus répond avec plaisir, il met son avion privé à notre disposition... mais que cela ne m'empêche pas de dévaliser ses magasins si j'en ai envie !

François est très excité : je vais voir un spectacle unique qui n'a pas lieu d'ailleurs tous les ans, mais seulement quand il y a un cinquième dimanche au mois de septembre. Alors, ce jour-là, à Huntsville, immense pénitencier, il y a la fête telle qu'on la conçoit au Texas : un rodéo monstre... Moi, ce qui m'intéresse beaucoup plus, c'est d'aller au magasin, rayon des chapeaux ! Je les essaie tous... La petite toque, la capuche...

« Oh ! que c'est mignon ça, Johnny ! Celui-là... non. Avec ma tête, ça, ça va pas !

— Ça NE va pas. Mimi, il faut que tu freines ! Pour revenir à Paris, nous n'aurons pas l'avion privé de M. Marcus. Tu as choisi déjà tant de choses que nous allons payer une fortune d'excédent de bagages !

— Mais c'est pour les petites sœurs !

— Tu n'en as que six ! pas quarante-deux ! »

François m'arrache assez facilement aux frivolités parce que, connaissant Dallas comme sa poche, il veut m'emmener dans une église noire qui vaut bien celle de Harlem. Et, naturellement, il filme... Ce qui est très émouvant, là aussi, ce n'est pas l'église, ce sont les regards. La chorale répétait quand nous sommes arrivés... Je me suis mêlée aux choristes. A bouche fermée. Et puis j'enchaîne avec une de mes chansons qu'ils ne connaissent pas :

Quand tu voudras
Notre bonheur viendra de toi
Sur le chemin de l'espérance...

Et, à leur tour, avec un sens musical inné, à bouche fermée, ils m'accompagnent.

C'est peut-être ce qui m'émeut le plus, chanter avec des choristes. On n'est alors qu'une seule voix. Quand c'est un chant de paix et d'amour, j'ai l'impression que — si toutefois j'en ai une — c'est ma mission sur cette terre. Nous sommes loin alors de la petite comique, devinée par Chevalier. Peut-être suis-je les deux ? Et que les deux Mireille vont se battre ?

« Johnny... ce que j'aimerais un jour... vous allez rire... c'est faire un disque avec les Petits Chanteurs à la croix de bois.

— Je ne ris pas. C'est une bonne idée.

— Ça vous paraît pas bête ?

— Ça NE me paraît pas bête. Tu le feras quand tu parleras bien le français ! »

Popaul, Francis, François, Johnny et moi. Les autres sont restés à Dallas.

Huntsville. L'enfer souriant. L'enfer parce qu'on ne peut pas oublier qu'on est dans un pénitencier. Les gardiens sont partout, mitraillette à la main.

Le directeur de la prison, un costaud, nous reçoit pour déjeuner. Il mesure près de deux mètres, botté, chapeauté, affalé dans son fauteuil. Il offre un cigare vert, immense, à Johnny, et, dans son œil, on voit que c'est infumable. Des prisonniers au crâne rasé nous servent. Je leur souris comme s'ils étaient ma petite bonne de la rue de Chézy. Ils me sourient en retour.

« Ils ont l'air gentil, dis-je doucement à François.

— Très. Le grand a trucidé sa famille de cinq personnes et le petit a découpé en morceaux...

— Arrête ! »

Il plaisante. A peine. Je vais m'en apercevoir.

Le pénitencier est une petite ville avec ses rues et son immense stade. C'est là qu'aura lieu le si célèbre rodéo. En attendant, pour la foule des amis, des familiers des prisonniers et pour les curieux, c'est la kermesse. On y vend des glaces, des cotillons, des souvenirs, certains fabriqués par les prisonniers eux-mêmes.

Un Noir en canotier, chemise rayée et gilet, tape sur un piano comme un sourd et un acrobate : il a un pied sur le tabouret, l'autre en l'air et, dans cette position, joue un vieil air de jazz.

« Il est prisonnier sur parole, celui-là... me dit François.

— Ça ferait un bon numéro pour Coquatrix ! » dit Johnny.

Un peu plus loin, un autre Noir fait les claquettes. Il est formidable. François veut le filmer et lui demande :

« Etes-vous *free* (libre) ? »

Ce qui est un comble pour un homme qui a écopé quarante ans !

On nous emmène en privilégiés aux places réservées, là où il y a un petit podium. A une vingtaine de mètres au-dessus de nous, il y a une cage avec des hommes dedans...

« Qu'est-ce que c'est ?

— L'orchestre.

— Ils sont en cage ?

— Oui. Parce qu'ils sont tous des condamnés à mort. Regarde : ils ne manquent pas d'humour ; ils se font appeler *Les notables* ! »

Je vois la pancarte. C'est le même mot qu'en français. Il y a des Noirs, quelques Blancs, notamment un, le visage très fin derrière ses lunettes cerclées. Qu'a-t-il pu faire ?

« Tuer », me dit François.

J'ai une sueur à la racine des cheveux sous mon chapeau rouge. Je mets mes lunettes noires, non pour faire star, mais parce que l'idée de la mort me fait mal. Je ne me sens pas très bien. Je dirais que c'est la chaleur... Ils se mettent à jouer un ragtime.

« Mais, François, ils sont remarquables ! »

— Ils le sont. »

Ils enchaînent avec un blues très poignant.

« Ecoute le saxo, Mireille... »

C'est à pleurer. Toute son âme passe dans l'instrument. Il demande pardon ! Je suis sûre qu'il demande pardon.

« On ne pardonne pas à Huntsville... Pourtant, aujourd'hui, quelques-uns vont courir une petite chance. Si, au rodéo, ils se montrent les plus courageux, les plus audacieux, les meilleurs, ils peuvent voir leur lourde peine s'alléger de quelques années. Mais pour ceux de la cage... c'est cuit. »

Intolérable... La clarinette répond au saxo, déchirante.

« Mais quels artistes, François... on ne peut pas tuer un artiste !

— On ne devrait pas ; mais la peine de mort, ici, est inexorable pour un assassin, il n'y a pas que les anges qui sont musiciens. »

On les applaudit ; ils se rassoient comme sur une scène, derrière leur grille, surveillée par les gardiens, l'arme à la main. François me dit qu'un jour il fera un film sur, contre, la peine de mort.

« Je reviendrai au Texas. Parce que c'est à la fois le western et le cosmos, le passé et le futur. A Houston comme à Huntsville. Ici, c'est le pénitencier et, à côté, l'école des cosmonautes : le contraire de la liberté et la plus grande évasion de l'humanité... Extraordinaire, non ? »

C'est le moment que Johnny choisit pour me dire :

« Mireille, tu vas chanter tout à l'heure...

— Où ?

— Ici.

— Dans le stade ! C'est pas possible. Je me sens bizarre...

— Je te connais : tu iras mieux en chantant. Le directeur te le demande. On va prêter un accordéon à Francis et à Popaul. »

Francis Lai a l'air terrorisé : pour une fois qu'il se baladait sans son instrument, en touriste ! François dit que ça va être sublime (lui n'oublie jamais sa caméra !), et qu'il faut chanter pour ces pauvres types. L'hymne américain nous interrompt, et les cinquante mille personnes se lèvent d'un bloc. Les prisonniers aussi. Fin de l'hymne et tous se rassoient, comme pour voir un spectacle ordinaire...

En chemise de satin bleu ciel, sous leur chapeau légendaire, portant leurs drapeaux, les cavaliers galopent, deux par deux, autour du stade, sous les acclamations. Puis commencent les acrobaties... le passage sous le ventre du cheval, debout sur la monture au galop... Les costumes sont de la plus grande fantaisie ; il y a des clowns, un Superman, un Batman... Tous sont des bagnards qui risquent de se rompre le cou, mais qu'ont-ils à perdre ?

On a apporté un seul accordéon, celui d'un prisonnier à Francis et à Popaul. On se hisse sur le podium. J'ai enlevé mes lunettes... Un speaker me présente, j'entends :

« *Maé-reye Ma-ti-ou !* » et c'est parti, la valse, Popaul et Francis jouant à quatre mains !

Quand le cafard tourne en rond dans ma tête
Viens dans ma ville, viens dans ma rue
Quand les amis, les amours font la tête
Y a du ciel bleu qui t'attend dans la rue
Un bouquet de soleil par-dessus
Et ça donne un air de fête...

Il n'y en a certainement pas beaucoup qui comprennent les paroles, mais tout ce monde est brusquement silencieux... et, à la fin, c'est une explosion d'acclamations et de sifflets... par cinquante mille personnes !

Francis est encore vert.

« Je n'ai jamais eu si peur de ma vie... » me dit-il.

Je suis bien plus effrayée par le rodéo. Les chevaux sauvages projettent les hommes à terre. Quand l'un tarde à se relever, ses camarades l'emportent au plus vite. L'infirmerie doit être pleine... Si un cavalier arrive à se maintenir sur la bête, le public a des hurlements de triomphe. Je remets mes lunettes noires. Ça me permet de fermer les yeux.

« Ce n'est pas un pays de mauviettes, me dit François dans l'avion du retour. Les pionniers qui l'ont fondé ne l'étaient pas non plus. Et ce n'est pas si vieux. La violence jaillit ici comme le pétrole. »

Il est passionné, intarissable sur son *Amérique insolite*[1]. Il me raconte que ses copains lui demandaient comment il avait réussi à entrer dans les prisons, filmer sur un porte-avions :

« Je donnais sous le manteau une photo de Bardot sans manteau ! »

Il assure que l'Américain de la rue ne connaît que trois Français : Chevalier, Bardot et le général de Gaulle.

« Et aussi Charles Boyer, et Lily Pons, et Claudette Colbert, et Louis Jourdan ? complète Johnny.

— Oui ! mais il les prend pour des Américains.

— Eh bien, ça, ça ne risque pas de t'arriver ! » me dit Johnny quand nous sommes tous dans nos bungalows du *Beverly Hills Hotel*.

Il n'est pas très content. Voici pourquoi. L'arrivée à Los

1. C'est le titre de son premier grand film, tourné en 1960.

Angeles s'est passée comme dans un film. Notre ami Joe Pasternak a mobilisé une armée de photographes et de journalistes pour accueillir « sa » découverte, François étant enchanté :

« Tu sais qu'il t'annonce comme la nouvelle Deanna Durbin ou la Garland de France ? »

Il nous filme dans un dialogue petit nègre :

« Comment vous apprendre langage pour film avec Pasternak ? s'inquiète Joe.

— Je vais apprendre... *Lessons English... avec Somebody :* " *Hello ! goodbye ! I love you* ! "

— Magnifique ! »

Mais Johnny, quand nous sommes entre nous, n'est pas aussi satisfait.

« Tu n'as vraiment fait aucun progrès depuis la dernière fois !

— Il n'y a que cinq mois, Johnny.

— En cinq mois, il y en a qui, avec les leçons particulières que tu prends, se débrouillent ! Je ne comprends pas : tu as de l'oreille. Tu retiens n'importe quel air sans savoir une note de musique. Mais les mots !

— Je sais. C'est pas pareil...

— Ce N'est pas pareil !

— Ce n'est pas pareil. »

Je le sens exaspéré. Je m'en explique, le soir, avec tante Irène :

« Tu comprends, tantine, en français, les mots, ils me font image. Je les retiens. Je les aime. C'est vrai : j'aime bien les mots. Il y en a de si jolis. C'est comme s'ils avaient un visage. En anglais, je ne vois rien du tout. Ces W partout, ces *GHT,* ces *TH...* »

Elle me dit de ne pas m'énerver. Que ça viendra.

« Mais c'est Johnny qui s'énerve ! »

Pour Joe Pasternak, ça ne paraît pas important, mon ignorance de l'anglais. Il a mis de côté son idée d'un remake d'*Une étoile est née* et le scénario du *Concours de beauté.* Il a une idée, dit-il, bien plus fantastique. Il en a même deux ! Et si Johnny est d'accord : il fait les contrats tout de suite. Le premier est immédiat. C'est un western avec John Wayne... *Guitar City.* L'histoire d'une petite pensionnaire dans une institution suisse qui va rejoindre son père au Mexique, à l'époque des pionniers... Un rôle en costume ! Ça, ça me plairait bien. Le second projet est plus lointain : une comédie musicale qu'il veut faire sur la vie de Coco Chanel.

« Qu'avez-vous dit, Johnny ?

— Qu'on en reparlerait. J'ai signé ton contrat pour le show avec Danny Kaye. Nous revenons donc en décembre.

— Et moi aussi ! dit François. Je ne veux pas rater ça ! »

En attendant, je vais chanter au Daisy Club qui va me changer de Huntsville. Ici, il n'y a que six cents membres qui paient une cotisation très élevée et qui sont tous, de près ou de loin, des amis de Pasternak appartenant au monde du cinéma et des variétés. Ses célèbres « poulains » sont donc dans la salle : Frank Sinatra, dont le Daisy Club est en quelque sorte le quartier général, Sammy Davis junior, Dean Martin... Le cabaret est mirifique, tout en glaces de Saint-Gobain. C'est Frédéric Loew, le petit-fils d'Adolf Zukor, le pionnier de Hollywood, qui présente. J'ai moins peur que devant les forçats. Ils sont gens de métier, ils savent.

« Défonce-toi ! » me dit Johnny, avant de rejoindre sa femme dans la salle.

Quand j'entends « bis ! », je sais que je me suis défoncée ! Mais ce qui m'étonne le plus, dans un endroit aussi hollywoodien, c'est d'entendre les sifflets entre les doigts... exactement comme à Huntsville !

Le lendemain, Johnny est d'excellente humeur. Un échotier très célèbre, Mike Connolly, a écrit un papier repris, paraît-il, dans quatre cents journaux...

« Maintenant, je sais pourquoi Danny Kaye et Andy Williams ont signé avec cette nouvelle coqueluche française dont les initiales sont celles de Marilyn Monroe. Je comprends aussi pourquoi on la paie de cachets importants alors qu'elle gagnait, il y a un an, sept dollars pour coller des enveloppes dans une manufacture d'enveloppes dans sa province. Mireille Mathieu est, elle aussi, un phénomène. »

Le lendemain, Pierre Grelot, le secrétaire de Pasternak, nous dit que Joe me fait projeter en privé le film *My Fair Lady*. Johnny est un peu surpris : il a dix ans d'âge, ce film.

« Oui, mais... vous allez rencontrer l'auteur, non seulement du scénario, mais de la fameuse comédie musicale, Jay Lerner, et Joe préfère que Mireille ait vu son œuvre. »

Johnny la connaît par cœur, François aussi, naturellement. Les ignorantes, c'est tantine et moi. Et nous voici dans le bureau de Pelagio Road. Joe nous fait conduire à la salle de projection. C'est drôle de voir un film, sans le public : on n'ose presque pas rire ! L'ennui, naturellement, c'est que ce soit en anglais ! Pierre, très gentiment, se mobilise pour la corvée d'expliquer l'histoire à ces deux pauvres Françaises demeurées. J'adore. Audrey Hepburn est si jolie... Et comme elle chante bien !

« Ce n'est pas elle qui chante ! Elle a été doublée. A la scène, c'est Julie Andrews qui joua le rôle, mais on ne la trouvait pas assez “ vedette ” à l'époque du tournage. »

J'ai le cœur qui gèle. Ça me paraît diabolique. Ainsi, c'est l'histoire de Mario Lanza que Joe nous avait racontée à notre dernier voyage, qui se répète : la voix de quelqu'un et le corps d'un autre. Mais alors... si je ne joue pas bien... qui empêcherait d'utiliser « ma » voix pour la donner à une comédienne ? Pierre proteste. Mon cas est bien différent : Joe joue la carte d'une nouvelle vedette. Pas question de la truquer ! Il me rassure. J'ai la voix et le physique qu'il lui faut. Je suis « sa » trouvaille, comme le fut Deanna Durbin.

« Et qu'est-elle devenue ?

— Rien. Elle s'est mariée. Elle vit en France. »

« Rien... » Cela fait froid dans le dos. Elle vit, sous le nom de son mari, croit-il, heureuse sans doute, et tout à fait à l'écart de ce qui fut son métier.

« Mais elle a pu ne plus chanter ?

— Sans doute. »

Moi, je crois que je ne pourrais jamais... Il faudrait que je chante. Peut-être que Deanna chante encore incognito, dans une chorale paroissiale ?

Je suis reprise par l'histoire de *My Fair Lady* qui m'enchante :

« Mais c'est moi, dis-je, tout à fait moi ! C'est moi et Johnny ! Johnny est obligé de tout m'apprendre, même à articuler, comme Elisa ! J'aimerais bien jouer ce rôle-là. Je n'aurais qu'à entrer dedans, surtout moi qui aime tant les costumes et les chapeaux ? C'est vraiment moi ! »

Pierre me calme. Sans doute. Si cela m'amuse, je pourrais le jouer un jour, car la pièce est sans cesse reprise, ici ou là. Mais il croit savoir que ce n'est pas cette proposition-là que Jay Lerner veut me faire : il souhaiterait que je sois Gigi dans une comédie musicale à Broadway.

Gigi ? Je n'ose pas lui dire que je ne connais pas le sujet.

Le soir, Johnny m'en parle.

« Tu pourrais jouer Gigi, bien entendu. C'est un rôle pour toi mais... »

Il m'explique :

« Mais j'ai téléphoné à M. Lerner. Je lui ai dit que tu ne savais pas un mot d'anglais. Que pour jouer sur Broadway, il te faudrait sans doute plusieurs années... pour posséder la langue à fond. Au cinéma, les choses sont différentes et pourront se tenter si tu travailles... On peut faire et refaire des prises. Et encore... je ne suis pas sûr de toi. Au théâtre, c'est l'évidence : tu n'as pas de métier de scène, tu n'as pas de formation de comédienne, et tu ne connais pas la langue. Ça fait beaucoup de choses négatives ! »

Je baisse la tête.

Mais, à Hollywood, on peut dire des idées ce qu'on dit des filles chez nous : une de perdue, dix de retrouvées... Il y a une production américaine formidable dont tout le monde parle, c'est *Paris brûle-t-il ?*, François est bien placé quand le sujet vient dans la conversation. Le film [1] raconte la libération de Paris en 1944.

Les Américains ont investi des centaines de milliers de dollars. C'est d'autant plus colossal que le metteur en scène, René Clément est connu pour son perfectionnisme... et n'a rien négligé. Or François a une grande admiration pour lui, qui l'a conseillé à ses débuts :

« C'est un technicien hors pair, dit-il, et il m'a donné ma première leçon de montage. »

Quand les producteurs ont décidé de faire « un film sur le film », un reportage sur ce tournage gigantesque, tout naturellement, c'est François qui en fut chargé. Dans un dîner chez

1. Tiré du livre de Lapierre et Collins.

Pasternak, il raconte comment, cette année où Malraux a décidé de blanchir Paris, Clément s'est empressé de le noircir ! Comment, alors que les antennes de télé poussent partout, Clément s'est empressé de les arracher !

« Je me suis bien amusé, dit-il, à filmer les tanks allemands, place de la Concorde, sous l'œil ahuri des touristes qui n'étaient pas au courant ! »

François est plein d'anecdotes : Yves Montand, tournant la scène tragique où il meurt dans l'explosion de son tank, s'arrêta brusquement en disant : « Je ne peux plus tourner aujourd'hui, je me suis fait mal à un doigt ! »

La distribution est franco-américaine, avec Belmondo, Delon, Charles Boyer, Leslie Caron, Simone Signoret, Claude Dauphin mais aussi Kirk Douglas, Glen Ford, Orson Welles... et la musique est de Maurice Jarre. Il vient de finir la bande sonore, et il est présent dans ce dîner. C'est là que surgit l'idée : Pourquoi ne ferais-je pas l'enregistrement des deux chansons du film ?

Depuis qu'il a signé la musique du *Jour le plus long,* Jarre est une star de Hollywood. Il n'arrête pas. Il a fait *Laurence d'Arabie, Le Train, L'Obsédé, Les Professionnels...* On dit qu'il gagne des fortunes, mais je le trouve aussi drôle et gentil que notre Popaul. Le film sort le 24 octobre à Paris. Je m'affole. C'est la semaine prochaine ! Il me rassure : c'est une valse très simple. Il me la joue :

Que l'on touche à la liberté
Et Paris se met en colère
Et Paris commence à gronder
Et le lendemain c'est la guerre...

Belle chanson. Il me dit qu'il rentre à Paris en même temps que nous et qu'il va me l'apprendre dans l'avion...

Effectivement, à peine est-il sanglé à côté de moi, qu'il me chantonne *Et Paris se met en colère.* Mais je suis fatiguée. Tournent dans ma tête tous ces événements extraordinaires ; des images se bousculent : la milliardaire, l'air d'une vieille marquise, qui regardait Chevalier me présentant comme sa petite fiancée, la bouche ouverte en triturant son collier de perles ; M. Marcus m'offrant l'opéra de Dallas ; le saxo noir dans sa cage de Huntsville ; Joe me tenant par la main dans les couloirs des studios de la MGM et me présentant à tous ceux qu'il croisait : « Ma petite star... », Lily Pons me souriant à mon entrée en scène au Sheraton, la petite fille en robe de velours bleu roi avec son grand nœud, tout embarrassée de son bouquet de fleurs, la tête de Francis Lai tournant au vert et le cigare vert du directeur de la prison... tant d'images, de visages, de voix dans l'oreille... Non, vraiment, je ne peux pas chanter. Je suis fatiguée...

Alors, dans l'avion, Francis prend son accordéon et joue *Paris en colère,* Maurice Jarre bat la mesure ; un à un, nos amis reprennent le refrain, des passagers s'en mêlent... ce qui prouve que la chanson est bonne, qu'elle se retient bien. Comment résister ? Un Américain, avec une grosse voix de basse et un accent du sud, domine la chorale qui fait sourire les hôtesses...

« Vas-y, Mimi ! »

Jarre me donne chaque couplet à la becquée... L'avion n'est plus qu'une valse.

Quand nous arrivons à Orly, je la connais par cœur.

Il n'y a plus qu'à l'enregistrer le lendemain...

13.

UN BOURREAU DE TRAVAIL

Il faut faire le disque en un temps record. C'est horrible, la course contre la montre ; surtout quand il y a, derrière la vitre de la cabine technique, un redoutable pépé Jo, perfectionniste, qui ne laisse rien passer. Heureusement, rien de tel pour apprendre une chanson que de la chanter en chœur. La séance à bord du Boeing d'Air France a été une excellente répétition.Ce n'est d'ailleurs pas une, mais deux chansons, puisqu'un 45-tours a toujours ce que j'appelle un « revers », Johnny me reprenant en termes de métier, une « face B ». Les passagers du New York-Paris doivent la savoir aussi bien que moi ? Elle est aussi belle que *Paris en colère,* bien que le tempo soit différent :

Soldats sans armes, soldats sans visage
Ils vivent dans l'ombre
Sans dire leur nom
Ils se battaient sans pitié, sans merci
Sans fusils
Ils se battaient, ils se battaient, ils se battaient...

Comme je n'ai pas le temps d'aller à Avignon, je la chante au téléphone. Je sens papa très ému au bout du fil :

« Ma petite... ma petite... tu vas en faire pleurer plus d'un ... ! »

Le téléphone a changé de main.

« Allô ! maman !... il ne m'a pas dit s'il aimait ?

— Tu connais ton père quand on parle de cette guerre... (et, à haute voix :) Excuse-le, il se mouche, il est enrhumé ! »

Le gala de *Paris brûle-t-il?* est l'une de ces soirées dont Paris et Georges Cravenne ont le secret. C'est mon premier gala parisien comme spectatrice et ma première robe de gala, toute blanche, longue, recouverte d'un grand manteau de velours bleu (J'y tenais : la couleur de la libellule de mon enfance...). Maurice Jarre m'explique que Cravenne a repris la formule qui avait consacré le triomphe du *Jour le plus long :* la projection du film dans la salle du Palais de Chaillot, suivie du souper dans le grand foyer vitré tout de son long sur la tour Eiffel. Et là, au premier étage de la tour, un grand drapeau tricolore. Sur son blanc se détachait une petite silhouette : celle de Piaf, dont la voix, retransmise sur toute l'esplanade, pénétrait le cœur des invités du palais. Je l'imagine, la minuscule à la voix de géante...

« Quelle chance, Maurice, d'avoir vu cela ! »

Mais, ce soir, c'est tout aussi exceptionnel. Je verse toutes les larmes de mon cœur pendant le film...

« Mon Dieu, Mireille ! tu es toute démaquillée ! Et c'est bourré de photographes ! »

Nicole Stark m'emmène me refaire une beauté avant de gagner la table de Robert Laffont, éditeur du livre de Lapierre et Collins[1], dans la salle du souper. A peine assise, une silhouette, là-bas, sur le blanc du drapeau : celle d'Yves Montand.

Sa voix se fait entendre, émouvante, dans une des plus belles chansons que je connaisse. *Le chant des partisans :*

Ami, entends-tu le vol noir des corbeaux sur nos plaines ?
Ami, entends-tu les cris sourds du pays qu'on enchaîne ?...

L'apothéose est un feu d'artifice. Tante Irène est émerveillée.

Et ce sont les sourires, les embrassades, les « Comme vous êtes belle ! », les compliments, les félicitations...

« Tu as une vie de rêve, me dit-elle. Tu le sais ? »

Oui, bien sûr. Et, pourtant, il me manque quelque chose, un tout petit quelque chose qui me pince le cœur : je n'ai pas chanté ce soir.

---

1. Et comment aurais-je pu imaginer qu'il serait, un jour, l'éditeur du mien !

« Allô, Mimi ? C'est Nadine. M. Stark a reçu la version anglaise de *Mon credo.* Tu peux passer la prendre au bureau...

— Mais comment je vais l'apprendre puisque je sais pas l'anglais ?

— Tu verras... c'est écrit phonétiquement. Comme tu dois le prononcer. »

Ah bon ! Nadine est avenue de Wagram entre trois téléphones qui sonnent. Elle me dit d'aller voir sur le bureau. J'y vais. *Ma-eye cri-i-do.* Ça doit être ça. Ça m'intéresse beaucoup moins qu'un gros album titré *Olympia septembre 66.* Je l'ouvre au hasard. Je tombe sur la coupure du *Monde :*

« Pour moi, Mireille Mathieu c'était une voix, celle de Piaf, et des chiffres : 19 ans, 13 frères et sœurs, 30 000 kilomètres de tournée, 14 heures de travail par jour, 1 million de 45-tours en 6 mois, 7 kilos perdus en 5 semaines, 3 évanouissements en 8 jours, 6,5 de tension, ce qui est peu. Les gens bien informés établissaient un lien de cause à effet entre ce grand succès et cette petite santé. On parlait de surmenage, d'exploitation de la nouvelle idole par son entourage. A la voir à la scène, je crains, hélas ! qu'elle ne soit pas au bout de ses peines. Cette jolie poupée aux joues de porcelaine qui dit je t'aime a encore beaucoup à apprendre... »

Ah oui ! je me souviens que Johnny m'avait parlé de la « poupée de porcelaine ». Et patati et patata, comme on disait à l'école quand la leçon nous ennuyait.

« ... On aura beau agiter l'eau en battant des mains dans une baignoire, on ne donnera jamais l'impression de la houle, de ce qui vient du fond et non de la surface. Et tous les cours de chant, de solfège, de diction, de maintien ne pourront remplacer les leçons de la vie. Mireille Mathieu n'y peut rien, bien sûr. Son manager devrait songer à la mettre à l'apprentissage du bonheur ou de la douleur. Il lui permettrait peut-être aussi de rejoindre, un jour, l'ombre minuscule et gigantesque après laquelle elle court. »

Bon, eh bien, la petite Mimi — il y a des moments, de plus en plus fréquents, où je me parle à la troisième personne — n'est pas aimée du *Monde.* Mais du monde sans majuscule, oui, elle est aimée. Alors ! L'Amérique l'aime... C'est peut-être le temps d'apprendre *Ma-eye cri-i-do...* Je reprends ma feuille quand j'aperçois, dans la coupure suivante, et toujours dans *Le Monde, Lettre de Johnny Stark...* en gros, et en plus petits caractères : « dont voici l'essentiel ».

Voyons ce que pépé Jo peut leur répondre :

« Edith Piaf fut unique et irremplaçable. La comparaison avec une jeune fille qui n'a que huit mois de métier ne me semble pas très réaliste. Je passe mon temps à clamer sur tous les toits que Mireille Mathieu est une débutante... Je me demande ce que vous voulez dire exactement en me conseillant de mettre Mireille Mathieu à l'école de la douleur ? Serait-ce que vous songiez sérieusement à faire vivre à cette enfant l'enfer pathétique qui fut le triste lot d'Edith Piaf ? Allons donc, ce ne peut être qu'un malentendu.

« Quoi qu'il en soit, jamais Mireille Mathieu ne marchera sur les brisées de Madame Piaf dont elle n'a ni les aspirations ni le tempérament. Il faut en prendre son parti. Mireille Mathieu sera Mireille Mathieu. Le fruit est encore vert, je vous l'accorde d'autant plus volontiers que je ne fais que le dire et le répéter, mais ce n'est la faute de personne si le public a plébiscité la petite Avignonnaise avec un peu d'avance sur la maturité de son talent.

« ... Les gens aiment Mireille Mathieu, peut-être encore plus pour ce qu'elle leur donnera que pour ce qu'elle leur donne, avec ce subtil instinct des affaires de cœur qui ne se commande pas. »

Bravo ! Il est formidable, mon pépé Jo. Sans lui, avec tous ces gens, la pauvre Mimi serait morte à peine née. Ah ! il y a encore un petit paragraphe, la réponse à la réponse : ça n'en finit pas :

« ... il est normal que Johnny Stark, fidèle aux devoirs de sa charge, nie tranquillement toute ressemblance entre Mireille Mathieu et Edith Piaf. Hélas ! en dépit de sa spirituelle et retorse réponse, cette ressemblance a été immédiatement perçue par tous les amateurs de chansons. »

Je suis en rogne. Et si *Le Monde* demandait son avis à Maurice Chevalier (plus professionnel qu'amateur, celui-là !)... Je claque l'album. Je serai mieux en Amérique.

Pépé Jo me trouve sagement en train de mâcher *Ma-eye cri-ido.* Je l'embrasse si vigoureusement qu'il paraît surpris :

« Qu'est-ce qu'il te prend ?

— Rien. Je vous aime bien. Sans vous je serais rien. Ça ferait une chanson ça !

— Oui, mais je préfère que tu dises : je NE serais rien.

— Mais ça ferait un pied de trop. »

C'est alors que je m'aperçois qu'il est suivi d'un jeune homme. Il me le présente :

« Gérard Majax. Il va faire la tournée avec toi. »

Sympa. Tout de suite sympa.

« Vous chantez ?

— Non. Je suis manipulateur.

— Vous vous occupez des micros, des machins d'éclairage ?

— Pas des machins, plutôt des trucs...

— Il est magicien, dit Johnny.

— Magicien ! (Je suis éblouie à l'avance.) Vous faites apparaître des petits lapins blancs ?

— Eventuellement... je peux. Mais sur cette jolie moquette, ce serait risqué. Il vaut mieux que j'aide Johnny à boucler ses fins de mois... d'autant que vous êtes une providence, regardez ! »

Il m'a frôlé l'oreille et hop ! il m'en tire une pièce de monnaie, hop ! une autre encore de sous mon bras, du bas de ma jupe, de mes cheveux... J'en suis tout étourdie. Il pose les pièces sur la table : ce sont des vraies.

« Mais... où vous prenez tous ces sous ? »

Johnny se tord de rire : il adore Majax. Moi, ça ne va pas tarder... Ah ! elle va être gaie, cette tournée avec lui ! Je ne pense plus à l'Amérique. Mais Johnny, si :

« Ah ! Gérard... toi qui parles si bien l'anglais... tu peux nous aider. En tournée, je ne vais pas emmener le prof de mademoiselle. Or, je veux qu'elle enregistre *Mon credo* à New York le mois prochain. Pourrais-tu la faire travailler à vos heures creuses ? »

Je regarde mon nouveau professeur. Les cheveux noirs, plutôt bouclés, les yeux malicieux, et les mains... Ah ! les mains !

« Je les tiens de maman, dit-il. Pianiste.

— Et votre papa ?

— Tailleur. »

C'est donc ça : il a l'agilité de l'aiguille et la rapidité des gammes. L'habileté du coup de ciseaux, aussi : il peut faire des choses extraordinaires en découpant un bout de papier. Il a aussi toujours des paquets de cartes dans ses poches.

« Je connais, dit-il, deux cents façons de tricher aux cartes !

— Je jouerai pas avec vous !

— Je NE jouerai jamais, me reprend Johnny, qui ajoute : Tu vois, Gérard, tu pourras aussi lui donner des leçons de français ! »

Quand il est parti, Johnny me demande comment je le trouve :

« Formidable ! Mais ça va l'embêter de me donner des leçons...

— Pas du tout. Il devait devenir instituteur.

— Comment est-il devenu magicien ?

— En faisant des tours à ses petits copains de classe.

— Ah bon ? Comme moi, en somme.

— Comment, comme toi ?

— Eh bien, c'est en chantant pour les petites copines que... voilà !

— La grande différence, c'est que lui a fait Normale Sup et a une licence de psychologie, et qu'il finit toujours ses phrases, si bien qu'on comprend ce qu'il dit ! »

Majax va être la joie de la tournée. Des coulisses, je ne me lasse pas de regarder son numéro en espérant surprendre ses trucs. Mais, au moment où je crois que je vais enfin saisir... pfffft ! c'est terminé, réussi, et il salue.

Où je le préfère c'est quand après le spectacle, au restaurant, entre nous, il opère sous notre nez, à quelques centimètres. On ne voit pas davantage comment il peut faire... et avec n'importe quoi : mon bâton de rouge, la boucle d'oreille de tantine, le mouchoir de la petite choriste, Danièle Licari (qui a une si jolie voix : c'est elle qui doublait Catherine Deneuve dans *Les Parapluies de Cherbourg*) ou de sa copine Jackie Castan. Il fait hurler de rire notre Piccolo... Mon Popaul et Francis ne sont pas, hélas ! avec nous. Je dis hélas ! parce que je n'aime pas trop changer de partenaires, mais ils n'étaient pas libres, et ils ont été remplacés par Armand Motta et cinq musiciens. Cette tournée d'hiver est gaie comme un printemps. On chante en chœur avec les deux chanteurs de la première partie, Michel Orso et Guy Bontempelli et le présentateur Michel Gaillard ; on s'amuse avec les marionnettistes américains, les Trotter Brothers. Eux aussi jouent à devenir mes professeurs, mais... Majax est intrigué par ce blocage dès que je dois parler l'anglais.

« Que se passe-t-il ? Tu n'as pourtant pas peur avec nous ?

— Non.

— Alors ? Qu'est-ce qui t'arrête ?

— Je ne sais pas... »

En dehors de ces leçons laborieuses, on s'amuse... Bordeaux, Toulouse, Montpellier, Marseille... Ah ! Marseille ! C'est presque Avignon ! Toute la famille y est descendue, retenant trois rangs entiers, pour elle et les amis. Ça va chauffer !

« Hein ! Johnny, ça chauffe ce soir ? On voit que les Mathieu sont dans la salle ! »

La réponse est toute drôle.

« Oui, mais tu ne te poses pas de questions les soirs où les Mathieu ne sont pas dans la salle ? Tu ferais mieux de t'occuper un peu moins de ta famille et un peu plus du public. Et ton anglais ? »

Je reste évasive.

« Elle a du mal, dit Majax.

— Avec la prononciation ?

— Aussi, mais surtout avec le texte. »

Il essaie d'expliquer en psychologue :

« Je me demande si, subconsciemment, l'anglais ne représente pas le barrage, voire la séparation avec la famille... »

Entre les villes, il y a parfois pour moi des retours à Paris. C'est une télé avec Sacha Distel où nous chantons en duo *Un homme, une femme ;* c'est un rendez-vous avec Maurice Chevalier convenu depuis New York : je viendrai l'aider à une distribution de friandises aux vieux et vieilles de son « village », Ménilmontant. Le jour est arrivé. J'ai pris le train de nuit après le spectacle de Lyon... et me voilà rue des Pyrénées jouant l'ange assistant le père Noël — Maurice, merveilleux, rentré depuis peu d'Amérique où il n'a pas arrêté de donner des récitals... Il me dit que, dans l'avion du retour, il a voyagé avec Sagan, Chazot, Aznavour « et sa jolie Suédoise » :

« Il est si amoureux qu'il ne s'est pas préoccupé particulièrement de moi ! Le plus ouvert, et j'en fus surpris, fut Chazot, qui vint s'asseoir près de moi, pour me dire des tas de choses gentilles, alors qu'il a la réputation d'avoir l'esprit cruel. Or il est si généreux que, lui ayant fait la remarque qu'il avait une jolie épingle de cravate, il me l'a donnée ! Je ne savais plus où me fourrer. »

Et comme son secrétaire, François Vals, et Félix Paquet viennent apporter encore des boîtes de chocolats et de conserves, on continue notre distribution.

« La chance qu'on a, Mimi, de faire ce métier ! On côtoie les plus grands mais aussi les plus humbles... Regardez-les. »

Ils sont comme des enfants émerveillés, ces deux cents pauvres vieux, si fragiles, si démunis...

« N'abandonnez jamais le métier, Mimi ! Je ne suis pas d'accord avec Garbo. Quand le public vous aime, il accepte de vous voir vieillir. Elle se devait d'aller au bout, avec et pour son public. C'était mieux, plus courageux que de céder à l'angoisse de perdre sa couronne...

— Je vous promets. Je n'abandonnerai jamais... »

Et je reprends vite mon train avec tantine pour chanter le soir même à Lyon.

Un autre aller-retour pour une soirée privée chez l'ambassadeur Hervé Alphand : il y a là Pierre Cardin, le Premier ministre Georges Pompidou et sa femme Claude, l'écrivain Romain Gary et son épouse si fine, si ravissante, Jean Seberg. Elle me fascine pour une bonne raison : elle a tourné *Jeanne d'Arc.* Mon héroïne favorite ! Je n'ai pas vu le film, mais je l'imagine. Au cours de la soirée, elle ne fera qu'une allusion à l'enfer que fut pour elle le tournage, alors qu'elle n'avait que dix-neuf ans. « Ce fut dur, trop dur... cela m'a marquée... » Elle n'a d'yeux que pour Romain Gary, et lui, pour elle. Alors je n'ose pas l'interroger sur *Jeanne d'Arc,* mais quand elle sait que je dois repartir pour Hollywood avec des propositions de films au bout du voyage, elle a un petit sourire fragile et me dit simplement : « Bon courage !... »

La tournée va s'achever juste avant trois musicoramas sur la scène de l'Olympia organisés par le journal *Elle* et Europe 1. Je dois donc chanter trois fois mes dix chansons, dont *Géant :*

> *Un homme est venu dans le grand désert hurlant*
> *Comme un grain de blé porté par le vent...*

Ce qui me fait plaisir, c'est que la plupart d'entre elles sont déjà si bien dans l'oreille du public que, dès l'intro, il applaudit... même *Paris en colère,* la dernière sortie.

Le soir, Fernand Raynaud vient m'embrasser en me disant :

« Je t'admire. Moi, à côté, j' bricole ! »

Comme il est modeste et tendre... A 19 h 10, je sors de l'Olympia et je n'ai que le temps d'aller à la vente de charité organisée par Mme Claude Pompidou. Je me sens vraiment minuscule auprès d'elle... mais, depuis le dîner chez l'ambassadeur, ses yeux bleus m'ont mise à l'aise. Elle ne sait, dit-elle, comment me remercier car elle sait que je vais prendre tout à l'heure l'avion de Marseille. Nous nous envolons à 22 h 30 avec François Reichenbach et son équipe. Il lui manque quelques prises de vues à Avignon pour achever son film, *Le Conte de fées de Mireille Mathieu,* programmé pour la fin de l'année. C'est-à-dire dans quinze jours... Mieux : après-demain, François nous accompagne à Los Angeles parce qu'il veut aussi prendre des images du show avec Danny Kaye qui a lieu le 19... Autrement dit, nous sommes tous sur les chapeaux de roues. Tantine et Nadine font les bagages. Cette fin d'année en Amérique prend les allures d'un départ en force. Barclay revient avec nous, et Johnny emmène non seulement Nicole mais Vincence. Et, au milieu de ce tohu-bohu, je reçois une lettre de Johnny pour me remettre les pieds sur terre. Elle est en date du 15 décembre 1966 (pendant les musicoramas). Elle est sévère :

« Ma chère Mireille.

« Je ne voudrais pas que le fait de t'envoyer une lettre de reproches à la fin de chaque tournée devienne une habitude, mais, pourtant, il faut encore une fois remettre les choses au point dans ton intérêt.

« Je ne suis pas très satisfait, vois-tu, de la tournure qu'ont pris certains éléments de ton tour de chant, et il me paraît nécessaire de faire au plus vite les corrections qui s'imposent. La concurrence sait profiter de la moindre de tes défaillances, ce qui, d'ailleurs, est dans la logique des choses.

« Tout d'abord, tu ne sembles plus croire à ce que tu chantes, ton interprétation manque terriblement de sentiment, et tu n'es plus du tout convaincante. C'est grave.

« Ensuite, loin de s'améliorer, ta diction va de mal en pis. Vois par toi-même le mal que j'ai eu la semaine passée pour te faire prononcer correctement le nom de Charles Aznavour.

« Il me faut te dire aussi que tu chantes souvent hors du ton et qu'il faut réviser ta mise en scène. Enfin, tu es fraîche comme une rose, mais tu te maquilles tant et si mal (surtout dans la journée) que bien souvent tu as l'air d'une vieille femme devant les journalistes.

« Il va falloir repartir de zéro. Il faut que tu te reprennes, et je suis certain que tu vas faire les efforts nécessaires pour corriger ces déviations.

« Je ne mets pas une seconde en doute ton énorme bonne volonté, mais il est de mon devoir de te faire toucher du doigt combien il est facile de s'égarer sur le redoutable chemin du succès.

« Du courage, ma petite Mireille, un jour, quand tout sera parfait et que tu seras la plus grande de toutes, je ne viendrai plus te houspiller comme un chien de troupeau.

« Je t'embrasse fort.

« Johnny Stark. »

Je suis atterrée. Je sentais bien depuis quelque temps que pépé Jo n'était pas très content. Tantine, qui a lu la lettre avant moi, me trouve en larmes.

« C'est vrai que je chante faux, que j'ai l'air d'une vieille, qu'on me comprend pas, que je suis plus convaincante... ?

— Tu connais Johnny... Il est méridional comme nous, il exagère toujours un peu. Mais... c'est vrai que tu étais un peu moins bien ces temps-ci, on dirait que tu penses à autre chose... »

C'est injuste. Je pense souvent à la mamet qui est morte sans me revoir... Comment peut-on dire que je manque de sentiment, alors que j'ai le cœur souvent trop plein...

« Peut-être, dit Tantine. Mais ce qu'on ressent, on n'arrive pas toujours à l'exprimer... C'est, je pense, ce qu'il veut dire... Pour le maquillage, il n'a pas tout à fait tort non plus... On te le dit souvent, que tu te maquilles trop. Et c'est vrai que ça vieillit. Mais tu es têtue... Et c'est vrai que tu butes toujours sur certains mots... »

Ainsi, Tantine donne raison à pépé Jo.

« Après nous, c'est lui qui t'aime le plus. Et quand on aime, on dit la vérité. Tu ne voudrais pas qu'il te mente ? Tu as entendu beaucoup de compliments ces temps-ci. Les compliments ne sont pas toujours vrais.

— Les reproches non plus !

— Tu sais bien que si... en partie.

— Mais j'ai trop de choses à penser en même temps ! Comment me tenir à table, comment marcher, comment saluer, parler un français correct quand je ne sais plus ce qui est incorrect et ce qui ne l'est pas, articuler, travailler sa voix, travailler l'anglais, apprendre les nouvelles chansons, rester dans le ton, ne pas rire à gorge déployée, ne pas trop manger, apprendre à danser, ne pas oublier de respirer, dormir beaucoup quand on ne peut pas s'endormir parce que tout ça vous trotte dans la tête et que, justement, on a mal à la tête, recommencer et recommencer... ! C'est un bourreau ! »

Tantine me laisse tempêter et pleurer. Quand c'est un peu calmé :

« Tu peux toujours retourner à la manufacture...

— Elle a fait faillite !

— Tu en retrouveras une autre. En France, il y a plus de manufactures que d'Olympia. Tu y réfléchiras dans l'avion. »

Evidemment, c'est tout réfléchi. Je sais même, au fond, tout au fond de moi, que je n'abandonnerai jamais.

14.

LA CRISE

Ma vie ressemble au ciel d'Avignon. Jamais noir pour longtemps, il y a les éclaircies et le soleil revient toujours... avant l'orage qui revient, lui aussi, dès qu'il le peut. Avec violence. Mais un bon coup de mistral, aussi violent, le chasse. Et tout recommence !

Nous sommes de nouveau à Los Angeles. En studio, avec Danny Kaye. Il a toujours l'air d'un petit garçon avec ses pantalons trop courts.

« Savez-vous pourquoi j'ai des pantalons trop courts ? (Pierre Grelot me traduit.) Parce qu'il y a toujours quelqu'un pour me demander : " Mais pourquoi donc portez-vous des pantalons trop courts ? " Et cela facilite les rapports humains ! »

Il a aussi des baskets qui ont la particularité de tenir sans lacets...

« Je les fais faire sur mesure avec un petit habitacle pour chaque orteil. Très important : le pied, c'est la santé de la tête ! »

Et il se tape joyeusement sur le crâne. Je chante deux chansons dont l'une doit être un vrai sketch avec lui. C'est une chanson douce, amoureuse, dont Jamblan a écrit les paroles sur une gamme qui monte et qui descend tout tranquillement.

DO : *En écoutant mon cœur chanter*
RÉ : *Je vous retrouve à mes côtés*
MI : *Me serrant très fort pour danser*
FA : *Guettant la nuit pour m'embrasser*

SOL : *Murmurant des folies tout bas*
LA : *Ne pensant qu'à rire aux éclats*
SI : *Ou me faisant fermer les yeux*
DO : *Avec un frisson merveilleux...*
DO : *Me pressant doucement les doigts*
SI : *Comprenant mes secrets émois*
LA : *Prenant l'air d'une enfant gâtée*
SOL : *Quand vous voulez tout emporter*
FA : *Et soudain les yeux éperdus*
MI : *Me rendant mon bonheur perdu*
RÉ : *Tout redevient réalité*
DO : *En écoutant mon cœur chanter...*

Johnny m'a donné la marche à suivre : tandis que Paul Mauriat est au clavier, ayant obtenu la permission — rarissime, avec les syndicats de musiciens draconiens — de m'accompagner, je chante, imperturbable, en regardant Danny Kaye qui, lui, me répond en anglais sans comprendre un mot de ce que je lui dis... ce qui, naturellement, est réciproque. L'effet doit être énorme à en juger à la répétition par les éclats de rire des techniciens. Je n'ai pas beaucoup de mal à le faire puisque, en vérité, je ne comprends effectivement pas ce que Danny balance ! Mais l'important est de ne pas craquer devant ses mimiques...

« Tu sais, Mireille, me dit Johnny avant la prise répétition, n'aie pas peur de jouer le personnage de la fille qui ne comprend rien.

— C'est facile, Johnny, je ne comprends vraiment rien !

— Surtout, ne bouge pas, continue à chanter quoi qu'il arrive, bien dans le tempo doux, et, très important, NE RIS PAS !

— Oui, Johnny. »

J'aime cette chanson. Elle me change de toutes les autres. Elle est d'une simplicité désarmante. Et désarmante, c'est ce que je suis aussi, je pense, face à un Danny qui commence à me parler doucement, et s'excite, et s'emballe et peut-être, finit par m'insulter... Va donc savoir !

« Stop ! »

Dans le studio, c'est un énorme applaudissement, et le fou rire explose à force d'avoir été contenu.

Danny est délirant.

« *She is a revelation... !* »

Il est si enthousiaste qu'il nous invite à souper chez lui ! Dans l'euphorie la plus complète, on arrive dans sa maison, bien entendu à Beverly Hills, comme il se doit quand on est une vedette hollywoodienne. Elle est à peu de chose près comme celle de Joe Pasternak (qui d'ailleurs, nous escorte). C'est toujours le style colonial, le parc environnant la maison avec piscine.

Celle de Danny a pourtant une particularité qu'on ne trouve nulle part ailleurs : elle a deux cuisines. Une immense à l'américaine, où le vrai plaisir est d'y manger... et une autre, non moins immense... chinoise. Car Danny est un fou de gastronomie, cuisinier lui-même, collectionneur de recettes et même inventeur !

« Et pourtant, dit-il, je mange très peu... mais je goûte beaucoup ! Laquelle voulez-vous ? »

Naturellement, on vote pour la chinoise. Et nous voilà ébahis, le regardant faire. Il y a deux fours énormes et une vieille cuisinière chinoise qui, nous dit-il, a quatre-vingt-trois ans, ce qui est bien possible car c'est une pomme reinette avec deux fentes pour les yeux. Et une troisième pour la bouche ! La Chinoise est en fait son marmiton : il ordonne, et la voilà à l'œuvre pour éplucher l'ail, l'oignon et je ne sais quels ingrédients. Il nous dit que, vu la colonie chinoise en Californie, il y a dans ce pays les meilleures épiceries avec tous les produits, « comme à Pékin » !

Nous avons terminé la répétition vers 20 heures, mais il faut un peu patienter avant que le dîner soit prêt. Il est déjà 10 heures du soir et la Chinoise épluche toujours : avec une vivacité extraordinaire, à peine a-t-elle fini que Danny s'empare de ce qu'il lui faut et, dans un grand délire de gestes qui nous fait pouffer, il prépare cette fameuse cuisine dont on dit qu'après (ou avant, selon la latitude) la cuisine française, elle est la meilleure.

D'ailleurs, au passage, Danny nous apprend qu'il est intime avec les plus grands chefs de chez nous. Dans ce domaine, Johnny peut soutenir la conversation. La cuisine est aussi sa passion. Leurs amis sont les mêmes : Bocuse, Troisgros, Haeberlin, Oliver... Alors, on voit Danny et pépé Jo échanger leurs « trucs » empruntés aux stars des fourneaux.

« Je peux vous recevoir chez moi toute l'année, et je ne vous servirai jamais le même plat ! »

Sa femme Sylvia le laisse faire. Elle ne se mêle pas des casseroles, elle a plus souvent en main le stylo qu'une cuillère : elle lui écrit ses sketches. Notamment, celui qui le fit engager par Samuel Goldwynn, qui s'en étrangla de rire : en partant de Tchaïkovski, il enchaîne cinquante-six noms de compositeurs russes en trente-six secondes !

Pour nous faire patienter, il débouche le champagne et fait un numéro de serveur dont on craint à tout moment qu'il lâche la bouteille...

Brusquement, il me dit :

« Mireille, vous habitez Avignon ? Vous ne voulez pas téléphoner à vos parents ?

— Ils n'ont pas le téléphone... C'est-à-dire que je téléphone chez l'épicier... »

La nouvelle paraît l'enchanter. Il adore les épiciers !

« Mais il est trop tard. Ils doivent dormir à cette heure-ci.

— Mais non, voyons, et le décalage horaire ! »

Et voilà, au bout du fil, la Croix-des-oiseaux. Je demande à l'épicière si elle veut bien aller chercher mon papa... On attend sept à huit minutes pendant lesquelles Danny baragouine du pseudo-français à la pauvre épicière. Enfin :

« Voilà, M. Mathieu !

— Allô, papa ? Je suis avec Danny Kaye !

— Qui c'est, ça ? »

Je suis un peu gênée pour donner les explications.

« C'est une très grande star de cinéma, très comique..

— Fernandel ?

— Non. Pas vraiment.

— Demande-lui donc si on connaît Fernandel en Amérique ? »

On traduit. Il répond qu'il connaît très bien ; il vient souvent en France, il connaît Fernandel et la bouillabaisse : on traduit.

« Et on boit à ta santé, papa. Comment va maman ? Ça se

voit maintenant (et j'ajoute, pour l'édification de M. Danny Kaye :) parce que j'attends un petit frère ! »

Traduction et nouvelle coupe de champagne à la santé de maman. Je n'ai pas l'habitude de boire, tandis que Danny a hérité de ses ancêtres russes celle de faire cul sec. Johnny me fait des gros yeux, que je ne vois pas, et tantine est bien trop éblouie pour oser me faire une réflexion. Je me sens si bien dans cette cuisine... Danny dit brusquement :

« Vous connaissez Simone Signoret ?

— De nom... »

Le voilà qui appelle Simone Signoret, en ce moment à Hollywood, où elle a une cote extraordinaire. Il lui demande de venir dîner et nous assure qu'elle arrive. En l'attendant, champagne !

« Mireille, tu sais, demain, il y a l'émission... Il faut que tu dormes. C'est très important pour toi, me dit Johnny à mi-voix.

— Oh ! on reste encore un peu... et j'ai faim ! »

Quand Simone Signoret arrive, il est 2 heures du matin. Dès qu'elle est là, l'atmosphère change. Elle monopolise l'attention, elle est à la fois bourrue et fascinante. Elle parle admirablement l'américain, et c'est au tour de Danny de rire, de rire... la Chinoise nous sert enfin le menu exquis préparé. Je suis sûre que les Chinois ne dînent pas au champagne, mais Danny continue d'ouvrir les bouteilles... Il faut trinquer à notre émission, au dernier film de Simone (« Avec celui-ci, je suis sûre de ne pas avoir l'Oscar ! »), au prochain de Pasternak, et Joe en profite pour parler de son projet avec John Wayne et... Mireille Mathieu.

« Ainsi, vous voulez faire carrière en Amérique ? me dit-elle.

— ... Oui, Madame. »

Elle hoche la tête :

« Je vous souhaite bien du plaisir... »

Et elle enchaîne en parlant de la guerre du Viêt-nam. Ce qui aggrave tous les visages, surtout celui de Danny qui ne peut oublier ceux des enfants qu'il y a vus... la soirée, commencée dans la joie, se termine, pour moi, dans une sorte d'angoisse, d'autant que, dans la voiture, Johnny me dit :

« Tu as bu. Beaucoup trop bu. Pour moi, tu es encore une

petite enfant. Tu n'as pas la capacité d'un Danny ou d'une Simone ! Et tu as besoin de sommeil. Ta grande force, c'est dormir, et il est 4 heures du matin ! Tu dois être au studio à 13 heures. Il faut que tu te lèves à 11 ! Enfin, vous, Tantine, vous auriez dû la stopper ! »

Quand elle me réveille, je me sens toute pâteuse et molle. Je me dis que passer entre les mains de la coiffeuse du studio va me réveiller : c'est le contraire qui se produit, je m'endors sous le peigne.

Répétition. Ce n'est pas la joyeuse ambiance de la veille. Est-ce parce que les techniciens n'ont plus l'effet de surprise ? On boulonne dans le silence. A la fin d'*En écoutant mon cœur chanter* je n'entends que la voix sèche de Johnny :

« La voix n'est pas bonne. Ce n'est pas bien du tout. »

Je le sais. Dans la loge, en attendant l'émission, tantine, soucieuse, prépare le tilleul, et Johnny n'entre que pour me dire « que je suis priée de ne pas ouvrir la bouche avant l'émission ».

Je sais que j'ai eu tort. Mais comment résister à ce phénomène Danny Kaye, si merveilleux, plein de charme, de drôlerie ?

L'émission. A la fin de la séquence, il m'embrasse : « *Fabulous !* » Ça me rassure. Pas pour longtemps. Aussitôt dans notre bungalow, Johnny explose :

« Si tu avais travaillé comme hier à la répétition, tu ramassais les Etats-Unis ! Ce soir, c'est toi qui te ramasses !

— Danny m'a dit...

— Danny t'a dit parce qu'il est gentil ! Mais la vérité, c'est que tu t'es ramassée ! Qu'est-ce que tu crois, Mireille ? Que l'Amérique t'attend ? Des jolies filles, des filles avec des voix, des filles qui ont du talent, il y en a des queues entières dans les bureaux des impresarii ! Des filles qui crèvent la faim et qui veulent s'en sortir. Toi, tu te reposes sur tes lauriers depuis quelque temps... ! Or tu es fragile. Ta voix est fragile. Ton physique est fragile. Et, malheureusement, je vois que ton moral est fragile ! »

Il claque la porte. Et rentre dans son bungalow retrouver Nicole et Vincence.

Je pleure une partie de la nuit, tant et si bien que, le lendemain matin, je suis enrouée. Tantine me prépare du

Synthol pour me gargariser. C'est l'horrible journée, sans bonheur, celle où je dois dans la froideur d'un studio enregistrer en anglais *Mon credo...* Ecouteurs aux oreilles, j'entends défiler la bande-son. Naturellement, je prends le mauvais départ.

« Recommence ! »

Le texte phonétique est devant moi, tellement absurde... « Il » va m'interrompre, c'est sûr. On recommence, on recommence, on recommence. Je vois le technicien américain qui hausse les épaules.

« On ne comprend rien à ce que tu dis. »

Je sais que je bafouille. J'en ai comme une crampe dans le ventre... et elle me gagne partout.

« Inutile d'aller plus loin, Mireille. »

On plie bagage dans la cabine technique. Tantine me regarde, très pâle. Elle me tend mon manteau, mon sac. On sort sans un mot. Dans la voiture, Johnny ne dira rien de plus que :

« Tu ne feras pas le disque. »

C'est en somme mon deuxième échec. Il reste le cinéma... Joe Pasternak n'a pas l'air impressionné par ce que Johnny appelle « ma mauvaise performance ». Pour lui, c'est une réussite. Le show Danny Kaye a fait connaître sa petite star comme il persiste à m'appeler. Il donne un cocktail, un de plus, chez lui, et son enthousiasme, l'accueil, me font, sinon oublier, du moins minimiser ce qui s'est passé. Nous arrivons avec Nicole, Vincence. Et, dès l'entrée, Joe crie à la cantonade :

« Voilà ma petite star ! »

Il arrête le premier serveur qui passe en me demandant :

« Vodka ? »

Et je réponds, parce que je crois que c'est poli, et que chez lui la vodka est très à l'honneur :

« Oui, vodka ! »

C'est fort, très fort. Je ne sais quel diable me pousse. Est-ce pour surmonter le chagrin qui m'a envahie depuis deux jours, la détresse, l'évidence de ma faiblesse ? Joe, enchanté, me sert le deuxième verre que je bois comme Danny Kaye sait le faire : cul sec. Johnny me fusille du regard, mais je ne le vois pas. Je ne veux pas le voir. Inconsciemment, il y a peut-être du défi. Franchement, je ne sais pas. Je bois parce que je n'aurais peut-être pas eu le courage de rester. Et je propose tout de suite à Joe :

« Vous voulez que je chante ?

— Yeah ! »

Et me voilà à tue-tête, enfilant mon répertoire...

Les Américains de Hollywood adorent ce genre de soirée improvisée, décontractée, où l'on boit beaucoup, où l'on parle peu, où une certaine extravagance empêche de s'y ennuyer. Ma sortie met en joie et balaie tous mes complexes. Je sais que je me déchaîne et que je délire mais c'est une façon d'oublier les deux jours précédents. J'ignore qui est là. Je chante même des chansons qui ne sont pas à moi. *Je chante... je chante soir et matin,* et on y va avec Charles Trenet ! Quand j'annonce *La Marseillaise,* Tantine, horrifiée, m'entraîne vers les Ladies' Room pour me passer de l'eau fraîche sur la figure...

Je croyais savoir ce qu'était une colère de Johnny, eh bien, non. Nicole entraîne Vincence vers leur bungalow et dans le nôtre, il me traite de tous les noms, même de « bagasse » :

« Tu as chanté comme une bagasse saoule ! Tu ne te rends même plus compte de ce que tu fais ! Je ne te gifle pas parce que je n'ai jamais encore battu une femme ! Mais c'est fini, Mireille. Tu comprends ce que je te dis ? Je te laisse tomber. J'ai déjà pris un grand coup avec l'émission de Danny Kaye. Un second avec le disque raté. Ton exhibition chez Pasternak, alors ça... !

— Ils avaient l'air très contents, dis-je de ma voix la plus douce, complètement dégrisée.

— Eh bien, pas moi ! Ta voix déraillait. Et il y avait Hedda Hopper dans un coin... !

— C'est une cantatrice ? »

Il lève les bras au ciel :

« Non ! C'est la plus redoutable des commères de Hollywood ! Elle défait les réputations ! Je voulais faire de toi une superstar ! En deux jours, tu ruines un an de travail ! Est-ce que tu sais ce que j'ai risqué pour toi ? L'abandon de toutes mes affaires ! ta vie de princesse ! et tu te conduis en bagasse ! »

Tantine, bouleversée, essaie de le calmer :

« Johnny ! n'employez pas ce mot-là ! C'est une gentille petite !

— Voilà ! une gentille petite d'une gentille famille très méritante... Je me suis trompé ! Sa voix m'a trompé : j'ai cru à une graine de star ! J'ai cru que c'était une Liza Minnelli ! Mais

Liza, elle est née dans le show-biz. Elle a ça dans le sang. C'est comme Johnny. Des enfants de la balle. Hallyday, il est né là-dedans ! Il sait tout. Quand je lui disais : " J'aime moins cette chanson-là... ", il m'en sortait une autre et il entrait en scène, sans même avoir besoin de répétitions ! Un génie ! »

Il paraît soudain abattu, et ça, c'est pire que tout. Je crois que je le préfère en colère.

« C'est vrai, dit-il. Ce n'est pas sa faute. C'est la mienne. Jusqu'à présent, je l'ai maintenue à bout de bras. Mais mes bras tombent. Je me suis trompé. Elle n'est pas faite pour faire ce métier. Elle est faite, comme sa mère, pour avoir quatorze enfants...

— Mais ce n'est pas vrai, Johnny ! »

Je ne peux pas lui laisser dire ça :

« Toute ma vie, j'ai pensé à chanter. Je ne suis heureuse qu'en chantant. Je ne pourrais pas faire autre chose ! »

Et je m'enfuis dans ma chambre.

Il y a un grand silence.

La voix de Tantine me parvient. Elle lui dit qu'il ne peut pas me laisser tomber maintenant, que ce serait cruel, qu'il ne peut pas prendre la responsabilité de me rejeter dans la vie d'avant :

« Elle a fait des efforts terribles pour s'en sortir. Peut-être parce qu'elle n'est pas née dans le show-biz... comme vous dites. Je ne sais pas moi comment sont les autres ! »

Jamais je n'ai entendu tantine parler autant. Calme, douce et nette. Elle lui dit encore que l'année a été si dure pour moi : du jour au lendemain, mener un train d'enfer et passer par toutes les émotions extrêmes, les fans, les détracteurs, les triomphes, les grandes peines.

« N'a-t-elle pas chanté, le soir de la mort de la mamet, comme une professionnelle ? »

Johnny se remet à hurler... un peu moins fort. Mais est-ce professionnel de ne pas être foutue, au bout de six mois de leçons, d'articuler une chanson en anglais ? de rater sa carrière aux Etats-Unis, alors qu'il misait tout là-dessus... ? Tantine dit qu'elle comprend ; elle connaît l'investissement : tout l'argent que ça coûte, les voyages, l'appartement, la garde-robe. Johnny se radoucit : ce n'est pas une question d'argent ! Il n'a jamais vécu pour l'argent ! L'argent, il est fait pour circuler et servir. Il lui est déjà arrivé de rater des affaires... Mais, dans l'affaire Mathieu, il s'est investi, lui, complètement. Au point de renoncer au reste :

« Vous rendez-vous compte que je suis obligé de lui consacrer tant de temps que j'en arrive à ne presque plus voir ma femme et ma fille ! »

Sa colère remonte et le submerge :

« Si elle continue comme ça, à boire, à se coucher tard, à délirer, dans trois mois, elle n'a plus de voix. Et sans voix, il n'y a plus de Mireille Mathieu ! »

Toujours calme, un océan de douceur, Tantine répond que, certes, j'étais « un peu pompette »... parce que je ne savais pas ce qu'était l'alcool, que, par politesse, j'ai accepté, mais que jamais on n'a bu dans la famille !

« Elle ne recommencera plus, je vous le jure... Johnny, vous ne pouvez pas la laisser tomber. Pas maintenant en tout cas. Pas à quelques heures de Noël... vous ne pouvez pas lui faire ça. »

Encore un silence. Et puis :

« Soit. Je vous accorde la trêve des confiseurs. »

La porte claque.

Le lendemain, il ne parle plus de rien. La vie continue.

Johnny a décidé de fêter Noël à Disneyland. Je suis enchantée parce que je n'ai vu, la dernière fois, ce royaume de conte de fées qu'en courant, le temps de faire des photos sur fond de château de *La Belle au bois dormant*...

Une des dernières « attractions » nées a demandé, paraît-il, plus de six ans de mise au point. On fait la queue pour la voir. Il s'agit ni plus ni moins de « Mr. Lincoln ». La foule qui se présente dans le théâtre a l'impression d'entrer au Congrès à Washington. Nous sommes admis, par paquets de deux cents environ, dans une salle équipée de jolis fauteuils. Le spectacle met le public dans un tel état de recueillement que je me dis : « Cet homme-là, c'est leur Jeanne d'Arc. »

C'est hallucinant. On le croirait en chair et en os. Il se lève de son fauteuil, nous fait face, nous regarde, nous parle...

« Qu'est-ce qu'il dit, Johnny ?

— Il parle de la foi, de Dieu protégeant les Etats-Unis... C'est le texte d'un discours authentique... »

Il parle, il est vivant, ce président mort en 1865. (J'ai lu la plaquette sous son portrait en entrant.) La peau, les cils, les rides mêmes... Je suis émerveillée et effrayée en même temps. Et si, un jour, il n'y avait plus que des spectacles comme celui-là ? avec des automates à la place des artistes ? Pépé Jo n'aurait plus à craindre un verre de vodka de trop ou une extinction de voix. Tout serait parfait, sans risque. Je ne peux pas m'enlever de la tête cette histoire, contée par Joe Pasternak, de Mario Lanza chantant dans un film avec le corps d'un autre. Pourquoi ce corps ne serait-il pas, un jour, celui d'un automate plus-que-parfait ? J'en ai la chair de poule.

Pour Vincence, les vacances se poursuivent à Hawaï. Pour moi, ce n'est pas tout à fait vrai car, si nous y sommes de retour, c'est pour un film de la télévision japonaise. Il faut que je recommence mes « coulisses de l'exploit » : que je remonte dans une pirogue conduite par une Hawaïenne vêtue essentiellement d'un collier de fleurs et que je navigue parmi les dauphins. Vincence, elle, qui n'a pas peur de l'eau, trouve ça « génial ! », il faut aussi que je pêche le barracuda... Je ne sais pas comment j'ai fait, mais j'ai réussi à en prendre dix... à la grande joie de l'opérateur japonais beaucoup plus impressionné, me semble-t-il, par ma pêche que par ma voix.

Johnny ne m'a pas parlé « métier ». Au point que je me demande si, dans sa tête, il ne m'a pas abandonnée...

Maintenant que nous sommes de retour à Los Angeles, c'est la répétition pour le show d'Andy Williams.

Andy Williams est un crooner à la voix chaude, adoré des familles car il a à son répertoire toutes les chansons célèbres de Gershwin, Cole Porter, toutes les chansons traditionnelles. Et son show est aussi une tradition annuelle que personne ne veut manquer. Paul Mauriat a fait les orchestrations, et Andy, dont l'oreille est très sûre, les trouve superbes[1]. Paul m'a fait

1. Paul Mauriat ne sait pas encore qu'il va faire une brillante carrière aux Etats-Unis.

travailler pendant une heure pour bien chauffer la voix. J'ai le trac. *Un homme, une femme* et *Paris en colère,* deux chansons de films... ça devrait leur plaire. Répétition. J'ai l'œil sur la montre. C'est que je voudrais bien téléphoner à Avignon pour leur souhaiter la bonne année. Mais, sur le plateau, c'est le plein boom, le réglage des éclairages... la dernière mise en place. Tantine, qui est là avec le tilleul, me dit doucement :

« Si j'étais toi... j'oublierais Avignon.

— Mais voyons, tantine, c'est pas possible !

— Je l'oublierais... pour le moment. Concentre-toi. Si tu dois recommencer deux fois, quatre fois, six fois, ça retardera d'autant ta communication.

— Alors, toi, tantine, vas-y : dis-leur que je chante, mais que je pense à eux... dès que j'ai fini, je les appelle. »

Je les imagine : réunis chez M. Colombe pour regarder la télévision. Car tandis que je passe ici en direct avec Andy, je suis présente en France sur les deux chaînes, en souhaitant « une bonne année 1967 » sur l'une et avec le film de Reichenbach sur l'autre.

Miss Ma-ti-ou : c'est à moi. Lumières. Le nez brille. Il faut repoudrer. Il est 15 heures. Cela fait juste minuit en France...

On reprend huit fois... 15 h 45... ça fait presque 1 heure du matin. Avec *Paris en colère* ce sera peut-être plus facile. Pas tellement. Un raccord d'orchestration... La voix de Johnny tombant de la cabine technique :

« On recommence pour toi, Mireille : je voudrais que tu donnes un peu plus de force ! C'est une chanson guerrière, ce n'est pas *La Dernière Valse...* »

Je reprends. Avec un petit déclic : pépé Jo m'a reparlé comme avant. Non, il ne m'a pas abandonnée. Pas encore cette fois-ci.

La répétition se termine : 16 h 30. Je me précipite sur le téléphone.

« Allô ? maman ? »

Non. C'est Mme Colombe. Ils sont partis, me dit-elle, depuis un quart d'heure. Ils ont attendu, mais... les enfants étaient fatigués, ça dormait déjà dans tous les coins. C'est qu'ils étaient déjà là à 9 heures du soir pour voir *le Conte de fées de Mireille Mathieu...* Ça faisait long pour les petits. Ils ont dit que l'épicier serait chez leurs cousins demain, forcément, puisque c'est férié. Le libraire aussi sera fermé. Mais si je veux laisser un message, elle ou son mari se fera un plaisir de leur porter demain.

« Merci, madame Colombe. Eh bien, dites à maman que je lui souhaite un beau petit garçon ; et puis, à papa, beaucoup de bonheur et de tombeaux ; à Matite, Christiane et Marie-France, un bon mari ; à...

— Attendez je note... à Marie-France aussi, un bon mari ?

— Oui. C'est pas facile quand on est loin de dire tout ce qu'on voudrait dire... Si je les énumère tous... ça va faire long. Alors, en bloc, du bonheur à tout le monde. Et pour M. Colombe et vous aussi !

— Pour toi, pareil, Mireille ! Tu étais mignonne dans le poste ! »

C'est la première fois que je ne leur souhaite pas la bonne année. Je me promets que c'est la dernière : l'année prochaine, dans leur nouvelle maison, ils auront le téléphone ! Ça, je le jure. Je serre ma petite médaille de la Vierge dans la main. Celle que papa m'a donnée. Je me sens ragaillardie. Je n'ai plus peur de rien. Je continue. Et Johnny aussi, avec moi. Je le jure !

Et c'est au tour de Los Angeles de sonner minuit. Tout le monde s'embrasse. Il y a des klaxons, des feux d'artifice et des lumières partout. Champagne. « Bonne année », dit Mireille à pépé Jo, et pépé Jo lui répond « Bonne Année » en ajoutant à mi-voix :

« Tu peux remercier ta Tantine. Si elle n'avait pas été là, je te laissais tomber. Merci et tous mes vœux, Irène. »

Elle sourit, avec son petit air modeste. L'année a failli finir en catastrophe. Je ne suis pas fâchée de l'enterrer, malgré tout ce qu'elle m'a apporté. J'ai l'impression d'avoir vécu trois vies en douze mois : celle de Mimi, vous savez bien, la petite du tailleur de pierres qui fait des enfants presque tous les ans, celle de Mireille Mathieu, vous la connaissez, la nouvelle idole qui veut conquérir l'Amérique, et celle de Mireille, qui va de l'une à l'autre, parfois à cloche-pied, souvent avec un bandeau sur les yeux, comme lorsqu'elle jouait à la marelle et à colin-maillard...

Paris. La crise que nous venons de traverser est restée secrète. Nadine nous accueille avec un sourire resplendissant, un paquet de coupures de presse, des demandes de reportages et interviews. C'est le film de François Reichenbach qui a déclenché cette avalanche :

« Vous ne pouvez pas imaginer l'impact ! Tenez ! Lisez *Le Nouveau Candide !* Quel changement de ton ! Ecoutez : " ... Reichenbach vient de lui offrir son prie-Dieu de communiante dans les chapelles intellectuelles les plus clandestines " ! Et ça, c'est rien : voyez la page entière que lui consacre Edmonde Charles-Roux dans *Le Figaro littéraire !* »

Johnny pépé Jo se carre dans son fauteuil favori de notre salon, comme un gros chat qui digère une bonne petite souris :

« Je savais ce que je faisais en te mettant dans les pattes du Lautrec de la pellicule... Cela va te sortir de la presse du cœur. (Et il lit :) Le grand public est mort, victime des téléspectateurs. Qu'est-il désormais ? L'égal des vedettes. A la fois témoin et complice. Par la grâce du petit écran, il est introduit dans ce qui fut longtemps le paradis défendu. Il est installé dans l'intimité des célébrités. Cette femme, cette enfant que vingt mille personnes acclament, il l'a vue en bigoudis, il l'a surprise au fond d'une voiture, harassée, et sa fatigue, son désordre achèvent de la rendre familière. Il partage son trac et, dans le cercle blanc des réflecteurs, attend avec elle qu'éclatent les applaudissements. Si l'épreuve tourne au triomphe, le téléspectateur est en droit d'affirmer qu'il a vécu avec cette vedette un vrai conte de fées.

« C'est à cela que je pensais en assistant au reportage télévisé que François Reichenbach vient de consacrer à Mireille Mathieu. Certaines personnes lui ont reproché de s'être intéressé à une débutante dont l'avenir et le talent paraissent si mal assurés. Ces personnes se trompent. Elles oublient que le petit écran est le cadre propre à mettre en évidence des phénomènes tels que ceux-là.

« Mireille Mathieu durera-t-elle ? Parlera-t-on encore d'elle dans deux ou trois ans ? Qu'importe ! Le principal est l'aventure qu'elle impose. Et comment ne pas se rebeller contre l'étrange plaisir qu'éprouvent tant de grincheux à toujours prévoir le pire ? Qu'une débutante appliquée, une sorte de Poulbot mais bien lavé, avec des joues de pomme et le poil brillant, le nez court, les yeux largement écartés d'un petit taureau de Camargue, que cette fille-là fasse une entrée claironnante dans le pâle, le sinistre univers de la chanson yé-yé, qu'éclate sa voix hardie, parfois acide et semblable à un raisin vert, une de ces voix qui font lever le soleil, comme on dit dans le quartier populaire d'Avignon où Mireille est née, et que font nos grincheux ? Cette voix, disent-ils, elle l'a volée à Piaf, et elle doit à ce larcin toute sa popularité. Remarque d'autant plus absurde qu'une voix est de naissance à celle qui la possède. Pourquoi en douter ? Les témoins ne manquent pas, j'en connais beaucoup.

« A Avignon, du côté de la Croix-des-Oiseaux — dit avec l'accent, cela donne : " La Croix-aux-Zozos " —, on se souvient parfaitement de quelle voix chantait Mireille, il y a de cela un an environ, lorsqu'elle travaillait encore dans une manufacture d'enveloppes. Elle chantait à l'école, elle chantait à l'église, elle chantait toute la journée. Cela se sait jusqu'au Pontet, où habite ma mère.

« " De cette voix-là, elle chantait et pas d'une autre ", me confirme Mme X..., notre voisine de longue date, que l'aventure de Mireille Mathieu a ensorcelée. A cinquante ans passés, cette ménagère scrupuleuse s'est découvert une nouvelle vocation. La poésie la harcèle. Des mains, des yeux, elle cherche des rimes au fond des casseroles et sous les lits. Puis elle va s'asseoir dans un bar assez malfamé où vient la rejoindre un jeune homme en chemise sombre qui gratte de la guitare. Elle lui récite ses chansons. Elle parle de " monter " à Paris, et le rythme d'un succès imaginaire la secoue tout entière. Le mari ne cache pas son inquiétude. La réussite de la petite Mathieu hante toute une région.

« Ce n'est donc pas une aventure banale à laquelle nous fait participer François Reichenbach. En nous embarquant dans l'avion qui emmenait la fillette d'Avignon vers New York, il nous fait partager ses surprises. Mais tel n'est pas l'essentiel du reportage. Que nous révèle-t-il encore ? L'existence au jour le jour de cette arpète de la célébrité, faufilant sa carrière d'une main consciencieuse. Jamais la moindre lassitude, jamais le plus petit signe de mécontentement. Où sont les stars d'antan ? Où sont les coléreuses, les inexactes, celles qui me laissaient attendre une journée entière à la porte de leur chambre du temps où j'étais journaliste ? Ainsi Piaf dans l'hôtel de la rue de Penthièvre où elle habitait...

« Mireille Mathieu sait ce qu'elle doit aux magazines, à la télévision. Tout ou presque tout. Aussi est-elle à leur disposition. A son arrivée à New York, lorsqu'un photographe lui ordonne de remonter l'escalier qu'elle vient de descendre, elle obéit aussitôt. Sa conscience professionnelle est à toute épreuve ; c'est évident dès son réveil, lorsqu'elle apparaît, prête à se mettre au travail, vêtue d'une robe de chambre de midinette en cretonne fleurie... Un poème, cette robe de chambre. Les grandes ballerines ont parfois des trouvailles vestimentaires aussi désarmantes que celle-ci. C'est évident encore lorsque de la chambre voisine Johnny Stark, son Pygmalion, un costaud à favoris, avec un physique comme ces montreurs d'ours que l'on rencontrait jadis en Bohême, un bel homme qui la suit partout et qu'elle consulte sans cesse : “ Johnny, suis-je ridicule avec ce chapeau ?... Johnny, qu'est-ce que je dois lui dire, à Lily Pons ?... Johnny, je la lui claque la bise, oui ou non ? ” ; lorsque Johnny, donc, lui crie de la chambre voisine : “ Articule correctement, je n'entends rien... ” et que, sagement, Mireille Mathieu articule. Elle a des dents de carnivore et une vraie bouche de chanteuse. Une de ces bouches faites pour lancer des sons plus haut, plus fort, plus loin...

« François Reichenbach explore à la loupe le visage d'une débutante allant à la découverte d'elle-même, se libérant tant bien que mal des attitudes, des gestes, du style de Piaf. De toute évidence, Mireille Mathieu est sans angoisse. Elle ignore tout du malheur, du chagrin. Petite fille, rien ne lui a manqué ni la tendresse, ni la santé, ni le pain. C'est cette “ anti-Piaf ” qui nous est révélée. François Reichenbach nous la montre avec ses lacunes et ses malices de banlieusarde, avec ce qui lui est naturel et aussi avec ce qu'elle doit déjà à son Pygmalion. Il la dévoile avec ses illusions. Elle nous apparaît dans toute son inconscience : celle d'une enfant des rues qui n'est pas encore sûre de ses moyens, mais qui règne déjà, à ses risques et périls. »

Un silence. Puis Johnny :

« Superbe papier. Elle écrit bien, cette dame. Alors, Mireille ?

— Oh oui !... elle écrit bien. »

Je pense qu'elle ne fait qu'une erreur : lorsqu'elle pense que je suis sans angoisse... Mais, après tout, ça ne regarde que moi. A enfouir dans le jardin secret.

« J'aimerais quand même bien le voir, ce film !

— Vous le visionnerez demain. François a retenu la salle de projection pour vous. »

Le lendemain. Ce François, tout de même... il est déjà reparti pour le Mexique ! Mais il nous reste sa voix : il commente le film.

« Au début, dit-il, je ne voulais pas l'entendre parce que j'avais peur de tromper une chanteuse... Je suis parti aux Etats-Unis comme témoin. J'ai été l'œil impartial... Je n'ai jamais su si elle jouait la comédie ou si elle ne la jouait pas : c'est donc une grande comédienne. (Là, je pouffe de rire.) J'ai été gagné par la simplicité de son cœur. C'est une enfant avec l'étincelle déjà d'un monstre sacré. (Là, j'ai la larme à l'œil.)... Son père m'a dit un soir à Avignon : “ La voix, les yeux, le talent, ça vient de mon côté. Le reste, c'est tout à fait sa mère. ” (C'est bien, papa, ça !)... Sa mère m'a dit : “ Au début, ça a fait un grand vide dans toute la maison. Mais, avec la radio, la télévision, c'est comme si elle était toujours avec nous. ” Vous rendez-vous compte ce que c'est que ce Palais des sports à Montréal, ce que c'est que de chanter devant vingt mille personnes qui ne la connaissaient pas, qui se souvenaient seulement d'Edith Piaf. Elle est arrivée là, toute petite, minuscule. Le lendemain, tout le Canada achetait ses disques, vingt-cinq mille *LongPlayings*. Absolument incroyable !... Peu à peu, pendant le film, j'ai appris à la connaître, à découvrir ses gestes, et elle est devenue naturelle. (Oh ! il m'a filmée dans la boutique où il y avait ce truc en verre plein d'un liquide bleu et le vendeur me dit avec l'accent du Québec : “ C'est la mesure de votre sensitivité ! Vous avez gagné ! ” Et c'était comme si ça bouillait !... Oh ! il m'a prise aussi quand je me tords les mains avant d'entrer en scène... Oh ! mais pourquoi là, je marche les pieds en dehors, on dirait Charlot !) »

« Alors ? Comment te trouves-tu, Mireille ?

— Godiche. Pas toujours. Mais parfois.

— Exact ! » dit pépé Jo.

TROISIÈME PARTIE

A LA CONQUÊTE DU MONDE

1.

DE LA TAMISE AU RHIN

Ce début de l'année 1967 a été ensoleillé par Maurice Chevalier. Cela peut paraître bizarre de dire cela d'un monsieur dont, chez nous, on dirait, vu son âge, « il est plus près de minuit que de midi ». Quand je suis arrivée à La Louque, il était rayonnant parce que Pierre Delanoë (le parolier de Bécaud et de Hugues Aufray) lui avait apporté une chanson qui l'enchantait :

« Je vais me la réserver pour mon quatre-vingtième anniversaire (le 12 septembre de l'année prochaine). A la fin de mon récital au Théâtre des Champs-Elysées quand on pensera que j'ai tout dit, je reviendrai saluer et je chanterai :

Quand j'aurai cent ans, cent ans, cent ans
Et que le bon Dieu me fera des avances
Je dirai : attends, attends, attends,
Je suis amoureux, c'est la vie qui commence !

« Ça c'est une bonne idée. Je vais faire un tabac ! Et d'ici là, vous savez ce qu'il m'arrive, ma petite Mireille ? Montréal me demande pour chanter dans le cadre de l'Expo en juillet ! Vingt représentations exceptionnelles dans un grand bidule de vingt-cinq mille spectateurs, une mise en scène pleine de trucs épatants dans un énorme programme et, tout à coup, au milieu de tout ça, moi, tout seul dans les projecteurs avec mon petit piano et, au clavier, mon Fred qui est presque aussi vieux que moi ! Je me dis : ça va, Maurice, tu n'es pas encore ramolli ! Continue à bien te tenir ! »

J'adore M. Chevalier... (« Appelez-moi Maurice, me dit-il,

ou je vais me sentir octogénaire ! ») Je sens qu'il veut m'aider, sincèrement. Il a été chercher dans le fond d'une armoire le costume de clochard qu'il portait dans son film *Ma pomme,* en 1950, pour qu'on s'en inspire puisque je vais chanter sa chanson dans les *Trente-Six Chandelles,* de Jean Nohain.

« Il ne faut surtout pas un vrai costume de vrai clochard ! Ça ferait triste. Il faut pousser vers la caricature : le rafistolage avec les bouts de ficelle, de grosses godasses... Et, surtout, ne vous maquillez pas trop !

— Ah ! monsieur Chevalier ! si vous pouviez lui dire ça tous les jours ! dit Johnny. C'est une manie qu'elle a !

— Je vous le promets, monsieur Chevalier.

— Elle est têtue, hein ? »

On répète. Il trouve que j'ai fait de grands progrès depuis New York. Il a vu le duo avec Danny Kaye, diffusé dans le dernier *Télé-Dimanche.* Il m'a trouvée beaucoup plus à l'aise dans les sept chansons que je faisais en direct à Paris. Johnny lui raconte le pourquoi et ma folle soirée dans la cuisine chinoise.

« Ah ! Mimi ! Mimi ! que ce soit une bonne leçon ! C'est un métier terrible que nous faisons : on ne peut pas se permettre un écart. Avez-vous remarqué ce qu'il faisait, lui, Danny ? Il ne mange pour ainsi dire pas et il fait semblant de boire ! »

Comme il sera à Johannesburg le jour de *Trente-Six Chandelles,* nous ferons un duplex, et c'est pourquoi il tient tant à me faire répéter. On reprend, on reprend et on reprend. Il me demande si j'aime faire *Trente-Six Chandelles* ?

« C'est le rêve pour moi : j'adore me déguiser ! avoir des têtes différentes : un sketch avec Roger Pierre et une valse avec Chazot ! Une valse de Strauss en tutu et corselet de velours ! L'opposé de la clocharde ! Je veux d'ailleurs continuer la danse : je trouve ça rigolo... ! Et comment vous expliquer : à la ville, je suis très timide. Mais quand je me déguise, j'ose tout ! Vous comprenez ça, monsieur Chevalier ?

— Très bien. Ça prouve que vous êtes une comédienne. Et je maintiens ce que je dis : une comique ! »

Moi... ! qui pleure pour un oui, pour un non, même devant un beau coucher de soleil. Parce que je voudrais qu'il reste là.

Johnny a de la suite dans les idées : dans ces *Trente-Six Chandelles,* il a programmé *En écoutant mon cœur chanter...* en anglais. Et ça, c'est l'angoisse. Line Renaud, qui est aussi dans l'émission, a pitié de moi. Elle me fait répéter consciencieusement, phrase par phrase.

« Avec nos petites chansons, on fait plus pour la France que les hommes politiques avec leurs discours ! Rappelle-toi toujours ça, Mimi. Ça t'aidera. Allons-y :

All of a sudden my heart sings
When I remember little things... »

Les chansons aussi ont parfois une drôle de vie. Celle-ci a été écrite par Jamblan. Puis, après-guerre, Charles Trenet fit de nouvelles paroles, devenues les miennes, *En écoutant mon cœur chanter.* Et ce sont elles qui furent traduites pour devenir un succès anglo-saxon.

Les machinistes de *Trente-Six Chandelles* sont les mêmes que ceux de *Télé-Dimanche.* Ils m'aiment bien. Comme si j'étais leur mascotte. Après l'émission, ils m'offrent le champagne. Tout le monde est heureux : le duplex avec Maurice a été une réussite. Jean Nohain en est tout ému. On trinque à la santé de chacun. Je sais que tantine et Johnny ne me quittent pas de l'œil. Et j'ai encore la voix de Maurice dans l'oreille : « On ne peut pas se permettre un écart. » Alors, en souriant beaucoup, en disant « bonne santé » à tout le monde, je rode la technique d'avoir l'air de boire, ce qui vaut mieux que boire sans en avoir l'air !

Jusqu'ici, Johnny menait l'opération Mireille Mathieu sans me mettre dans la confidence. Mais depuis notre « crise » à Los Angeles, très proche de tante Irène, il la fait participer à toutes les discussions ayant trait aux contrats ou aux projets. Et il tient aussi à ce que je sois présente.

« C'est *ta* carrière, Mimi. Il faut que tu suives !

— Oui, mais moi... les questions d'argent, ça m'embête.

— Ça ne t'embête pas quand tu le dépenses.

— Du moment qu'il y en a...

— Avec des raisonnements comme ça, un beau jour, il n'y en a plus. Il faut que tu saches, Mimi, ce qu'on investit, pourquoi on investit, par exemple, autant dans les voyages en Amérique... Ce mois-ci, on va attaquer Londres... »

Et il nous fait un grand développement, disant que si je

réussis à y décrocher les shows de télévision qu'il espère, ce sera une manière de pénétrer ensuite l'Amérique car ils sont tous diffusés, là-bas.

Il mijote ça depuis septembre dernier, où il a été voir un de ses amis, Leslie Grade, le patron de la chaîne de télévision ITV, frère de Lord Bernard Delfond, producteur célèbre en charge de la *Royal Performance.* Leslie, ayant une villa à Sainte-Maxime et venant fréquemment en week-end en France, a vu pratiquement toutes mes émissions de télévision. Trouvant que j'ai une *wonderful voice,* il veut me faire faire *Sunday Night at the Palladium* pour ma première incursion à Londres.

C'est une émission très populaire puisqu'elle a lieu dans le théâtre qui peut être comparé à notre Olympia. La loi anglaise ne permettant pas de jouer le dimanche, la télévision s'y est installée, et le public anglais, qui ce jour-là n'a vraiment pas grand-chose pour se distraire, tourne tout naturellement le bouton de sa télévision. C'est dire l'écoute de *Sunday Night...*

« Tu connais l'enjeu : à toi de jouer ! »

Londres. L'envie folle de monter à l'impériale d'un bus rouge, de prendre un bateau sur la Tamise, d'aller voir de près les bonnets à poil ou la grosse cloche, de s'arrêter dans le parc, regarder les photos d'artistes à l'entrée des théâtres sur Piccadilly... C'est samedi, il y a la queue partout. Oh ! des musiciens de rue... mais quels drôles de costumes ! pleins de boutons de nacre qui font comme des broderies. Pépé Jo m'explique que les *cockneys,* les natifs de Londres dans les quartiers populaires, avaient trouvé ce moyen-là pour trancher sur la mode sinistre et bourgeoise de la fin du siècle. Et que le music-hall s'en est emparé. J'aimerais bien avoir une chanson qui me permette de m'habiller comme ça !

« Tu aimes vraiment le clinquant ! » dit-il.

J'avoue. Les paillettes, les plumes, et maintenant les boutons de nacre ! Je sais... ça ne va pas avec *Mon Credo...* mais on pourrait peut-être acheter des boutons de nacre en souvenir ? On n'a pas le temps ! Nous ne sommes pas ici pour nous amuser. Si je réussis cette télévision... on reviendra. On est pris dans un embouteillage, cerné par des taxis pas du tout aérodynamiques, hauts sur roues, roulant au ralenti comme de gros scarabées noirs ; pépé Jo, énervé, tape sur sa montre-bracelet pour indiquer l'heure au chauffeur de la limousine. Imperturbable, il grommelle quelque chose.

« Qu'est-ce qu'il vous dit ?

— J'ai cru comprendre qu'il me conseillait, si je voulais aller plus vite, de mettre de l'huile dans mes mollets... et, par la même occasion, il nous a traités de " grenouilles ". C'est un mot affectueux pour " Français ". »

Je prends toujours Johnny au sérieux. Je regarde dans mon petit dictionnaire de poche : « grenouille » et « timide ». Et au premier journaliste que je rencontre dans les coulisses du Palladium, je lui sors avec un sourire d'excuse :

« *I am a shy frog.* »

Et je découvre qu'un Anglais qui rit fait le bruit de dix *frogs* réunis.

« Qu'est-ce qu'il me dit ?

— Que tu es une comique ! »

J'ai déjà entendu ça quelque part...

Il y a des théâtres qui me plaisent dès que je franchis la porte. Les vieux théâtres, surtout. Ils ont une âme. C'est le cas du Palladium. Il a une façade digne d'un opéra, avec ses colonnes et ses balcons. La salle est très digne aussi, avec sa loge royale... et ses deux mille trois cents places. C'est ici qu'a lieu la fameuse *Royal Performance,* le gala donné au bénéfice des vieux artistes et en présence de la famille royale. Je sais que le rêve de Johnny est de m'y voir figurer. C'est évidemment un honneur pour un artiste d'y être convié, car personne ne peut imposer le choix du programme à la reine... L'année dernière, Sammy Davis Junior et Jerry Lewis ont été les vedettes... avec Juliette Gréco, Gilbert Bécaud et, du côté anglais, Tommy Steele, star depuis dix ans et dans ses propres shows.

All of a sudden my heart sings
When I remember little things
The wind and air up on your face...

« Je ne comprends pas bien ce que tu dis... mais ça me paraît bien joli... », me dit tante Irène.

Et Leslie Grade confirme : *Lovely ! Lovely ! Lovely !* Je reviendrai faire des *Sunday at the Palladium.* Quand ? C'est que le planning est déjà plein ! Johnny feuillette l'agenda : maintenant nous allons partir pour le festival de télévision à Monaco. C'est à la demande de la princesse Grace qui assure qu'au palais il y a un club de fans Mireille Mathieu... Ensuite, nous rejoignons Maurice Chevalier à Gstaad. Non, non, pas des vacances ! Un gala !

« Oh ! Johnny ! je ne sais pas ce que c'est que les sports d'hiver ! On pourra rester deux jours tout de même ? Le temps que je me grimpe sur des skis ?

— Que tu te casses une jambe et qu'on soit obligé d'annuler Montréal ! Et New York ! où tu fais le Bal *April in Paris* ! »

Leslie insiste. Lord Delfond est, paraît-il, enchanté. Il faudrait que je revienne à Londres deux, trois fois pour des *Sunday at the Palladium,* et il est à peu près certain que la reine, qui adore la France et la chanson française, demandera Mireille Mathieu.

« La *Royal Performance* ! Rendez-vous compte, Johnny ! dit Leslie. Tous les artistes en rêvent ! »

Il se rend très bien compte. Je suis sûre que sa décision est déjà prise. Mais il est comme ça, pépé Jo. Comme on dit chez nous : « Selon ce que lui chante le curé, répond l'enfant de chœur ! »

« Tranquillisez-vous, Leslie. On va trouver un dimanche... avant Montréal peut-être, si Mireille est bien au point avec ses chansons, et un autre, peut-être au retour d'URSS...

— Depuis quand avez-vous l'idée d'évangéliser les Russes ?

— Depuis que vous vous êtes mis d'accord avec eux pour avoir la peau de Napoléon ! »

Là-dessus, ils trinquent. Et moi... je fais semblant. J'aimerais bien revenir à Londres... dont je n'ai rien vu.

« Allô, Mimi ! C'est papa. On a trouvé la maison !

— Non, c'est vrai ? Oh ! que je suis contente ! Où est-elle ? Elle est comment ? Qui te l'a trouvée ?

— Attends ! parle pas si vite : on peut pas suivre ! Tu sais, on me proposait des châteaux ! sous le prétexte que j'étais le père de Mireille Mathieu ! Mais je leur disais à tous ces “ gensses ” : c'est pas une raison, ça ! Il faut savoir rester à sa place. Moi, je deviens pas un châtelain, c'est pas mon style. Je demeure le tailleur de pierre et, autant que possible, je veux pas être loin du cimetière...

— Alors, alors ?

— Alors, le miracle ! Je sais pas si c'est tous les cierges que tu as mis à sainte Rita... (J'entends la voix de maman : " Mais non, Roger ! pour la maison, c'est la Vierge Marie. Elle le sait, la petite. ") Bref, tu vois où est la rue Esprit-Requiem ?

— Oui. Près de l'église !

— Eh bien, c'est là, la grande maison blanche à droite...

— La grande maison blanche, je la vois ! je la vois ! Mais c'est pas loin de la maison pointue !

— Eh oui !

— Oh ! ça me fait plaisir. Vous serez pas dépaysés !

— Non ! sauf qu'on n'a jamais eu ça : il y a onze pièces !

— Mais c'est pas trop ! C'est bien !

— Un grand balcon... et un jardin... Youki va être content... Tu vas pouvoir descendre la voir ? Parce que c'est " ta " maison ?

— C'est difficile... On va attaquer l'Allemagne, retourner à Londres et revenir à New York pour le bal *April in Paris,* tout ça en un mois... Mais ne t'inquiète pas, papa, pour le paiement. Je peux, je suis sûre que je peux. Elle vaut combien ?

— Que je me trompe pas avec les nouveaux francs... enfin, vingt-deux millions anciens. C'est pas trop ?

— Non, non, c'est pas trop. Je vais cravacher, tu sais : ça va, ça va bien. Je fais même des progrès en anglais. C'est un Ecossais qui me donne des leçons...

— Alors, il a l'accent écossais ?

— De toute façon, pour moi, c'est du chinois.

— Il a une jupe ?

— Non. Pas à Paris. Mais peut-être quand il va chez lui... Je lui demanderai. Je te téléphone demain du bureau de pépé Jo, pour le notaire et tout ça. Mais, dis-moi, le quatorzième, il va naître dans la nouvelle maison ! Oh ! que je suis contente !

— Eh non ! je vais à la maternité, dit maman qui a pris l'appareil. J'y aï mes habitudes. Mais on reviendra très vite tous les deux à Esprit-Requiem ! »

C'est quelques heures avant de partir pour Baden-Baden

que j'ai appris la nouvelle : maman vient d'accoucher d'un beau garçon de trois kilos huit cents. Papa me dit qu'elle se porte bien, et Vincent aussi. Je raccroche avec un peu de nostalgie : j'aurais tellement voulu être là, comme pour la naissance de Béatrice... Ça me paraît loin, soudain, ce jour-là... C'était quand, déjà ? En 1964, le 10 mai... Elle n'a même pas trois ans, et j'ai l'impression d'en avoir vécu dix...

Dans l'avion de Karlsruhe, je l'imagine, Vincent. Avec la peau de soie des bébés, les petits doigts qui s'accrochent à votre index comme des pattes d'oiseau à son perchoir ; je n'entendrai pas ses premiers gargouillis, je ne verrai pas le regard foncé du petit animal encore dans la nuit, qui s'éclaire peu à peu, quand il comprend qu'il est dans un monde affectueux... Je me souviens, ça m'avait frappée à la naissance de Roger... Va-t-il être déjà déluré comme Jean-Pierre, ou angélique comme Rémi ? Je me sens toute vide. Vide de lui.

« Pépé Jo, Mme Colombe sera la marraine de Vincent. Vous accepterez d'être le parrain ?

— Bien sûr, Mireille.

— Je voudrais lui offrir un carnet de caisse d'épargne. Je peux ?

— Mais naturellement, Mireille. Ton compte en banque le permet.

— ... Mais si je lui en offre un, à lui, c'est peut-être un peu injuste pour les autres ? Je pourrais le faire aussi pour Matite, Christiane, Marie-France...

— Ne récite pas la liste, je la connais. Oui, tu le peux... enfin, ne compte tout de même pas en millions... Vois ça avec tante Irène. Elle connaît ton compte. (Et il ajoute avec son petit air narquois qui me fait toujours rire :) Mais maintenant que tu gagnes ta vie, j'espère que ton père ne va pas mettre les bouchées doubles ! »

« Mais que c'est mignon, l'Allemagne ! »

Pépé Jo trouve que ce n'est pas le mot qui convient : découvrir l'Allemagne par Baden-Baden, c'est comme si un étranger jugeait de la France par Evian. Tout m'enchante ici : l'air très doux, les jolies montagnes qui vous entourent gentiment sans vous écraser, les pâtisseries... (« Attention, Mireille : pas trop ! »), les bords de l'Oos, qu'on suit avant d'arriver dans le centre-ville. La voiture passe entre le rendez-vous des curistes, le *Trinkhelle,* et le grand jardin magnifique avec son kiosque à musique. Malheureusement, les gens qu'on voit sont presque tous tordus ou appuyés sur des cannes...

« Je ne vais pas tarder à venir ici soigner mes rhumatismes et ma goutte ! dit pépé Jo.

— Mais vous n'avez rien de tout ça, vous !

— Je sens que ça vient... avec tout le souci que tu me fais faire ! Tiens... voilà le casino.

— Il y a un théâtre ?

— Il y a tout : un théâtre, un restaurant, les jeux, les salles de bal, de concert...

— J'aimerais bien chanter là !

— Une autre fois. C'est une télévision qu'on va faire. C'est plus important. Toute l'Allemagne te verra. »

Il a sûrement raison. Mais moi, je préfère les vraies salles de spectacle. Je m'ennuie autant de l'absence du public que de celle de mes petits frères.

L'hôtel est dans la Lichtentaler Allee, qui est une promenade magnifique bordée d'arbres superbes le long de l'Oos...

« Répète-moi ça, dit Johnny.

— Lichtentaler Allee...

— Mais tu prononces bien... On dirait que tu te mets plus vite à l'allemand qu'à l'anglais...

— C'est plus facile. On prononce toutes les syllabes ! »

Pépé Jo a l'air content. Il me dit qu'au retour il me trouvera un professeur d'allemand.

« Oh ! Je vais toute m'emmêler avec l'anglais !

— Mais non, mais non. Tu continueras l'anglais avec Harry. Je vais simplement me réapprovisionner en whisky ! »

C'est vrai que notre Ecossais aime bien ça. Quelquefois, je me demande s'il vient aussi assidûment parce qu'il m'aime bien ou parce qu'à la fin de la leçon (jamais avant !) pépé Jo lui apporte la bouteille ? On l'a connu par Line Renaud, dont il est le professeur. De temps en temps, il soupire en disant :

« Ah ! Line ! Line !... She is terrific... ! »

Et je comprends que moi, je suis loin de l'être. Il ajoute :

« You'll have your V-Day too ! »

Combattant de la dernière guerre, il a gardé un sacré souvenir du V-Day, jour de la Victoire... et la victoire, c'est ce qu'il me souhaite.

Pépé Jo m'a offert un petit dictionnaire d'allemand, et il observe que je me jette à l'eau sans complexe, avec les serveurs, la femme de chambre, les régisseurs et les machinistes...

« Dites donc, Irène, vous n'auriez pas, par hasard, une ancêtre qui aurait bien accueilli un uhlan ? ou un grognard qui aurait lutiné une *Gretchen* ?

— Comment pouvez-vous dire des choses pareilles ! s'écrie-t-elle, offusquée.

— Ne vous fâchez pas. Ce sont des choses qui arrivent. Je plaisante. Mais, avouez que c'est extraordinaire de voir Mireille, complètement bouchée pour l'anglais, se mettre à baragouiner de l'allemand ! Tant mieux. On va pouvoir préparer un disque dans la langue de Goethe qui lui réussit mieux que celle de Shakespeare !

— Regardez, pépé Jo : " Goethe ", c'est simple, ça se lit, ça se prononce ! Tandis que " Shakespeare "... il leur faut onze lettres pour deux syllabes ! »

Quand on arrive à Düsseldorf, Johnny remarque tout de suite :

« Barclay a fait du bon travail. Tu as vu ? tes disques sont en vitrine chez tous les disquaires comme à Baden-Baden. »

Le Rhin est aussi large que notre Rhône ici... Le monsieur qui est venu nous chercher à l'aéroport paraît enchanté que je trouve sa ville belle.

« Il faudra revenir ! Vous verrez comme c'est joli les bords du Rhin en été ! On vous emmènera sur la Rheinterrassen, où il y a des concerts en plein air et où l'on danse ! Il faudra dîner au Zum Schiften : c'est le plus vieux restaurant de la ville : il date de 1628 ! Il faudra... »

Mais, si je chante jusqu'à mon dernier souffle, quand aurais-je le temps de voir tout ça ?

« Allô, maman ?

— Ah ! Mimi ! Alors, où es-tu, cette fois ? Je m'y perds, moi, dans tes allées et venues !

— A Hambourg ! Tu sais, c'est extraordinaire ! Johnny dit que c'est une ville-théâtre... C'est vrai, elle est un peu comme sur une scène, tu vois ?

— C'était très démoli ?

— Oui, mais c'est reconstruit, maintenant. A voir, tu souffres pas.

— Et ton hôtel, il est bien ?

— Toujours, avec Johnny, tu le connais ! Il s'appelle Vier Jahrezeiten, " Les Quatre Saisons ", ça veut dire. C'est très joli parce que, de là, on voit les bassins.

— Des bassins ? comme aux Tuileries ?

— Non ! Les grands bassins, comme un lac, tu vois ? Avec de belles maisons autour et plein de petits bateaux dessus. C'est très gai : il y a un pavillon qui fait restaurant, avec de la musique... Et puis il y a un port formidable. Avec de grands bateaux qu'on peut visiter... mais, tu sais, moi, depuis le *Richelieu...* je sais ce que c'est un grand bateau, et puis, j'ai pas le temps.

— Et tu manges bien ?

— Tu sais, les hamburgers ? Je croyais que c'était américain. Eh bien, non, ça vient de Hambourg ! T'as beaucoup de poissons... ils aiment bien la soupe à l'anguille... Ils en ont une autre, aux pois avec de la hure et des pieds de porc ; tu peux plus te lever de table après ! Mais ils ont aussi un jus de bœuf où ils mettent des petites quenelles de veau et de semoule... ça, j'aime bien.

— Je suis tranquille parce qu'Irène est avec toi. Elle a fait prendre ta tension avant le départ ?

— Oui. T'inquiète pas. Et toi ? et le petit ?

— Tout va bien. Il prend son poids, lui, comme il faut.

— Je vais vous rapporter des *Bremer Klaben,* c'est des espèces de cakes aux fruits confits, vous allez adorer. Et, pour papa, une bouteille de *Doppelkümme*, de l'eau-de-vie de cumin...

— Mais tu vas pas avoir le temps, ma pauvre fille, de faire toutes ces courses-là !

— T'inquiète pas, maman. Tout est dans ou près de l'hôtel... les petites boutiques... »

Après le très joli théâtre construit en bois de Hambourg, la salle de l'Orchestre philharmonique de Berlin est un autre monde. Elle est toute récente. Elle fait comme un grand « 8 ». On l'a inaugurée il y a quatre ans. Elle est très près du mémorial russe, gardé en permanence par des soldats soviétiques, ce qui surprend, puisqu'on est à l'Ouest... Et on est aussi très près du mur.

Dans la salle philharmonique, le son s'élève en pleine liberté... C'est un plaisir profond de chanter là. Europe 1 transmet en direct mon premier récital. Quand je sors de scène, que tantine m'enveloppe les épaules du châle, pépé Jo me dit que jamais je n'ai aussi bien chanté *Est-ce que tu reviendras...*

Est-ce que tu reviendras
Pour me dire que tu m'aimes
Est-ce que tu reviendras
Comme autrefois... ?

C'est que je ne peux pas oublier le mur. Même quand, le soir, en sortant de l'hôtel Kempinski, les lumières jaillissent de partout, une jeunesse exubérante circule, et les enseignes lumineuses vous font croire que vous êtes à Piccadilly ou à Broadway...

C'est bien étrange après cela de se retrouver dans l'ambiance d'un bal comme *April in Paris*, au Waldorf Astoria de New York, comble de la mondanité. Pas un geste ne dépasse l'autre. Les robes sont somptueuses ; les bijoux, vrais ; les titres, nobles. Tous les noms sont, paraît-il, célèbres. Mon nez est ravi dans les fleurs et les parfums... Mais Berlin me reste en tête.

« Comment tu expliques ça, tantine ? C'est l'Amérique qui a gagné la guerre, l'Allemagne qui l'a perdue. C'est Berlin qui est coupé en deux, et c'est Berlin qui est le plus gai !

— Je ne sais pas, Mimi, dit Tantine. Peut-être parce qu'une ville, quand elle renaît après avoir été rasée, c'est comme quelqu'un qu'on a cru perdre et qui est guéri. On ne pense plus qu'à la joie... »

Peut-être aussi parce que les Allemands sont en paix, et les Américains, en guerre. Ce matin, la petite femme de chambre qui nous apportait des cintres supplémentaires a brusquement éclaté en sanglots : son frère a été tué au Viêt-nam.

L'Allemagne ne me quitte pas d'une certaine façon. A peine rentrés à Paris, les deux Maurice, Jarre et Vidalin, demandent à nous voir. Le premier a fait la musique du film de Litvak, *La Nuit des généraux.* Le second a trouvé le thème si joli qu'il a mis des paroles dessus, *Adieu à la nuit,* et ils aimeraient que je crée la chanson :

Toi qui marches tête basse
Dans un désert sans mirage
Un jour, un jour, il faudra dire
Adieu à la nuit...
Moi j'ai suivi comme toi
Des chemins sans gloire
J'ai bu à des sources sans eau
Mais j'espère encore...

« Comment trouves-tu la chanson ? » me demande Johnny.

Il sait que, quand j'aime pas, c'est difficile à entrer dans la tête !

« J'aime bien... »

La musique est belle, et les paroles peuvent aider, peut-être, certains. Je me souviens que, plus jeune, quand j'avais un chagrin ou pas de cœur à l'ouvrage, je mettais sur le phono *Milord...* et je repartais.

Quand je vois le film, il n'a guère de rapport avec la chanson : Maurice Jarre m'a prévenue. C'est un polar noir pendant la guerre.

Peu après l'Ifop sort un sondage me plaçant largement en tête avec 39 %, devant Sheila, Petula Clark et Dalida.

Je demande à pépé Jo s'il est content.

« ... Oui, tu coiffes tout le monde, mais, tu sais, c'est comme une feuille de température, ça monte et ça descend. Pour le moment, tu leur donnes 39 de fièvre. Mais n'oublie jamais que ça dégringole aussi vite. »

La terreur.

« Mais alors, qu'est-ce qu'il faut faire ? Toujours des efforts, comme ça ? Toute ma vie, comme ça ? »

J'ai le petit ton meurtri qu'il connaît bien quand je suis fatiguée.

« Eh bien, quand tu es fatiguée, tu fais comme les nageurs : la planche. Et après tu reprends ta brasse papillon ! »

Le soir même, tantine m'apporte un paquet qui vient d'arriver. C'est une boîte enrubannée superbement. Elle vient de chez Fauchon... On soupèse : ce n'est pas très lourd. Ce n'est donc pas du champagne ni des fruits — ce serait dans une corbeille. Oh ! dans la boîte, il y en a une autre... tout aussi bien enrubannée. Des marrons glacés ? Ce n'est pas la saison. Des bonbons, des chocolats ? Oh ! dans la boîte, encore une autre, de plus en plus petite, naturellement. Du foie gras ? Oh ! encore un carton ! Je défais le ruban... et j'éclate de rire. C'est une demi-boîte d'épinards avec ce mot : « Vas-y, Popeye ! »

Johnny se plaît à dire que je n'ai annulé que trois engagements en vingt ans, ce qui est assez peu.

L'une des annulations eut lieu à Innsbruck. Le grand patron des disques Ariola pour lesquels j'enregistre en Allemagne. Monty Luftner, est d'origine autrichienne et très attaché à sa terre natale.

Il me fit faire à Innsbruck une émission de télévision très populaire, une émission de jeux, avec trois, quatre jours de répétition.

Le travail se passe très bien, plus vite que prévu, si bien qu'un jour de congé se place miraculeusement avant le « direct ». Monty en profite pour nous emmener à huit kilomètres de là, dans la montagne, une auberge typique... le rêve autrichien ! Le paysage est romantique en diable, le décor est simple mais typique et l'aubergiste est une grosse mama, une fan de cent kilos. « Mireille Mathieu... ! » Elle va nous soigner !

Le menu est resté dans ma tête et dans l'estomac gourmet de Johnny qui ne résiste pas à une bonne cuisine. Du bœuf à l'aspérule, cette plante des Alpes si parfumée, des boulettes de foie de veau et de volaille... et, pour finir, la fameuse omelette autrichienne avec de la sauce vanille. Une merveille. Un souvenir... !

Trois ans après, je suis demandée pour un gala et, le matin, petit problème de voix. Des chats qui se promènent sur les cordes vocales... un refroidissement sans doute.

« Je fais venir le docteur ! dit Johnny.

— Mais non, ça va passer... je vais me gargariser au Synthol...

— Mireille, c'est très important ! On enchaîne avec trente villes d'Allemagne, tu as des disques à enregistrer ici... »

Le docteur arrive. J'ai effectivement la gorge rouge.

« Vous engagez l'avenir ! dit-il à Johnny qui lui avait expliqué le programme. Il faut deux jours de repos. »

Il fait son certificat médical. Johnny demande un autre médecin... qui donne le même diagnostic et rédige un second certificat médical. Et on annule le gala. Au grand désespoir, naturellement, des organisateurs, car la salle est comble, louée à l'avance. Je me suis gargarisée, j'ai pris mes tisanes, mon miel... Je n'avais pas, certes, une voix flambante, mais cela aurait pu aller.

« De quoi aurais-tu l'air maintenant avec deux certificats médicaux ? » me dit-il.

Et, un peu plus tard :

« En te couvrant bien, peut-être pourrait-on aller dîner dans la petite auberge ? »

Je n'ai jamais su s'il s'était soucié de ma santé ou de son estomac. Toujours est-il qu'on est arrivés chez ma grosse fan aubergiste qui a poussé des cris de joie :

« Mireille ! Johnny ! Je vais vous faire le même repas !

— Oui, oui, disait Johnny, déjà épanoui. Nous n'en voulons pas d'autres ! »

Le lendemain, je chantais à Linz, à cent kilomètres de là, puis à Graz. Les journaux locaux parlèrent de ma voix « éblouissante ». Depuis, on n'a jamais osé retourner à Innsbruck !

Les Allemands me considèrent, ce qui peut paraître bizarre avec mon accent d'Avignon, comme une vedette allemande... de même que Romy Schneider était aimée en France au titre de vedette française. L'Allemagne est le pays qui m'a adoptée presque tout de suite, totalement, et où je me rends le plus souvent.

J'y ai des souvenirs particuliers. En 1968, nous étions à

Stuttgart quand le général de Gaulle est parti pour Baden-Baden. Nous étions à Hambourg quand il est mort.

Elevée dans son culte à la maison, j'étais bouleversée comme si j'avais perdu l'un des miens. Ce n'est qu'après que j'ai réalisé : ces gens qui m'avaient apporté leurs condoléances jusque dans les coulisses, ou dans la rue, ou dans le hall de l'hôtel, étaient des Allemands...

Pendant neuf ans, je n'ai eu là-bas qu'un producteur, ce même Christian Bruhn, compositeur de talent qui m'a fait enregistrer *La Paloma adieu* durant mon année noire. Il m'a donné certains de mes plus grands succès de vente de disques : *Acropolis adieu, Santa Maria de la mer, Mille colombes...* Mais le coup d'envoi de ma carrière allemande, je la dois à deux coups de poker comme sait en jouer Johnny.

Au début de 1969, je n'avais sur le marché là-bas qu'un « long playing » avec *La dernière valse* et *Qu'elle est belle* orchestré par Michel Legrand. Le disque enchanta Franz Burda. Il était à la tête d'un empire de presse, mécène et sénateur. Johnny l'avait rencontré quand il avait eu l'idée de faire incorporer Hallyday, dont il s'occupait, en Allemagne... à l'instar d'Elvis Presley ! (C'est ainsi que Hallyday a gagné son galon de sergent.) Franz Burda organisait à Munich une fête de grande renommée, le Bal Paré. Cette année-là, il y avait au programme les Supremes, Ella Fitzgerald, Tom Jones et la petite Mathieu. A la surprise générale, Johnny exigea que je passe à la fin... Paul Mauriat, qui était là avec nos vingt-cinq musiciens, s'affola :

« Mais tu es fou ! »

Johnny répliqua qu'il l'était, mais qu'il avait décidé que je passerai à la fin du spectacle en chantant *Mon credo* puis *Paris en colère*. Popaul s'affola davantage :

« Mais tu te rends compte ! En Allemagne ! *Paris en colère* ! Une chanson sur la Résistance ! La chanson de *Paris brûle-t-il ?* ! »

Johnny n'en démordit pas. Les Supremes passent... et font un gros succès. Beaucoup de jeunes dans la salle, rutilante de tenues de soirée. Ella fait un triomphe. Et mon ami Tom Jones, mon complice de Londres, la voix de l'époque, un super-triomphe ! Je voyais la tête de Mauriat se décomposer. Et, à vrai dire, celle de Johnny aussi... d'autant que *Mon credo* traverse un océan d'indifférence, malgré la présentation très gentille de l'animateur fort célèbre, que les Allemands adoraient, et qui avait parlé de la « révélation française »...

J'attaque :

Que l'on touche à la liberté
Et Paris se met en colère
Et Paris se met à gronder
Et le lendemain c'est la guerre...

Silence de mort.

A la fin, c'est l'explosion. Sur les trois étages, les jeunes prennent les fleurs de la décoration et les jettent sur la scène. Il y a bien du brouhaha ; quelques vétérans protestent : « C'est de la provocation ! » mais ils sont submergés par les applaudissements.

Quand Johnny me dit, à la sortie de scène : « Tu as cassé la baraque ! », je le crois, mais je sais aussi que c'est la chanson qui a tout cassé.

Et le lendemain, qui sort à la Une ? Aucun des super-grands, mais la petite Mireille, « triomphatrice du Bal Paré ». Personne ne me reproche « Paris en colère », au contraire : c'est la chanson de la réconciliation, de la paix.

Franz Burda était enchanté. Je devenais du coup candidate pour le Bambi, le trophée qu'il avait créé pour récompenser le (ou la) meilleur(e) artiste de variétés de l'année.

Quelques mois après, je chantais à Berlin pour le Salon de la Télévision. Johnny renouvela son coup de poker :

« Elle passe à la fin... ou pas du tout ! »

J'avais ma première chanson en allemand. Elle peut se traduire par « Les coulisses de Paris », mais elle est typiquement allemande, suscitant les battements de pieds et de mains. Obligée de la bisser ! Les disques s'arrachaient le lendemain comme des petits... pots de bière !

On termina la soirée dans une petite auberge sympathique devant une choucroute et des saucisses. Dalida, autre invitée de ce Salon, était avec nous. Je me souviens très bien d'elle me disant avec chaleur : « Comme tu as bien fait ! Quel bon final ! C'était formidable ! »

Car Dalida, depuis mon tout premier Olympia où elle avait grimpé les trois étages pour me féliciter dans ma petite loge de débutante, s'est toujours montrée ainsi : incapable d'un regard jaloux, d'une pensée mesquine, d'une méchanceté à la bouche (cas rare dans la jungle !). Dali suivait son chemin, très belle, unique... Sa disparition m'a laissé une tristesse infinie. Nous ne lui avons pas assez dit que nous la chérissions. Nous qui chantons l'amour, nous n'avons pas toujours le temps de le dire à ceux que nous aimons... Elle semblait dormir dans sa robe blanche, attendant qu'on la réveille. Je l'aurais tant voulu...

2.

LA DÉCOUVERTE DE L'URSS

C'est une grande excitation que la perspective de partir pour l'URSS. Le téléphone sonne. C'est maman. Si fière de sa ligne dans sa nouvelle maison.

« Tu sais, l'épicière de la Croix-des-Oiseaux s'ennuie depuis qu'elle n'a plus tes coups de fil. J'ai été lui acheter un petit quelque chose pour conserver les liens. Elle m'a dit qu'avant, avec toi, elle voyageait... elle pouvait parler de New York ! Mais ça l'ennuie que tu partes à Moscou. Elle dit qu'une fille si croyante, chez les bolcheviks, c'est risqué !

— Mais non, maman. Tu lui dis que la révolution est finie depuis longtemps ! La preuve : c'est l'année du cinquantenaire ! Et dis-lui que ce n'est pas une fille mais deux !

— Comment ça, deux ? »

Je lui explique. Johnny m'a demandé si ça me ferait plaisir d'emmener en URSS quelqu'un de ma famille. La réponse, c'était oui, bien sûr. Mais qui choisir ? Quand je suis embarrassée, je m'en remets au ciel. J'ai mis les noms de mes sœurs dans un chapeau : Matite, Christiane, Marie-France, Réjane. Les autres sont encore trop petites. C'est Christiane qui est sortie. J'entends des exclamations de surprise, de joie, d'affolement. Il faut vite lui établir un passeport. Mais où ça ? où ça ?

« Je passe l'appareil à Tantine. Elle va vous expliquer.

— Mais il faut emporter beaucoup de lainages ? On gèle, là-bas, il paraît ?

— Mais non, maman, c'est aussi le printemps à Moscou en ce moment.

— Tu me téléphoneras ?

— Bien sûr, comme d'habitude. »

Tantine me dit que je m'avance peut-être un peu. Bruno Coquatrix, qui organise la tournée, est en train de devenir fou avec le téléphone, paraît-il, quand il veut obtenir *Gosconcert* (c'est l'organisation qui centralise tout ce qui est variétés, cirque, musique). En fait, tonton Bruno n'en est pas à sa première expérience avec les Russes. Je l'entends encore dire : « Le music-hall n'a pas de frontières. Raison de plus pour les franchir ! » Il voyageait beaucoup, notamment dans les pays de l'Est, riches en attractions que nous n'avions jamais vues. Johnny parlait encore de ce festival international de 1957 où l'Olympia accueillait des numéros de force et acrobaties en même temps que des boxeurs thaïlandais et des danseurs indiens. J'aurais bien voulu voir ça ! Ce n'était pas de mon temps.

Nous ne partons pas moins de quatre-vingt-cinq personnes sous l'étiquette *Music-Hall de France.* Il y a Popaul (Mauriat) avec ses trente-cinq musiciens, Arthur Plasschaert et ses dix-huit danseurs (je danse une valse, ayant pris le virus avec Jacques Chazot...), Gérard Majax et, en vedette américaine, Michel Delpech. Bien entendu, notre Piccolo surveille tout le matériel. Nous avons vingt-six jours de travail et treize mille kilomètres à parcourir. Tout cela m'enchante. On trouve ça très amusant. Nous partons en caravelle spéciale...

Le voyage commence dans l'euphorie. Air France nous fait tout de suite sabler le champagne. Majax nous offre des tours de cartes. Et, bien entendu, je répète « mes » chansons.

L'arrivée est moins flambante que le départ. Déception de ceux qui découvrent Moscou : l'aéroport est sinistre à côté de celui de Paris. Et, tout de suite, la queue... la queue interminable pour le contrôle des passeports. Bruno et Johnny (surtout Johnny, puisqu'il est le plus grand, il a le plus de visibilité !) cherchent de l'œil Golovine, de *Gosconcert.*

« *Gosconcert ? Gosconcert ?* » dit-on à la cantonade.

Personne. Nous voilà, les quatre-vingt-cinq émigrés, dont deux ou trois baragouinent un peu de russe, sans réussir à nous faire comprendre. Ce qui paraît évident, impératif, inexorable, c'est de faire la queue comme tout le monde, et d'essayer de récupérer la masse de bagages.

Le palais des Congrès 1986. Je reviens à Paris, où je ne me suis pas produite depuis treize ans. En un mois, 110 000 spectateurs. Le dernier soir, je leur dit, ramassant les bouquets lancés sur la scène : « Je n'attendrai plus treize ans pour vous revoir ! » *(Cl. Bruno Schneider.)*

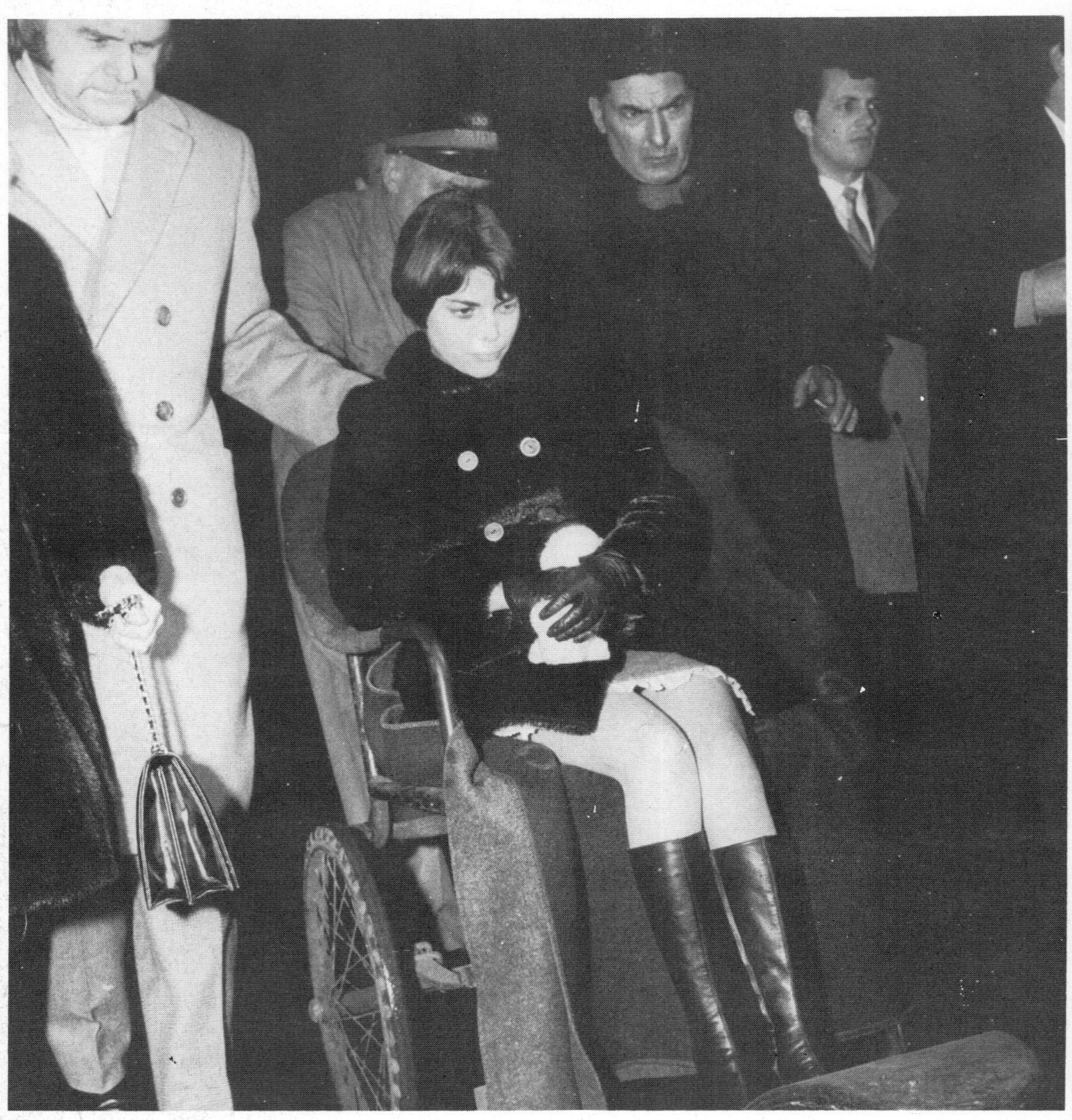

Février 1968 : je chante *L'hymne olympique* à Grenoble, puis nous reprenons la route de Lyon où notre spectacle a lieu le soir-même. Mais la voiture fait une embardée et cinq tonneaux. Cet accident va me coûter un contrat en Amérique. Deux mois allongée avec une fracture des vertèbres. L'accident restera dans mes cauchemars avec mon arrivée à Paris en fauteuil roulant.
(Cl. Henri Bureau/Gamma.)

En 1966, je ne fais pas moins de quatre voyages Outre-Atlantique. Je découvre le Pacifique avant la Côte d'Azur, et New York, Los Angeles, Dallas, Las Vegas, toujours guidée par Johnny *(en bas)*. Le célèbre Ed Sullivan *(en haut)* me présente dans son *show,* télévisé d'est en ouest. Les plus grands m'accueillent ensuite : Johnny Carson, Merv Griffin, Danny Kaye et Andy Williams, dont l'émission de fin d'année est une tradition. A Hollywood, le producteur Joe Pasternak, qui a lancé Deanna Durbin et Kathryn Grayson, me fait des propositions de films, mais le sort sera contraire. Et le contrat de sept ans m'effraie. Sept ans loin de la France... Si je chante en anglais, la difficulté de jouer dans cette langue me paraît insurmontable. « Tu as raté ta carrière américaine », me dit Johnny. Insouciante, je réponds : « Ce sera pour plus tard ! »
(Cl. Hugues Vassal.)

→
1967 : à Londres, l'émotion d'être invitée par la reine à la Royale Performance. J'ai appris à faire la révérence avec Jacques Chazot. La reine me dit : « Vous reviendrez ! » Elle m'invite à nouveau en 1969, en même temps que Tom Jones, dont je suis la « guest-star » dans ses *shows* télévisés. *(D.R.)*

←
Octobre 1966 : je me cache en coulisse pour regarder la merveilleuse Dionne Warwick. Sacha Distel est la tête d'affiche. Et moi, « je lève le torchon » avec trois chansons. Ce sont mes débuts à l'Olympia et en tournée à Bruxelles. Je retrouverai souvent Distel dans les « Sacha Shows »...

→
La rencontre la plus grande, la plus émouvante de toutes a été pour moi celle de Jean-Paul II. Le pape m'a reçue en audience privée après le festival de la Chanson religieuse, le 14 novembre 1983. J'avais chanté *Mille colombes, Santa Maria de la mer*... Il m'a dit : « Vous êtes la chanteuse de l'amour et de la paix. » *(Cl. Felici, Rome.)*

Las Vegas : l'attraction la plus payée, celle des magiciens Siegfried et Roy, mes amis. Ils vivent avec les animaux sauvages en liberté qui font leur fabuleux spectacle, tel ce tigre apprivoisé. *(Cl. Hugues Vassal.)*

Francis Lai, longtemps mon accordéoniste, a écrit certaines de mes plus belles chansons, telle *Un homme, une femme,* que j'ai emportée jusqu'à Moscou... Moscou 1967 : je chante pour la télé devant le mur du Kremlin. Moscou 1976 : Yves Mourousi me fait chanter sur la scène du Bolchoï. Moscou 1987 : sur la place Rouge, devant l'officier soviétique, j'exulte de joie : ce soir, 20 000 spectateurs m'accueilleront au palais des Sports. A Pékin, des enfants chantent avec moi, en chinois la fleur de jasmin, *Molly roi...*
(Cl. Alain Marouani, Hugues Vassal et Patrice Picot/Jours de France.)

СА

La dernière photo de la famille heureuse. L'été 1985. Avant de partir en tournée. En mon absence, papa sera terrassé par une rupture d'anévrisme. *(Cl. Paris-Match.)*

Matite me suit toujours, maintenant que tante Irène n'est plus. Elle est avec moi sur la Grande Muraille de Chine. *(Cl. Patrice Picot*/Jours de France.*)*

Johnny explose :

« Mais qu'est-ce que c'est que ces mal élevés !

— Calmez-vous, Johnny... », tempère Tantine qui n'aime pas se faire remarquer.

Et, tout à coup, il s'exclame, joyeux :

« Ah ! Nick ! How are you ! »

C'est un Américain de Las Vegas. Il vient d'ouvrir là-bas un casino extraordinaire, dit-on, le « Circus-Circus », où des numéros aériens évoluent au-dessus des joueurs de machines à sous. Il vient voir le fameux Cirque de Moscou. Congratulations. « Qu'est-ce que vous faites là ? » Johnny dit qu'il attend une voiture de *Gosconcert.* Nick, apparemment privilégié, a sa limousine à la porte et l'interprète qui va avec.

« Mais venez donc !

— C'est que nous sommes quatre-vingt-cinq !

— Ah ! je suis obligé d'en laisser quatre-vingts ! »

Nous voilà passant les contrôles, les doigts dans le nez, grâce à l'interprète venue chercher Nick en VIP. Et nous nous engouffrons, tantine, Christiane, tonton Bruno, pépé Jo et moi, dans la voiture noire digne d'un chef d'Etat, laissant notre pauvre troupe sous la sauvegarde de Jean-Michel Boris, le neveu de Coquatrix, et les bagages, aux soins de notre pauvre Piccolo qui roule des yeux de tous côtés.

Et nous sommes depuis une heure à guetter dans le hall du Sovietskaïa, considéré comme l'hôtel le plus luxueux, parce que construit il y a une dizaine d'années, tout près du stade Dynamo. Si l'aéroport a déçu, l'hôtel épate avec ses colonnes et ses marbres.

Bruno Coquatrix dit :

« Il ressemble au Métro ! »

Le métro vaut, paraît-il, le déplacement, chacune de ses stations est décorée différemment et d'un luxe surprenant.

Une heure et demie que nous attendons la troupe... On commence à s'inquiéter. On n'a pas pu joindre M. Golovine : les bureaux sont fermés depuis longtemps ! Encore heureux que nos chambres aient été retenues... Enfin, ils arrivent ! Leur car doit bien dater de la révolution, tant il brinquebale... En descendent les deux fractions : celle des mécontents et celle des tolérants... chacun s'étant déjà fait une opinion sur le paradis soviétique, sous l'œil navré de l'interprète, une dame de *Gosconcert,* arrivée en retard parce que l'avion était en avance !

Les chambres ne sont pas mal. Christiane les trouve belles, elle qui sort de la Croix-des-Oiseaux. Evidemment, à l'usage, il y a des surprises. Par exemple, pourquoi n'y a-t-il pas de bouchons à la vidange des lavabos ? On aura l'explication : c'est que dans le Plan qui a décidé des sanitaires, on les a oubliés. Il faut attendre le Plan suivant... c'est-à-dire quatre ans, nous dit-on, sous toute réserve.

Le souper nous espère dans un salon privé. En fait, c'est nous qui l'espérons... Il faut s'y faire. C'est le pays de la grande patience. Bruno, avec sa voix éternellement douce et son flegme, essaie de mettre de l'huile dans les rouages.

« N'oubliez pas, dit-il, que sans les vingt millions de Russes qui se sont fait crever pendant la guerre, nous serions tous morts... »

Il y a un petit silence et, là-dessus, on sert la vodka. Elle va effacer la première impression. Bruno achève de détendre l'atmosphère :

« Les Moscovites ont beaucoup d'humour. Ils se mettent eux-mêmes en boîte. Vous voulez que je vous raconte la dernière, qui m'a été rapportée par un Russe à mon dernier voyage : c'est un petit garçon qui interroge sa mère. “ Dis, maman, qu'est-ce que c'est que le communisme ? — C'est quand il y a de tout pour tout le monde. On ne fait plus la queue pour la viande. — Mais qu'est-ce que c'est, la viande ? ” »

Les serveuses arrivent, gentilles, avec du caviar et de l'esturgeon grillé. Un musicien s'informe : ce n'est certes pas là le menu ordinaire ? Non. Dans cet hôtel réservé aux étrangers, il n'y a que des privilégiés.

« Alors ? comment trouves-tu les “ lentilles du Morbihan ” ? » plaisante Johnny en ajoutant pour ceux qui ne le savaient pas que c'est ce qu'il m'a fait avaler, cette histoire de lentilles, il n'y a pas si longtemps, la première fois que j'ai mangé du caviar.

« L'œil de Moscou » — c'est ainsi que Johnny a baptisé tout de suite l'interprète — excuse M. Golovine, retenu par son travail. Johnny, de très méchante humeur, demande si son travail n'était pas de nous accueillir. Ne sommes-nous pas *Le Music-Hall de France* ? La pauvre, avec de si jolis yeux verts, rougit jusqu'aux oreilles. C'est Majax qui, providentiellement, détend l'atmosphère, en faisant apparaître et disparaître des verres de vodka. A chaque réapparition, il porte un toast, selon la tradition russe.

Le lendemain matin, Bruno et Johnny ont rendez-vous avec M. Golovine, Piccolo va installer le matériel technique au Théâtre de l'Estrade qui est l'Olympia moscovite, très populaire et tout neuf. Les danseurs vont y répéter et faire leur barre ; exceptionnellement, je prendrai ma leçon cet après-midi avec Arthur, aussi je peux visiter la ville avec Christiane et tantine. Nous avons pour nous trois un second « œil de Moscou », Galina, une jeune femme tout à fait charmante avec un accent chantant, et l'on a peine à croire qu'elle n'a pas fait ses études en France. Mais non... elle rêve seulement d'y aller et espère bien accompagner les Chœurs de l'armée soviétique quand ils vont venir à Paris... Paris, Paris... mot magique, mot passe-partout. Les visages s'éclairent... Cela, on le retrouve même dans la rue, quand on reconnaît notre accent.

« Nous n'avons pas beaucoup de temps si Mlle Mathieu doit être au théâtre à 1 heure. Alors, nous allons voir tout de suite la place des Cathédrales... »

Je n'imaginais pas que ça pouvait exister au monde, une place pareille...

« Ici, c'est le cœur du Kremlin... Vous n'avez pas vu l'opéra de *Boris Godounov* ? Tous les Russes sont émus quand ils voient ce décor-là... ! »

C'est vrai que c'est un décor : les gros pavés, la Moskova qu'on voit miroiter au-delà et, à gauche, à droite, derrière nous, rien que des palais et des cathédrales. Mon Dieu ! comment vais-je me souvenir de tous ces noms : je les mélange déjà !

« Jamais je ne pourrai retenir tous ces noms ! dit aussi Christiane.

— Ça ne fait rien... L'important, c'est le coup d'œil étonnant, dit Tantine. Mais je me demande pourquoi ils avaient tant de cathédrales ?

— Et d'églises ! C'est fou ! Tu as vu l'œil de Galina : forcément, je n'arrêtais pas de faire des signes de croix... !

— Et c'était pas des églises pour le peuple... seulement pour la cour ! remarque Christiane.

— Ils avaient peut-être beaucoup de péchés à confesser ! dit tantine.

— Oh ! Tantine... est-ce que tu vires ? Tu deviendrais communiste ?

— N'oublie pas que le papet l'était ! »

Quelle famille que ces Mathieu... Galina revient avec ses tickets. Elle a mis six minutes.

« Vous avez coupé la queue ?

— Naturellement. Vous passez devant tout le monde ! Vous êtes des personnages étrangers importants. Des " privilégiés ". »

Décidément, ça vire partout...

En arrivant au théâtre, j'ai l'impression que tout le monde râle plus ou moins. Il y a ceux pour qui la douche était trop froide et ceux qui n'ont pas pu prendre de bain (à cause de l'absence de bouchon !), ceux à qui manquait le croissant, et ceux qui n'ont pas trouvé d'expresso. Moi, j'ai bu du thé. Il est délicieux, le thé russe. Et puis il y a quelque chose que je ne connaissais pas, que je trouve très frais, très agréable pour vous mettre le palais à l'heure du printemps, c'est le verre de *kéfir* et la salade de chou.

Une *babouchka* est mon habilleuse. Elle est replète comme bien des femmes ici. C'est que la nourriture est à base de purée, de céréales, de pâtés bien nourrissants. Beaucoup de sucreries, aussi. Difficile de suivre un régime... Elle s'appelle Tamara. J'entends soudain la voix de Johnny tonner.

« Piccolo ! Piccolo ! Mais qu'est-ce qu'ils font là, nom de Dieu ! Mais ils sont en train de démonter nos haut-parleurs !

— Oui, monsieur...

— Mais ils sont fous ! Arrêtez-les !

— Monsieur... ils veulent voir ce qu'il y a dedans !

— Qu'est-ce qu'ils croient qu'il y a dedans ! des bombes, des tracts, des micros ! C'est peut-être leur genre, mais c'est pas le nôtre ! Appelez-moi Golovine ! Je veux voir Golovine ! »

Et tantine qui n'est pas là ! Elle qui m'a déjà dit hier soir :

« Avec ses réflexions, Johnny, il va finir au goulag ! » J'essaie de le calmer. Il me dit de m'occuper de ma voix. Et qu'au lieu de faire la touriste, je ferais mieux de faire l'artiste en travaillant ma valse avec Arthur. Ça va mal. Ça va mal.

Ça va bien, ça va très bien.

La première se passe dans un climat que je n'ai jamais connu.

Quand j'entre en scène, c'est cette densité du silence qui m'impressionne. J'ai vu l'œil de Galina s'arrondir à me voir faire — encore ! — mon signe de croix en quittant les coulisses... Et, devant moi, il y a maintenant cette masse, si immobile. Est-elle glacée, est-elle vivante ? Il n'y a pas une vibration... Je leur balance en pleine figure :

Oui, je crois... !

Et il me semble que je prêche dans le désert... et soudain, à la fin de la chanson, c'est le choc de ces applaudissements en cadence de deux mille personnes. Puis, venant de la salle, une, deux, cinq, dix d'entre elles qui s'avancent vers la scène, montent les quelques marches et, devant moi, respectueuses, déposent un bouquet de fleurs... Leurs yeux brillent de joie. Ils n'ont pas cassé de fauteuils, ils ne hurlent pas, mais c'est la première fois que je me sens devenir idole.

La télévision française a envoyé Christian Brincourt avec une équipe pour tourner sur la place Rouge... C'est étonnant : la place a été « nettoyée » des visiteurs qui sont maintenus au loin. Cela n'empêche pas la relève, au pas de l'oie, de la garde du mausolée de Lénine. Galina m'a dit qu'il fallait absolument que je vois Lénine embaumé. Il y a toute la journée des queues impressionnantes qui font le tour du Kremlin pour le voir... à commencer par tous les jeunes mariés. C'est une tradition. Dans cette queue, il y a des visages extraordinaires, des blonds aux yeux bleu pâle voisinent avec des bruns aux yeux bridés.

« Nous sommes un grand pays, me dit Galina. C'est pourquoi vous voyez un Slave et un Asiatique...

— Je comprends. Ma maman, qui est du Nord, a bien épousé un Méridional... »

Il faut bien que je lui fasse aussi un peu de propagande pour chez nous. Elle me propose de couper la file pour voir Lénine... mais Brincourt a d'autres prises de vues à faire encore. Et comme on ne peut pas filmer le mausolée... Quand nous en avons terminé du tournage, la queue est, elle aussi, finie, la visite terminée. En face, sur la place, il y a le Goum, leurs Galeries Lafayette. C'est un endroit amusant... sur trois étages, des échoppes reliées par des petits ponts, le tout couvert d'une verrière. Galina m'explique que c'est très pratique l'hiver : on fait ses courses en n'ayant pas trop froid. Mais tandis que les queues paraissent insurmontables dans les boutiques d'objets de première nécessité, j'aperçois un petit étalage où il n'y a pas trop de monde : celui des insignes. Les Russes ont la passion des insignes. C'est la tête de Lénine qui est la plus vendue, naturellement, en cette période du cinquantenaire. Il y en a de toutes les républiques, avec des personnages, des monuments, des paysages, des inscriptions que je ne comprends pas. Ces petites broches émaillées qui ne valent que quelques kopecks, je les achète par douzaines, au ravissement de la marchande. Et j'en mets trois tout de suite à ma veste.

« Krasivyï... spassiba. »

Johnny me regarde avec un peu d'agacement.

« Quand je pense que tu as une broche de chez Van Cleef que tu ne portes pas ! Et tu parles russe, maintenant ?

— J'ai demandé quelques mots à Galina.

— On paye des leçons d'anglais, ça n'entre pas. Et ici, où tu ne peux même pas lire l'alphabet... !

— C'est pas pareil, c'est juste une question d'oreille ! »

Nadine est arrivée de Paris avec une nouvelle importante. A Venise, les critiques de quinze pays réunis ont décerné leurs prix Europremio pour la télévision : à Elisabeth Schwarzkopf pour le lyrique, Noureïev pour la danse et moi pour les variétés. Naturellement, on n'en a rien su ici. Quel malheur que ces frontières imaginaires... ce serait si simple d'être tous sur la même planète... Je sens aussi ma chance. Moi, je peux passer le rideau de fer, et peut-être le mur, et tous les autres murs qui existent... C'est ce que je dis toujours à tantine : mon rêve, ce n'est pas tant de chanter « dans » le monde entier, mais « pour » le monde entier.

« J'ai un beau métier, n'est-ce pas, Tantine ? Même si on ne parle pas la même langue, on peut se comprendre quand on chante. C'est ma façon de faire de la musique. Je ne connais pas le solfège, je ne sais pas jouer d'un instrument, mais ma voix est un instrument. Et avec la voix, je peux partir n'importe où. Je vais t'avouer quelque chose, tantine. En voyage, je me sens bien. Johnny, lui, ça lui manque, le confort de la maison. Pas moi, ça m'est égal...

— Oui... je ne l'aurais pas cru, mais, au fond, tu es une saltimbanque...

— Un peu... J'aime revenir... mais pour revenir, il faut bien être parti ! Remarque que... j'aime bien voyager, mais je ne pourrais pas toute seule. J'ai besoin de “ ma roulotte ”. Tu vois, Christiane... je suis triste qu'elle parte demain... »

Eh oui ! demain, c'est le retour à Paris de ceux qui ne sont pas fâchés de le retrouver : Johnny, disant qu'il a beaucoup de choses à y faire..., Bruno, qui s'ennuie de son Olympia, et Eddie, qui a des disques en train.

Le lendemain matin, j'ai mis mon réveil pour dire au revoir à ma Christiane. Elle est chargée d'une lourde valise — celle qui nous a transporté le ravitaillement en tisanes, etc. — pleine de petits jouets en bois ravissants. L'ours, emblème de l'URSS, en est le personnage principal. L'imagination des sculpteurs sur bois est sans limites : les petits jouets articulés nous montrent l'ours sur une bascule, coupant du bois, jouant aux échecs, au ballon... il a pour partenaire un ourson, un lapin, un loup... Ce sont des jouets très simples qui ne valent qu'un rouble ou deux, mais qui font la joie des enfants. J'ai remarqué, dans la rue, comme les enfants sont les rois. On les couve. Ils sont habillés bien proprement. Certes, ils ne sont pas « chics » ; ils nous ressemblent lorsque nous étions petits, nous, les Mathieu, bien tenus, s'amusant d'un rien. A ceci près que jamais nous n'avons eu d'aussi jolis jouets... Pas très loin du Kremlin, un magasin leur est entièrement consacré. Sur plusieurs étages. Il y a foule.

« C'est normal, me dit Galina. Dans un pays où la guerre a fait tant de morts... les enfants deviennent sacrés. »

Ils sont gentils : ils répondent à votre sourire. Comme les gens, d'ailleurs.

Je suis donc en train de rêver quand, toc-toc ! à la porte, et qui apparaît ? Christiane !

« Mais qu'est-ce qu'il se passe ! Tu n'es pas partie ! Et pépé Jo ?

— Oh ! lui, il est parti ! mais il est furieux ! En arrivant à l'aéroport, il sort les passeports pour les donner à Galina qui enregistrait tous nos bagages. Et elle devient blanche : " Monsieur Stark ! ce n'est pas le passeport de Christiane ! c'est celui de Mireille que vous m'avez donné ! Elle ne peut pas partir. " Je te dis pas la séance ! Johnny disant qu'on se ressemble et que " ça passera très bien ! " Galina répliquant qu'elle ne peut pas faire ça, qu'elle risque sa place, et Johnny, fou de rage après Nadine (heureusement qu'elle n'était pas là !) qui s'est trompée en lui remettant les passeports ! Finalement, moi restant de l'autre côté de la barrière ! Et me voilà ! »

Elle est folle de joie, et moi aussi. Durant les trois jours qu'il nous reste à Moscou, elle sera mon œil : elle va voir tout ce que je n'ai pas le temps de voir ! Elle va épuiser Galina : le couvent de Novodiévitchi, le musée Pouchkhine et même le Bolchoï... Elle me décrit tout ça et :

« Il faut que tu reviennes, tu sais. »

C'est toujours ce qu'on dit... C'est le refrain de ma vie.

Il pleut. A Leningrad, il pleut. La voiture nous fait faire un tour de ville... A travers le rideau de pluie, elle m'apparaît comme un fantôme de ville, avec ses façades où les moulures ont l'air de crème Chantilly posée en guirlandes sur des murs pistache, ou caramel, ou dragée. On a envie de la dévorer, cette ville, mais elle reste inaccessible, peut-être à cause de la pluie...

Toujours privilégiés, au lieu de piétiner comme la file de touristes pour entrer à l'Ermitage, nous passons par une autre porte.

« C'est l'un des musées les plus riches du monde, dit Galina, sinon le plus riche ! Il y a plus de deux millions de pièces répertoriées ! Que préférez-vous voir ? »

Je n'ose pas lui dire que je n'ai rien vu dans ma vie, pas même le musée du Louvre auquel elle fait fréquemment allusion... Alors ? Culture primitive ? Art romain ? Grec ?

Egyptien ? Chinois ? Japonais ? Ecole italienne ? Espagnole ? Flamande ? Hollandaise ? Allemande ? Anglaise ? Française ?

« Je veux bien française... (il vaut mieux commencer par là...).

— D'accord. Mais quelle période ? Il y a quarante-trois salles.

— Quarante-trois !

— Nous avons un ensemble unique d'impressionnistes. »

Elle nous dit qu'il faut passer d'abord au vestiaire pour nous déchausser. Tantine et moi, on se regarde, déconcertées. Toutes ces paires de chaussures qui attendent... comment retrouver les nôtres ! Une *babouchka* nous donne des grands chaussons en feutre... On pourrait mettre six de mes pieds dedans.

Et nous voilà parties, glissant sur les parquets.

« Ils ont trouvé un bon truc pour cirer gratuitement ! » dit tantine.

On va trop vite. J'aimerais rester devant une toile que j'aime, pour me promener dedans... par exemple dans *Le Champ de coquelicots,* de Monet... ou sur les *Grands Boulevards,* de Pissarro. L'une me rappelle ma campagne, qui me manque tant par moments, l'autre... l'époque où j'aurais bien aimé vivre, à cause des fiacres et des robes à tournure... Oh ! un Degas ! quel dommage que Johnny ne soit pas avec nous, lui qui les aime tant ! Pour une fois, ce n'est pas une danseuse, c'est une dame nue peignant sa chevelure...

Ça me rappelle que, si je vois les journalistes à 6 heures à l'hôtel, il faut que tantine me fasse le shampooing...

Ce sera tout pour aujourd'hui. Ce soir, on chante ! Dire « ce soir » n'est pas exact. Nous sommes en période des « nuits blanches » ! Ce soir n'en est pas un, puisqu'il fait toujours jour, un jour bizarre, celui entre chien et loup.

Il paraît que, malheureusement, les « nuits blanches » coïncident souvent avec les pluies de printemps. Mais on ne s'ennuie pas pour autant. Majax nous fait jouer aux cartes, les musiciens improvisent et on rit tous beaucoup.

Moi, un peu moins quand il faut reprendre un Iliouchine en direction de Kazan.

Kazan... une ville superbe, mais le seul ennui est qu'elle est fermée aux touristes. Une fois de plus, nous sommes — et plus que partout ailleurs — « privilégiés ». A l'aéroport, on nous regarde comme des bêtes curieuses. Nous voici donc dans la capitale de la République autonome des Tatars.

« Il y a ici quelque chose qui va intéresser la chanteuse, dit Galina. C'est le pays de Chaliapine.

— Chaliapine ! Oh ! il faut que je téléphone ça à papa ! Il le connaît ! »

Hélas ! si déjà, de Moscou, les communications demandaient trois heures d'attente, elles sont pratiquement impossibles depuis notre arrivée à Leningrad : la guerre a, paraît-il, éclaté une fois de plus entre Israël et les pays arabes depuis le 5 juin [1]. Les communications téléphoniques internationales sont interrompues. Impossible d'avoir Avignon ! Alors, à Kazan, fermée au tourisme... c'est sans espoir. Tout à coup, je ne me sens pas bien.

Les Tatars ont une rude santé : dans la journée, la chaleur est torride. Il ne fait pas moins de 40 °C. Le soir, il n'y a plus qu'une douzaine de degrés. A ce régime, malgré les précautions, je pique un 39° de fièvre et une angine. On ne peut pas annuler : le palais des Sports, un peu plus grand encore que celui de Leningrad, est rempli de huit mille spectateurs. Il faut un docteur :

« Mais comme il ne vient jamais de touristes ici, s'inquiète tante Irène, comment va-t-il te soigner ?

— Mais il y a de très bons médecins ici ! dit Galina. Ce n'est pas le bout du monde ! »

Arrive le médecin, avec des yeux bridés impressionnants. Tantine voudrait à tout prix savoir ce qu'il y a dans la piqûre qu'il va me faire...

« Oh ! monsieur, monsieur, il faut absolument que je chante ce soir !

— Il dit que vous chanterez », insiste Galina.

Et c'est vrai, je chante. Je ne sais pas comment ça me sort de la gorge, mais c'est un fait.

Le lendemain matin, l'aphonie est revenue. Cela a quelque chose de diabolique. Le docteur réapparaît et refait la même

1. Allusion à la guerre des Six Jours.

piqûre... et la voix revient, elle aussi, au moment propice. En entrant en scène, je n'ai plus de fièvre. Ou, si j'en ai, je ne la sens pas.

Il en est ainsi jusqu'au dernier jour de notre semaine à Kazan... Dans la journée, les camarades essaient de me distraire puisque je garde le lit. La chambre n'est pas bien attrayante et elle donne, comme tout l'hôtel, sur une gare de triage...

Jacques Perrot, le bruiteur, est incroyable : en tapant sur sa gorge qui est, contrairement à la mienne, en bon état, il sort les sons les plus inattendus. Il peut imiter n'importe quoi. Et le voilà, ouvrant ma fenêtre et sifflant comme le sifflet puissant d'un chef de gare. Il faut croire que c'est international parce que... un train part... !

Sur le moment, on croit à une coïncidence. Il recommence, et un second train de marchandises qui attendait là part à son tour ! Pas de doute : c'est Perrot qui met la pagaille dans la gare. Des employés courent sur le quai... On referme vite la fenêtre ! On est morts de rire. Heureusement que « Galina nous a lâché les baskets », comme dit Jean-Michel Boris, car je ne crois pas qu'elle nous féliciterait ! Il n'empêche que cela restera mon souvenir le plus hilarant de l'Union soviétique.

3.

DU TRIOMPHE A LA CATASTROPHE

Mon anniversaire se fête, comme l'année dernière sur les routes.

En deux mois et demi de tournée, 75 villes, sans un jour de relâche. Le repos, c'est quand il y a plusieurs récitals dans l'une d'elles.

On voyage dans la DS noire conduite par René le chauffeur. Je suis sur la banquette arrière pour dormir autant que je peux. Mais Johnny est obligé de le rappeler à l'ordre : ne pas dépasser le 80 sinon j'ai mal au cœur.

C'est dommage que les dates ne puissent pas concorder pour que je sois à Avignon le 22 juillet... C'est comme ça. Je vois trop comme il est difficile de faire un planning. Quel casse-tête. Il faut essayer de raccourcir les distances, de satisfaire les municipalités, de combiner les trajets pour se croiser avec d'autres vedettes mais ne pas se heurter, ou se succéder à trop brève échéance, car le porte-monnaie des spectateurs n'est pas élastique... Les tournées d'été ont depuis quelque temps une mauvaise réputation chez les impresarii : elles ne marchent pas toujours. Des têtes d'affiche, pourtant énormes, voient soudain poindre un très maigre public. Pourquoi ? « Parfois, il y a saturation avec les télés », dit Johnny. Parfois, c'est simplement parce que le choix se restreint pour raison financière. J'ai de la chance. Ce n'est pas mon cas pour le moment. On fait salle comble partout. Mais je sais que tout peut s'écrouler d'un coup. Alors, je fais le maximum pour être au mieux de ma forme, et leur en donner pour leur argent. Avec plaisir d'ailleurs. Je me porte mieux quand je suis en scène... !

Le 22 juillet, nous sommes donc à l'hôtel du Palais. C'est un endroit vraiment merveilleux. Il me semble que l'impératrice Eugénie va apparaître à chaque détour du couloir... Nous avons une suite sur la mer avec tantine. Ainsi, je suis majeure aujourd'hui. Je me sens très peu grande. Tantine, dans la chambre, m'offre un paquet de la part de maman... Il a été enrubanné par Matite. Le papier qui l'enveloppe a été décoré par les dessins de tous mes frères et sœurs. Et à l'intérieur... c'est le gâteau d'anniversaire, le vrai gâteau tel que maman l'a toujours fait de ses mains, pour nous : le même gâteau qu'elle m'avait envoyé à la colonie de vacances, il y a deux ans !

Des amis se sont joints à nous : Jacques Dutronc, Guy Marchand, deux Compagnons de la Chanson et le fils de Marcel Cerdan. Johnny a bien connu son père. Il est très gentil, Marcel. On rit, on danse... et, le lendemain, j'apprends par le journal que nous sommes fiancés !

« Mais c'est terrible ! dis-je à Tantine. Si je ne peux pas danser avec quelqu'un sans qu'on me fiance !

— Bah ! Ça t'arrivera plus d'une fois ! dit Johnny. Ce serait embêtant si c'était Quasimodo, mais Marcel Cerdan junior, tu n'as pas à en avoir honte !

— Qu'est-ce qu'on fait ? On dément ?

— Laisse courir. Ta légende commence. Elle vivra sans toi. »

Je n'aime pas ça. Je ne vois pas pourquoi on aurait deux vies : celle qu'on vous prête et celle qui existe.

« Un artiste a toujours deux vies, il me semble, dit tantine de son petit ton égal. Et probablement même plusieurs. Chacun imagine sa vedette préférée. Si ça se trouve, tu as des milliers de vies en ce moment dans la tête des gens. Tu leur laisses. Et tu vis la tienne. Je ne vois pas pourquoi ça te préoccupe.

— Mais je n'aime pas qu'on invente des histoires...

— Le journaliste a peut-être cru de bonne foi qu'il y avait quelque chose... Tu avais l'air si gai, si heureux...

— Parce que c'était mon anniversaire, que tout le monde m'avait gâtée, que tous étaient aussi heureux et gais... Mais enfin, Tantine, tu étais là ! Est-ce que je me suis tenue de façon à laisser croire... ?

— Mais non, mais non... mais les gens croient voir quelque chose. »

Johnny allume son cigare. Ça m'agace, ce calme, parce que c'est tout de même de ma vie dont il s'agit.

« C'est comme ça, dit-il, qu'il y a plein d'erreurs judiciaires ! Parce que les gens croient voir. Tu ne vas pas gâcher tes vingt et un ans pour ça. J'ai une nouvelle d'autre importance. Nadine vient d'appeler. Un câble est arrivé de Londres de Lew Grade. Ça y est, ma chérie, tu vas faire la Royal Performance !

— Devant la reine ?

— Devant la reine. Le 13 novembre, au Palladium. Et Lew Grade ajoute que tu y seras en bonne compagnie...

— Vous pensez ! La reine ! Papa qui aurait toujours voulu voir son sacre ! On a eu la télé trop tard ! Il va être fou de joie !

— Je ne parlais pas de la salle, mais de la scène. Y seront en même temps que toi Tom Jones et Bob Hope

— Tom Jones ! »

Je suis une fan : j'ai acheté tous ses disques ! Et Bob Hope... il est aussi un ami de Joe Pasternak !

« Alors là, les journalistes vont pouvoir en écrire sur ton compte... »

Pasternak... on se retrouve dans son bureau, Pelagio Road, à Hollywood.

Il s'agit de nouveaux essais à faire pour *Guitar City*. Johnny est très nerveux, car le début du tournage est prévu pour le 20 septembre. Il se rend bien compte que mon anglais n'a guère progressé... en URSS !

Joe dit qu'il a un professeur formidable qui va me prendre en main. Johnny rétorque qu'il ne veut pas me risquer dans un flop aux Etats-Unis. Joe répond que, s'il s'engage, c'est parce qu'il ne croit pas au flop mais au succès. Il replace ses arguments : j'ai selon lui tout ce qu'il faut pour réussir — la voix, le visage, la jeunesse. Johnny place les siens qui sont négatifs : je ne parle toujours pas l'anglais, et je ne sais pas jouer la comédie. Joe réplique que, si nous étions restés aux Etats-Unis depuis un an, je saurais... au lieu de me balader chez les Russes ! Johnny lui balance que, devant des publics vivants, je progresse, je parfais ma voix et mon jeu. Joe me demande mon avis.

C'est une discussion bien embarrassante ; j'aime bien Joe, l'Amérique, et qui serait assez fou pour refuser des dollars ? Comment lui expliquer, sans le vexer, que j'ai un blocage sur l'anglais, peut-être parce que Hollywood me fait peur ?

Johnny lui apprend que je vais me produire devant la reine d'Angleterre — ce qui le calme — et que je vais faire d'autres spectacles à Londres ; que, de cette manière, je vais apprendre l'anglais « sur le tas », là-bas, et que je me sentirai ensuite beaucoup plus à l'aise pour aborder l'Amérique...

« Alors, vous refusez *Guitar City* ? Avec John Wayne !

— Je crois que c'est plus prudent...

— Bon. (Il soupire :) Ce n'est pas que nous n'ayons pas ce qu'il faut ici ! Grayson peut le faire. Mais Mireille... son petit côté *french*... je suis sûr que ça marcherait. On ne va tout de même pas attendre qu'elle soit en âge de jouer les mères et moi les retraités ! On n'a qu'un ennemi, Johnny : c'est le Temps.

— Il joue aussi pour nous, Joe. Mireille se bonifie de jour en jour. Croyez-moi, elle sera bien meilleure, pour ce que vous voulez faire, l'année prochaine ! »

Quand on se retrouve au bungalow — toujours le même — du Beverly Hills, Johnny me dit :

« Tu veux vraiment savoir ce que je pense ? Ta vraie carrière, tu la feras à quarante ans. »

Il a de ces mots ! Je me demande si je pourrai tenir jusque-là.

« Qu'est-ce que tu as ? Tu es bien bizarre, ce soir ? » me dit tantine.

On a commandé le souper ici pour nous éviter de sortir. Je lui dis qu'on a annulé, en ce qui me concerne, le projet du film avec John Wayne.

« C'est dommage, dit Tantine, j'aurais bien aimé le connaître... Alors qu'est-ce qu'on fait à la place ?

— Un petit truc, dans le nouveau James Bond.

— Tu vas faire une James Bond *girl !*

— Non. Je vais faire le générique seulement avec la chanson du film, *Casino Royal.*

— Alors, tu ne verras pas Sean Connery ?

— Non. D'autant que ce n'est pas lui qui fait le rôle cette fois.

— C'est dommage. J'aurais bien aimé le connaître, Sean Connery ! »

Tantine s'émancipe. Elle est aussi à l'aise dans n'importe quel palace et devant n'importe qui qu'à Avignon avec l'épicière. Pendant notre tournée, un décorateur a mis au point notre nouvel appartement en face de l'hôpital américain. Il est plus spacieux. Il me permet d'avoir une pièce où je peux répéter avec quelques musiciens. Où l'on peut recevoir aussi. Et il a une terrasse.

« Est-ce que je plonge assez ?

— Tu plonges trop ! »

C'est Jacques Chazot qui me fait répéter la « révérence à la reine ». C'est bien plus coton que la valse...

« Passe ta robe...

— Elle n'est pas prête !

— Passes-en une autre ! C'est très important que tu répètes avec une robe longue. Ça t'évitera les mouvements exagérés... »

C'est une chose de répéter dans son salon et de se trouver devant la reine. Je sais bien qu'elle est en chair et en os, comme moi... mais, on a beau dire, ça impressionne. Des coulisses, je la vois s'asseoir dans la loge royale comme dans une corbeille de fleurs ; il y en a sur toute la hauteur de son balcon. Elle porte un diadème et un collier magnifique... Je repense soudain à la dame que j'avais visitée, avec les copines, de l'autre côté du Rhône, et qui m'avait dit : « Tu verras des rois et des reines... » Je l'avais prise pour une folle. Ça existe donc, les voyants...

« Assieds-toi, dit Johnny, tu ne passes pas tout de suite.

— Je n'ose pas. Je vais froisser ma robe. »

Est-ce qu'elle sait que je suis née dans une famille pauvre ? Sûrement. D'ailleurs, nous sommes quelques anciens pauvres ici : Tom Jones est d'une famille de mineurs et Bob Hope a fait tous les métiers pour survivre à Hollywood.

« Qu'est-ce qu'il dit ?

— Que tu n'aies pas peur. La reine est une femme délicieuse.

— Je n'ai pas peur de chanter. Au contraire. Vous savez bien, Johnny, ça m'excite plutôt une “ première ”. Alors, celle-là... ! C'est la révérence qui m'inquiète.

— On n'y peut rien. Tu ne peux pas lui donner une poignée de main !

— Et si elle me la tend ?

— Lew te l'a dit : tu la prends et t'inclines en révérence.

— Pourvu qu'elle ne me la tende pas ! Les deux trucs en même temps, c'est trop... ! Vous allez dans la salle ?

— Mais je ne peux pas, Mireille ! Tu ne te rends pas compte ! Elle est “ réservée ”.

— Et Lew Grade, il y est ?

— Dans un petit coin, oui. »

Il y en a un au moins qui pourra me dire comment j'étais...

C'est à moi. C'est une de ces salles « peintes » comme on dit dans le métier. Elle ne bouge pas, elle est dans une robe de silence. Allons-y.

Le seul ennui, c'est que je ne sais pas trop où regarder. Elle... ? Cela m'intimide et, pourtant, c'est pour *elle* que je chante. Je prends une dame, au hasard, dont je ne distingue que la robe bleue, en imaginant que c'est tantine, et que c'est à elle que je donne la chanson. De toute façon, avec les projecteurs, je ne vois pas réellement les gens, jamais au point de les reconnaître. Ils deviennent un tout, une espèce de monstre à yeux multiples. Un drôle de monstre qui n'est jamais le même. C'est ce qui est amusant. Fascinant. Dangereux aussi. Je me demande si, à cette minute-là, nous ne sommes pas proche du toréador devant son taureau ? La minute de vérité, dit-on dans les arènes. C'est bien la nôtre aussi.

Mon cœur restait sans amour
Et pourtant cette valse
Aurait pu durer toujours...
La, la, la, la, la...

C'est la fin de ma seconde chanson et la fausse sortie en coulisses. Il faut revenir au centre, et le plus risqué reste à faire : la révérence.

« Quand elle applaudit très fort, m'a dit Bob Hope, c'est gagné ! » Je crois que ça l'est. Et comme tout le monde regarde la reine quand elle applaudit très fort, tout le monde l'imite.

Quand je rentre en coulisses, tantine pleure. Johnny jamais, mais je sais que, lorsqu'il est ému, son nez se plisse, pour retenir l'humidité ! Maintenant, ni lui ni elle ne vont être les témoins de ce qui va suivre. Seuls les artistes sont présentés à la reine, comme de bons soldats, en ligne, qu'elle passe gentiment en revue, disant un mot — ou plus ! — à chacun. Et il faut refaire la révérence. Mais maintenant, ce n'est plus un problème, c'est une routine. Je suis bien plus préoccupée par ce qu'elle va me dire. Et pourvu que je la comprenne.

Elle s'approche. Elle est bien plus mignonne que vue de loin. Moins grande aussi que je ne me l'imaginais. Son sourire n'est pas de commande. Il est celui d'une spectatrice qui s'est bien amusée et ne regrette pas d'avoir payé son fauteuil ! Elle vous regarde bien en face, et quelque chose, dans son nez, sa bouche, me dit qu'elle doit bien savoir humer les parfums et goûter les bons plats. Enfin, pour achever de me conquérir, elle parle le français ! Après les compliments d'usage, elle me dit :

« C'était magnifique... Mais depuis quand chantez-vous ?

— Depuis que je suis toute petite ! (J'ai oublié de dire : Majesté !)

— Eh bien, j'espère que vous continuerez longtemps et que vous reviendrez à Londres ! »

Quand le cortège officiel est parti, la première personne qui me serre dans ses bras est Lord Delfond :

« Vous reviendrez ! Mon frère va arranger cela ! »

C'est-à-dire Leslie Grade. Le voici : tout frétillant. Dans sa tête, c'est déjà fait :

« Nous allons faire des “ Mireille Mathieu Shows ” à la télé », dit-il.

Le lendemain, Johnny n'a pas besoin d'ouvrir le *Times* pour savoir ce que ce très sérieux journal pense : ce n'est ni Bob Hope ni Tom Jones qui ont été photographiés avec la reine, c'est moi, et la photo, fait paraît-il rarissime car ce n'est pas le style du *Times,* est à la une... (comme dans *France-Soir* à Paris, mais là, rien d'étonnant. *France-Soir* a été le premier à me faire cet honneur et dit que j'ai « gagné ma bataille d'Angleterre »).

Johnny regarde cette première page et n'a pas l'air d'y croire.

« C'est un miracle... ! » dit-il.

Je ris. Je ne l'ai jamais vu comme ça.

« Un miracle... Tu ne te rends pas compte de ce que cela signifie. Gagner Londres, c'est gagner aussi le Canada et l'Amérique.

— Je sais. Vous me l'avez expliqué.

— Mais je ne croyais pas que tu y arriverais... »

Quelques jours après débarquent à Paris, venant de Moscou, les Chœurs de l'armée soviétique qui vont se produire au Palais des Sports. Et le soir de la première, témoin en quelque sorte des échanges culturels entre les deux pays, je vais chanter, en prime, en surprise, avec eux, *Quand fera-t-il jour, camarades ?*

Elle a toute une histoire, cette chanson.

Un livre est sorti chez Robert Laffont sur la Révolution d'octobre. Un ami de l'auteur Jean-Paul Ollivier en a fait la préface : Gaston Bonheur. Le joli nom... Je le connais ! Je le fréquente presque tous les jours : Johnny, qui n'ignore pas ma passion de l'Histoire, m'a offert l'an dernier son bouquin, *Qui a cassé le vase de Soissons ?* Que je l'aime, ce livre ! Je l'ai aimé dès que je l'ai eu en main, d'abord comme un objet, à cause de sa couverture (avec une carte de France tricolore qu'un petit écolier porte sur son épaule : on est cocardière ou pas !) ; ensuite, je l'ai aimé comme un ami. Je peux l'ouvrir à n'importe quelle page, j'y apprends quelque chose : un poème ou le morceau choisi d'un grand auteur. Un trésor pour moi, si ignorante. C'est autant de portes qui s'ouvrent sur ce que je ne connais pas ; et si, parfois, je sais, c'est la joie des retrouvailles.

Notre Gaston Bonheur, aimant écrire des chansons à ses heures, se sent, après sa préface, inspiré par le sujet : « Quelle chanson on pourrait faire là-dessus !... » pense-t-il. Et c'est la chaîne : voilà l'éditeur du livre, Robert Laffont, consentant ; Eddie Barclay, intéressé et prêt à faire le disque ; Johnny consulté ; Mauriat inspiré à son tour pour faire une musique sur les paroles de Gaston Bonheur et moi, conquise.

C'est ainsi qu'elle est née. Mais si on m'avait dit qu'elle me mènerait sur la scène du Palais des Sports, parmi deux cents gaillards en uniforme de l'Armée rouge, réputés pour leurs voix splendides... plus que pour la Royal Performance, j'aurais eu peur !

Leur spectacle est parfait. Ils ont une telle technique qu'ils se jouent de toutes les difficultés et passent du *Temps du muguet* à *Faust*... Leurs danseurs sont tout aussi étonnants. Grâce à eux jaillissent toutes les images du peuple russe, le vent des steppes, la bien-aimée attendant à l'ombre du sapin, un air de balalaïka dans un bois de bouleaux, mais aussi la sauvagerie d'une âme ou d'un paysage ; ils font surgir des décors, alors qu'il n'y a, sur le fond, que des uniformes et des rideaux gris... Mais voici le moment le plus inattendu pour le public : celui où, minuscule, j'entre avec mon 33 fillette, pour m'incruster dans ce chœur d'hommes dont chacun pourrait être un soliste.

J'ai répété avec eux trois jours durant. Ils ont fait l'effort d'apprendre la chanson en français. On leur en a traduit le sens, qui les a émus. Ce n'est donc pas uniquement avec leurs belles voix qu'ils chantent. C'est avec un sentiment profond. Pour eux, ce n'est pas seulement une image de la Révolution d'octobre. Ce sont celles, bien plus proches, de la résistance de Moscou, et de tant d'autres villes, pendant la dernière guerre :

Quand fera-t-il jour, camarades ?
Ils avaient l'air buté
Poings aux poches
Ils souriaient
En pensant à Gavroche
Ils s'enfonçaient dans le vent
Et toujours, ils espéraient au Levant
Que le jour
Viendrait un jour
C'est pour de bon !
Quand fera-t-il jour, camarades ?
J'entends toujours cette question
Qu'ils se posaient, les camarades
Pendant qu'un vieux croiseur en rade
Gueulait à pleins canons...

Comme on dit chez nous : « L'homme est à sa parole comme le chien à sa laisse. » J'avais invité le colonel Alexandrov lorsque nous nous étions rencontrés au Kremlin, je tenais parole. Et le voilà à la maison, non pas avec ses deux cents hommes, ils n'y tiendraient pas, mais avec une dizaine de ses solistes. Ils ont apporté la vodka et Johnny du saumon et du caviar pour les entrées. Mais ensuite tantine a mis les petits plats dans les grands, au fourneau depuis la veille, « si contente, me dit-elle, de faire enfin de la cuisine pour beaucoup de monde ! » (A Avignon, les jours de fête, on était souvent trente, même s'il n'y avait de la viande que pour dix...)

« *Ni khatitié li paliest?*

— Qu'est-ce que tu demandes au colonel? demande Johnny.

— S'il a faim. »

Un peu agacé :

« Et en anglais ? Tu sais le dire ?

— I am *angry*.

— Non ! *Hungry* ! avec un H ! et un U !

— Vous voyez pourquoi c'est plus facile, le russe. Je m'occupe pas de l'orthographe ! »

Le calendrier est très serré. D'un coup d'aile, nous sommes à Marseille pour le baptême de Vincent qui a sept mois...

Je ne l'ai vu qu'une fois, le petit, en coup de vent.

« Depuis combien de temps je ne t'ai pas vue déjà ?

— Depuis dimanche dernier, Maman, à la télé !

— Eh oui... je sais. Mais c'est pas pareil. »

Elle allait le coucher. Je l'ai pris contre moi. Si frêle, si doux, si joli... comme Rémi au même âge. Et comme à Rémi, je lui ai fait sa toilette.

Du Canada, j'avais rapporté un savon merveilleux pour les bébés. J'ai vu qu'il avait plein de petites cloques :

« C'est les moustiques ! On en a eu des flopées cette année...

— C'est bête que je ne l'ai pas su. Au Canada, ils ont un truc formidable pour ça !

— Mais il reste du vinaigre de la Mamet... »

Je n'ai même pas eu le temps de le voir s'endormir. Il fallait reprendre la route. Juste le temps de flatter Youki qui me faisait fête, le pauvre chien. Mais pas celui d'aller jusqu'à l'atelier :

« Je suis en train de sculpter notre cheminée. Elle sera terminée pour l'hiver. Tu verras comme je la fais superbe : avec les armes d'Avignon... les trois clés et les deux gerfauts.

— Maintenant, s'il pouvait s'arrêter de faire des enfants pour faire des cheminées, disait maman, pour moi, ce serait plus reposant ! »

La cheminée est bien finie, mais je n'aurais pas encore le temps de la voir cette fois-ci. Je suis en pleine répétition pour l'Olympia. Un an après, l'enjeu est encore plus important...

« Cette fois, m'a dit Johnny, ou tu restes pour des années, ou tu disparais... »

J'oublie cela pendant quelques heures.

On a décidé, avec les parents, qu'on veut un vrai baptême, sans tralala, ni photographes ni bousculades. Ce serait bien difficile à obtenir à Avignon... Alors, on le célèbre dans une petite chapelle du mont Ventoux. Personne ne viendra nous chercher là ! D'ici, il y a une vue superbe sur notre pays, par temps clair. On peut voir jusqu'à Marseille et on ne peut pas dénombrer les montagnes, tant il y en a. Papa les connaît toutes par leur nom... mais aujourd'hui le seul qui nous intéresse, c'est Vincent. Le petit Vincent, porté par Mme Colombe et parrainé par Johnny. Nous prions tous pour qu'il soit gentil comme son saint patron, et heureux, comme un bon chrétien. Elle est très particulière, cette chapelle du Mont-Serein si bien nommée : on y célèbre indifféremment tous les cultes, catholique ou protestant. Une chapelle œcuménique dans la montagne, bien propre au recueillement, à remercier Dieu de tous les bienfaits dont Il nous comble...

C'est gorgée du bel oxygène du Vaucluse, le cœur chargé de tendresse, et les yeux pleins de notre beau paysage que j'affronte l'Olympia. Une fois de plus.

Hallyday est venu m'embrasser dans la loge, car il chante lui-même tout à l'heure en dehors de Paris. Il y a dans la salle mes supporters, ceux qui, je le sais, ont de la tendresse pour moi : Aznavour, Sacha (Distel), Line (Renaud), Dalida, et bien entendu Maurice. C'est pour lui que je chante *Ma pomme,* qui surprend dans mon répertoire... Charles Trenet est au premier rang pour entendre sa chanson, *J'entends mon cœur chanter.* Tous les amis de l'Olympia sont au rendez-vous, de l'amiral de Toulouse-Lautrec à Grégoire (les automobiles), en passant par les stars du sport, Kiki Caron, Jacques Anquetil... Un quart d'heure avant mon entrée en scène, le régisseur vient apporter un télégramme à Johnny, surpris. Il lit : « A mon petit pépé Jo à qui je dois tout. Ce soir je vais me battre pour vous. Signé : Mimi. »

Je sais combien c'est aussi important pour lui. Il faut que j'arrive à détruire, dans la tête de certains, leur caricature de la « marionnette de Johnny Stark ». Mais une marionnette, ça a la vie dure !

« Vous avez vu *Le Monde* ? dit Nadine. Quel revirement ! »

Et elle nous lit :

« " Cette fois nous y sommes. L'image est au point, ni trop sombre ni trop floue, la pose est bonne, le geste naturel. Ce nouveau portrait que Johnny Stark a réussi à tirer de sa protégée ne nécessite plus qu'une légère retouche, autrement il est parfait. "

— On ne dit pas de quelle retouche il s'agit ?

— ... Non.

— Dommage...

— Et *La Croix* ! poursuit Nadine.

« " Je capitule. Longtemps réticent devant le cas Mireille Mathieu, je crois aujourd'hui qu'il faut s'incliner, etc. Piaf était oubliée. Il n'y avait plus, sur la scène de ses débuts encore tout proches, que Mireille Mathieu, fragile et forte dans sa robe couleur de soleil couchant. " »

Je suis contente. Pour la première fois, j'ai l'impression d'être admise.

L'année 68 commence donc bien.

Il y a une petite révolution dans le disque, et Eddie Barclay, comme toujours, est au créneau. *La dernière valse* est le premier « 45 tours simple » sorti sur le marché. Et c'est un succès foudroyant. Jusqu'à présent, les 45 tours se vendaient avec quatre titres au prix de 10 francs. Le simple n'en donne que deux, mais pour 6,50 francs. Tous les jeunes se ruent dessus.

Avec Eddie Barclay, nous descendons à Cannes pour le Midem. Il y a trente-six pays représentés. Adamo et moi sommes les champions français, et nous recevons chacun notre trophée. Eddie et Johnny ont encore mijoté pour moi « la surprise du chef ». Au restaurant du Majestic, je trouve dans mon assiette, sous ma serviette, les paroles de *L'Hymne olympique* qui va accompagner le film de Lelouch et Reichenbach sur les Jeux. Ainsi, l'Olympia est-il à peine terminé que nous allons repartir en tournée à travers la France avec une étape en pleine actualité : Grenoble !

« Etes-vous content, Johnny ?

— Et toi, Mimi ?

— Je crois... j'ai gagné l'Angleterre, l'URSS, l'Allemagne et... Paris. J'ai l'impression, pour la première fois, que je suis sur des rails. Il n'y a plus qu'à rouler. Les Etats-Unis vont suivre. Vous allez voir que je vais réussir en mars les essais avec Pasternak... Je chante bien *The look for love* sans accent ! Qu'est-ce qui peut arriver ?

— Le déraillement.

— Oh ! Johnny, vous plaisantez toujours !

— Tu sais bien, dit tantine, que Johnny aime bien faire des mots !

— Ce n'est pas un mot. Un déraillement est toujours possible. »

Hélas...

Il n'y a plus qu'à rouler, ai-je dit, et nous roulons. Non en train, mais en voiture vers Lyon. Notre DS toujours, et René au volant. Le palais d'Hiver est une salle comme je les aime : immense. Il a brûlé il y a six ans ; il renaissait il y a cinq ans, et toutes les grandes vedettes y passent par amitié aussi pour son directeur Roger Lamour. J'y chante samedi et dimanche soir mais entre-temps, le dimanche après-midi, je dois faire l'émission de Télé-Dimanche à Grenoble. C'est le moment de lancer *L'Hymne olympique*... Il n'y a que cent kilomètres.

Le dimanche matin, tante Irène dit à Nadine :

« Si ça te fait plaisir d'aller à Grenoble... prends ma place. Je resterai à l'hôtel et je regarderai Mimi à la télé. »

Nous roulons. Il y a beaucoup d'encombrement sur les routes à cause des Jeux dont c'est, en ce dimanche 18 février, la clôture.

Nous arrivons cependant dans les temps. Nadine m'aide à m'habiller, et me voici, en tenue de gala, clôture oblige, chantant *L'Hymne* et créant une nouvelle chanson, *Je n'ai que toi*. Des téléspectateurs téléphonent de Paris pour la demander en *bis*... et les championnes olympiques, Annie Formose, Marielle Goitschel, Isabelle Mir, me portent en triomphe. C'est vraiment une ambiance étonnante, et décidément *Télé-Dimanche,* comme je le dis à Roger Lanzac, me porte chance. J'aimerais bien rester davantage avec la chère Nanou Taddei, Raymond Marcillac, toute l'équipe... mais Johnny rappelle à l'ordre : il faut chanter à Lyon ce soir. Nous reprenons la route vers 17 h 30.

« Ne vous pressez pas, René. Mireille ne passe pas avant 22 heures...

— Comme d'habitude, monsieur, je ne dépasse pas le 80... »

Johnny est avec lui, à l'avant, et nous sommes trois sur la banquette arrière : Nadine au milieu entre Bernard Leloup, le photographe de *Salut les Copains,* qui fait un reportage, et moi. Tout le monde somnole plus ou moins dans la voiture. Et tout à coup... comme dans un cauchemar, la DS s'envole, se retourne plusieurs fois, se fracasse dans un bruit d'enfer.

Sans savoir comment, je me retrouve dans de la terre battue. J'entends les hurlements de Nadine. Peut-être est-elle coincée ? Et si la voiture prenait feu ? En un éclair passent dans ma tête les visages de René-Louis Lafforgue, de Françoise Dorléac, de Nicole Berger, qui ont péri il y a quelques mois dans des accidents de la route. Je me relève : la voiture n'est plus qu'un amas de tôles, sans toit ni portières. On a tous été éjectés. Heureusement, nous serions peut-être tous morts. Bernard est affalé, se tenant le bras, Johnny se redresse boitant de la jambe droite, René effondré ne sait que répéter inlassablement :

« Mais je ne comprends pas... »

Quant à Johnny, il remarque, un peu hébété :

« Mon pardessus n'a rien... c'est mon pull-over qui est plein de boue... »

Dans le choc d'un accident, il y a des réactions bizarres. Moi, je crie :

« Mes robes ! mes robes ! Je chante ce soir ! »

Parmi les voitures qui suivent, il y a heureusement celle du cousin de Johnny, qui est aussi son médecin, venu nous voir à Lyon et amateur des Jeux. Le premier sur place, il voit de suite que Nadine en sang est la plus blessée. D'autres automobilistes sortent de leur voiture pour nous aider, et je cours de l'un à l'autre :

« Merci, mon Dieu, nous sommes tous vivants ! Je n'ai rien ! Je n'ai rien ! Je chante ce soir ! Emmenez-moi à Lyon ! Je chante ce soir ! »

Les secours arrivent assez vite. Le docteur fait embarquer Nadine et Bernard dans l'ambulance et les accompagne à l'hôpital Edouard-Herriot de Lyon. Johnny et moi sommes acheminés vers le docteur du village proche. Il panse Johnny, qui a une arcade sourcilière ouverte, et nettoie les estafilades de mes mains et de mes jambes. Il nous ausculte rapidement : rien de cassé. Mais un choc... d'où les douleurs de tête et de dos...

On nous rapatrie à l'hôtel Royal. Je ne chanterai pas ce soir. Le gala est annulé. J'ai très mal dormi. J'ai souffert des reins, des côtes. Le docteur veut une radio de la colonne vertébrale, du poignet, du genou gauche. Nous allons partir pour l'hôpital... quand Johnny arrive en boitillant, et ça me fait rire... le cow-boy sort du saloon ! mais en même temps, ça me fait mal dans le dos dès que je ris. Johnny, lui, n'en a pas du tout envie.

« Nadine est très mal, dit-il. On lui a fait l'ablation de la rate tôt ce matin, dit-il. Ils ont décelé d'autre part trois fractures : une du bassin, deux de la cage thoracique et une lésion du rein gauche...

— Mon Dieu ! Ses jours sont en danger ?

— Le diagnostic est réservé. »

Cela me fait une peine profonde. Nadine, dès le premier jour, a été non pas une secrétaire, mais l'amie dont j'avais besoin. Arrivée à l'hôpital, je veux la voir, mais il faut commencer par faire mes propres radios. Elles décèlent deux vertèbres fracturées, la douzième dorsale et la première lombaire. Johnny, qui se plaint de violents maux de tête, souffre des cervicales. Il doit rester en observation ; Michelangeli pense qu'il vaut mieux nous rapatrier à Paris. Je ne veux plus entendre parler de la route : on prendra ce soir le Mistral. Je ne peux voir ni Bernard, qui a été opéré hier soir et qui dort, ni Nadine, encore sous le choc de son opération et qui n'est pas réveillée...

Alertés, angoissés, papa, maman, accompagnés de Rémi, sont arrivés d'Avignon.

« Ne pleure pas, maman, songe que j'aurais pu mourir. Nous avons tous été protégés. Ce n'est rien. Dans un mois, je rechante !

— Tout de même... je me dis que, si tu étais restée notre petite d'Avignon, tout cela ne serait pas arrivé ! »

Je les vois avec leurs pauvres visages de tendresse. Comme ils sont beaux tous les trois : bien habillés, gentils... Comme cela me récompense de les voir ainsi !

« J'ai de la chance... et vous allez voir, ça va continuer ! La seule chose que je demande, c'est qu'elle protège Nadine aussi... »

Nous arrivons, avec tantine, à la gare de Lyon, moi poussée dans un fauteuil de malade, serrant mon petit chien-fétiche en peluche blanche, et Johnny sur sa canne.

« Tu as failli faire une belle veuve ! » dit-il à Nicole venue nous accueillir.

Les photographes se bousculent, les curieux aussi... mais tout cela passe en cauchemar imprécis. Le docteur m'a donné des calmants.

Le déraillement... c'est vrai qu'il peut arriver à n'importe quel moment, sous n'importe quelle forme, inattendue, surprenante, et qu'il ne faut jamais l'oublier...

« Mais enfin, comment cela s'est-il passé ? »

C'est ce que les amis, qui viennent me rendre visite, demandent.

« Je ne sais pas. René, notre chauffeur, est sobre, il n'était pas fatigué, la voiture avait dix mois d'âge et les pneus 1 500 kilomètres... Il y avait du gravillon sur le côté de la route, c'est peut-être cela. Il me semble qu'il a dérapé, il y avait une dénivellation de cinq, six mètres ; on a fait cinq tonneaux... et voilà. La DS est sous scellés ; il y aura expertise... »

Je suis immobilisée sur mon lit, sans pouvoir bouger et, quatorze heures par jour sur une planche... Cela doit durer un mois...

Aussitôt rentré de sa tournée en Angleterre, Maurice Chevalier vient me réconforter, des fleurs et un disque à la main, le sien, celui des *Quatre-Vingts Berges*, ainsi dédicacé : « Avec ma tendre admiration ».

« Ce qui t'arrive, Mimi, c'est une épreuve de la vie, dont on sort plus grand et plus fort. Ne pas céder au découragement surtout. Quand j'étais prisonnier, j'en ai profité pour apprendre l'anglais ! Toi aussi, tu dois profiter de ton immobilité pour apprendre. Il faut lire aussi...

— J'ai commencé *Les Contes du chat perché...* »

Il revient me voir, à plusieurs reprises, et il m'écrit des lettres qui commencent par : « Ma petite fiancée »...

Le mois de repos forcé annoncé n'a pas trente jours mais soixante ! Non seulement toute la tournée a été annulée, mais le voyage en Amérique, où Joe Pasternak m'attendait pour d'autres essais.

Après ce tourbillon de vie de deux années de voltige, l'immobilité me fait peur par moments.

« Pourvu qu'on ne m'oublie pas... »

Peut-être est-ce une pause obligatoire que m'impose mon étoile ? Le temps d'apprendre.

Maman est retournée à l'hôpital. Non pour un quinzième bébé ! Pour une opération du pied. En son absence, ce sont les grandes qui s'occupent des petits, comme jadis. Si tout s'arrêtait pour moi aujourd'hui, pour eux aussi, ce serait le retour en arrière. La maison, il faudrait peut-être la revendre... Alors, je fais mes vocalises tous les jours, avec frénésie, et la rééducation avec acharnement. Je presse pépé Jo. Un mois encore de convalescence ? Mais je peux recommencer à chanter. Ça va bien comme ça !

Le jour où il me dit qu'il y a un contrat pour Abidjan... et que nous enchaînerons avec Londres, Berlin et quatorze villes d'Allemagne, je reprends les mots de la mamet. Elle ne disait pas, avec la manie du franglais d'aujourd'hui : « C'est ma *cup of tea* ! » mais : « Ça... c'est mon quinquina ! »

4.

JE GAGNE LONDRES ET JE PERDS HOLLYWOOD

Très souvent, dans mes cauchemars, revient la seconde de l'accident. Je n'ai pas l'impression d'avoir vieilli depuis ce moment-là, un peu appris peut-être ? Si peu. Mes vingt ans m'avaient déjà enseigné la rançon du succès et la leçon de l'échec. L'échec : celui de la carrière américaine, telle que l'entendait Johnny. Une vraie carrière. Non pas celle qui vous programme pour un récital ou une émission de télé, mais celle qui ancre solidement votre nom dans la terre américaine, au point que vous devenez une vedette made in US... J'ai fait pourtant des efforts qui, à mon niveau (je ne suis pas grande !), me paraissaient démesurés. Dès que Maurice me l'avait conseillé, immobilisée sur ma planche, je m'étais appliquée à l'anglais. Le cher professeur Harry me disait :

« Mimi, une pomme de terre chaude dans ta bouche et tu articules l'english très bien ! »

Une pomme de terre chaude... dire ça à une dyslexique ! Je ne pouvais pas même prononcer correctement le nom de « Tom Jones ». Rien à faire : je mettais le M à la place du N ! Pépé Jo : furibond !

Tom Jones, comme Julie Andrews, avait son show régulier sur ITV. Ayant fait sa connaissance à la Royal Performance, et avec la bénédiction du patron, Lewis Grade, je devenais son invitée permanente. Nous avions mis au point un numéro réussi : par exemple, il chantait « I am coming home » et j'enchaînais avec la version française. J'étais ravie. Johnny moins.

« En français, je sais que tu peux chanter ! Ce qui m'intéresse, c'est l'anglais. L'ANGLAIS ! »

Je devenais de plus en plus familière de Big Ben. Lewis, comme prévu, monta trois ou quatre « Mireille Mathieu Show » où j'avais mes propres invités. Tom Jones, naturellement, mais aussi Cliff Richard, énorme vedette, avec qui je sympathisais parce qu'il avait eu des débuts foudroyants à 17 ans... ; les Shadows ; le comique rencontré à la Royal Performance, Harry Secombe, que je trouvais physiquement apparenté à Red Skelton...

Nous devions prendre le temps de voir le vrai Red Skelton. Il passait au Drury Lane. Je me souviens d'avoir ri... et remarqué une chose : à Paris, quand je riais à gorge déployée, on se retournait sur moi. Avec les Anglais, j'étais dans le ton. Quand ils s'esclaffent, ils s'éclatent ! J'ai appris à rire en gardant le plus gros à l'intérieur. Mais d'abord, ça fait mal, et ensuite je me demande si c'est aussi gai pour les artistes ?

Mes invités les plus impressionnants étaient les Beatles, étant une fan inconditionnelle. J'osais même dans une autre émission faire un pot-pourri de leurs œuvres, tant je les aimais.

Mais pour tous ces invités, il fallait bien que je baragouine ! Or, à Londres comme à Paris, dans ce genre d'émissions, on n'a le texte des sketches qu'un ou deux jours avant le tournage. Johnny décida qu'il fallait habiter Londres pour ne pas me disperser. Plus exactement les environs de Londres, les studios d'Elstry étant à quarante kilomètres. Une agence nous procura un très beau cottage. On pouvait même dire un manoir. J'étais émerveillée à l'idée de passer l'été dans un si bel endroit. Le rêve : un grand parc. Et même une écurie avec des chevaux de selle... qu'on aurait pu monter, bien entendu. Mais je n'avais jamais pris de leçons d'équitation et il s'agissait bien de cela !

L'emploi du temps démarrait par le réveil à six heures du matin. Il fallait être au studio à huit heures. Sur le mode des « Salves d'or » que je fis souvent avec Henri Salvador, dans la joie et le délire, j'avais souvent à me déguiser. Je me demandais si les Anglais n'auraient pas un choc en me voyant en Elisabeth d'Angleterre, la number one ! J'adorais le costume, la coiffe et la fraise. Une reine Elisabeth avec l'accent d'Avignon remettait ses trois petites caravelles pour découvrir l'Amérique à un

Christophe Colomb qui avait un siècle de moins qu'elle... mais on n'en était pas à une erreur historique près. Il paraît qu'ils en sont morts de rire !

C'était aussi paradoxal que lorsque, quelques années plus tard, Roger Pierre, en maître de musique, me faisait jouer le petit Mozart pour les Carpentier en m'imposant d'exécuter au clavier un cha-cha-cha. Et dès qu'il avait le dos tourné, je disais :

« Je n'aime pas ces musiques-là. Moi, je fais des petites sonates... ou bien ça : je l'ai appelé " La marche turque ". C'est amusant. Ça marchera plus tard ! »

Je m'amusais bien à Londres en travaillant énormément. C'était des tournages de 9 à 17 heures avec le « break » pour le « pot », le « tea-time ». La terre peut crouler, mais l'Anglais finit sa tasse de thé.

J'aimais bien cela. Le « tea-time » c'était le moment où je me faisais des amis de ces artistes du music-hall anglais qui sont d'une santé extraordinaire. Mon Christophe Colomb par exemple était une célébrité, Rich Little. Je faisais des duos avec Des O'Connor, un comédien-chanteur, vedette habituée du Palladium. Je riais rien qu'à voir la tête désopilante de Ken Dodd avec ses dents de lapin, ses cheveux hirsutes et ses yeux en billes. Je croisais Danny La Rue, probablement le plus fantastique des travestis qu'on ait jamais vus. Danny avait l'air d'une très belle femme et portait des robes et des panaches... comme je ne les porterai jamais ! Une allure... mais il reprenait de temps en temps sa voix d'homme et en tirait des effets comiques énormes. Il ne voulait pas passer pour ce qu'il n'était pas. Ce qui fait qu'au Palladium, loué des mois à l'avance, il avait son show de fin d'année, pour des familles entières qui emmenaient les enfants, lesquels s'amusaient autant que les parents. Il jouait d'ailleurs deux répertoires, l'un audible par tous, et l'autre, très salé, paraît-il, qu'il réservait à son cabaret où je n'ai jamais eu l'opportunité de mettre les pieds. De toute façon, avec mon vocabulaire restreint, je n'y aurais rien compris !

Bête de scène étonnante, après son numéro, Danny se démaquillait, enlevait ses faux cils et se rhabillait en monsieur, en grand monsieur même, fin, distingué, manchettes, pochette, attaché-case (car il était toujours en train d'écrire un nouveau sketch) et il montait dans sa Rolls. Personne ne pouvait le reconnaître sinon pour un lord ou un banquier !

Et puis, il y eut John Davidson, un très beau jeune homme meneur de jeu. Naturellement, dans les journaux, on nous fiança très rapidement. C'était un plaisir de travailler avec lui, très professionnel, sachant tout faire, chanter, danser, jouer, débattre, charmer. Nous avons fait ensemble, à raison d'un par semaine, treize shows programmés également en Amérique.

La journée terminée au studio à 17 heures, je rentrais au plus vite pour travailler le programme du lendemain.

Non seulement il y avait, dans notre grande maison à deux étages, Tante Irène, veillant sur la domesticité (qui faisait partie de la location, notamment une cuisinière émérite qui buvait beaucoup. On la retrouvait au petit matin dans l'escalier entourée de ses bouteilles de bière), mais aussi Matite, Gilbert Roussel, le chef d'orchestre, Nadine et une jeune prof d'anglais, qui n'a jamais su que je la surnommais « Miss Potatoes », à cause de la pomme de terre chaude de Harry !

Il y avait aussi une septième chambre pour Johnny qui venait de temps en temps voir comment se comportait sa troupe. Vincence était trop jeune pour venir avec nous. Il passait donc tous ses week-ends chez lui et nous, heureux dans ce home, derrière nos fenêtres à petits carreaux. Le dimanche je pouvais profiter un peu de la roseraie, du verger et du potager, ma joie. Cela peut paraître bizarre, mais un beau légume, bien luisant, bien frais, bien poussé, me fait autant de plaisir à cueillir qu'une fleur.

Cela dit, le dimanche anglais me paraissait un peu triste. Mais le parisien aussi : je n'aime pas le dimanche. En tournée, je l'accepte : il y a toujours quelque chose à faire. A Paris, je demande à Johnny d'organiser les enregistrements ce jour-là. On est bien plus tranquille dans les studios, les musiciens sont ravis (les heures supplémentaires !) et moi, je n'ai pas l'insupportable poids d'une journée vide. Quand il n'y a pas de disque à faire, je m'arrange pour recevoir des musiciens, écouter des chansons, bref, travailler. Je sais que je ne respecte pas la loi du Seigneur ! Mais, je pense qu'Il me pardonne, car je commence la journée, où que je sois, avec Lui !

Dans notre maison de Londres, il y avait à préparer le

travail du lundi. Et j'allais au lit de bonne heure — ce qui me rappelait la Croix-des-Oiseaux... Certes, on n'était pas bien riches — je revois nos départs en chantant, toute la famille, pour le Rocher du Dom... ! Je pouvais être contente tout de même : Je leur faisais bâtir un chalet sur la pente du Mont Ventoux, dans le style du pays, à Serein. Ils pouvaient tous faire des sports d'hiver. Ils les méritaient bien : les jumeaux étaient maintenant sur le chantier avec le père, Christiane, assistante sociale et Réjane, vendeuse. Les autres étaient trop petits. Ils allaient à l'école. Je leur demandais de ne pas faire comme moi, d'y travailler bien et longtemps, pour s'instruire le plus possible. Pour ne pas connaître l'embarras que j'ai connu :

« Allô, Rémi ? tu as bien travaillé en classe ? Apprends bien, mon chéri. Si tu savais comme on est bête quand on ne comprend pas ce que les autres disent : on se sent infirme ! »

C'est à Londres que j'ai appris la naissance de Virginie... trois kilos ! le bébé de ma petite Marie-France. J'avais assisté à son mariage cet hiver en coup de vent car le soir même, je chantais ailleurs. C'était notre toujours bon curé Gontard qui l'avait célébré. En dehors de notre petite église Notre-Dame de Lourdes, cela avait pris les allures d'un grand mariage, avec trois mille personnes sur la place de l'Hôtel de ville pour voir les mariés... et la belle-sœur du jeune fourreur qui épousait « la sœur à Mireille Mathieu » !

Je pensais à eux tous, le soir, après avoir regardé un peu la télé pour me mettre l'accent anglais en tête... enfin, c'en était l'excuse ! Et la journée recommençait : lever à six heures.

Les studios d'Elstry forment un village énorme, avec ses rues, ses carrefours, les plateaux pour les équipes de télé et de cinéma. Ils accueillent des productions de grands films, d'où les bureaux, les salles de montage, de projection.

Un jour, nous avons boudé la cantine, fort bonne et fort gaie, avec tout ce monde, pour aller dans un restaurant proche, parce que Paul Mauriat était venu nous rendre visite... Et là, qui étaient nos voisins de table ? Liz Taylor et Richard Burton. Quelqu'un du studio qui nous accompagnait nous présenta. J'étais sans souffle. La beauté de cette femme : les yeux vraiment violets, le teint, l'éclat... Et lui ! Je ne devais le revoir que beaucoup plus tard, deux mois avant sa mort, très changé, dans un gala dont nous faisions partie à Genève, donné au bénéfice de l'UNICEF.

Si je fus impressionnée par le couple le plus célèbre du cinéma, le souvenir final qui m'en est resté est assez cocasse. Nous avions commandé des langoustines à notre table. Le serveur avait oublié la mayonnaise. Il s'excusa, s'éclipsa pour la chercher, revint avec un énorme pot... Il se prend le pied dans le tapis, je vois arriver la mayonnaise comme un boulet de canon, vivement j'écarte la tête et c'est Paul Mauriat qui la reçoit en pleine joue. Un vrai gag des Marx Brothers. Et ce qui m'est resté, à la différence de Paul Mauriat occupé à éponger sa veste, c'est l'image de Liz riant aux éclats et de Burton, resté la bouche ouverte.

Au début de l'hiver, je retrouvai Londres avec un engagement au Savoy, dans le célèbre cabaret du non moins célèbre hôtel.

Non seulement, les grandes vedettes internationales passent sur cette scène, mais elles passent aussi souvent dans la salle. Je me souviens de Danny Kaye m'ayant fait la surprise d'arriver pour m'embrasser, un soir, toujours en baskets et avec son pantalon trop court...

Nous habitions là la suite dite de Charlie Chaplin. C'était celle qu'il demandait toujours, pour la vue extraordinaire sur la Tamise. Quand il y a un fleuve dans une ville, rien ne me fait plus plaisir à moi aussi que de le voir. Les vaches regardent passer les trains et moi, je ne me lasse pas de regarder couler l'eau. Cela pourrait durer des heures...

Nous avions au Savoy un cuisinier fameux qui était français avec un titre de gloire.

« Allô, papa ? Devine qui nous fait la cuisine ici ? Le cuisinier du général de Gaulle. »

Papa en resta muet ! Et je pense, sans pouvoir le jurer, qu'à ce moment, il dut enlever son chapeau...

Voyant mon culte pour le général, le chef arriva un jour avec un sourire qui en disait long :

« Je vous ai préparé, nous dit-il, le plat préféré du général de Gaulle ! »

C'était des côtes de veau avec des pommes-fruits coupées en quartiers. Et cela aurait bien valu une « Marseillaise » : pom, pom, pom, pom !

Enfin, mon disque anglais sortit : « Can a butterfly cry ? » (« Un papillon peut-il pleurer ? »), une chanson due à deux vainqueurs de l'Eurovision, Phil Courter et Bill Martin. J'en travaillais d'autres pour la Royal Performance à laquelle la reine me convia une seconde fois. Il paraissait aimable que je chante en anglais « Hold me » et « I live for you ». Je retrouvais le Palladium en habit de fête, avec ses balcons fleuris, et mes complices de la télévision : Des O'Connor, Danny La Rue, Harry Secombe, Tom Jones... et je découvrais le tonus, les yeux de Ginger Rogers qui jouait un extrait de la comédie musicale *Mame*. Les yeux bleus très clairs sont souvent calmes ; les siens étincelaient tout le temps comme des diamants.

La reine, adorant parler le français, me dit, avec un sourire épanoui :

« Ah ! que je suis contente de vous retrouver après deux ans ! Le public anglais, tout comme ma famille, vous a beaucoup appréciée. Vous êtes une vedette franco-anglaise maintenant. Vive l'Entente cordiale ! »

Les quelques mots sur sa famille n'étaient pas sans humour. La chronique avait souligné avec insistance que le prince Charles était venu me voir dans mon tour de chant. Naturellement, il y eut des sous-entendus sur une « romance ».

Je dus répondre au *Journal du Dimanche* : « Ne nous embarquons pas dans le roman-feuilleton. Je suppose qu'il sort souvent ! Rien, aucun message, aucune allusion ne me permet d'imaginer que le prince Charles s'intéresse à moi. » J'ajoutais : « le pôvre ! » parce que ça fait toujours partie de mon vocabulaire quotidien avec les « peuchères » et les « il est brave », avec l'accent, et à ma confusion, je le retrouvai imprimé noir sur blanc, avec l'accent circonflexe et je me suis dit que s'ils lisaient le *Journal du Dimanche* à Buckingham Palace, ça ne ferait peut-être pas bon effet ! Apparemment, cela n'eut pas de répercussions sur mes venues à Londres qui, selon la stratégie de Johnny, allaient m'ouvrir grandes les portes de l'Amérique qui n'étaient qu'entrouvertes.

En attendant, il sembla tout naturel qu'à ma façon je collabore au lancement à Paris de *La bataille d'Angleterre*.

Enorme production, qui avait coûté huit milliards de centimes au producteur Harry Saltzman, tournée par Guy

Hamilton, avec des stars anglaises telles que Michael Caine, Trevor Howard, Laurence Olivier, Michael Redgrave, Suzanna York, c'était l'épopée de la Royal Air Force se sacrifiant pour empêcher l'invasion de la Grande-Bretagne au début de la guerre. Georges Cravenne avait remis sur pied son organisation qui avait si bien réussi au *Jour le plus long*. Cette fois, au premier étage de la tour Eiffel, sur un fond de drapeaux anglais et français, il y avait la petite Mathieu. On dut passer six ou sept barrages de service d'ordre pour atteindre la place... Je connaissais le programme pour l'avoir vécu l'année précédente : les invités de Saltzman voyaient le film dans la grande salle du Palais de Chaillot, puis se rendaient dans le foyer pour le souper. Chacun trouvait alors dans son assiette mon disque avec la très belle chanson que Maurice Vidalin, inspiré par le film et son thème musical, avait faite pour la circonstance : « Ami, la mort t'attend là-haut... »

Du premier étage de la Tour, dans ma grande robe rouge, alors qu'ils en étaient là-bas au dessert, je la chantais, précédée des hymnes « God save the Queen » et « la Marseillaise ». Je ne voyais rien du paysage : avec les phares braqués sur moi, ce que j'appelle « les fouille-ciel », il n'y avait plus qu'un grand trou noir. Aussitôt la chanson finie, le trou noir explosa : un feu d'artifice, si violent que la Tour en tremblait toute, à croire qu'elle allait s'effondrer, vibrant, pliant sa dentelle... Seuls, les neuf artificiers, déclenchant leur manœuvre automatique, restaient impavides.

Dans une odeur de poudre et un nuage de fumée, nous étions tous, techniciens et machinistes compris, dans des larmes qui n'avaient rien à voir avec *La bataille d'Angleterre*... En bas, dans les jardins et sur le pont du Trocadéro, c'était la kermesse de la grande foule parisienne. Le plus étonnant, pour moi, fut d'entendre mêlé aux applaudissements, aux « Vive la France », « Vive l'Angleterre » : « Vive Mireille ! »

Entre le Savoy et la tour Eiffel, il y eut, cette année 69, un saut mémorable à Washington pour une convention télévisée, avec la présence effective du président Nixon.

C'était un spectacle fourmillant de stars : il y avait les

Supremes, avec une Diana Ross qui n'était pas encore Diana Ross ; le nez le plus célèbre des Etats-Unis, celui de Jimmy Durante, et mon complice Tom Jones. Johnny n'était pas avec nous, pris par l'épidémie de grippe qui courait Paris. C'est donc Nadine qui m'accompagnait, découvrant l'Amérique. Dans de mauvaises conditions car la grippe se déclara chez elle dans l'avion : Tantine ou la bonne, également atteinte, avait dû la lui passer au moment des adieux !

Or, depuis quelque temps, j'avais peur en avion. Une peur irraisonnée qui ne m'a pas quittée, d'ailleurs. Pour en venir à bout, il faut que je parle. Nadine, sentant monter la fièvre, n'était pas en état de parler... Alors, je demandai à voir la cabine de pilotage, ce qu'on m'accorda bien volontiers. Et je me mis à parler avec les pilotes. Leur posant des questions qu'ils devaient trouver ridicules... avec des réflexions du genre :

« Mais là... on n'est pas en train de tomber un peu ? »

Tout est venu d'une tournée, où il parut moins fatigant et plus rapide de prendre un petit avion plutôt qu'une grosse voiture. Il s'agissait de rallier Châtelaillon-Plage, aux environs de La Rochelle, où j'avais chanté la veille au soir, à Cassis où je chantais le surlendemain. A l'époque, Johnny faisait partie d'un club d'aviation et pouvait louer un Beechcraft à deux moteurs. En atterrissant à Marseille, je pouvais passer quelques heures de repos à La Bédoule, dans cette maison des Stark si accueillante avec sa piscine et son charme de mas provençal. Au début du voyage, je trouvais ça très amusant. Mais en arrivant sur Marignane, cela se gâta. Le trafic était intense et on reçut l'ordre de quitter le couloir aérien pour se diriger vers l'aérodrome du Castelet. Cela devenait beaucoup moins drôle. Parce que Johnny nous espérait à Marignane et qu'en fait de gagner du temps... Tout à coup, le pilote dit :

« Ah ! on tombe sur des nimbus d'été ! Ils sont souvent méchants... Accrochez vos ceintures ! »

Je n'aime déjà pas quand on utilise certains mots en plein vol, du style : on tombe ! Et encore moins quand les nimbus, lui donnant raison, nous ont soudain pris en grippe. C'était un orage avec sa grêle, un bruit d'enfer. Cela tournait au cauchemar. Le pilote coupa son moteur, je n'ai jamais compris pourquoi, mais cela nous paniqua complètement. Le micro se détacha et tomba sur la tête de Nadine qui se mit à crier. Tantine était verte. Je faisais mes signes de croix. Le pilote remit son moteur en marche mais on fit un bond prodigieux. Enfin, on eut l'impression d'une chute sans rémission. A l'atterrissage, nous étions saines et sauves, mais nous n'avions plus figure humaine.

Aussi lorsque plus tard, de Londres, je dus rallier je ne sais plus quelle ville d'Allemagne avec une escale et un changement d'appareil, un petit avion troqué contre un gros, je craquai en crise de larmes et Johnny ne put jamais me faire céder. Malgré les difficultés de l'horaire... on prit une voiture. Où j'avais aussi peur d'ailleurs depuis l'accident de Grenoble ! Aussi peur mais sur la terre ferme.

Je me souviens encore d'un retour de Londres où il fallut revenir à l'aéroport, un réacteur ayant pris feu... Le grand dispositif des pompiers nous y attendait. J'étais malade comme un chien.

Et depuis, dans les gros avions, je ne dors jamais, je parle, je parle... avec le personnel, avec les pilotes, pour me rassurer... L'avion, c'est le seul endroit où je prends de l'alcool. Un verre de vodka. Cul sec.

A Washington, malgré sa grippe (il s'avéra qu'elle avait 40° de fièvre), Nadine m'accompagna jusqu'à la tombe du président John Kennedy... Mais elle n'avait qu'une hâte : trouver son lit. Enfin, cette heure-là arrive, dans la suite d'un hôtel somptueux. Tout à coup, Nadine, blanche de peur, me réveille :

« Quelqu'un veut entrer dans la chambre ! »

Je lui dis que ce n'est pas possible ; elle insiste, l'air terrifié. Elle me dit qu'elle a regardé par l'œil magique et qu'elle a vu deux types essayant de forcer la porte.

« Mais tu as mis la chaîne ?

— Oui. Mais ce sont des malabars. »

Je sors du lit : elle avait poussé le meuble de la télé devant l'entrée. Téléphoner ? On n'arrivait même plus à trouver les touches du téléphone ! Et comment s'expliquer ? L'anglais de Nadine valait le mien, avec un dictionnaire en poche. Effectivement, j'entends du bruit dans le couloir, de drôles de bruits, des espèces de rugissements, mêlés à des mots incompréhensibles... Je l'aide à consolider notre défense : les fauteuils, la table... Tout cela était d'autant plus lourd que nous étions crevées, elle avec sa grippe, moi avec le show dans les jambes.

« Je crois que ce sont des hommes de couleur ! dit Nadine.

— Mais, Nadine, c'est le couloir qui est tout noir ! »

On n'eut pas le mot de la fin. Excepté que quelqu'un nous dit que les nuits de convention s'achèvent souvent par des libations formidables. Et qu'on avait ramassé plusieurs congressistes ivres morts ici et là.

Ce qui n'empêche pas Johnny de dire parfois :

« Nadine, racontez donc comment vous avez failli être violée à Washington ! »

Notre cher Joe Pasternak, fidèle à son amitié et à ses idées, ne désarma jamais. En 1968, fin août, je me retrouvais dans son bureau de Pelagio Road devant un nouveau script. Cette fois, il s'agissait de *Dolce Las Vegas* un film qu'il projetait avec Mastroanni et Chakiris.

« C'est tout à fait un rôle pour Mireille ! Ça fait un an que je l'attends ! Cette fois, je suis si sûr qu'elle peut jouer le personnage que j'ai déjà retenu pour vous l'ex-maison de Kim Novak !

— Pour le jouer... dit Johnny, je pense qu'elle peut le jouer.

— Ah ! dit Joe triomphant.

— Mais quant à l'articuler... !

— Il y a ici Suzan Weitt. Merveilleux professeur...

— Ce qu'il faut, c'est surtout une merveilleuse élève... »

Je savais qu'il avait raison.

Le gentil Pierre Grelot traduisit mon appréhension. Quasi délivrée de la peur quand je chante, elle me saisit à nouveau quand je dois parler. Cela peut paraître incompréhensible, absurde, de la mauvaise volonté... C'est un mal fou.

Cinq mois plus tard, toujours pour une télévision, j'étais sur un plateau voisin où tournait Lee Majors. On lui fit une visite de bon voisinage. Je vis dans l'œil de Joe qu'il échafaudait une fois de plus un projet. D'autant que je devais avoir l'air subjugué par Lee Majors : c'était la rencontre avec mon premier cow-boy ! Il tournait *La grande vallée...*

« Elle serait pourtant mignonne en petite enlevée par les Indiens ! » disait Joe.

Une autre fois, il me fit rencontrer Zanuck, le grand Zanuck que je trouvai plutôt petit derrière son long cigare. Le projet avec John Wayne remontait à la surface, enrichi des noms de Robert Mitchum et Dean Martin. Seize semaines de tournage prévues... Et le fameux contrat de sept ans. Mon chiffre porte-bonheur, certes, mais...

Dans le bungalow du Beverly Hills Hotel, qu'on retrouvait à chacun de nos voyages, Johnny me dit :

« Alors ?

— Qu'en pensez-vous, Johnny ?

— Toi ?

— Sept ans... sans revoir le pays...

— Si. Il y a les vacances. Et puis, les Américains aiment de plus en plus tourner en Europe... surtout en Italie... »

Mais je savais ce qu'était le travail. Combien il était difficile parfois, en n'étant qu'à Paris, de faire un saut de 700 kilomètres jusqu'en Avignon. Je dormis très mal. Tantine ne me dit rien, ni dans un sens, ni dans l'autre. Ils attendaient ma réponse. Je savais que, dans ma tête, si je ne pouvais faire deux choses à la fois, je ne pouvais pas davantage faire les choses à moitié.

Le lendemain matin. Autour du breakfast, Johnny me connaissait trop bien pour ne pas savoir la décision.

« Je ne me sens pas prête. Prête à tout abandonner pour l'Amérique. »

Il me dit, doucement :

« Tu réalises que tu rates une carrière américaine ? »

Je l'embrassai en riant :

« Mais, pépé Jo... je la ferai peut-être plus tard. Je ne suis pas si vieille après tout, bien que vous m'appeliez toujours comme ça !

— Certains trains ne repassent jamais... »

Il repassa pourtant. Il n'y a pas si longtemps... cette année.

Hal Bartlett, un producteur, arriva à Paris. Un fan.

« J'ai tous vos disques à la maison, dit-il. Mes enfants, tout le monde en raffole. Et quand on a des invités, on ne manque jamais de leur faire écouter " Mireille ". »

Il se trouvait que mes producteurs et auteurs allemands

étaient à Paris, ainsi que des amis mexicains de Télévisa. On avait décidé de dîner tous ensemble, avec la dame de l'Ambassade qui m'avait servi de professeur de chinois avant mon départ pour Pékin. Hal se joignit à nous. Une vraie Société des Nations ! Au dessert, dans la tradition des noces et banquets, je me levai pour offrir à mes invités une chanson dans leur langue respective.

« Profitez-en, dis-je, cette fois, le récital est gratuit ! »

Chanter *a cappella* impressionne souvent les convives et me ravit. Pour moi, c'est la facilité, le chant qui sort du cœur. (Lorsque Jacques Chirac reçut à l'Hôtel de Ville la délégation chinoise, au dessert — toujours ! — j'entamai « Moli roi », devenue l'une de mes chansons préférées, au grand ravissement du maire de Pékin.) Cela m'amuse toujours. J'entends immanquablement alors : « C'est pourtant très difficile de chanter ainsi sans musique !... Et après dîner ! Sans préparation ! » Cela me rappelle le temps où je chantais pour les copines. C'est le public qui a changé. Et le répertoire, aussi.

A mes producteurs allemands, je dédiais la Barcarolle des *Contes d'Hoffmann* ; à mes amis mexicains, « La muñeca fea » (tirée de la télévision que j'ai faite à Mexico, avec Placido Domingo, pour les fêtes de fin d'année, le troisième personnage étant une marionnette aussi populaire pour les enfants que notre Polichinelle). Enfin pour Hal, « The man I love » et « After you ». Dans l'enthousiasme il me dit :

« Je vais faire écrire pour vous un scénario sur mesures ! »

Cela me rappelait la proposition faite par Peter Hunt, le réalisateur du James Bond *Au service de Sa Majesté* (le seul film où 007 se marie !). Il annonça *Little world, big people*, une combinaison de mon histoire et de celle de Joséphine Baker ! C'était l'histoire d'un couple qui avait adopté une douzaine d'enfants de toutes les couleurs dont j'étais l'aînée. Les parents adoptifs mourant dans un accident de voiture, je devenais chanteuse pour nourrir la marmaille. Le projet capota.

Cinq ans plus tard, j'étais à Los Angeles pour une télé. *Les dents de la mer* venaient de sortir. Mais ce n'est pas Steven Spielberg que je rencontrai malgré l'envie que j'en avais, c'est un autre célèbre réalisateur, Robert Aldrich, le réalisateur des *Douze salopards,* de *Fureur apache,* de *Vera Cruz,* pour ne parler que des films que j'avais vus. Car j'en voyais — et j'en vois — toujours beaucoup. Pour le plaisir : et si la fin est en queue de poisson, ou ne me plaît pas, je m'en invente une autre. Et pour le travail : en version originale. Toujours dans le même but. Me faire entrer la langue par l'oreille puisqu'elle n'entre pas par mes yeux.

« C'est un rôle où vous ne chanterez pas, dit-il, bien que le personnage, une petite paumée, se balade avec sa vieille guitare. Elle rencontre deux jeunes gens, dont l'un a un vieil oncle qui est mort au Mexique et a caché un trésor. Sous son air angélique, la fille est rusée, intrigante... Elle tire parfois les deux gars d'un mauvais pas, tout en faisant croire à chacun qu'elle l'aime... et cela devient sanglant. »

Mon visage lui plaisait. Il me dit que mon partenaire serait Burt Reynolds. Il me demanda si je le connaissais. Non, sinon pour l'avoir vu dans le film de Woody Allen : *Tout ce que vous avez toujours voulu savoir sur le sexe*... C'était inespéré, tentant, merveilleux, mais... j'avais une bonne raison pour refuser. Je ne pouvais annuler une tournée en Allemagne et au Japon signée avec toute ma troupe. Cela aurait pu peut-être se négocier. Mais j'en avais une autre que je gardais pour moi : je me sentais chanteuse et si peu comédienne. Oui, pour faire les sketches télé avec des amis, Salvador, Roger Pierre et Jean-Marc Thibault... mais à l'idée d'avoir une scène d'amour avec Burt Reynolds... ! Je ne fis pas *Time off*. Aldrich non plus. Le script rejoignit dans un tiroir-cercueil les nombreux projets mort-nés. Fidèle à Burt Reynolds, il le dirigea dans *La cité des dangers*, avec Catherine Deneuve comme partenaire, dans le rôle d'une call-girl amoureuse d'un flic. Je la trouvai remarquable et cela me confirma dans l'idée que chanteuse j'étais, chanteuse je devais être et non pas me risquer comme actrice.

« Mais dans mon film, insista Hal, écrit pour vous, vous chanterez. Vous jouerez aussi. Mais vous chanterez. Ce ne sera pas un personnage. Ce sera vous. »

Il m'assura que son projet deviendrait réalité. J'attends...

5.

LES FOUS, LES FANS, LES FIANCÉS

Tous ceux qui ont frôlé la mort le savent. On en sort avec une certitude : l'heure n'était pas venue. Mais on sait qu'elle viendra. On ne regarde plus tourner les pendules de la même façon. Le temps passe plus vite. Il s'accélère.

J'ai toujours avec moi un petit magnéto, en voiture, en avion, partout. Et casque aux oreilles, j'écoute toujours quelque chose : les chansons que je prépare, celles que j'essaie, celles des autres et, pour me détendre, des opéras, la Callas, Pavarotti et de la musique classique, Mozart et Beethoven surtout. Quand je vois la cassette, dont le film défile de plus en plus vite lorsqu'il va vers sa fin, je me dis que la vie est comme ça. Le film de la mienne aurait pu se casser il y a dix-neuf ans, sur cette route de Saint-Georges-l'Espéranche, à vingt kilomètres de Lyon. J'avais déjà tout vécu : l'obscurité et la lumière, la pauvreté et la richesse, la gentillesse et l'agressivité. Ces deux mots-là ne sont peut-être pas assez forts. Je sentais autour de moi un climat passionnel assez effrayant, avec l'amour des uns et la haine des autres.

C'est dans les journaux relatant l'accident que je découvris la chose. Une lettre anonyme était arrivée au bureau de l'avenue de Wagram :

« On t'a manquée cette fois mais, la prochaine fois, on t'aura. »

Johnny alerta son avocat, d'où la plainte déposée contre X avant que nous ayons quitté Lyon et la voiture sous scellés, pour expertise, afin de déceler un éventuel sabotage (qui n'a jamais été prouvé). Johnny me rassurait de son mieux : tous les artistes reçoivent des lettres anonymes. Ce sont généralement des détraqués qui ne vont pas au bout de leurs menaces.

Il n'empêche que, quelques mois après, on arrêta un mineur qui fut interné. C'est une triste histoire. Philippe T..., vingt ans, avait été renvoyé de l'Ecole des instituteurs. L'armée n'avait pas non plus voulu de lui. En six mois, il avait fait dix métiers... Un jour, le 18 octobre de cette année 68, il prend un taxi, n'a pas d'argent pour le payer, et le chauffeur le mène au commissariat où l'on découvre sur lui, ce qui est assez surprenant, une scie et des pantoufles.

« Je voulais forcer la porte de Mireille Mathieu et me coucher dans son lit en l'attendant. Les pantoufles, c'était pour ne pas faire de bruit. »

Il avait été, disait-il, « encouragé par un regard significatif que Mireille m'a adressé à la fête de l'Humanité »...

Il disait encore qu'il m'avait suivie, même en province, depuis deux ans, que je l'inspirais, qu'il écrivait pour moi des chansons (il sortait les titres : *Un étranger dans la nuit, L'amour est dans ta rue...*, en proie à la plus vive agitation), qu'il avait demandé une audience à Johnny Stark, qu'il s'était rendu avenue de Wagram, croyant que j'y habitais, fort dépité de voir que je n'y étais pas, car il comptait sur moi pour payer le taxi... Le docteur Lafon, un aliéniste qui l'examina, devait conclure à un syndrome érotomaniaque.

Une autre fois, un homme à l'accent belge téléphona à maman sous le prétexte qu'il espérait une photo dédicacée. (Elle en avait toujours... cela faisait plaisir à ses amis, à ses commerçants.) Il arrive, touriste parfait, avec une voiture immatriculée en Belgique, la cinquantaine, le front dégarni, sympa. Mais dès qu'il est là, le ton change brusquement :

« Je vais vous tuer. Comme ça, Mireille sera bien obligée de rentrer des Etats-Unis. Elle a promis de m'épouser ! »

Maman, avec un sang-froid que je n'aurais pas imaginé, le prit comme une plaisanterie, lui donna sa photo, et il partit... Elle releva le numéro de sa voiture, à tout hasard. Le lendemain, il se présentait au bureau de l'avenue de Wagram. Nous étions effectivement à Los Angeles, réalisant un album de chansons avec Paul Anka, producteur et partenaire.

Il était six heures et demie du soir. Nadine était partie mettre du courrier à la poste voisine. Restaient Piccolo et la secrétaire Yvonne. Soudain, la porte s'ouvre et il paraît, revolver au poing. Un polar série B ! Il les fait mettre face au mur, mains en l'air. Il veut mon téléphone en Amérique.

« Si elle ne revient pas, je vous prends en otage ! »

C'est Yvonne qui doucement a commencé à lui parler... avec le décalage horaire, on ne lui passerait pas la communication à cette heure-ci... (ce qui était vrai : je dormais !) Elle parla, parla... comme à un enfant qu'il faut endormir. Effectivement, il se calma et partit, comme il était venu. Quand Nadine revint au bureau, elle trouva Piccolo et Yvonne, décomposés.

« On vient de vivre un enfer... ! »

Naturellement, ils alertèrent la police mais ne me parlèrent de rien au téléphone pour ne pas m'affoler. Ils cachèrent soigneusement à la presse ma date de retour imminente. Mais à l'aéroport, j'eus la surprise, dès la descente de l'avion, d'être accueillie par des policiers en civil !

« On vous protège parce qu'il y a un fou qui veut vous tuer. »

Le moins qu'on puisse dire, c'est que ça gâche la joie du retour ! Or, j'enchaînais avec le tournage de l'émission de fin d'année pendant une semaine « Mimi's Follies »... Les policiers ne me quittaient pas d'une semelle au studio. Ce ne sont pas des conditions idéales, même pour chanter *Je t'aime à en mourir !* ou *Il pleut sur mes lunettes* de Jacques Martin... ou danser le quadrille en cow-girl !

Cinq jours plus tard « il » était arrêté près de Liège. On trouvait chez lui un arsenal de guerre : des mitraillettes, deux pistolets, des fusils... et les brouillons des lettres enflammées qu'il m'écrivait, et que le bureau ne me transmettait naturellement pas. L'enquête avait été facile. Un gendarme d'une petite bourgade se souvenait très bien de l'ancien garagiste se vantant toujours de « bien connaître Mireille Mathieu ». Il avait abandonné son garage pour se consacrer à la photo avec une spécialité : spectateur assidu, toujours au premier rang, il mitraillait les artistes sur scène. Moi, en particulier. C'est sans doute ce qui lui avait donné le goût de me mitrailler pour de bon !

Un peu plus tard, un jardinier de Vence déclara avoir plusieurs fois approché des extraterrestres dans la campagne. Il les décrivait soigneusement : très grands, très blonds, athlétiques ; des archanges en quelque sorte. Ils étaient, lui avaient-ils confié, 7 465 000 très précisément à voyager à bord de leurs vaisseaux spatiaux pour observer la Terre et sauver l'Humanité. Certains humains étant « élus » — ce dont il ne doutait pas quant à lui —, « je me suis retrouvé, disait-il à un journaliste, dans un hôtel de La Baule ou de Deauville, avec à mes pieds Mireille Mathieu. J'affirme qu'un guide occulte nous a présentés et que nous avons ensemble écrit une chanson sur la Fraternité. Depuis, j'écris sans cesse à Mireille pour la rencontrer, mais elle ne m'a pas répondu ».

Il y a aussi le Suisse allemand qui compose de la musique d'opéra. Il envoya son manuscrit au bureau, et on le montra à mon chef d'orchestre. Il en fit la lecture et me dit :

« Non. Ce n'est pas pour toi. »

On renvoya le manuscrit. Depuis, il me poursuit. Partout dans le monde. Je l'apercevais, avenue Victor-Hugo, à Neuilly, devant ma maison, se cachant derrière les arbres. Je le reconnaissais parce qu'il était vêtu toujours de la même façon : un pardessus beige, des pantalons foncés, des lunettes noires, un visage émacié, pâle.

On sortait ; il venait vers nous :

« C'est moi... vous avez reçu mon opéra...

— Mais, monsieur..., ce n'est pas pour moi... Je ne suis pas une chanteuse d'opéra.

— Celui-ci est écrit pour vous. Vous pouvez le chanter. Je sais que vous le pouvez... ! »

Et il devenait tremblant, survolté, anormal...

En 1978, je faisais à Londres pour la troisième fois, demandée par la reine, la Royal Performance au Palladium. Dans les coulisses, il y avait un écran de télévision, nous permettant de suivre les réactions de la salle, notamment celles de la loge royale. Et, soudain, j'ai cru cauchemarder : qui était là, non loin de la reine, dans une loge, regardant avec cette espèce d'intensité qui met mal à l'aise, derrière ses lunettes noires ?

« Regardez, Johnny ! C'est lui !

— Tu te trompes... ce n'est pas possible... comment aurait-il pu entrer... Mais pourtant, si, on dirait bien... »

Il en parla à lord Grade. C'était une loge d'honneur avec des « invités étrangers »... On n'en sut pas davantage. Une autre fois, c'était au Canada où la sécurité dans les hôtels est très importante. Quand nous sommes rentrés, après un spectacle :

« Une personne disant vous attendre et avoir rendez-vous avec vous s'est conduite de façon étrange, ne voulant pas quitter l'ascenseur où elle est restée six heures ! »

J'avais déjà compris. J'ai demandé la description : les lunettes noires, le visage mince, très pâle, environ la quarantaine...

« Alors, on l'a embarqué au poste de police. Et la police est à votre disposition... »

Je m'y suis rendue, disant que je lui parlerais mais que je demandais qu'il y ait un policier témoin.

« Ecoutez, monsieur, ne m'importunez plus, laissez-moi tranquille ! Puisque je ne veux pas chanter votre opéra ! Vos chansons ne sont pas pour moi ! »

Il devenait tout doux, pitoyable :

« Mais je dépense beaucoup d'argent pour vous...

— Monsieur... je ne vous demande pas de me suivre. Je pense que cela vous coûte effectivement beaucoup d'argent. Mais c'est inutile. J'ai mes chansons, mon style. Je ne dis pas que vous n'avez pas de talent : je ne sais pas juger un opéra ! Ce n'est pas mon affaire...

— Je veux vous convaincre ! Vous le pouvez ! Vous ne faites pas votre vraie carrière ! Mon œuvre est faite pour vous, je suis inspiré par vous ! », etc.

La police l'a gardé deux jours, le temps que je quitte Montréal.

Une autre fois, à Rio de Janeiro... chaque fois que j'y vais, je fais un pèlerinage au Corcovado[1]...

Tout à coup, là, je le vois. Comment a-t-il su ce que je ne savais pas moi-même une heure auparavant puisque j'ai profité

---

1. Le grand Christ qui, du haut d'une colline, les bras en bénédiction, protège la ville, point-rencontre des touristes et des croyants.

d'une pause au théâtre, sinon en me pistant ? Cette fois... je me souviens avoir eu très peur. J'ai pris tantine par la main pour redescendre à toute vitesse les marches parmi la cohue des fidèles, le semer...

Je suis parfois des mois, voire un, deux ans, sans en entendre parler. Tout à coup, il resurgit. A-t-il été interné pendant ce temps ? Johnny a fait faire une enquête ; il a su qu'effectivement, il était Suisse, fils de pasteur, et que, lorsqu'il venait à Paris, il était hébergé par une comtesse à Neuilly, non loin de chez nous ; alors, un jour, j'ai décroché mon téléphone, n'en pouvant plus. J'ai appelé cette dame. La voix n'était pas toute jeune et assez triste.

« Oui, je sais, me dit-elle. Mais voyez-le, je vous en prie, parlez-lui !

— Mais, madame, je lui ai déjà parlé... Que puis-je lui dire d'autre, je ne veux pas, je ne peux pas chanter son opéra... ! Il devrait comprendre...

— Je sais... mais il faut que vous compreniez aussi. Vous êtes devenue toute sa vie. En pleine nuit, il entre en transe et vous appelle... »

Je n'ai pas osé lui demander quels étaient ses rapports avec lui. C'était délicat. Cela me gênait. Ses apparitions continuèrent, toujours imprévisibles. La plus traumatisante, pour moi : nous étions à l'Intercontinental de Francfort quand il fit irruption. Il était en crise. Il criait qu'il voulait tuer Johnny Stark ! Une fois de plus, les gorilles de l'hôtel intervinrent et le remirent à la police. Il n'avait aucune arme sur lui.

Pendant assez longtemps, je n'en entendis plus parler. Et puis un jour, en 1986, en Chine, à Pékin... Qui essayait d'entrer dans les coulisses où personne n'entrait ? lui ! Cela avait quelque chose de fantasmagorique. Par le truchement de l'interprète, j'expliquai que c'était quelqu'un que je ne voulais pas voir et qui, effectivement, me poursuivait... Le service d'ordre du théâtre le renvoya. Je ne l'ai pas revu depuis. Mais je m'attends toujours à apercevoir ici où là ce visage fiévreux. Le regard que je devine derrière les verres noirs...

Ainsi, cette persécution, de lui, ou d'autres, dure depuis vingt ans...

Je me souviens très bien que juste avant l'accident, j'étais terrifiée par des gens qui m'attendaient dans les couloirs de l'immeuble. Fous ou fans ? Ce qui a justifié d'ailleurs mon déménagement. Il y avait tant d'angles et de recoins... A l'époque, j'avais invité mes deux sœurs, Matite et Réjane, à venir passer leurs vacances à Paris. Soudain papa reçut un coup de fil à Avignon. S'il ne déposait pas à tel endroit, au bord du Rhône, et à telle heure de la nuit, 15 millions, ses deux filles seraient enlevées à Paris... Pauvre papa ! Les 15 millions, il ne les avait pas. Il ne risquait pas de les avoir. Bien des clients oubliaient de le payer ou lui imposaient des rabais, disant : « Oh ! mais vous, vous n'avez pas besoin d'argent, avec votre fille milliardaire ! » La police dressa un piège à l'heure dite. Papa s'y rendit. Il n'y vint personne. Peut-être a-t-on beaucoup ri dans une chaumière.

Une autre fois, ce fut un autre coup de fil pour lui annoncer que Marie-France, une autre de mes sœurs, avait eu un accident grave. Il fut aux cent coups. En fait, elle se portait bien.

Cette atteinte à ma famille était ce qui m'empêchait le plus de dormir. Je ne trouvais pas le sommeil. Malgré tous les raisonnements de Tante Irène ou de Johnny, j'avais peur. Une peur qui n'a pratiquement pas cessé de renaître sans cesse. Je l'oublie. Et puis la voilà à nouveau, avec une autre menace, un autre chantage, une autre farce de mauvais goût.

Trois fois en un an (c'était en 1971) papa trouva les vitres de son atelier brisées et son bureau dévasté. Cela ne me paraissait pas juste. Je préférais encore lorsqu'on s'en prenait à moi.

Il n'y a pas que les « dérangés », il y a les escrocs.

Un jour, rentrant chez moi, je trouve devant ma porte un paquet bizarre. Je redescends chez le concierge. C'était un monsieur, dit-il, qui, ne trouvant personne, l'avait laissé sur le paillasson. Cela paraissait curieux, et vu les lettres menaçant de me faire sauter, on avertit la police, une fois de plus ! On défit le paquet... un engin insolite : c'était un « surgénérateur ». Un prototype, disait son inventeur, destiné à fabriquer de l'essence à partir de je ne sais quel mélange simpliste où l'eau entrait pour une bonne part ! L'histoire ne s'arrêta pas là car un jour, je fus contactée par un avocat. J'avais, paraît-il, donné deux millions et demi pour aider à la construction de cet appareil. Et de me produire des lettres d'engagement signées par moi. Je savais très bien que ce n'était pas ma signature mais une imitation. L' « inventeur » s'était servi de moi pour appâter d'autres victimes. Mieux : pour prouver notre amitié, il avait pris à la fin d'un spectacle une photo où j'embrassais une petite fille (comme il en vient souvent sur la scène, avec des fleurs), la sienne, prénommée d'ailleurs Mireille... puisque j'étais la marraine ! Il fallut déposer une plainte pour faux en écriture... Il a eu un non-lieu, étant reconnu irresponsable de ses actes...

J'en passe, et non des moindres.

Un paysan, que je n'ai jamais vu, s'est présenté chez ma pauvre mère en lui faisant peur avec ses mains énormes, elle l'a qualifié aussitôt d' « étrangleur ». Il lui annonçait notre mariage avec précision, à tel jour, telle heure. Il écrivait sempiternellement au bureau pour envoyer « nos » faire-part et, comme on ne répondait pas, il débarqua un jour en disant au secrétariat :

« Vous... vous allez être virés ! Quand je serai marié avec Mireille, vous serez virés ! »

Son écriture révélait qu'il n'était pas, lui non plus, très normal...

Mais dans la masse de courrier, il y a souvent des lettres bouleversantes. L'une d'elles avait tant ému le bureau qu'on me la communiqua ; c'était une femme ayant une très jeune enfant atteinte d'une tumeur au cerveau et qui, avant de la faire opérer, souhaitait faire un voyage à Lourdes, mais n'en avait pas les moyens. Johnny en fut d'accord : on aiderait cette malheureuse femme, pour le voyage et peut-être même au-delà. Mais il fit prendre, quand même, quelques renseignements. Non seulement il n'y avait pas de tumeur mais il n'y avait pas même d'enfant. La dame vivait de son chômage, d'un peu de travail au noir, et avait trouvé ce moyen pour arrondir sa fin de mois.

Il y a, heureusement, les lettres de vrais fans. Certains d'entre eux deviennent d'ailleurs des amis. Par exemple, au Brésil, où j'étais invitée par Air France qui organisait le Prix Molière, je rencontrais quelqu'un de la firme qui possédait tous mes disques, connaissait mes chansons par cœur, et, sa profession lui permettant de voyager aisément, me retrouva souvent à Noël ou au Jour de l'an à l'autre bout du monde. Il est même venu me voir en Chine...

Une petite fan allemande, Karin, est devenue ma secrétaire outre-Rhin et, à Paris, s'occupe de tout le courrier allemand. Gisèle, qui a adopté une petite Coréenne, assiste à la plupart de mes récitals en France. Une autre Allemande, Bini, habite chez moi quand elle vient à Paris. Parfaitement trilingue, je souhaiterais même la garder davantage car, en parlant avec elle, je progresse dans ma conversation en allemand et en anglais. Il y a aussi Sylvette, Eddy, Jean-Michel... Leurs vacances se passent à me suivre dans mes tournées d'été. C'est très touchant ; et ils sont bons juges. J'aime essayer des chansons devant eux, car ils ont l'oreille du public.

Il y a aussi le petit marin de la *Jeanne d'Arc*. Il venait au bureau lorsqu'il était en perm' à Paris pour faire dédicacer ses disques. Maman l'a reçu bien volontiers à Avignon quand il avait quartier libre. Puis il repart sur la *Jeanne*. Son seul regret est que je n'y sois, moi, jamais allée. J'ai fait des émissions sur le *Clemenceau,* sur le *Foch* (avec un débutant nommé Michel Sardou), mais sur la *Jeanne,* l'occasion ne s'est pas présentée.

Tous ces fans, et ceux dont je n'ai pas la place de parler, gentils, affectueux, me consolent des fous qui me font peur.

Et il y a le long, l'interminable chapitre des fiancés.

Il s'est ouvert dès ma « montée » à Paris. Un jeune Avignonnais se déclarait mon « promis », suivi d'un autre, d'un autre encore... alors que ma petite vie d'ouvrière et d'aînée, et la rigueur avec laquelle papa tenait ses filles, excluaient toute aventure dont je n'avais nulle envie et nul besoin. Puis ce fut au sein des tournées, un danseur ou un musicien, surpris la Mireille dans ses bras... A la décharge des journalistes, dans ce métier on est souvent photographié en pleine euphorie. C'est pendant, ou avant le spectacle, ce moment survolté où l'on croit au succès. C'est, après, celui où l'on partage la victoire ou la défaite. Les regards sont chargés des liens qui nous unissent.

Nous ne sommes pas des gens comme les autres. Nous ne sommes pas camarades de bureau, avec une certaine réserve. Nous vivons chaque fois une aventure avec une extraordinaire familiarité, même si nous devons ne plus nous revoir durant des années. Nous sommes faits de brèves rencontres, de retrouvailles éternelles. Nous vivons le même moment avec intensité... mais pas forcément jusqu'au lit : ad libitum !

En ce qui me concerne, mes premières années de vedettariat étaient comme une entrée au couvent. Un couvent doré et profane, certes. Mais un couvent, avec une ferveur sans égale. J'avais été au fond de ma détresse de petite fille. La grande (toutes proportions gardées !) que j'étais devenue s'engageait à fond dans le miracle espéré et advenu.

Ce n'était pas seulement avoir été pauvre et devenir riche. C'était changer la vie des Mathieu. Rien d'autre n'existait que cette voie tracée, me semblait-il — et me semble-t-il toujours —, par mon destin. Quand le cheval court vers le poteau, regarde-t-il ailleurs ?

Plus j'avançais et plus je devenais consciente — et plus je suis certaine de la fragilité d'une carrière où le moindre écart peut être fatal. M'ont aidée à la comprendre — ce qui n'est pas évident dans les bravos, les brassées de fleurs, les embrassades et compliments d'un soir — ceux qui m'entouraient et qui, dans ma pensée, sont toujours là — Stark, Coquatrix, Chevalier, Tino... Ils l'ont tous vécue, cette expérience.

Mais les journalistes, de la débutante à la plus grande (on m'envoyait de préférence des femmes, aptes à mieux me décortiquer), en revenaient toujours à la question : « Et l'amour ? »

Eh oui, l'amour, comme dit la chanson : « On ne peut pas vivre sans amour. » Et apparemment, j'étais sans.

Ma rencontre la plus intéressante dans ce domaine fut avec Ménie Grégoire, la spécialiste du cœur. Celle à qui les auditrices, les lectrices. osaient tout dire, même ce qui fait rougir. Alors, moi ?

Elle vint me voir durant l'été 1969 où j'avais déjà, en trois ans et demi, vécu toute une vie... et forcément, l'amour ? Alors, l'amour ? Ménie s'y prit avec une précaution de psychanalyste :

« Fermez les yeux, je dis lentement : Amour... Liberté... Fuite... Succès... Tendresse... Fatigue... Solitude... Enfant... Papa... Dignité... Famille... Courage... De quels mots vous souvenez-vous ?

— Papa, Amour, Tendresse, Courage.

— Mais l'amour, vous connaissez ?

— Non. J'ai eu des petits flirts mais je n'ai jamais vécu. Je suis au commencement.

— Vous faites chanter les grandes passions qui font tout basculer...

— C'est comme dans un film. L'acteur joue qu'il tue. Il n'a jamais tué. »

C'était clair. Elle insista. Je n'avais pas dit « Solitude » ?

« En scène, je suis à l'abri. Avec le public, je ne suis pas seule.

— Imaginez que j'arrive de la planète Mars. Et que je demande : qui est-ce, Mireille Mathieu ?

— C'est quelqu'un qui chante. Comme le boulanger fait son pain. »

Le boulanger fait son pain et on ne lui demande pas s'il couche, et avec qui. Un artiste, mis sur la place publique, si. Et s'il refuse de répondre, on lui fait un procès d'intention, on trouve toujours des faux témoins, c'est presque un piège judiciaire, et on a des preuves... les photos ! Un appareil photo, il a un œil tout de même ! Les photos, même avec des anonymes. Ces charmants anonymes qui se pressent contre vous :

« Vous permettez (ou, carrément, tu permets), Mireille ? Un souvenir ! »

Un quidam fait clic clac. Et c'est ainsi que je me suis retrouvée, avec quelque étonnement tout de même, mariée en Allemagne et mère de famille au Brésil...

Les anonymes et les autres.

En 1968, j'apprenais qu'à Londres, un chanteur avait abandonné sa carrière pour devenir mon professeur d'anglais. Qu'à Paris, un jeune Américain rencontré à l'hôpital après l'accident de voiture ne me quittait plus.

En 1969 — année particulièrement riche ! —, il y eut donc le Prince Charles (!) et aussi cet inconnu qui m'envoyait tous les soirs au Savoy une gerbe de roses rouges (les roses... c'était vrai !).

En 1970-1971, je découvris avec intérêt que je menais une double vie, filant le parfait amour avec un jeune médecin de Lille — de grande famille... — que je rejoignais à « mes moments perdus »... expression qui me fit vraiment rire. Mais comme en même temps j'inaugurais la chaîne de télévision à Mexico, commencèrent à fleurir mes inévitables amours mexicaines. Il y en eut plusieurs, de l'étudiant au P-DG. D'autant que ma date de naissance n'étant pas un mystère, elle, on s'aperçut que j'allais coiffer Sainte Catherine. Mireille coiffant

Sainte Catherine, cela avait quelque chose d'incroyable : par-dessus quel moulin avais-je lancé mon bonnet ? Mike Brant ne m'avait-il pas aidée ? Pourquoi avait-il fait mon émission « Une cigogne... » — joli présage ! C'était, certes, sur la 2, à la gloire de la ville de Colmar... mais encore ?

En 1972, Mme Soleil annonça dans ses prédictions que j'allais rencontrer un bel étranger. Ils ne manquèrent pas. C'est l'année où, à Brasilia, j'habillai tous mes musiciens en footballeurs en hommage à Pelé, devenu un de mes meilleurs amis. (Que de photos prises, même à Paris !) Ce n'est pas un signe, ça ?

Et mon Francis Lai, mon inséparable, depuis « Une histoire d'amour » — qui ne pouvait être que mon histoire — ne m'offrait-il pas maintenant « Tout a changé sous le soleil » ? Enfin, cette année-là, n'allais-je pas beaucoup en Italie ? L'Italie... qui regorge de beaux garçons et les bruns, avec les Méridionaux de mon entourage, les Mexicains et Pelé, paraissaient bien être ma préférence... ! Parfois je riais, parfois j'éclatais. Bouboutch et tantine me calmaient :

« Qu'est-ce que ça peut te faire ? Laisse courir, disaient-ils.

— Mais on ne parle pas des amours de Tartempionne !

— Parce que Tartempionne n'est plus personne. Toutes les vedettes en passent par là. Tu as vu Hollywood ? Si tu avais signé avec Pasternak, tu serais tenue de sortir avec le jeune premier de l'écurie et tu serais déjà fiancée, mariée, et même peut-être divorcée ! La pub... Laisse courir.

— Facile à dire. Les gens sont incroyables ! En quoi ça les regarde si je souffre ou si je ne souffre pas ?

— Les gens ont besoin de t'imaginer, disait tantine.

— Oui, mais eux sont compliqués. Moi, je suis simple.

— Ne te rends pas malade... »

Je ne m'étais pas aperçue que c'était elle qui l'était.

6.

LA MORT DE TANTINE

« Tu n'es pas fatiguée, Tantine ?

— Non... ce n'est rien. »

C'était toujours « non » et « rien ». Je lui trouvais les traits un peu tirés, mais cela n'avait rien d'étonnant ; nous venions de boucler une année intense, sautant d'un avion à l'autre : le Brésil, l'Allemagne toujours, le Liban, l'Iran, le Japon où je n'avais mis que brièvement les pieds pour une télévision. J'y avais été fort surprise. J'étais sans mon chef d'orchestre et me demandais avec angoisse comment les musiciens allaient prendre mon tempo... mais quand je suis arrivée au studio de NHK, ils avaient déjà répété, tant et si bien, que je n'eus qu'à démarrer en direct avec les chœurs ! C'était cela qui m'a sidérée à mon premier voyage-éclair, l'organisation japonaise.

Cette fois, nous débarquions avec tout notre matériel pour une série de récitals dans les principales villes et le dépaysement fut total. Dès l'aéroport, je me souviens de l'émerveillement de Tantine devant les bouquets qui ornaient la salle de contrôle des passeports, arrangés selon l'art japonais : juste une branche et une fleur ou deux mais avec un sens inouï du volume et des couleurs.

Tante Irène était subjuguée :

« C'était le pays de mes rêves, me disait-elle, depuis que toute petite j'ai vu " Le pays du sourire " avec une troupe amateur. Le papet avait eu des places par je ne sais qui, heureux du caveau de famille qu'il lui avait fait ! »

Elle n'avait été dépaysée nulle part : ni à Londres, ni même à New York ou à Moscou... mais au Japon, oui. On ne savait pas où nous mettions nos pieds, dans le futur ou dans le passé. Ahuries par la circulation, les voies multiples, aériennes, les autoroutes suspendues, les gratte-ciel, et tout à coup, une maison japonaise où, pour entrer, il fallait se déchausser et dont le maître de maison nous recevait en kimono... Le côté businessman, complet veston strict, lunettes, attaché-case, la chemise blanche impeccable... et les saluts courbant nos interlocuteurs comme s'ils étaient encore des samouraïs; la « première », avec des Japonaises dont la tenue de soirée était traditionnelle, avec ces robes compliquées et leur nœud gigantesque si peu pratique pour s'asseoir dans nos fauteuils !

La froideur de la salle me faisait penser : « Je ne leur plais pas du tout... Je suis en train de ramasser le bide de ma carrière ! » et, sortant de scène désespérée à l'entracte alors que le directeur japonais continuait de sourire imperturbablement :

« C'est terrible, Johnny. Ils ne m'aiment pas ! »

Et lui, me poussant en scène pour la seconde partie, disant comme à un boxeur :

« Vas-y, Mireille, accroche-toi ! »

Je voyais la tête de Tantine, contractée, serrant contre elle ma Thermos avec le tilleul... Et puis, à la fin, la salle debout, applaudissant sur le rythme de 3-3-3-1, ce qui est, paraît-il, le comble du contentement.

Nous étions rassurés. Nous allions ainsi de surprise en surprise.

« C'est un pays de chaud et froid ! » disait Tantine.

On avait failli se faire écraser dix fois, et tout à coup on se trouvait dans un parc ravissant, hors du temps, avec un petit temple au bout d'une tortueuse allée où dévotement des fidèles accrochaient des papillotes aux branches des arbres...

« Je me demande ce qu'il y a dedans? On dirait des bonbons... ? »

En s'approchant, on vit que les fidèles les sortaient, moyennant finances, d'une boîte avec un bâton. L'œil du moine préposé ne nous encouragea pas à acheter une papillote. Apparemment, il n'y avait rien dedans et dessus que des signes tracés que chaque possesseur parcourait avec ferveur.

« Ce doit être des paroles saintes », dit Tantine.

On apprit par la suite que c'était des prédictions et qu'en les accrochant aux arbres, elles risquaient de se réaliser.

Notre rencontre la plus étonnante fut avec un champion de « sumo », Takamyana. Le « sumo », sport national aussi populaire que le base-ball pour les Américains ou le foot chez nous, intriguait fortement Johnny. Notre producteur japonais nous introduisit dans le saint des saints, c'est-à-dire au club d'entraînement des futurs champions. Ils y étaient depuis 5 heures du matin ! Je pensais qu'ils devaient se gaver de nourriture dès potron-minet pour être aussi gros. Mais non : pas de breakfast ! pas un gramme de nourriture durant l'entraînement qui dure toute la matinée.

Nous étions très impressionnés.

A mi-journée, les juniors, qui pèsent déjà cent kilos, servent avec respect le repas des seniors, les champions, qui, eux, arrivent aisément aux deux cents kilos...

C'était le cas de notre Hawaiien, Takamyana... d'un abord charmant qui surprit Tante Irène. Elle s'attendait à une attitude de monstre et, en fait, comme tous les hommes sûrs de leur force, les « sumos », élevés au rang de dieux vivants, sont doux et pacifiques.

En dehors du club d'entraînement, le sumo a son musée et son énorme amphithéâtre. Les Japonais étant très joueurs, ils parient sur leurs champions. Johnny est très japonais sur ce point ! On assista à une « rencontre ». Il a parié. A son habitude, comme aux courses, sur un outsider... Et c'est notre producteur, qui nous avait emmenés, qui a perdu !

Tantine était fort circonspecte devant les plateaux de nourriture proposés dans les restaurants qui pullulent. Présentés avec art en vitrine, ils sont beaux comme des peintures.

« Que c'est joli ! que c'est joli !

— Oui... mais reste à savoir si c'est bon... Fais attention, Mimi. Tu ne peux pas être malade ! Tu chantes demain ! »

Tantine avait décidé d'être le cobaye. Elle goûtait.

« C'est encore sucré. Et pourtant, c'est du poisson... »

Naturellement, dans les grands restaurants, on découvrit l'art de présenter le « sushi », le poisson cru, sur des feuilles de bambou découpées en motifs ravissants. Et le « tempura » qui enrobe tout, poisson, légumes, crustacé, dans une pâte à beignet. Ce qui stupéfia Johnny, c'est le repas pris dans une très vieille maison japonaise en terre battue sous un toit de chaume. Au milieu, il y avait un immense brasero. Un cuisinier, accroupi, (comme nous !), fort habile, faisait griller bœuf et poissons...

« Mais comment font-ils ? disait Johnny. Chez nous, nous serions fumés en même temps que la viande ! Il n'y a ni conduit, ni cheminée... ! »

En levant le nez, il nous montra un simple trou au centre du toit de chaume.

« C'est naturel... naturel... »

C'est tout ce qu'il put tirer de notre hôte.

Une autre fois, Johnny revint avec une nouvelle qui ébranla le calme toujours olympien de Tantine : on était cette fois invités chez les geishas. Le mot fit de l'effet.

« Croyez-vous, dit-elle, que ce soit bien pour Mimi ?

— Je me suis renseigné, dit Johnny : ce n'est pas ce que vous croyez. Ce sont des dames extrêmement bien élevées, cultivées, souvent musiciennes, parfois chanteuses... Elles incarnent le charme féminin. Elles sont la parure, très recherchée, et d'ailleurs très chère, des dîners où l'on veut honorer les hôtes. »

Ce fut un mémorable banquet. Nos geishas firent une entrée tout à fait séduisante en robes traditionnelles d'une richesse raffinée. Je ne me lassais pas de regarder de près le travail de broderie, de tissage, de celle qui vint s'asseoir près de moi. Elle parlait très bien l'anglais et suffisamment le français pour m'entretenir de Paris qu'elle ne connaissait que par la lecture de nos poètes — Mon Dieu... à ma confusion, elle me dit des vers de Claudel ! —, par le Cinq de Chanel, notre mode par les journaux... et mes disques, par politesse, je suppose. Les mains fines souples maniant l'éventail... ou servant le saké, tout en elle était charmant. Elle me mit très vite à l'aise et, à la fin du repas, je m'enhardissais à lui demander les secrets de son maquillage si parfait : un visage comme laqué de blanc, avec une grande finesse de traits au pinceau pour les yeux, et une coiffure alambiquée, échafaudage incroyable de fleurs, de structures légères dorées, diamantées, brillantes, frémissant au moindre mouvement de tête. Toute une journée consacrée à la préparation de cette tenue de fête... ! Celle de Tantine parla cuisine et celle de Johnny de politique économique du Japon ! Ensuite, prenant des instruments à cordes, elles se mirent à chanter, puis à danser d'une manière qui paraissait irréelle dans ces robes d'apparat...

« Grâce à toi, me dit Tantine, je découvre vraiment le rêve... »

Hélas, on devait aussi découvrir le cauchemar.

Mes récitals me conduisaient aussi à Hiroshima.

Bien sûr, on savait. On n'imaginait pas. Nous étions avec Mitsouko, notre interprète, qui m'avait appris à prononcer la chanson en japonais « Sakura sakura » (c'est le cerisier en fleur). Je lui demandai à voir le Musée. Mitsouko était réticente. « Vous allez être impressionnée... » Elle avait raison... Les documents sont presque insoutenables.

Nous étions bouleversés. Tous. Les musiciens pleuraient. Je ne sais pas comment nous avons fait le spectacle le soir même... dans un étau d'émotion.

Je suis retournée sept fois au Japon, découvrant d'autres paysages, d'autres temples... mais sans Irène.

Depuis décembre 1972, je voyais bien que Tantine avait des soucis de santé. Elle profita des fêtes pour descendre à Avignon et consulter un gynécologue. Elle revint me disant qu'elle n'avait rien. De la fatigue tout simplement. Nous allions rester un bout de temps à Paris puisque je préparais l'Olympia pour le début février. Je le voulais différent des autres. Je préparais avec Arthur Plasscheart des numéros de danse avec les Ballets. Cela m'amusait beaucoup. Aux chansons romantiques que le public aimait toujours, je mêlais des chansons drôles. Ou plus exactement, si la première partie était « classique », la seconde était tout en mouvement avec les danseurs. Du music-hall : j'avais des paillettes, des plumes, un grand boa, on me hissait à bout de bras, je chantais à la manière d'une vraie revue. Je riais beaucoup et transpirais énormément, prenant mes cours avec acharnement avant les répétitions. Mes compositeurs étaient prestigieux : Paul Mauriat, Michel Legrand, Ennio Morricone (que j'avais vu si souvent en Italie), Francis Lai toujours...

Johnny avait eu une brillante idée :

« Et si on demandait à Mathieu de faire ton affiche ? Mathieu par Mathieu... pas mal ça ! »

Restait à mettre la main sur le maître. Ce n'était pas aisé. Il était inaccessible au téléphone ; on ne pouvait correspondre que par télégrammes ou pneumatiques. C'est finalement Nadine qui fut chargée de le pister. Mais il ne sortait pas de chez lui. Il fallait donc obtenir un rendez-vous. Même le télégraphiste n'entrait pas ! On déposait le message devant sa porte. Enfin, elle fut admise dans le sanctuaire, un superbe hôtel particulier avec un salon immense...

« Et alors, et alors ?

— Au milieu, il y a un énorme fauteuil... enfin, un fauteuil... c'est plutôt un trône, tu vois !

— Un trône !

— Oui. Doré ! »

Nadine était émue comme si elle avait vu Louis XIV. Il avait demandé des photos de moi sous différents angles.

La dernière fois qu'elle l'a vu, moustachu et toujours grandiose, il avait fait plusieurs ébauches de l'affiche. Il ne dit pas celle qu'il préférait et Nadine n'osa pas ouvrir la bouche. Il prit une photo, dessina dessus mon visage et le dédicaça : « A Nadine Joubert, en souvenir des Mathieu. » Elle le fit encadrer.

L'affiche, avec ses faisceaux bleu, blanc, rouge, éclatait dans tout Paris. Je trouvais qu'il avait été vraiment inspiré, mais je fus très déçue : il ne vint jamais me voir. Je ne l'ai donc jamais vu.

Ce spectacle, c'était un travail fou. Cela m'empêcha sans doute de voir que Tantine ne suivait pas comme d'habitude... Elle se reposait de plus en plus souvent. Je ne m'inquiétais pas encore. Elle récupérait, pensais-je, de notre tour du monde. 1973 commençait pour moi dans la joie, l'excitation qu'est la préparation d'un nouveau spectacle. Je ne sentis pas venir le coup. Je ne devinais pas que 1973 allait être mon année noire.

On me dit intuitive comme un chat. Où était-elle, mon intuition, aveuglée par le spectacle ? J'aurais dû voir dans l'œil de Johnny quelque chose, dans les migraines répétées de Nadine, un indice. Sur le visage de Tantine, enfin, un cerne un peu plus prononcé ? Comme ils cachaient bien leur jeu pour me laisser toutes mes chances à l'Olympia où ils savaient que, comme d'habitude, j'étais attendue avec de gros calibres ! J'étais comme une amoureuse tout entière à son désir de conquête. Il y avait trois ans que je n'avais pas affronté Paris.

Quand je rentrais le soir, je trouvais Tante Irène debout, avec les petits plats préparés. Je ne me doutais pas qu'elle était restée allongée toute la journée pour me donner, elle aussi, sa représentation le soir.

« Je suis sûre que tu tiens le succès, me disait-elle. Tu as des chansons formidables... Et tu sais... ta coiffure, c'est la bonne longueur. Elle te va si bien ! Il ne faudra pas que tu la changes. C'est vraiment la tienne. Tu me le promets ?

— Bien sûr, Tantine. »

Une promesse en l'air, qu'on fait comme ça.

Quand on me dit, parfois : « Mais pourquoi donc ne changez vous pas de coiffure ? », je réponds : « Parce que je l'aime. » Mais la vraie raison, c'est que j'ai tenu ma promesse. Parce que Tantine allait mourir.

C'est Johnny qui me l'a dit. Pas comme ça. Pas aussi brutalement. Peut-être gardait-il un espoir ? Il a attendu que l'Olympia soit terminé. Je savais que, poussée par lui, Tantine avait vu pendant ce temps un médecin.

« Comment t'a-t-il trouvée ? »

Elle m'avait répondu :

« Fatiguée, mais pas mal... Des polypes... Il faudra les enlever... »

Quand un jour, j'avais vu qu'elle avait eu une hémorragie :

« C'est pas grave, Mimi. Les polypes... »

Et puis elle enchaînait sur autre chose. Elle était si heureuse des critiques favorables de l'Olympia.

« Tu as vu ce qu'il a écrit, Fléouter[1] ? » « La voix qui a du soleil s'est développée, nuancée. Mireille Mathieu sait mener admirablement un spectacle à l'américaine »...

Elle m'embrassait, heureuse.

« Je suis tranquille, ma chérie. Tu es sur la bonne voie maintenant. »

---

1. Le critique du *Monde*.

Johnny lui montrait, comme toujours, les contrats : il y en avait pour deux ans ! Et moi, je faisais des projets d'avenir : l'Amérique et l'Allemagne, toujours, le Japon, encore, l'Extrême-Orient ensuite, le Mexique à nouveau... Je ne voyais pas, ou inconsciemment je ne voulais pas voir, la drôle de tête que faisait Nadine depuis quelque temps.

Et puis, ce jour-là, cette belle journée de mars, Johnny m'avait demandé de passer au bureau. Ce bureau que j'aimais bien, où je me sentais un peu chez moi, ce bureau avec tant de souvenirs déjà, où, au début, comme je regardais un Dufy qui me plaisait pour sa gaieté et ses couleurs (c'était un champ de courses), j'avais dit :

« Il me plaît bien, ce tableau.

— C'est une copie. »

Déçue : « Ah ! bon !

— Parce qu'il vaut mieux une bonne copie qu'un mauvais original.

— Alors, pourquoi vous ne voulez plus que j'imite Edith Piaf ? »

C'était loin déjà. Du chemin parcouru. Plus même que je croyais quand Johnny soudain me dit :

« Tantine a un cancer. »

La foudre.

« Un cancer de l'utérus. Il faut l'opérer. En tout cas, l'hospitaliser tout de suite. Elle a trop attendu...

— Elle sait ?

— Oui. Mais elle ne veut pas que tu saches. Elle dit " des polypes ". »

Alors, j'ai joué le jeu. On l'a opérée début avril. C'était trop tard. On prolongeait peut-être sa vie d'un mois ou deux... Jamais entre nous il fut question de cancer. Elle revint à la maison pour sa « convalescence ».

« Le mois de mai à Paris... c'est si joli », disait-elle.

Elle ne le voyait que des fenêtres. Je crois qu'elle voulait tenir le plus longtemps possible pour moi. Nous jouions toutes les deux la comédie. On s'efforçait à la gaieté. On se rememorait nos voyages. Elle voulait me faire sentir combien je l'avais rendue heureuse. Elle et toute la famille. Et moi, je continuais le métier comme si de rien n'était. Nadine heureusement m'aidait : c'était auprès d'elle que je craquais.

« Ah ! je croyais me remettre plus vite ! disait Tantine. Je ne vais pas pouvoir t'accompagner à Copenhague ! »

Ce n'était que quatre jours, mais ils me parurent une éternité. Il y avait aussi l'enregistrement de deux disques. Et les émissions de télé : « Cadet Rousselle » de Guy Lux, les shows de Thierry Le Luron, de Charles Aznavour...

Tante Irène suivait devant son poste. Il y avait des moments où je me disais :

« Elle va mieux. Elle a tant de volonté. Elle est sauvée... »

Toute ma vie, j'ai cru aux miracles.

Mais soudain, elle se mettait à grelotter, elle souffrait... J'appelais Nadine qui prévenait le médecin pour qu'il arrive au plus vite...

Nous avions une bonne, Brigitte, qui était bien dévouée, la pauvre. Elle m'aidait à la soigner. Tantine, pour avoir l'air en meilleure santé, disait de temps en temps :

« Ah ! ils ne sont pas très bien vos cuivres, Brigitte !

— Oui, madame, je vais les faire ! »

Personne n'était dupe.

La tournée d'été s'approchait. J'allais être absente du 20 juillet au 22 août : Ostende, Knokke-le-Zoote, Arcachon, Biarritz... le périple habituel. Tantine me dit que, décidément, pour une « convalescente », ce serait un peu trop dur... Elle rentra à Avignon.

Marseille, Arles, Digne, Nice, Cannes, Cassis, Alès, Vichy... C'est à Arles qu'elle fit l'effort de venir avec la famille. Elle avait maigri, certes, mais la joie de me voir, peut-être, on ne lui trouva pas mauvaise mine. Elle m'écrivait beaucoup. Elle me rappelait surtout des souvenirs : on en avait tant. Des souvenirs tout petits, de ceux qui font les grands bonheurs, on s'en aperçoit après. Je téléphonais aussi.

« Tu te souviens, Mimi, quand ta mère a voulu montrer son Dunkerque à ton père... Ça faisait des années qu'elle lui disait : " Tu vas voir le Nord, c'est joli aussi, le Nord ! ", et ils n'ont rien vu : en plein mois d'août, à Dunkerque, il pleuvait des cordes ! »

Elle riait encore. Et puis, son joli rire s'espaça. Mais elle se refusait à me dire qu'elle souffrait.

Elle me dit encore :

« N'oublie jamais ce que Johnny a fait pour toi... mais je suis tranquille. Tu n'es pas une oublieuse... »

Je savais à quoi elle faisait allusion. C'était grâce à elle qu'il n'y avait pas eu rupture entre elle et ma famille au moment de ma majorité. D'Avignon, ma carrière semblait couler de source ; il paraissait naturel que, majeure, je prenne en main ma carrière. Mais Tante Irène avait vu de près le travail et que sans l'expérience de pépé Jo, on n'irait pas très loin dans la jungle du show-biz ! On en discuta toutes les deux. Les comptes étaient clairs et entre les mains d'un avocat. On mit les choses au point avec papa. C'était aussi mon premier acte de personne responsable. Je le dis fermement. Et Johnny resta avec nous.

Et les galas continuèrent sans un jour de repos, hélas, pour aller embrasser Tantine. Après Arras, j'enchaînais avec la Fête de l'Humanité à Paris qui me laissa un souvenir bien particulier : c'est la seule fois où l'on me lança des tomates ! cela allait avec les couleurs de la fête... Il y avait un petit groupe de chahuteurs rigolos. Ça arrive... Je me suis souvenu qu'Aznavour m'avait raconté qu'à l'Alhambra, lors de ses débuts, il avait été chahuté durement et qu'imperturbablement, il avait continué. C'est ce que je fis, comme si je chantais devant mon respectueux public japonais... Et le ciel était avec moi : ce sont mes pauvres musiciens qui ont pris les tomates, notamment mon pianiste : une en pleine tête !

L'organisateur André Thomazo, un ami, et un producteur fameux (puisqu'il importe les spectacles de l'Est et exporte ceux de l'Ouest, et que notamment mes derniers récitals dans les Palais des sports de Moscou et de Leningrad ont été organisés par lui, tout comme la tournée des Chœurs de l'Armée rouge avec lesquels je me suis produite), était d'autant plus navré que mon cachet était particulier. Quand Johnny lui en donna le montant :

« Oh ! quand même ! tu exagères ! dit Thomazo.

— Attends ! On te demande cher parce que Mireille a décidé de l'offrir à une œuvre pour les enfants handicapés. »

Il n'empêche que « les tomates de l'Huma », c'est resté une formule qu'on emploie, les musiciens et moi, entre nous, quand on prévoit un public difficile ou une chanson délicate à faire passer :

« Attention... ça va être “ les tomates de l'Huma ” ! »

Tandis que la santé de Tantine périclitait inexorablement, j'observais que Johnny accumulait beaucoup de fatigue. Il devait aussi faire face à des soucis d'un autre ordre. Nous n'avions pas seulement les tomates en commun avec Aznavour dans nos souvenirs les moins gracieux mais aussi, le contrôle fiscal. Tous ceux qui en ont eu savent ce que c'est. Et en même temps, il fallait préparer l'énorme tournée au Canada.

Johnny avait fait plusieurs voyages-éclairs : il arrivait un matin à Montréal et revenait le lendemain à Paris. C'était épuisant mais nécessaire. Tant de détails matériels à régler...

Je me souviens, c'était un vendredi... ce vendredi 28 septembre 1973. Il avait promis à Fernand Raynaud d'être de retour le samedi pour aller à la boxe avec lui. Mon cher Fernand, si proche de moi au moment de la mort de la mamet... si tendre, si vrai, sans chichi, si loin du star-system. Bref, Fernand que j'aimais.

Ce vendredi, Johnny était arrivé, une fois de plus, à Montréal et discutait avec l'équipe à l'hôtel Bonaventure. Soudain, il s'effondra.

Ce même jour, j'appris que Johnny, transporté d'urgence à l'hôpital Saint-Luc, était en réanimation cardiaque... et que Fernand Raynaud venait de se tuer sur la route.

Nous sommes parties, Nicole, sa femme, et la petite Vincence. Johnny avait eu une chance : le docteur Roberge, cardiologue réputé, était à l'hôpital quand on l'y amena. Il resta trois semaines en réanimation. Pendant ce temps, la tournée commença à Montréal. Je pensais qu'il fallait que je fasse le mieux possible, comme s'il était là, comme si Tantine était là, elle avec mon châle et le tilleul et lui pour me dire :

« Vas-y, ma vieille ! » ou « Accroche-toi, Mireille ! ».

On peut trouver cela dur : être en scène, chanter l'amour heureux quand on a le cœur anxieux. En fait, on chante toujours pour quelqu'un. Parfois pour un inconnu, une inconnue, qu'on devine attentif dans la salle — car si on ne voit pas, on devine vraiment tout — et quelquefois pour quelqu'un qu'on a dans le cœur ; c'était le cas ; je savais que je chantais pour eux deux entre la vie et la mort. Il me semblait que, par un certain mystère, ma voix les atteignait.

« On devrait enregistrer " La paloma adieu... ", me dit Christian Bruhn. Il était un excellent chef et compositeur et c'était une très belle chanson qu'il avait faite sur les paroles de Catherine Desage. Il avait raison. C'était aussi un bon moyen pour agir au lieu de broyer du noir. On retint le studio.

Le soir ma mère nous chantait quand j'étais enfant
L'histoire d'un bateau perdu et d'un oiseau blanc...

....

Ma vie s'en va
N'aie pas trop de peine
O mon amour adieu !

Je craquai à plusieurs reprises. Patiemment, Christian faisait reprendre. Je recommençais.

« Je crois que je ne vais pas pouvoir... Pardon, Christian. »

Respirer à fond. Se calmer. Recommencer.

« Ça va, Christian. On reprend ? »

On a enregistré en moins d'une heure. Ce fut un succès foudroyant. « La paloma adieu » fut très vite au hit-parade. Johnny donnait encore au docteur Roberge des inquiétudes qui décidèrent celui-ci à l'envoyer à Houston chez le docteur Cooley, grand chirurgien du cœur. Notre tournée, elle, allait à Vancouver.

Tous les jours, je téléphonais. A Houston et à Avignon. Un jour, Johnny put écouter le disque. En ce qui concernait ma voix, rien ne lui échappait.

« C'est pas mal, " La paloma adieu ", dit-il. Mais... tu n'étais pas un peu enrhumée ce jour-là ?

— ... oui, Johnny. »

Enfin, la tournée prit fin. Je rentrai à Paris avec la troupe. A Houston, Johnny restait en traitement. Peut-être allait-on éviter l'opération de l'aorte. Nicole et Vincence restaient près de lui.

A Paris, je fus accueillie par Nadine. En l'absence de

Johnny, c'est elle qui assumait le bureau, les affaires courantes... Le week-end suivant, on partit pour Avignon. Tante Irène était très changée. On continua à se mentir toutes les deux. Je lui dis qu'elle avait bonne mine ; elle me dit qu'elle se sentait mieux. Elle se battait, refusant le dénouement. J'étais comme elle ; sait-on jamais ? Dieu m'avait exaucée déjà si souvent. Je ne pouvais rester : Danièle Gilbert m'attendait pour ses « Midi trente », toute la semaine.

« Oh ! tant mieux ! je suis contente, me dit Tante Irène. Je te verrai tous les jours ! »

Le jeudi 13 décembre, à 5 heures du matin, Maman appela Nadine :

« Venez vite ! »

Aussitôt après l'émission, on prit l'avion... Elle était morte.

Un tour de clé de plus sur mon cœur. Il y avait des choses que désormais je ne pourrais plus partager avec personne.

L'appartement de Neuilly me parut grand. J'étais seule. Avec Brigitte, la bonne. Elle prenait ses week-ends et c'est alors Nadine qui venait à la maison.

« Depuis combien de temps n'as-tu pas pris de vacances ? » me dit-elle.

Johnny se remettait à Houston. Le docteur Cooley, avant de commencer un autre traitement, lui octroyait quinze jours à Acapulco, pour changer d'air. Il fut décidé que j'allais rejoindre là-bas la famille Stark. Je ne me sentais pas malade. Les malades, les vrais, avaient été autour de moi. Mais je ne me sentais pas bien. C'est très joli, Acapulco. Le nom fait rêver. Et le lieu au bord du Pacifique, au pied de la Sierra Madre... L'hôtel Pierre Marquès, à une vingtaine de kilomètres du centre, est à lui seul un petit paradis. Une plage de sable fin à l'infini, bordée par l'Océan puissant. Le palace et ses restaurants et puis, échelonnés, les bungalows parmi les palmiers. Si on le désire, on peut vivre sans voir personne... ce qui était notre cas. Johnny avait terriblement maigri. Il était comme effaré d'avoir vu la mort de si près. Appuyé sur Nicole, il faisait ses premiers pas... et déjà des projets. Et c'était lui qui me posait la question :

« Et toi, comment te sens-tu ? D'attaque ? »

Bien sûr. J'allais rentrer pour faire un pot-pourri avec Claude François. J'avais emporté toutes les chansons avec moi pour les répéter : des chansons d'enfance : « Le petit cordonnier », « A la claire fontaine »... Je serais habillée d'une petite robe rose froncée, avec un jupon amidonné et un pantalon bouffant. Nœud de satin, petits gants et souliers vernis..., très « petite fille modèle »...

Aussitôt après, je commencerais à mettre sur pied mon « Top », avec en invités Hallyday, Aznavour...

« Je serai rentré ! assure Johnny. Cooley m'a dit que je pourrai reprendre mes activités fin février. Il s'y est engagé ! Cinq mois d'arrêt, ça suffit ! »

Il bouillait. Il avait hâte de reprendre la route : Beyrouth, Rome, Londres...

Je regardais la mer, les grands rouleaux de vagues qui se moquent pas mal de nous... Et je pensais que Tante Irène ne connaîtrait jamais Acapulco...

7.

QUELQUES FIANCÉS DE PLUS... ET UNE FUGUE

Au retour, Yves Mourousi m'appela.

Yves, je l'avais connu, comme tout le monde, je veux dire comme la plupart des artistes, derrière son micro de France-Inter où il était devenu le plus brillant des interviewers. Il avait apporté à la radio un ton neuf, désinvolte, gai et redoutablement bien informé. Avant notre première rencontre j'étais terrorisée à l'idée de cette interview, or, elle se passa le mieux du monde. Contrairement à la plupart des journalistes, il me mit à l'aise. Je ne sentais aucun traquenard, aucune question vicieuse. Apparemment, il aimait ma voix, me le disait et essayait, non pas d'expliquer le phénomène Mathieu par je ne sais quel chemin tortueux, mais de constater qu'il existait, aussi simplement qu'il fait beau ou qu'il pleut. On s'était revus plusieurs fois. Il m'avait fait venir dans son journal désormais télévisé. C'était le métier d'Yves de savoir tout. Il savait donc quel deuil intime m'avait frappée, comment j'essayais de faire face sans rien montrer de ce qui ne regardait que moi. Mais en Cancer astrologique qu'il est aussi, il se doutait de l'effort. Il devinait que dans ce cas-là, le petit crabe se recroqueville dans sa coquille. Il décida de m'en faire sortir. Il me téléphona.

« Tu veux venir ce soir à la première de l'Olympia ? »

J'étais invitée en permanence, comme une enfant de la maison. J'avais répondu non. Yves me prenant sous le bras, c'était différent : je dis oui.

Il savait que j'étais triste : il ne remua pas le fer dans la plaie. Il n'est pas de ces gens qui se nourrissent des larmes des autres. Je ne pense pas avoir rencontré souvent quelqu'un d'aussi tonique. Le secret d'Yves, c'est de vivre dans le présent, jamais sur le regret de la veille ou dans la peur du lendemain. Nous n'étions qu'amis, comme on peut l'être dans le milieu artistique où dès la troisième rencontre, pour peu qu'on ait quelques atomes crochus, on se tutoie comme des copains de régiment. Nous sommes devenus inséparables. Johnny, de retour à Paris, en était ravi. L'un et l'autre savaient très bien ma peine secrète. L'un et l'autre faisaient tout pour que je la surmonte. Et j'y arrivai.

Yves y fut pour beaucoup. Il a, en commun avec Johnny, la passion des gadgets et des dernières trouvailles électroniques. La passion de la cuisine. L'oreille musicale (étudiant, il a même dirigé un orchestre symphonique !). C'est un fou du spectacle et d'ailleurs il l'a montré. Cette année-là, il cogitait la Nuit de la Gendarmerie... Il a le sens de la mise en scène.

Sa vie même est une succession de coups de théâtre dès l'enfance puisqu'un accident de voiture le rendit orphelin. Et s'il est devenu journaliste, c'est à cause d'un tremblement de terre ! Il était en vacances dans les Pyrénées quand le sol se mit à bouger et, aussitôt, il se rua sur le téléphone pour avertir France-Inter... C'est ainsi qu'il fut engagé.

J'apprenais à tout moment avec Yves. Doté d'une mémoire peu commune, il retenait les visages, les faits, les mots, les anecdotes. Ce que j'admirais était son aisance à s'adresser aussi bien à un chef d'Etat qu'à un balayeur. Enfin, on le brocardait autant que moi et je me disais que je ferais bien de me rendre aussi invulnérable que lui.

« Fiche-toi donc du tiers comme du quart ! Personne ne peut vivre ta vie : elle est à toi. Profites-en. »

J'étais loin d'avoir son assurance, mais en me forçant à sortir avec lui, il me forçait aussi à sortir de moi-même. Le choc de la mort de Tantine m'avait replongée dans la dyslexie... avec Yves, j'arrivais à oublier que je butais sur certains mots. Peut-être parce que je l'écoutais plus que je ne parlais.

Naturellement, nos sorties ne passèrent pas inaperçues puisqu'il s'agissait toujours de soirées dites parisiennes, de premières de films ou de spectacles, de manifestations diverses. Et je me retrouvais avec un fiancé de plus. Cela nous amusait plutôt. Cela me mettait à l'abri des importuns.

On nous vit partout. Thierry Le Luron en fit un sketch. Des chansonniers le suivirent — ou le précédèrent, je ne sais plus ! On en arrivait à se parler comme un vieux couple :

« Quelle robe mets-tu ce soir pour aller à la première de Machin ?

— Pourquoi ?

— Pour assortir ma cravate, parbleu. »

Cela, c'était pour la galerie. Mais en fait je savais que si j'avais le cafard, je pouvais appeler Yves à n'importe quelle heure. Il me remontait le moral.

« Tu as toujours ta voix ? Ah ! bon ! tu m'as fait peur ! Alors, le reste, tu t'en fous ! »

Un jour, il me dit :

« J'ai une bonne nouvelle pour toi. Je vais te faire chanter au Bolchoï. »

Comme j'étais habituée à ses blagues, je ne bronchai pas. J'avais tort, c'était vrai. Avec lui, il ne faut s'étonner de rien.

Il avait mis sur pied pour TF1 une semaine franco-soviétique avec une interview de Brejnev ; une visite de la cité des cosmonautes, le bureau de Gagarine, l'horloge arrêtée à l'heure de sa mort devant laquelle ceux qui partent en mission dans l'espace se recueillent... ; avec des champions qui allaient participer aux jeux Olympiques, etc. Yves voulait clôturer cette semaine par un gala au Bolchoï réunissant l'Ecole de danse, les grands chanteurs, les danseurs étoiles et les Chœurs de l'Armée soviétique. Et, pour la première fois sur l'auguste scène, une artiste de variétés française, une double première ! Je lui demandai s'il ne trouvait pas ça un peu culotté.

« Mais pas du tout. Tu vaux bien une choriste de l'opéra ! »

Arrivée la veille, j'avais aussitôt tourné trois émissions de télé pour les Russes. J'avais perdu deux de mes musiciens car le minicar venu les chercher étant trop petit, avec les quatorze caisses d'instruments, ils avaient préféré venir à pied, croyant avoir repéré le chemin du Bolchoï. Entre-temps, il avait neigé. Ils s'étaient perdus ! Yves, de son côté, au vingtième étage de l'Intourist Hôtel où il avait son duplex pour émettre, était dans tous ses états : on avait perdu le satellite ! (Le radar était tombé en panne !)

Comme toujours, il y a un miracle au moment de la représentation. J'avais dit un jour que j'aimerais chanter sur cette scène du Bolchoï... mais une fois dessus, l'impression est terrifiante : l'ampleur de la salle, l'énormité des lustres de cristal, l'accueil du public, les deux cents choristes du couronnement de *Boris Godounov* et le grand orchestre au complet dans la fosse... tout cela justifie qu'on ait le ventre serré. Mais j'avais à mon répertoire les deux chansons que les Soviétiques connaissent le mieux : « La vie en rose » et « la Marseillaise »... !

« Ne t'inquiète pas ! me dit Yves, en boutade. Si tu es en rade, ils te souffleront ! »

Ils n'en ont pas eu besoin. Mais ils m'ont fait une sacrée surprise ; en guise de fleurs, on m'a apporté sur la scène un ours en peluche presque aussi gros que moi... C'était très bien. Dans sa fourrure, j'ai pu essuyer mon cosmétique qui avait coulé un peu : l'émotion.

Je pense avoir été l'une des premières personnes à savoir qu'Yves était tombé amoureux. Voyant Véronique, j'ai compris tout de suite qu'elle était sa femme idéale : sportive comme lui, à cheval, en moto ou en voiture ; aimant la vitesse — tout ce que je déteste ! —, très branchée, curieuse de tous les événements et n'ayant aucune peur du monde. Mon contraire. C'est probablement pour ça que je l'aime bien. Je leur ai tout de suite dit que je serais la marraine du premier enfant. Et la petite Sophie est arrivée. Contrairement au mariage qui a défrayé la chronique, le baptême s'est fait dans la plus stricte intimité. L'église Saint-Roch bien gardée, aucune photo n'a été prise. C'était bien la première fois qu'on ne se trouvait pas, Yves et moi, sur un cliché ! Tenant le cierge, près de ma filleule — la plus gracieuse qu'on puisse rêver et qui déjà semble apprécier les lumières, le cérémonial et le chant —, pour nous, la poignée d'intimes qui étaient là, j'ai chanté l' « Ave Maria », *a cappella.* Je ne l'ai jamais aussi bien chanté, je crois.

Yves marié, je me suis retrouvée fiancée à beaucoup de gens. Je crois bien que le seul qui a pu échapper à la séduction qu'on me prête... c'est — et pour cause — l'abbé Galli, prêtre à Sanary. C'est un souvenir assez lointain, durant une tournée d'été. Quelqu'un me dit :

« Comment vous ne connaissez pas l'abbé Galli ? Il a tourné *L'homme à l'Hispano !* »

Mais comme c'était au temps du muet... avec Huguette Duflos, ce qui ne me disait rien non plus, je ne connaissais pas Georges Galli qui, paraît-il après quelques films dont les titres étaient fort profanes, préféra entrer dans les ordres. Moi, j'ai le souvenir d'un prêtre d'un certain âge, au visage très doux, très paisible. A qui j'ai demandé la bénédiction.

Après la mort de ma chère Tantine, et la résurrection de Tantine, les soirées parisiennes avec Yves n'étaient pas une fuite suffisante. J'avais hâte de chanter, non dans des émissions de télé qui ne manquaient pas heureusement, mais le plus loin possible de Paris. En avril, Air France inaugurait la ligne Paris-Cayenne-Manaus-Lima. Un grand gala était prévu dans le fameux opéra de Manaus. On s'envola... Vincence m'accompagnait.

Ce n'était pas particulièrement un climat revigorant et tonique : 35 °C en sortant de l'avion à Cayenne ; une escale bourrée de légionnaires, avec la signature d'autographes qu'on imagine !

Manaus. Ville fantôme. Ville mirage. Au cœur de l'Amazonie, un opéra réplique de celui de Paris, en plus petit... C'est là que je vais chanter, devant une salle revivant les fastes d'antan, les tenues de soirée, les smokings blancs. J'imagine le temps où Sarah Bernhardt y joua devant les habits noirs...

Je m'habille dans la loge qui fut la sienne. Le style fin de siècle, le miroir avec ses moulures... Et le rideau rouge se lève sur les dorures et les cariatides, le velours un peu râpé... et pas d'air conditionné. L'installation est vétuste. C'est une étuve à 45°. Comme on dit chez nous : « Je coule l'eau ! » Pour moi, ce n'est pas trop grave : ma robe est décolletée. Mais les pauvres musiciens n'en peuvent plus et à l'entracte, Johnny leur dit :

« Tant pis ! C'est gala mais tombez la veste ! »

Notre hôtel est loin d'être celui de l'an 2000. Tant mieux, sans doute. Il a le charme fou du « tropical 1900 », avec ses balustrades ourlées, torsadées, sa véranda au dessin compliqué. Vincence partage ma chambre. Je la réveille en pleine nuit :

j'entends des bruits bizarres, une sensation de bêtes au plafond. Comme les chambres sont communicantes, Vincence court dans celle de son père, le réveille en sursaut ; il vient, il allume : effectivement des salamandres courent au-dessus de nos têtes — j'avais bien raison de me cacher sous les draps !

Le lendemain, un notable nous invite pour une promenade en bateau, un bateau étonnant, sortant tout droit d'un film, avec son immense roue... Nous quittons le port pour suivre le fleuve qui rentre dans la jungle, subjugués par la musique de la forêt : ses cris d'oiseaux et de bêtes qu'on ne soupçonnait pas. Le mariage de la beauté et de la laideur. Des plumages étincelants, extravagants, magnifiques, et des animaux très vilains, comme les iguanes... Ou des alligators... des tatous... Un spectacle incessant dont notre notable nous tire pour le déjeuner à bord, dans la splendeur un peu passée d'une salle à manger du siècle. Il a amené ses cuisiniers — toute une kyrielle — pour nous traiter en gens d'importance.

« Ce serait bien, me souffle Johnny, si on pouvait aussi manger les moustiques ! »

Ce pays si catholique, qui mêle toutes les superstitions... et ce n'est pas moi qui le comprends le moins ! On met toutes les chances de notre côté ! (N'avais-je pas, à côté de ma croix romaine, une « figa » — ce petit poing fermé qui laisse passer le pouce entre l'index et le majeur, et qui écarte de vous le malheur... ?)

Des autels en plein vent, des niches portant leur saint, il y en a partout qui vous surprennent au détour d'une rue. Geste naturel pour moi que d'aller mettre un cierge. Je retrouvais dans la presse une photo me montrant ainsi avec une légende : « Elle prie pour son fiancé... »

Un de plus.

Mais de tous les journalistes mondiaux, je pense que la palme de la débrouillardise, de l'audace et de l'invention doit aller aux paparazzi de Rome.

Cette année où je découvrais Manaus et sa chaleur étouffante, on enchaîna le voyage au Brésil avec un été torride en Italie. J'avais enregistré pour Ennio Morricone la chanson du feuilleton *Moïse*. Il fut décidé que nous allions faire un album avec ses principales musiques de film.

J'ai toujours aimé faire des chansons sur ces musiques si porteuses d'images. Ma dernière en date, de cinq, six mois seulement, était *Le Train.* J'avais vu plusieurs fois les scènes de Romy Schneider et de Trintignant pour m'imprégner de leur émotion dans le film de Granier-Deferre. Eddy Marnay avait fait les paroles sur la très belle musique de Philippe Sarde :

On disait
Au bord de la tourmente
Que ce printemps quarante
Ressemblait à l'hiver
Et pourtant
Dans cette nuit sans lune
Deux amants de fortune
Inventaient la lumière.

Avec Ennio Morricone, c'était non seulement les fameux *Il était une fois dans l'Ouest* et *Il était une fois la révolution* de Sergio Leone, mais aussi *La califfa, D'amore se muore, A l'aube du 5e jour...* Pour la marche de *Sacco et Vanzetti*, Moustaki avait fait les paroles :

Maintenant vous dormez au fond de nos cœurs
Vous êtes tout seuls dans la mort
Mais par elle vous vaincrez.

Et pour *Romance*, Pierre Delanoë avait écrit sur une phrase musicale très romantique :

Mélodie... elle dit mieux que moi ce que je ressens
Mais toi est-ce que tu l'entends ?
Elle dit je t'aime tout simplement...

La musique d'Ennio, très puissante, très orchestrée, contrastait avec la simplicité des paroles chargées d'émotion. Par exemple, pour *Il était une fois dans l'Ouest* :

Quand le soleil va se perdre à l'horizon
Tous nos souvenirs me font souffrir encore
Et le soir, dans l'ombre de notre maison
J'ai besoin de sentir tes mains sur mon corps.

Un jour tu reviendras
Souviens-toi de la terre qui sans toi ne fleurit pas
Souviens-toi de moi...

Ou celles-ci, dont la mélodie exigeait une tessiture étendue passant du grave à l'aigu :

Il n'a suffi que d'un hasard
D'une seconde, le temps d'un regard
Et j'ai compris ce matin-là
Que j'avais tout découvert à la fois,
Mieux qu'un soleil et que le plus beau ciel bleu
Dans tes yeux
L'éblouissante lumière...

Les partitions étaient difficiles. C'était un travail énorme qui allait nous prendre juillet et août. J'enregistrais un jour sur deux, et ce jour-là, je me rendais dans la chapelle désaffectée qu'Ennio avait transformée en studio. Un studio fantastique. Un son superbe.

« Rien de mieux qu'une chapelle... ! » disait-il.

Le jour suivant, je me préparais, travaillant les versions française et italienne. Johnny, selon un principe qui avait fait ses preuves, avait loué une maison à 35 kilomètres de Rome, la plus fabuleuse que j'aie jamais eue ! Elle appartenait à un magnat de la presse italienne, et elle était si réputée qu'on y avait tourné des films. Tout s'y prêtait : la villa elle-même, majestueuse, le parc immense, la piscine alimentée par une eau de source gazeuse — on avait l'impression de se baigner dans du Perrier ! Il me semblait que les petites bulles me soutenaient... c'est la seule eau où je m'aventurai sans mes bouées !

La chaleur était intense, mais la maison, par le miracle de ses marbres, restait fraîche. Ma chambre avait été celle de Liz Taylor pendant un précédent tournage. Toutes les conditions étaient réunies pour travailler vite et bien. Naturellement, il y avait à demeure le professeur d'italien, le chauffeur, un couple de domestiques et une fameuse cuisinière, Pim-Pam-Poum. Elle était si grosse que c'est le bruit qu'elle évoquait pour moi dès qu'elle bougeait. Sa tête paraissait d'autant plus grosse qu'elle avait des cheveux courts mais très frisés. Ses doigts-boudins avaient une dextérité fabuleuse pour découper les pâtes fraîches. Oh ! ces pâtes ! Je crois bien que Johnny venait exprès de Paris pour en manger. Il avait un complice en gourmandise, c'était Sergio Leone. Intime d'Ennio, il suivit la réalisation de ce disque de près, apparemment captivé par notre travail.

L'accord entre Ennio et moi était total :

« C'est drôle, me dit-il, je t'avais entendue à la radio, j'avais vu tes photos, je m'imaginais que je te connaissais bien. Je croyais qu'un beau visage et une jolie voix étaient ce que tu pouvais m'offrir de mieux, et quand nous sommes arrivés dans ce studio d'enregistrement, je me suis aperçu que ce que j'attendais de toi était bien moins que ce que tu pouvais donner ! Je suis très étonné. Tu surmontes des difficultés qui ne sont pas facilement compréhensibles pour des non-musiciens. Tu peux chanter des mélodies qui ont été écrites pour des instruments. Oui, je suis étonné et reconnaissant aussi de voir ta confiance aveugle en mes directives. Ta détermination. Ta passion et la profondeur humaine de ta passion. Ta foi naïve avec laquelle tu accordes ta confiance à ma musique. Tout cela parce que tu as la certitude que quelqu'un derrière la vitre du studio t'écoute avec attention et te porte une grande affection. »

Si je me souviens si bien de ses mots, c'est parce que Ennio me les a écrits.

C'est vrai que j'aime sa musique qui épouse si bien les images et les aide à jaillir. J'aime son sens de la mélodie, son lyrisme. Je n'ai pas vu les jours passer.

C'est vrai aussi que j'ai bien changé depuis mes premiers enregistrements. Au début de ma carrière, je n'aimais que la scène ; peu à peu, j'ai pris goût aussi à ce travail particulier en studio, où la technique permet de rechercher la perfection du son. On peaufine. On cisèle comme un bijou. La voix n'est pas une machine, heureusement ! Alors, il faut tenir compte de son humeur, arriver à se mettre en accord avec soi-même. Parfois, ce sont les premières prises qui sont les meilleures parce qu'elles sont les plus spontanées. Parfois, c'est le contraire. Tout à coup, il y a le petit « plus » et on ignore pourquoi. On n'en sait pas plus que la fleur qui fleurit brusquement. Est-ce qu'elle se pose des questions, la fleur ? C'est une sensation extraordinaire. Jadis, je pleurais parce que je sentais que ça n'allait pas.

Maintenant, je pleure quand la chanson m'émeut. Et ça aussi, c'est le « plus ». Mais il y a aussi le brutal « ça ne va pas », le quelque chose qui ne colle pas avec l'orchestration. J'ai enregistré des chansons, on les écoute, et on les jette : elles ne sortent jamais. C'est une déception pour moi, parce que je les aimais au départ, je ne peux chanter que celles que j'aime. Parfois, Johnny me dit : « Essaie quand même, Mireille. » Je me dis : « Essaie, Mireille. Tu t'es peut-être trompée. » Je ne suis pas aussi têtue que je le dis ! Une chanson est un tel travail d'équipe : j'écoute mes équipiers. Cela peut être une orchestration à changer. Si ça ne va vraiment pas, on arrête : la nuit porte conseil. On recommencera le lendemain.

Le lendemain, je retrouve le studio et sa vitre-barrière. Mais je sais que, dans la cabine, il y a Johnny, extrêmement perfectionniste. Moi, de mon côté, je fais éteindre les lumières, je me recrée une ambiance intime, juste une lampe sur moi, isolée, comme en scène...

Je savais qu'Ennio avait la même exigence que Johnny. Quand j'arrivais dans la chapelle, je le trouvais à son piano ou à sa table, composant, ou écrivant sa musique. C'était vraiment des journées de bonheur. A la maison, je ne faisais pas attention au régime : avec Pim-Pam-Poum qui multipliait ses recettes de pâtes et de gâteaux, c'était difficile ! De plus, Sergio Leone est venu nous enlever plusieurs fois, en fin de semaine. Il nous emmenait dans son restaurant préféré, une de ces trattorias où l'on dîne à la fraîche sous la treille et je me souviens de grandes tablées, joyeuses, avec des comédiens... C'était alors la fête. Et bien entendu, je chantais, nous chantions au dessert. Sergio voulait à tout prix que je monte dans sa Rolls climatisée. Elle était extraordinaire, sa Rolls, mais, à l'intérieur, il fallait mettre un pull-over ! Ennio protestait. Et je montais dans la Mercedes que Johnny avait louée et dont le chauffeur avait ordre de ne pas toucher au bouton de climatisation. Sergio me le pardonna facilement. Il a tenu à préfacer le disque, avec sa signature en flèche : « Une femme séduisante peut charmer un certain nombre de personnes, une voix fantastique peut rendre heureux des milliers de personnes. Je peux le dire sans hésiter : Mireille m'a rendu heureux. »

Naturellement, cette amitié avec l'un des plus importants

compositeurs et l'un des plus célèbres réalisateurs ne pouvait pas passer inaperçue des journaux spécialisés...

Si Johnny avait loué cette maison, c'était précisément pour me mettre à l'abri afin que je puisse travailler en paix. J'avais pris l'habitude d'apprendre mes textes au magnéto, écouteurs aux oreilles, installée dans le parc, sur ma chaise longue, et toujours le visage sous ma mousseline bleu touareg pour me protéger du soleil.

Certes, on avait chassé, quelques jours auparavant, un paparazzo qui, du haut du mur du parc, au téléobjectif, m'avait photographiée dans la piscine... pensez donc : celle de Liz Taylor !

Cette fois, concentrée sur ma chanson, je ne prenais pas garde au ronron d'un hélicoptère. Mais Nadine a toujours des oreilles et des yeux pour moi :

« Qu'est-ce que c'est que cet hélico... ? »

On le sut bientôt. En ouvrant un journal. Du sensationnel vraiment. J'y appris, en lisant la légende — et le titre ! — que, terrée dans ma luxueuse maison, je dissimulais l'affreux malheur qui me frappait : allongée, le visage soustrait à la lumière du jour, j'étais en train de devenir AVEUGLE !

La déprime, je connais. Pas la terrible ni la mortelle. J'ai une trop bonne santé pour cela. Mais la petite qui vous piège et vous donne envie de vous évader, de partir.

Des signes : je ne pouvais plus rester en place. Christiane et Matite m'avaient rejointe à Munich, une ville que j'aime entre toutes, où je suis généralement gaie. A peine étions-nous assises dans un restaurant que je me levais.

« Mais qu'est-ce que tu as ? me demandait Matite.

— Je m'en vais.

— Tu es malade ?

— Non. Mais je rentre. »

Une sensation étrange. Presque d'étouffement. Le besoin de respirer ailleurs. Le pire, c'est que ça me prenait aussi bien au studio.

Je devais enregistrer en quatre jours une émission publique. Je répétais avec beaucoup de difficulté.

« Mais qu'as-tu ? me demandait Johnny.

— Rien.

— Si. Tu es malade ?

— Non. Si... je ne me sens pas bien. Je voudrais partir.

— Mais, Mireille... ce n'est pas possible... le public va venir. »

C'est vrai. Je ne pouvais pas craquer. Il y avait un public. Oh ! cent personnes seulement dans l'auditorium. Mais cent personnes, ou même moins, quand c'est LE PUBLIC, c'est sacré. Ce fut un cauchemar, ces quatre jours. Enfin, ce fut mis en boîte.

J'avais ensuite à préparer un disque en allemand. Johnny pensa qu'un peu d'air de montagne entre-temps me ferait du bien. Depuis la mort de Tantine, il y avait trois ans et demi, je n'avais pas arrêté : un vrai globe-trotter. Je l'avais voulu ainsi. Ce n'est pas que les voyages ôtent la peine : vos disparus voyagent avec vous. Mais cela vous force à l'action.

« Peut-être a-t-on exagéré... », disait Johnny.

La ronde autour du monde, toujours : Tokyo de nouveau, Beyrouth, Londres, Madrid, New York, Mexico, Berlin... Il nous installa, Nadine, les sœurs, la prof d'allemand, dans ce qu'il croyait être un petit nid douillet, à soixante kilomètres de Munich, pour trois semaines, et il repartit sur Paris.

C'était un endroit idyllique au bord d'un petit lac de montagne, le Spitzingsee Hôtel. L'hiver, on y skie, on fait du toboggan, de la luge, du curling, du bowling, du patinage... L'été — ce qui était le cas puisqu'on était fin juillet —, c'est la voile, le ski nautique, la pêche sous un ciel bleu auquel s'accrochent des petits nuages blancs à la pointe des sapins noirs. Cela aurait dû être ça. Mais c'était un été pourri que cet été 77. *Les Hauts de Hurlevent.* Et quand vous n'avez pas le moral... Tout était noir... il n'y avait pas que les sapins ! Ciel bouché, visibilité nulle et lac en colère. L'hôtel était sinistre avec son allure de chalet et ses têtes de rennes accrochées au mur. La prof était intransigeante : petit déjeuner, boulot, déjeuner, boulot, puisque les promenades étaient impossibles. Les chansons étaient très difficiles, car c'était des poésies de Goethe et de Schiller, lesquels ne sont pas non plus des auteurs spécialement gais.

Ce matin-là, Nadine ne se pressait pas trop pour commander le petit déjeuner. Elle voulait que je dorme le plus longtemps possible et puisque je n'avais pas encore montré le bout du nez... Le petit déjeuner, c'est un moment sacré. Cela renoue un peu avec les habitudes familiales. C'est le moyen de partir tous ensemble du bon pied pour la journée. Où que nous soyons, le petit déjeuner se prend en commun. J'aurais horreur d'un petit déjeuner pris au lit, seule, en tête à tête avec mon plateau.

« Je ne l'ai pas vue, elle n'est pas encore levée », dit Matite.

Elles avaient faim. Nadine se décida à risquer un œil. Elle faillit tomber à la renverse. Le lit était vide.

Quand on connaît Nadine, la personne la plus émotive du monde, devenue en quelque sorte une sœur supplémentaire, on imagine dans quel état elle mit le Spitzingsee Hôtel ! Elle apprit donc qu'effectivement j'avais commandé un taxi quasiment à l'aube et que j'étais partie.

Dans un film américain, ce genre de scène serait plutôt rigolote. Mais je ne suis pas fantasque. Je me souviens de Jean Cau ayant fait une interview en vérifiant, disait-il, que « les pieds de Stark n'apparaissaient pas au ras du rideau de la penderie » !

« Vous avez des colères, des caprices ? me demanda-t-il.

— Non, jamais.

— Pourquoi ?

— Parce qu'à la maison, on était quinze, alors, les caprices, c'est pas possible. »

Bref, Nadine, ne croyant pas au caprice, s'affole et téléphone à Johnny :

« Et si on faisait fouiller le lac ?

— Mais puisqu'elle a pris un taxi ! Renseignez-vous plutôt à l'aéroport ! »

C'est ainsi que Nadine retrouva ma trace : j'étais montée dans l'avion de Paris. Johnny jugea que, pour me récupérer gentiment à Roissy, il valait mieux envoyer le chauffeur.

« C'est de ma faute, disait-il à Nadine. On lui a demandé des efforts surhumains...

— Je le savais qu'elle allait craquer ! répondait Nadine. Déjà pendant le tournage de cette télévision, avec ce metteur en scène ! »

Voulant me protéger au maximum, elle avait eu maille à partir avec lui, au point qu'il lui avait interdit le plateau !

« Et ces vacances qui n'en sont pas ! avec cette prof qui lui bourre le crâne ! Et ce temps de chien... rien que le temps, et vous broyez du noir ! Vous ne vous rendez pas compte de tout ça, monsieur Stark ! »

A l'aéroport, je vis tout de suite le chauffeur. Dieu merci, Johnny n'était pas là. Je lui dis qu'il aille chercher mes bagages...

Il pouvait les attendre longtemps. Je n'en avais pas. Je sautais dans un taxi, direction gare de Lyon. Et je me trouvais le soir même à Avignon. Chez moi.

Je n'avais pas habité la maison. Je ne la connaissais pas. Je n'avais pas vécu une veillée près de la cheminée sculptée par papa. Je n'avais pas vu Vincent grandir.

On m'accueillit comme le Messie. L'enfant prodigue. Je téléphonai à Johnny. Il était certain que j'avais trouvé mon refuge là-bas. Il était rassuré. Tout était bien. On ferait le disque allemand plus tard. Johnny savait une chose : un gala était prévu deux semaines après et ce soir-là, il en était sûr, je serais au rendez-vous avec le public.

L'été suivant, j'étais de retour à Munich. Dans une propriété du quartier résidentiel, le soleil inondait les pelouses. Mais nous, nous étions dans le « bunker ». A l'arrière de la maison, dans la cave, Christian Bruhn a installé l'un des meilleurs studios d'Allemagne. A l'abri du temps qu'il fait, casque aux oreilles on enregistre.

« Maintenant, on va faire *La lettre d'Istanbul*, dit Johnny.

— Oh ! je ne l'aime pas, celle-là !

— Ecoute-la, Mimi : c'est une excellente chanson. Ecoute-la seulement ! Ne juge pas sans entendre. Christian a fait une très bonne musique qui balance “ oriental ”. C'est l'histoire d'un ouvrier qui reçoit une lettre de sa famille : les enfants s'ennuient de lui. Il leur répond qu'il gagne de l'argent pour eux et qu'il reviendra à Istanbul. Cela devrait te plaire pourtant !

— J'aime mieux *Santa Maria*, c'est plus chrétien.

— Ce n'est pas la même chose. *Santa Maria*, tu l'as fait dans toutes les langues. " Istanbul ", c'est à l'usage de l'Allemagne seulement.

— Et de la Turquie ? Vous voulez me faire apprendre le turc maintenant ! »

On rit. Ce n'est pas exclu.

A 19 heures, on remonte dans la maison. Elle a une piscine à l'intérieur. A Munich, à ciel ouvert, on ne se baignerait pas souvent... On dîne en tenue de campagne. Est venu nous rejoindre le numéro un allemand, Peter Alexander, la quarantaine, à la fois danseur, chanteur, comédien.

Avec Peter, j'ai fait de nombreux shows. Notre dernier souvenir, avant ce dîner campagnard, était un tournage à Dysneyworld, en Floride, pour son show de Noël.

« Tu avais vraiment l'air d'une gamine en vacances !

— Tu n'avais pas l'air très vieux non plus ! »

Que résulta-t-il de ce voyage peuplé de Mickey et de pères Noël ? Il parut être un voyage de noces, pour une certaine presse, de Mireille et de Peter...

On m'a beaucoup fiancée en Allemagne — comme en France, en Italie ou en Amérique. Parce que j'avais un très joli duo avec Paul Anka, où nous étions, dans la chanson, des amoureux que la vie sépare après une brève rencontre... des hebdos en tirèrent des conclusions.

C'était pour moi un honneur, une consécration, une joie, que Paul Anka veuille me produire aux Etats-Unis. Dans ses studios de Los Angeles, il est le premier arrivé et le dernier parti. Précis, l'oreille infaillible, il ne laisse rien passer. Un soir, on s'est fait une projection du *Jour le plus long* ; il s'est désigné parmi les 235 soldats qui gravissent, dans cette prise de vues, la pointe du Hoc, le 6 juin 1944 :

« J'ai eu deux particularités, m'a-t-il dit. Etre le seul blessé du tournage (je suis si maladroit que je me suis ouvert la main sur la falaise), et devenir le compositeur de la chanson du film [1] ! »

Mais il a fait aussi celle d'*Exodus*, si poignante, et quelque quatre cents chansons dont *Toi et moi* (You and I), *Paris-problèmes* (Paris is something wrong), etc., que nous avons

1. Maurice Jarre est, lui, le compositeur de la musique du film.

enregistrées dans un 33 tours en double version. Six mois de travail. On a fêté la sortie du disque chez Lasserre à Paris, où il vient souvent, sa femme Anne étant française.

Son mariage a achevé d'en faire un connaisseur de grands vins. Quand un sommelier lui apporte un Haut-Brion, il peut répondre ce que peu d'Américains peuvent faire :

« D'accord, un 1978 ! année exceptionnelle ! J'en ai dans ma cave ! »

Anne lui a donné cinq filles, et nous avons passé deux semaines de vacances sur son yatch, tous ensemble. Sans cesser pour autant de me faire travailler les paroles américaines ; je pense que c'est à lui que je dois mes plus grands progrès dans la langue. La dernière petite fille avait alors vingt mois, l'aînée onze ans. Image du papa modèle qui lui valut le prix de l' « Institut des pères responsables » en Californie, Paul est le dernier à donner prise aux idylles. Eh bien, si ! avec Mireille ! Ce qui est un comble. Mais comment enregistrer *Toi et moi* sans se regarder, sans avoir l'air de croire à ce qu'on chante, surtout lorsqu'on est sous l'objectif d'un photographe aussi remarquable que Norman Parkinson... ? Lequel ne photographie pas que la reine d'Angleterre et a toujours signé, depuis notre première rencontre, toutes mes pochettes de disque.

Paul me fit un cadeau inestimable : il me donna son chef d'orchestre, Don Costa, qui était aussi celui de Sinatra et l'accompagnateur des plus grandes, Barbra Streisand et Liza Minnelli. Costa vint à Paris pour enregistrer les chansons qu'il avait composées pour moi, *Danse la France*, *Je n'ai qu'une vie*, *Symphonie d'automne*... et je dois dire que c'est lui qui m'encouragea à emprunter à Liza et Barbra certains de leurs succès comme *Une femme amoureuse* et *New York New York*...

Le lancement du disque en anglais se fêta dans une grande intimité au restaurant de l'Hermitage à Los Angeles le 22 septembre suivant. On célébrait aussi les vingt ans de carrière de Paul et mon entrée dans « son » royaume du disque. Deux cuisiniers français, et non des moindres, avaient concocté le menu : Bocuse et Haeberlin. Il n'y avait que trente-six couverts Les invités de Paul étaient tous des sommités du show-biz américain.

« Comment te sens-tu la tête ? me demanda Johnny après le repas.

— Très bien ! (pensant qu'il faisait allusion au mélange des vins).

— Elle n'est pas devenue grosse ? »

Je ris, ayant compris qu'il parlait de la tête « enflée ».

« Ma foi, non.

— Alors, si tu ne l'as pas ce soir, c'est que tu ne l'auras jamais ! »

Il y eut encore des allusions, ici ou là, à la tendresse de Paul pour sa pouliche... jusqu'au jour où, à Munich, je revis Julio Iglesias.

Il passait à l'Olympic Hall de Munich. Son récital s'achevait dans une pluie de fleurs, un vrai délire de fans. Et voilà que, soudain, il dit :

« Puisque ma petite Mireille Mathieu est dans la salle, là, au premier rang, je vais chanter avec elle ! »

Il me fait monter sur la scène et nous voilà partis en duo avec trois chansons en espagnol... Nous n'avions rien préparé, mais je connaissais ses chansons, car c'est une autre de mes manies : je ne me contente pas des miennes et je sais par cœur celles des gens que j'aime — Aznavour, Hallyday, Julio...

Notre amitié date de ses débuts à Paris, en 1975. Nous nous étions rencontrés dans les studios de RTL, et la sympathie fut immédiate. J'ai tout de suite retenu *Manuella* et *Un canto a Galicia*... Quand Julio est au loin, il m'envoie des mots qui commencent par « Petite sœur » et se terminent par « A bientôt ».

Après Julio, on me fiança, il y a trois ans, avec Siegfried, le blond magicien allemand de Las Vegas. Dès qu'il venait se reposer en Europe, avec Roy son partenaire, on se retrouvait soit à Munich, où j'étais en train d'enregistrer, soit à Paris, où ils aimaient retrouver l'ambiance du Lido de leurs débuts.

De bonne foi, maman crut que je deviendrais peut-être un jour Mme Siegfried. C'est tout au moins le propos qui fut recueilli à Avignon.

« Allô, maman ? Mais tu as annoncé mon mariage ! Qu'est-ce qui t'a pris !

— Ecoute, Mimi... un journaliste est venu me voir. Il me dit, montrant les photos parues où tu es bras dessus bras dessous avec Siegfried dans je ne sais plus quelle soirée : “ Alors, ils vont se marier ? ” et je réponds que c'est bien possible, que tu nous avais dit que tu allais nous faire une grosse surprise pour Noël !

— Tu te rends compte, maman, le foin que ça fait ! Nous étions à la soirée de Pierre Cardin, j'étais entre Siegfried et Roy...

— On sait pas, nous ! Siegfried te tenait par le bras comme une promise chez nous ! Vous aviez l'air très heureux...

— On n'était pas malheureux non plus ! C'était une superbe soirée ! Depuis le temps, tu dois bien savoir comment ça se passe ! Si j'épousais tous les hommes qui me tiennent par le bras...

— Tu finiras bien par prendre le temps d'en épouser un, quand même...

— Tu seras la première à qui je le dirai.

— Alors, c'est quoi, ta grosse surprise, si c'est pas ça ?

— Je te le dirai... à Noël ! »

Entre-temps, il y eut le coup de foudre qu'on me prêta pour Patrick Duffy, le Bobby de *Dallas*... Là, c'était d'autant plus fort qu'à son arrivée à Roissy, j'avais été l'accueillir ainsi que sa femme Caroline. Ce n'est pas mon genre de souffler un homme marié, et, qui plus est, sous le nez de sa femme ! Bobby, pardon, Patrick, j'en avais fait la connaissance à la première du Moulin-Rouge de Las Vegas. Là, il me dit qu'il adore chanter. Aussitôt dit, presque aussitôt fait, nous voilà enregistrant un duo, *Together we are strong*. Il me dit aussi qu'il aimerait bien venir en France. Je l'invite pour un « Spécial Mireille Mathieu » que nous préparions avec les Carpentier et qui réunissait déjà Iglesias et John Denver.

Je me demande bien comment on a pu répandre la « romance », car Caroline ne l'a pas quitté d'une semelle ! Elle était d'ailleurs fort heureuse de retrouver Paris. Danseuse, elle y était venue plusieurs fois avec le Harknesse Ballet et le Ballet Canadien. Elle emmena Patrick faire un pèlerinage sur la rive gauche où elle avait habité un petit hôtel « pour cinq dollars ».

« Ma femme cuisine très bien, m'avoua Patrick. Elle nourrit parfaitement nos poissons, nos oiseaux, nos trois chiens, le chat et nos deux petits garçons. C'est qu'elle a du sang français. Moi, je suis pur Irlandais de père et de mère, d'où mon prénom, celui de notre saint patron. »

Un détail amusant : Patrick n'avait pas de smoking. Il aime traîner en jean. Quand il sort, il emprunte le sien à Bobby, son personnage ! C'était ce qu'il avait fait pour le dîner que je donnais en son honneur, chez Maxim's. Cela dit, au bout d'un moment, il enleva sa cravate. Les violons de l'orchestre en restèrent l'archet en l'air. Pour qu'il ne soit pas seul dans cette condition aussi insolite chez Maxim's, tous nos amis — Yves Mourousi, les Clérico père et fils, propriétaires du Moulin-Rouge et du Lido, Gilbert Carpentier, le réalisateur André Flérérick... — en ont fait autant. On n'avait jamais vu ça dans ce lieu ! On n'avait jamais vu non plus l'hôtesse partir après l'entrée... C'est que, l'apéritif ayant traîné, à minuit je devais, selon mon principe Cendrillon, m'éclipser, pour aller dormir mes dix heures de sommeil, ayant un enregistrement le lendemain. Sinon : la voix dans les godasses !

Patrick. remarquant mon départ sur la pointe des pieds, demanda :

« Elle a un gala à faire ? »

On lui expliqua. Il n'en est pas revenu de cette rigueur.

8.

MON FLIRT AVEC L'OPÉRA

Une de mes passions de spectatrice est Maurice Béjart. La danse, et en particulier Béjart. Je ne l'ai jamais vu dans la cour des Papes à Avignon, car à l'époque j'étais en train de coller mes enveloppes… mais c'est par la télévision, puis à Paris, au Palais des Congrès que j'ai flambé pour lui. Aussi quand il me demanda dans son Grand Echiquier 1980, je faillis rester sans voix.

Il me dit :

« J'aimerais que vous me chantiez un lied de Schubert. Mais je vais vous surprendre, moi, je vous vois en jean… »

Effectivement, c'était une tenue que je me réservais pour la campagne. J'avais souvent utilisé des costumes décontractés pour les émissions des Carpentier, mais je n'avais jamais imaginé un jean pour chanter du Schubert.

« Ça vous gêne ?

— Pas du tout, puisque vous me le demandez. »

J'aime au contraire entrer dans la vision d'un metteur en scène. Je mis donc le jean et j'assistais à toutes les répétitions avec les danseurs, ne me lassant pas de voir leur travail éreintant, leur modestie, leur humilité et leur endurance. C'est quelque chose que je comprends, que j'admire, que je respecte. Béjart avait en tête à l'époque de mettre en scène l'opéra de *Don Juan* à Genève avec Ruggero Raimondi qui en avait été l'interprète bouleversant à l'écran. J'avais vu le film plusieurs fois, adorant l'œuvre et l'interprète.

Quelque temps après, une amie intime et néanmoins

journaliste — ce n'est pas incompatible ! — me dit avoir interviewé Raimondi.

« Et devine ce qu'il aime chanter pour son plaisir dans sa salle de bains ? du Sinatra ! Il aimerait bien avoir l'occasion un jour d'en parler avec toi puisque tu le connais si bien... Et si nous allions voir sa “ première ” à Genève ? »

Avec mon emploi du temps, toujours serré, ce ne fut pas si simple. En fait, on ne put assister qu'à la première répétition en costumes.

« Soyez indulgents, nous avait dit Béjart. Nous avons encore dix jours de mise au point devant nous. »

Katia Ricciarelli mit le pied sur la traîne de Donna Anna ; un pompier intervint auprès d'un porteur de torche ayant peur qu'il ne mette le feu au rideau... mais on le voyait déjà impressionnant, ce *Don Juan,* avec ses costumes faits dans d'authentiques tissus anciens rebrodés, enrichis de pierreries, le plateau tournant faisant surgir les rues, les façades, une ville du passé, en lente décomposition, envahie par les touristes derrière leurs lunettes noires, témoins de l'éternelle histoire de Don Juan...

Après le spectacle, on alla souper, en toute petite compagnie : Hugues Gall, le directeur de l'Opéra, Raimondi, Béjart et la rare, l'inaccessible Janine Reiss.

C'est une femme blonde, à tempérament de brune, très vive, très tonique, mieux que jolie tant elle a du caractère.

C'est la « dame de l'opéra ». Celle dont on murmure : « Elle a fait travailler la Callas ! »

Professeur, certes, mais plus que cela : répétitrice, conseillère, expert en voix et technique vocale, elle est celle que les chanteurs de l'art lyrique vénèrent, celle dont ils s'arrachent les heures. Elle voyage autant qu'eux, suivant une Teresa Berganza-Carmen à la Scala, un Domingo-Faust à Covent Garden, un Raimondi-Boris à Berlin...

Je savais sa réputation. Je ne rêvais que la rencontrer. Et probablement avec tant de force que cela était arrivé... et, comme toujours, par un enchaînement imprévu de circonstances !

Raimondi et moi ne nous étions jamais rencontrés.

« Mais nos photos, oui ! dit-il. Elles voisinent dans la cantine du théâtre. »

C'est vrai que j'avais fait là, à deux reprises, des récitals trois jours durant, avec des salles combles. J'avais laissé un bon souvenir, en tout cas à la cantine !

« Vous n'avez jamais songé au répertoire lyrique ? me demanda Raimondi.

— Je n'aurais jamais osé.

— Elle serait une adorable Zerlina » (le personnage léger de la petite mariée, dans *Don Juan*), dit Béjart.

Janine Reiss ne disait rien. Je m'enhardis à lui adresser la parole, disant que, si elle voulait bien accepter de me donner des leçons, j'étais certaine qu'elle pourrait m'apprendre beaucoup de choses. Poliment, mais froidement, elle me répondit qu'elle ne connaissait rien du tout aux variétés. Je lui répondis que je me rendais compte de mon audace, mais qu'il me semblait que je pourrais comprendre avec elle ce qui m'échappait, ayant pris très peu de cours de chant. Elle me répliqua qu'elle n'était pas souvent à Paris, suivant ses chanteurs sur les routes du monde, et des productions de bout en bout, tantôt en Amérique, tantôt en Europe.

« Je comprends bien, dis-je têtue. Mais vous êtes “ parfois ” à Paris...

— Si peu. »

Voyant qu'elle ne s'en tirerait pas autrement, elle me donna son téléphone en me prévenant :

« Je suis très rarement là. Mais... avec un peu de chance...

— J'en ai parfois. »

La suite de la soirée fut exquise ; le restaurant était sympathique. Et Raimondi finit par me parler de Sinatra :

« Vous qui le connaissez bien, me dit-il, j'aimerais que vous me disiez comment il chante, comment il travaille... »

Cela ne manquait pas de sel après ce qui avait précédé !

« Puisque vous aimez *Stranger in the night,* pourquoi ne viendriez-vous pas le chanter dans mon émission que nous allons enregistrer dans un mois et qui sera d'ailleurs diffusée en Amérique ?

— Topez là ! » me dit-il.

Et c'est ainsi que le grand, l'inimitable Raimondi parut dans le Spécial Mireille Mathieu du 20 décembre 1980.

Il faut dire que l'affiche était prestigieuse. Gene Kelly était venu spécialement d'Amérique.

« J'ouvrirai mon parapluie, j'esquisserai quelques pas et je partirai...

— Ah ! mais non ! Je vous rattraperai et vous présenterez l'émission avec moi ! »

C'est ainsi qu'il était devenu mon maître de cérémonie, lui, mon idole, incarnant pour moi tous nos rêves de Hollywood. Comme il est aussi très gourmet, c'est au restaurant Chez Beauvilliers que nous avions réglé les grandes lignes de l'émission.

Il me disait :

« Maintenant que je ne danse plus, je peux enfin manger ! Pendant des années, je me suis privé. Je suis devenu le roi du " dry " et le champion de la nouvelle cuisine. »

Il était très excité par Francis Coppola, qui s'était mis en tête de revenir aux comédies musicales. Il lui avait demandé de superviser ce département de ses productions. Gene partait pour Copenhague voir des numéros de cirque et de music-hall. Quand je lui disais qu'en Amérique ils avaient certainement le top niveau dans ce domaine :

« Non, non, la commedia dell'arte est née chez vous et pas au Texas ! Des bons danseurs maintenant, il y en a partout ; et vous en avez ici qui ont une technique ahurissante... »

Il me parla de l'école de l'Opéra où il avait été, disait-il, « soufflé » par la qualité des petits rats :

« De plus on leur projette des films, on leur enseigne l'histoire de la danse. Quand je suis venu en 1960 faire une chorégraphie dans ce même Opéra, j'entendais derrière mon dos : " Mais qui c'est, ce Kelly ? " tandis que maintenant ils ont vu tous mes films ! »

Ce fut un show exceptionnel, enlevé « à l'américaine » et pour cause : Danny Kaye était venu nous rejoindre. Aznavour avait écrit spécialement *Une vie d'amour*. Et Alain Delon me faisait cadeau de son film le plus court ! C'était un sketch, « Hello taxi ! » qui se terminait par un baiser passionné, un vrai baiser de cinéma qui fit, lui aussi, couler beaucoup d'encre et dire à Mireille Darc en réponse spirituelle à certaines insinuations :

« Comme cela, il ne se trompera pas de prénom ! »

Incroyable, cette confusion constante et maligne entre le personnage qu'on incarne et la vraie personne...

Outre le ballet comme celui qui donnait son titre à l'émission « J'aime Paris » (« I love Paris ») avec un décor « sous les ponts », et un quadrille échevelé, la surprise était évidemment notre « Don Juan » chaussant les vernis de Sinatra.

« Ah ! disait l'ingénieur du son aux anges, je n'ai pas besoin de tourner le bouton pour donner du volume ! »

La voix de Ruggero, superbe, jetait tout le monde dans le ravissement. Il avait choisi de donner le grand air de *La calomnie* et, en contrepoint, *Night and day.* Il se trouva dans les coulisses un groupe de mes fans, venus d'Atlanta. Rencontrer du même coup Don Juan chantant Sinatra, c'en était trop. On dut les faire asseoir tant elles étaient émues... !

On encouragea notre nouveau crooner à enregistrer un disque qui ne pouvait être qu'un best-seller, mais je crois que son agent, féru d'opéras, s'y est opposé. En tout cas, nous ne l'avons pas vu sortir encore...

Placido Domingo, au contraire, dans ce domaine a toutes les audaces. Lui aussi était au premier rang de l'actualité ayant tourné *La Traviata* et *Carmen* lorsque Jacques Chancel, préparant son Grand Echiquier, lui demanda qui il souhaitait inviter :

« Mireille Mathieu. »

Chancel marqua une certaine hésitation.

« Mais... pourquoi ?

— Parce qu'elle a une belle voix. »

C'est ainsi que nous avons fait connaissance. Et c'est ainsi que nous avons chanté en duo *Tous mes rêves,* l'aria composée par Michel Legrand.

Et sur le plateau, qui est là, avec Placido... ? Janine Reiss. Nous étions en mars 1983, c'est-à-dire qu'un peu plus de deux ans s'étaient écoulés depuis notre dîner à Genève ! Avec l'obstination qui me caractérise souvent, j'avais téléphoné régulièrement au numéro donné : c'était bien son domicile.

Mais, effectivement, elle était à Londres, Milan, New York, ou elle allait repartir pour Chicago, Rome, Hambourg... Je ne peux pas dire que je l'appelais tous les huit jours car moi-même, je me baladais beaucoup... mais enfin, au ton de sa voix, toujours poli mais toujours distant, je sentais bien que c'était une manière de non-recevoir. Là, brusquement, ma timidité fondit. Cela m'arrive parfois, pour faire place à une explosion de témérité qui me surprend. J'allai droit sur elle :

« Vous détestez vraiment ce que je fais, madame ? »

Elle fut surprise par ma brusquerie.

« Je ne vous demande qu'une leçon. Pas davantage.

— Je crains en effet de ne pouvoir vous en donner davantage... »

Son regard bleu était toujours distant, peut-être un peu amusé de ma colère. Elle sortit son agenda. Je n'avais pas besoin de sortir le mien, pensant : « Quel que soit le rendez-vous, j'irai. »

Après coup, je me sentis confuse. La dame qui avait fait travailler la Callas... ! J'avais le cœur battant en sonnant à sa porte. Elle me fit entrer. Je n'aperçus rien dans son salon. Je ne regardais même pas autour de moi. J'avais une impression de fleurs — il y a toujours d'énormes bouquets chez elle —, d'objets, mais je ne pouvais dire lesquels, de livres et de disques..., rien que des disques d'opéra. Elle était seule. Moi aussi. Un tête-à-tête. Avec le piano pour témoin. Je ne voyais que son regard bleu. Je m'attendais au pire. A ce qu'elle me renvoie au bout d'un quart d'heure.

« Vous ne savez pas le solfège ?

— Non, madame.

— Vous ne savez pas lire la musique ?

— Non plus. »

Elle refréna un soupir. Elle me demanda avec qui j'avais travaillé. Je lui dis que j'avais pris quelques leçons avec Jean Lumière et quelques autres avec M. Giraudeau, de l'Opéra.

« Et que vous a-t-il dit, M. Giraudeau ?

— Que je pourrais chanter le rôle de je ne sais plus qui dans *Les sept péchés capitaux* de Brecht. De ne pas rire en vocalisant, que j'allais déformer ma voix... Jean Lumière me disait de rire un bon coup, que ça me débloquait. »

Elle hocha la tête. Elle se mit au clavier. Et elle me demanda de monter la gamme. J'étais un peu déçue. Je souhaitais lui chanter quelque chose pour lui montrer ce que je savais faire puisqu'elle n'écoutait jamais les variétés. Elle lut dans mon regard :

« Avant de chanter, il faut toujours chauffer sa voix. Vous avez vu l'autre jour les danseurs de Béjart chauffant leurs muscles ? Ils ne pourraient pas faire une variation, même simple, sans cela : le muscle claquerait. Les cordes vocales, ce sont des muscles. Il faut les traiter comme tels. »

Et je commençai : do, ré, mi...

Elle m'a gardé une heure. Et elle m'a dit :

« Quand voulez-vous revenir, Mireille ? »

Ce que m'a donné Janine, c'est un trésor. Elle m'a fait prendre conscience de ma voix. J'ai compris comment ça se passe, là, dans ma gorge, dans le nez, dans la poitrine et dans le ventre. Elle m'a libérée d'une angoisse fantastique : je n'ai plus jamais eu peur, peur d'être enrouée, de perdre ma voix. Avec elle, j'ai appris à peaufiner les sons :

« Ecoutez, Mireille, il n'est pas très beau, celui-là ? »

Elle m'a donné une oreille intérieure. Avec elle, j'ai compris qu'il n'y a pas de limites : on peut aller toujours plus loin, forger les sons... Parfois j'arrivais chez elle en lui disant :

« Je n'ai pas très bien dormi...

— Alors, on travaille, doucement. »

Et petit à petit, la voix s'éveillait. Quand j'avais fini les vocalises, je lui disais :

« C'est formidable. J'ai l'impression d'avoir pris un bol d'air en montagne ! »

Elle m'a dit aussi :

« Heureusement que, depuis vingt ans, vous avez pris l'habitude de dormir dix heures par nuit. Sinon, à chanter autant, il y a longtemps que vous n'auriez plus de voix ! »

Pour cela, c'est Johnny qu'il faut remercier. Mais Janine m'a appris à « avoir des réserves », à alterner en deux heures de scène les chansons fortes et les plus douces, à doser. Auparavant, je fonçais, je chantais toujours à fond. Elle m'a fait prendre conscience de mes deux octaves et de me baser solidement sur elles.

Malgré nos allées et venues à travers le monde, elle et moi, on se retrouve toujours. Et on trouve notre heure de travail.

Quand j'ai fait le Palais des Congrès, qui était si important pour moi, de retour à Paris après treize ans, je savais qu'elle ne pourrait pas être à la grande « première ». Mais le premier jour, celui où je débutais devant le public anonyme, elle arriva très tôt dans ma loge. (J'y suis dès le début de l'après-midi.) J'avais naturellement fait installer un piano sur lequel Claudric, mon chef d'orchestre, m'accompagnait dans mes vocalises, « celles qui vous chauffent »... Janine se mit au clavier. On travailla une petite heure.

« Ce sera sans problème... », me dit-elle.

Elle resta dans la salle. Debout. Il n'y avait plus de places. Quelqu'un du théâtre qui l'observait me dit qu'à la fin, durant l'ovation, elle était très bouleversée. Elle vint m'embrasser dans ma loge...

Oui, maintenant nous nous aimons. Je sais qu'elle dit — à moi-même et à d'autres — que je pourrais chanter ce que je veux et même l'opéra. Elle me fait aborder quelques airs... mais j'ai un tel respect pour les chanteurs d'opéra... c'est la grande pointure. Il est plus facile pour Placido de chanter Gershwin que pour moi de chanter Mozart. Je ne suis pas habituée à passer d'un répertoire à l'autre. Je suis une laborieuse. Du fait peut-être que je ne sais pas la musique. Il me faut du temps. Ça me demande beaucoup plus de travail qu'à quelqu'un qui lit une partition et sait tout de suite où il en est, ce qu'il va chanter. Moi, c'est uniquement par la mémoire de l'oreille et la sensation que j'en éprouve que j'apprends.

De temps en temps, Janine me dit :

« Il faut tout de même que je vous apprenne le solfège ! »

Mais on n'a jamais eu encore le temps pour ça !

Je prends celui d'écouter mes amis chanteurs d'opéra. Je vais les voir autant que je le peux. C'est toujours un spectacle superbe. L'opéra me paraît être le plus complet, le plus parfait des arts du spectacle. Avec Placido, nous nous retrouvons aux quatre coins du monde. Il est étonnant : autant musicien que chanteur. Je l'ai vu diriger à Londres. Je l'ai vu jouer du piano entre nous, je l'ai vu chanter si merveilleusement... Nous avons encore un duo à achever d'enregistrer. C'est une magnifique chanson de Michel Legrand : *Le bonheur existe, je l'ai rencontré.* Nous avons travaillé chacun notre partition. Inutile de dire que l'orchestration de Legrand est prestigieuse.

Il y a trois ans, nous nous sommes retrouvés au dîner que donnait Pierre Cardin chez Maxim's en l'honneur de Barbra Streisand. J'avais l'honneur d'être son immédiate voisine, Placido nous séparant. Depuis trois mois, on essayait l'un l'autre de se joindre pour finir le disque. On prit un ferme rendez-vous : je le rejoignis à Londres où il dirigeait *La chauve-souris* à Covent Garden, puisque rien ne l'amuse autant qu'être chef d'orchestre à ses heures. Mais c'est Michel Legrand qui nous fit faux bond, trop pris par la sortie du film de Barbra, *Yendl,* pour lequel il avait écrit une musique si séduisante. Il devait être présent à New York. On décida de le rejoindre là-bas entre deux récitals que Placido devait donner au Metropolitan. Mais il tomba aphone !

Ensuite, il y eut ce grand drame du tremblement de terre de Mexico, où Placido perdit des membres de sa famille. Il fut profondément bouleversé. On le vit essayer d'aider les sauveteurs. Il multiplia ses récitals au bénéfice des sinistrés... Moi-même, mon planning 86-87 était surchargé. *Le bonheur existe...*, certes, mais nous n'avons jamais pu encore en venir à bout...

On se retrouva à Mexico pour tourner une émission de fin d'année qui devait faire beaucoup de bruit en Amérique du Sud. C'était *Cricri,* personnage légendaire, un grillon qui a cinquante ans, l'âge du Donald de Walt Disney, chéri des enfants. *Cricri* devait être projeté devant 350 millions de téléspectateurs le soir de Noël. C'est le papa des Muppets qui avait fabriqué la marionnette devant être notre partenaire. Symbolisant le courage et l'intelligence des petits contre le pouvoir des grands, Cricri, victime d'une sorcière, jouée par la grande vedette mexicaine Ofelia Medina, appelait au secours Mireille Mathieu qui, aidée de son ami Placido Domingo, partait à sa recherche en compagnie d'un chat de gouttière, d'un rat débonnaire et d'un bel hidalgo, incarné par le chanteur espagnol Emmanuel.

Le show se faisait en triple version : anglaise, espagnole et française.

On s'amusa beaucoup à tourner nos propres personnages mêlés aux marionnettes. Mais l'emploi du temps était si serré qu'il n'était pas question d'enregistrer, en plus, notre duo !

A la fin de l'année, je m'envolais pour Mexico afin de présenter *Cricri,* qui ne sortait qu'à Pâques au Canada et aux Etats-Unis. Je reculais mon départ de vingt-quatre heures pour pouvoir applaudir Pavarotti, une autre de mes idoles, à l'Opéra dans *La Tosca.*

J'ai tous ses disques. C'est enfoncer une porte ouverte que de dire qu'il est prodigieux. On oublie son physique, dont le moins qu'on puisse dire, c'est qu'il est « enveloppé », tant la beauté de sa voix, l'intelligence de son jeu tiennent sous le charme. J'allais le voir en coulisses après les dix minutes d'acclamations, montre en main, qui le saluèrent. Ce fut fort drôle parce que, dans sa hâte de me recevoir, il s'aperçut qu'il avait déjà enlevé le pantalon ! Il se couvrit du manteau de Mario, son personnage, et n'osa pas se lever... pour la même raison. On rit beaucoup. Il a le rire tonitruant, plein de vie, des Italiens.

Je lui demandai pourquoi il n'avait pas bissé son air que réclamait le public. Il eut cette réponse :

« Pour les camarades qui sont remarquables, ce ne serait pas gentil ! »

Si, avec Raimondi, on parle théâtre et religion, si, grâce à lui, j'ai lu le *Henri IV* de Pirandello parce qu'il voulait le jouer et se promenait avec la brochure... si je suis émerveillée par sa puissance de travail qui lui fait apprendre le russe pour mieux jouer *Boris Godounov,* ou le maniement de la cape avec un toréador, pour être un parfait Escamillo ; si avec Domingo, on parle cuisine (c'est un chef), Mexique et musique ; avec Peter Hoffmann, je peux parler rock et pourtant il est ténor wagnérien !

C'est la coqueluche de Bayreuth et le plus beau Parsifal qu'on puisse rêver. Au départ de sa carrière, il était rocker. Et s'il a tous mes disques, c'est parce qu'il est allemand ! Pour une autre de mes émissions de variétés, « Paris à nous deux », il revint à ses amours en chantant avec moi l'air ravissant de *Scarborough Fair.* Peter est d'autant plus un homme à fans qu'il fut champion d'Allemagne de décathlon, qu'il eut une vraie notoriété de rocker, avant d'être attiré irrésistiblement par l'opéra, au point de s'y consacrer. Maintenant, il habite un décor de *Walkyrie* dans son château, aux environs de Bayreuth. Je l'admire parce qu'il est un miracle de volonté. En 1977, il eut un accident de moto — car il est fou de vitesse —, qui le laissa les jambes brisées. Il a subi dix opérations. Il marche. Il chante, il est superbe.

9.

1985 : LE CŒUR EN FÊTE ET EN DEUIL

Peut-être que, si je n'avais pas rencontré Janine Reiss, je ne serais jamais venue à bout du récital que je donnais le 4 juillet 1985 à Avignon. Il avait pour moi une importance capitale. C'était mon retour au pays. Je n'y avais plus chanté depuis *On chante dans mon quartier,* reconstitué pour les besoins du film de François Reichenbach, autant dire à mes débuts. C'était ça, la grande nouvelle que je voulais mettre dans la cheminée de Noël des parents : je chanterai enfin dans ma ville.

Certes, j'étais revenue pour certains événements familiaux, en coup de vent, ou pour une cérémonie, comme celle de Gigondas où l'on me remit mon poids en bouteilles (et c'est bête, j'avais maigri à ce moment-là !). Mais en tant que la Mireille-qui-chante, jamais.

C'était la veille même de l'ouverture du Festival 85, et je savais que cela ne faisait pas plaisir à ses organisateurs que Mireille Mathieu chante sur la place du Palais-des-Papes, devant le fameux palais où l'on allait jouer dès le lendemain les auteurs sérieux... Mais le nouveau maire Jean-Pierre Roux entendait donner précisément, en avant-première, une sorte de fête populaire... C'était le cas : un podium avait été dressé au centre de la place, et quatre mille personnes s'étaient agglutinées autour. Il y avait, bien sûr, les places assises, mais des centaines debout ou juchées sur le grand escalier, ou encore aux fenêtres. Moi, j'étais heureuse dans la caravane qui me servait de loge. C'était pour moi comme une grande famille avec une ambiance très chaude. *Chaude* étant une façon de parler, car très vite se leva le grand dévoreur de voix, celui qui avale tout sur son passage, le mistral.

Je le connais bien depuis le temps où il me plaquait avec ma bicyclette contre les murs... Il avait juré que je devais respecter le proverbe : « Nul n'est prophète en son pays ! » Seulement moi, j'avais juré juste le contraire. Il se déchaîna froidement. Il courba tous les arbres de la place. Il tortura le drapeau du Festival qui flottait déjà avec ses trois clés sur le donjon. Pire : il fit osciller dangereusement l'ossature métallique qui tenait tous nos projecteurs. Au point qu'on dut interrompre, faire un entracte, pour permettre aux pompiers de venir renforcer les câblages...

Maman vint me voir. Je lui demandai si elle avait froid :

« Que non. On l'avait vu venir, ce mistral ! Les gens ont apporté des couvertures et la mairie en a distribué à ceux qui n'en avaient pas. Ils sont tous dessous ! »

J'étais rassurée.

« Mais toi, ma pauvre chérie, avec tes robes décolletées, tu vas m'attraper l'aphonie...

— Non, maman, n'aies pas peur. »

Grâce à Janine Reiss, à ce qu'elle m'avait enseigné, j'étais sûre que je pouvais chanter en pleine bourrasque. C'est ce qui arriva. Quand je repris la scène, je dis aux spectateurs qui n'avaient pas bougé d'un cran :

« C'est un brave mistral, dites donc ! »

Cela les fit rire. On était vraiment complices. Je retrouvais mes racines et je me sentais indéracinable ! Il paraît que les gens du Festival, qui s'attendaient à ma défaite, ont été les premiers à applaudir. Ma coiffure, si chère à la pauvre Tantine, s'envolait dans tous les sens en même temps que mes jupes. Mais je ne voulais pas reculer d'un pas. J'avais mis trente chansons à mon programme. J'allais même en chanter deux de plus... Lorsque j'attaquai la nouvelle, celle des jeux Olympiques, *Laisse ta main prendre ma main et faisons le monde de demain* laissant tomber leurs couvertures, et tandis que je parcourais « la salle » en plein air, micro en main, les spectateurs se mirent debout, faisant la chaîne et reprenant ma chanson en chœur... C'était une vraie victoire. Dans ma chère ville natale, rien ne pouvait me faire plus plaisir.

A la fin, il restait une formalité. Le mistral, lassé, commença à se calmer. Le maire me fit un joli discours pour me dire pourquoi je devenais « Citoyenne d'honneur d'Avignon », quatrième nommée après Churchill, le général de Gaulle et Adenauer !

« Vous avez porté le nom d'Avignon dans le monde entier, de l'Amérique au Japon, de la Scandinavie au Mexique... », et il ajouta que ce titre-là, réservé en principe aux chefs d'Etat, ne peut être décerné qu'à l'unanimité du conseil municipal.

Ce ne fut qu'une heure après l'arrivée de la famille au Prieuré de Villeneuve que je pus la rejoindre là-bas, car ma caravane avait été cernée par les chasseurs d'autographes. Que cela fait plaisir quand ce sont des pays qui vous rappellent les coins de votre enfance, des visages, des paysages...

Au Prieuré où avait lieu le souper, c'était l'assemblée des cousins et petits-cousins, la famille au complet, certains que je n'avais jamais revus, ou même vus, parce qu'ils étaient trop petits. Ce soir-là, on avait donné la permission de minuit même aux bébés ! Je faisais le tour des tables... Papa, comme d'habitude, avait gardé son chapeau.

« Alors, Mireille, il paraît qu'à Béziers on a annoncé ton mariage avec un Français vivant au Mexique ? me dit un cousin.

— Écoutez, mes chéris, quand ce sera vrai, vous serez les premiers à le savoir ! Maintenant, je vous dis au revoir. Je chante à Toulon demain soir. Il faut que j'aille coucher ma voix ! »

Les mères de famille étaient contentes : elles allaient aussi pouvoir aller coucher les bébés...

Ce récital et la mini-tournée qui suivait étaient très utiles : c'était le test des nouvelles chansons, des orchestrations pour la rentrée à Paris, au Palais des Congrès. On avait hésité entre cette grande salle et l'Olympia où j'avais fait mes débuts et qui sentimentalement m'était précieuse. Mais puisqu'on ne m'avait pas vue depuis treize ans dans la capitale, il valait mieux donner un spectacle différent de ceux que j'avais déjà faits et conditionnés par le cadre de l'Olympia.

« Tu as chanté devant des vingt mille personnes à l'étranger, tu peux bien te permettre trois mille cinq cents Parisiens aux Congrès ! » disait papa.

Il en rêvait.

Je me sentais prête. L'épreuve du mistral m'avait convaincue que ma voix tiendrait le coup dans toutes les circonstances dorénavant, même les plus dures. Je ne me doutais pas que le destin me les réservait.

Au mois d'août, Johnny me conseilla d'aller à Quiberon deux semaines pour me reposer des tournées lointaines, du surmenage, et me préparer à attaquer le travail du spectacle, qui serait très lourd. L'enjeu était d'importance. J'avais un peu peur de Paris. Non à cause de ma voix — de ce côté, je me sentais invincible ! — mais en songeant aux critiques qui n'avaient jamais été particulièrement tendres alors que partout dans le monde...

Papa me poussait toujours. On se téléphonait tous les jours :

« Tu dois faire une rentrée, sinon les Parisiens, susceptibles comme ils sont, ils vont croire que tu les aimes plus ! »

J'allais me cloîtrer au centre de thalasso avec maman et Matite. Mais le 15 août, la fête de la Vierge, c'était sacré : on serait tous ensemble dans la villa Mireille.

Cela ne nous était pas arrivé depuis longtemps d'être réunis pour un 15 août, qui tombait le jeudi. Le mardi, on s'apprêtait à reprendre l'avion sur Paris, le temps de préparer les petits cadeaux pour tout le monde, et le lendemain celui de Marseille...

Le téléphone. Et la nouvelle. Comme un coup de tonnerre dans le ciel bleu. L'incroyable nouvelle. Qui fait pousser un cri d'horreur. Papa est mort.

Il est mort. Comme ça. En une minute. Il lavait sa voiture. Pour la rendre belle et venir nous chercher à l'aéroport. En une minute. Roger qui était avec lui, dans le jardin, crut qu'il s'était baissé pour ramasser quelque chose. Il alla vers lui. Il était agenouillé. Il ne se relevait pas. Il était mort. Sans dire un mot, rien. Foudroyé. Rupture d'anévrisme.

Et je n'étais pas là. Je n'ai jamais été là, auprès des aimés. Je suis toujours ailleurs. Je ne leur tiens pas la main au moment du passage. Je ne leur ferme pas les yeux. Je n'étais pas près du papet. Je n'ai pas vu partir la mamet. Je n'étais pas avec Tantine. Et je n'étais pas près de papa. Alors que c'est pour eux que j'ai voulu réussir...

A cette heure-là, il n'y avait plus d'avion ni de train pour Avignon. Johnny parvint à louer un Mystère 20. Et nous sommes arrivés en pleine nuit.

C'était moi désormais le chef de famille.

Papa n'aurait pas aimé les lamentations à la sicilienne. Aux plus éprouvés de mes frères et sœurs, je donnais des tranquillisants. Maman était extraordinairement calme. Elle s'occupa des petits-enfants. Puis elle nous rejoignit dans la veillée.

Tant d'images nous assaillaient. Quand il nous tendait un grand plat de pommes de terre en nous disant : « C'est pour vous. Moi, j'ai déjà mangé ! » et ce n'était pas vrai. C'était le temps de la pauvreté. Et celui de l'espoir : « Mimi, tu as la plus belle voix du monde ! Tu vas gagner ! » Peut-être que, s'il ne me l'avait pas dit avec cette foi, je n'aurais pas eu la force... Et le temps de la réussite. Pour lui, cela avait été celui de construire le plus beau tombeau, son chef-d'œuvre. Il était fier de celui qu'il avait fait pour Albert Camus à Lourmarin... mais il voulait que celui des Mathieu soit à la dimension de l'amour qu'il nous portait. Il y consacra toutes ses heures pour l'achever en 1969.

Il nous disait :

« Rappelez-vous que, pour un croyant, ce n'est pas triste, un cimetière. Et surtout pas le nôtre ! C'est de la joie qu'on éprouve à le voir, mon monument... Je l'ai fait avec le plus beau granite, la plus belle pierre de chez nous, dans un beau style provençal. Et il est assez grand pour nous tous : quarante-huit places ! »

A ma majorité, il me fit signer chez le notaire un papier selon lequel je serais là aussi avec eux tous. Et tous les enfants, derrière moi, ont signé la même chose. Devant notre chapelle, il a mis du gazon, des fleurs, des pensées et des rosiers, de ceux qui portent mon nom. Et une Vierge de Lourdes. Et le saint Antoine, cher à la mamet. Et sainte Thérèse qu'aimait tante Irène.

C'est là que nous l'avons porté, après le service religieux à Notre-Dame-de-Lourdes, l'église où tous, nous avons célébré nos événements heureux. Elle est si petite que seuls la famille et les intimes avaient pris place. Notre bon curé parla simplement de la vie après la mort, de Roger, son ami, qui n'avait jamais abandonné son métier de tailleur de pierre... mais qui n'aura pas eu le temps d'achever la restauration de la statue de la Vierge pour l'église. Dans son cercueil, on avait mis son chapeau, un bouquet de lavande cueilli par maman, et la longue lettre que, durant la dernière veillée, nous avions écrite, avec des mots simples et notre cœur, nous, les petits Mathieu. Maman n'avait pas besoin d'être soutenue. Nous nous tenions tous par la main, comme jadis... quand nous nous promenions vers le pont d'Avignon et le rocher des Doms, le dimanche...

Ainsi donc, il ne verrait pas cette année 86, celle de mes vingt ans de carrière, qui allait être peut-être la plus belle, celle dont il aurait été si fier.

Précédant ce fameux retour à Paris, Patrick Sabatier me proposa de jouer au « Jeu de la vérité ». Johnny me laissa libre du choix. L'émission est en direct et on se trouve acculé, face à des questions d'auditeurs, ou de spectateurs dont le principe est de ne pas faire de cadeaux. Je me disais qu'ils ne pouvaient pas être plus terribles que certains interviewers ou commentateurs.

« Je redoute une chose : qu'on me parle de la mort de mon père. Parce que je sais que je ne tiendrai pas le coup. »

On en délibéra avec ma sœur et deux ou trois amis intimes.

« Il n'y a rien de honteux, d'anormal, à craquer quand on vous parle d'un deuil aussi récent, aussi proche. »

Soit. J'essaierai de prendre sur moi. Mais je connais ma fragilité dans le domaine de l'émotion. Il m'arrive de pleurer en voyant des reportages trop cruels dans les actualités, qui n'en manquent, hélas, pas. Je n'y peux rien. Je suis faite comme ça. Les larmes me submergent facilement.

En me préparant dans la loge des Buttes-Chaumont, j'avais mis la photo de papa, qui ne me quitte désormais plus, sur ma table de maquillage. Il me sembla que j'y puisais de la force.

Naturellement, on me parla de « la marionnette de Stark ». Ce n'était pas neuf. Une fois de plus, il fallait expliquer comment, ne sachant rien, et montant de ma province, et d'une autre vie, sans Johnny Stark, qui a été comme un second père, j'aurais eu beaucoup de mal, et j'aurais fait sans doute beaucoup plus d'erreurs ! Je n'échappais pas non plus à la question des nombreux fiancés. Et on aborda la famille et la disparition de papa. Et je ne pus contrôler mon chagrin.

Toutes ces questions, je m'y attendais plus ou moins. Sauf une. Et c'était une question-piège.

« A-t-on bien fait ou mal fait de montrer très longuement dans les médias, et en particulier à la télévision, cette enfant colombienne morte récemment en direct ?

— Effectivement, c'est un problème très grave. Et évidemment, je me sens concernée. Peut-être est-il bon, oui, de montrer tout ce qui touche le monde, c'est-à-dire le tremblement de terre au Mexique, ou la tragédie en Colombie, afin de nous montrer qu'il existe des choses vraiment affreuses et que, lorsque nous nous plaignons parfois, nous ne devrions pas oublier que d'autres souffrent beaucoup plus que nous, qui sommes, finalement, plutôt heureux ? Alors, je crois qu'ils ont bien fait de montrer la petite fille... »

Patrick Sabatier me demanda si, selon moi, « on pouvait tout montrer ».

« Si on interdit de montrer certaines choses, c'est que la presse n'est pas libre.

— La liberté ne se limite pas ?

— Je ne crois pas, non... »

Le ton, paraît-il, de cette « Heure de vérité » surprit beaucoup de gens par une sincérité totale. J'en fus heureuse. Ce qui me surprend, c'est lorsqu'on me croit fabriquée. A moins qu'on appelle « fabriqué » le métier appris. Le spectacle, c'est une affaire d'artisan. Je ne prétends pas être autre chose. Un bon artisan. Qui fait le mieux possible pour offrir son produit. Et le mien, c'est ma voix. Je ne suis pas un créateur. Je ne suis qu'une interprète... J'empruntais le titre de mon spectacle du Palais des Congrès à la chanson que Pierre Delanoë m'avait écrite, *Made in France.* Il écrivit, dans un papier d'avant-première pour *Le Figaro,* quelque chose qui me fit bien plaisir : « Mireille donne au créateur l'immense satisfaction d'entendre son œuvre parfaitement exprimée. » Voilà. C'est là toute mon ambition. Et celle aussi qu'il soulignait un peu plus loin : « Elle est la seule chanteuse française dont le nom dit quelque chose à l'Américain moyen ; de l'Allemagne, où elle est superstar, au Japon, de l'URSS au Mexique et à l'Amérique du Sud, elle nous représente. »

Il terminait par une question :

« Comment expliquez-vous que les radios diffusent en France, la plupart en majorité, des chansons en anglais, et que le public, quand on lui demande son avis, ce qui est rarement le cas, mais ce qui l'a été récemment dans un référendum de *Télé 7 Jours,* comment expliquez-vous que les chanteurs qu'il plébiscite soient Mireille Mathieu et Michel Sardou, chanteurs français par excellence ? »

Avec *La demoiselle d'Orléans* et *Made in France,* j'annonçais la couleur. Les affiches tricolores aussi. Je me sentais de plus soutenue par soixante musiciens des Concerts Colonne dont trente-six cordes... pas de synthés ! A la guitare Nicolas de Angelis et, bien sûr, Jean Claudric au pupitre.

Et puis il y avait les robes de Pierre Cardin.

Mes retrouvailles avec Pierre Cardin furent singulières en ce sens qu'il m'avait fait dire, par une amie commune, que, non, ça ne l'intéressait pas de faire des robes de scène, ayant beaucoup d'activités et n'ayant guère, en dehors de ses collections et de ses nombreuses occupations, le temps de penser à un spectacle. Je me rendais compte de l'audace que j'avais eue. Mais, pour moi, Pierre Cardin est un génie et, quitte à mettre les atouts dans mon jeu, j'avais espéré celui-là aussi...

Le hasard faisant bien les choses, je l'ai rencontré. Je lui fis écouter mes dernières chansons, encore inédites. Il en était resté à « la petite Piaf »...

« Si vous acceptez ce que je vais imaginer pour vous (car je suis tyrannique !), je veux bien vous habiller ! »

Quarante-huit heures plus tard, j'étais dans son salon. Sachant que j'avais de multiples déplacements et répétitions, il fit de ses mains un moulage... me persuada que je pouvais montrer mes jambes... dessina plusieurs modèles longs et courts... et réussit à donner à mon corps la même liberté que Janine Reiss avait donnée à ma voix.

Depuis, il m'habille du matin au soir et pour les quatre saisons. Je marche différemment, je bouge comme il me plaît. Je dis toujours que Johnny m'a fait naître une seconde fois. Et Pierre Cardin, une troisième.

La « première ». Cette première publique qui est le moment de vérité. Un contrôleur vient me dire qu'on a ouvert trois guichets de location tant il y avait la queue. Janine Reiss, comme je l'ai déjà dit, arrive dans la loge :

« Si on m'avait dit un jour que je ferais répéter Mireille Mathieu... c'est la plus grande surprise de ma vie ! »

Au début du spectacle, j'entre en chantant a cappella... j'adore ça. Mais évidemment, le trac aidant, on peut craindre tous les dérapages, et c'est catastrophique pour l'orchestre qui doit vous rejoindre dans la dernière phrase.

Janine me fait répéter et me dit :

« Parfait... Vous maîtrisez toutes les difficultés y compris celle-ci. »

Et maintenant... il faut tout de même les affronter, ces Parisiens !

A la fin de la première partie, un fan s'est levé et a déclenché un « hip ! hip ! hip ! hourra ! » repris par la salle. En seconde partie, au moment où j'attaquais *J'ai gardé l'accent,* vint me surprendre un de ces effets, si à la mode, de fumigènes dont on ne m'avait pas avertie. Je me suis arrêtée, disant : « Pardonnez-moi, mais je n'ai pas l'habitude de fumer ! » ce qui fit rire beaucoup.

Les fumigènes éteints, j'attaquais *Bravo ! tu as gagné !* en espérant que ce serait de circonstance. Je dus mettre en bis *Non je ne regrette rien...*

A minuit, maman appela ma loge :

« Allô, c'est toi, maman ? Ecoute, ça va très bien ! C'est même incroyable : il y a un fan qui était si excité qu'il en a mordu un contrôleur ! Non, je ne plaisante pas. Est-ce que ça s'invente, ça ? »

Dorénavant, chaque soir, on me fit passer par une porte

dérobée pour pouvoir partir enfin du Palais des Congrès, après la séance de signatures d'autographes. Le soir du « gala », mes nouveaux auteurs, Lemesle, Barbelivien, Marie-Paule Belle, jubilaient. Et les anciens aussi : Eddie Marnay, Pierre Delanoë, Louis Amade... Le souper chez Maxim's réunissait les amis dont Alain Delon, Dalida, Jacques Chazot, Manuel, Le Luron, Henri Verneuil... et Pierre Cardin disant :

« Ce qui m'étonne le plus, c'est que vous sortiez fraîche de l'épreuve comme si vous pouviez recommencer. »

C'est que j'aurais pu !

Je savais pourquoi : mon père ne m'avait pas quittée. Et c'est lui qui me soutenait.

QUATRIÈME PARTIE

MON JARDIN SECRET

1.

MON PETIT MUSÉE

Mes rapports avec l' « image » — le cinéma, la télé — sont passionnels. La TV m'a fait naître (le même jour que Michel Drucker !) le 21 novembre 1965 ; sans elle, je n'existerais pas. Et si elle n'avait perpétué mon visage, je n'existerais plus. Aussi est-elle reçue partout à la maison. (J'habite toujours Neuilly, mais une maison à deux étages, avec un bout de jardin... on se croirait presque à la campagne.) Il y a des petits écrans partout, dans le salon, dans le studio de travail, dans les chambres et jusque dans la cuisine où l'on aime dîner, décontractés. Sauf quand Bouboutch vient nous faire la cuisine. (C'est pépé Jo. Je lui ai changé son nom à partir du moment où est sorti *Butch Cassidy.*) Moi, je ne cuis jamais un œuf. Matite sait le faire et tant d'autres plats ! Elle a hérité de tante Irène. Aussi cordon bleu et ménagère qu'elle. Mais, de temps en temps, Bouboutch, qui a pour copains des grands chefs comme Bocuse, nous arrive avec une recette. Nous devenons alors ses cobayes. C'est ainsi qu'on a mangé des meringues pendant deux mois, le temps qu'il trouve le secret. Le nombre de poules qu'il a épuisées en cassant leurs œufs... ! Mais elles sont si parfaites maintenant que les amis qui viennent à la maison repartent avec leur paquet de meringues.

Pendant la dégustation des écrevisses (qui demandent deux jours de préparation !) ou des meringues, on ne regarde pas la télévision. Mais avant et après... beaucoup.

M'ayant apporté énormément, il était naturel que je fasse à Dame Télé un petit cadeau, rapporté de New York. Ce n'était pas une chanson, ce n'était pas une comédie musicale, c'était... les Muppets que l'on n'avait jamais vus à Paris « en chair et en os », si cela peut se dire pour des marionnettes. Elles firent sensation dans mon « N° 1 » en 1977 : Ernie, le bêta qui louche, Oscar, qui vit dans une poubelle, Bert, le raisonneur avec sa tête en poire, et Big Bird, l'emplumé mal embouché (et il faut un grand gaillard qui reste le bras levé pour faire son bec jusqu'à 2,35 m de haut !).

Avec ceux-là au moins, j'étais sûre qu'on ne me fiancerait pas !

On apprend aussi beaucoup en regardant les autres. Mes propres émissions magnétoscopées, je les épluche, je les critique. Je ne suis jamais contente. Le serai-je un jour ?

Cela n'enlève rien à ma joie de faire des télés, particulièrement celles où je ne suis plus Mireille Mathieu !

C'est ainsi que je conserve certains souvenirs qui me rappellent des émissions souvent joyeuses : les spartiates de « Fifigénie », ainsi baptisée par Roger Pierre, parodie d'Iphigénie, revenant des Olympiades en ayant gagné le saut à la perche... ! Et les lunettes de la secrétaire idiote d'*Une lettre bien tapée* qui exaspérait Jean Piat reprenant le rôle de Sacha Guitry. Et aussi la règle de l'institutrice qui faisait la classe à des rigolos pour leur enseigner *Le zizi* de Pierre Perret.

Chaque fois, j'étonne ceux qui ne me soupçonnaient pas comique ! Le plus drôle, à propos de cette émission de Patrick Sébastien qui fit rire bien des gens, c'est que dans un gala un peu snob, dans un pays limitrophe, l'organisateur me dit :

« Il paraît que vous avez tant fait rire l'autre jour... Peut-être vous réclamera-t-on en bis *Le zizi* ! »

Je ne me voyais pas, devant un parterre aussi huppé, chanter *Le zizi* après *Ne me quitte pas* ! J'étais paniquée, d'autant que, ne l'ayant fait qu'une fois, cette chanson, j'en avais oublié les paroles diaboliques. Mais le désir du public est un ordre : il fallait parer à toute éventualité.

Je téléphonai donc à Nadine en lui demandant de me dicter les paroles du *Zizi.* Elle faillit s'étrangler :

« Du quoi ?

— Du *Zizi.*

— Mais pourquoi ?

— Au cas où. »

Elle crut à une blague. On a tellement l'habitude de lui en faire. Johnny, un jour, ne l'a-t-il pas réveillée en pleine nuit (avec le décalage horaire...) pour lui dire qu'on était bloqués par les neiges... en Arizona, et elle de sursauter dans son sommeil : « Ne bougez pas : j'arrive ! »

Nadine rappela deux heures plus tard. Elle avait les paroles du *Zizi*. Elle entreprit de nous les dicter. Si la standardiste a pris l'écoute, elle a bien dû s'amuser...

Les rappels eurent lieu, mais personne ne réclama *Le zizi*. Je glissais à Jean Claudric :

« *Une histoire d'amour...*

— Pas *Le zizi* ? » dit-il entre ses dents.

Je fis un petit signe négatif de la tête :

« *Une histoire d'amour !*

— Bof !... c'est la même chose ! »

Dans mon petit musée personnel, je garde précieusement... une brochure avec des indications au crayon. Oh ! comme j'aurais voulu faire le rôle en entier ! Fernand Sardou m'a fait le plus grand compliment qui pouvait se faire : « Tu as été la plus sensible des Fanny... » Je venais de jouer, avec le papa de Michel Sardou qui avait succédé à Raimu dans le personnage de César, la scène de la lettre de Marius.

J'avais très envie de connaître Marcel Pagnol. C'était « mon » auteur, le seul que je connaisse par deux ou trois de ses livres, moi qui lisais si peu. Il se fait si bien comprendre : quand il parle d'un arbre, on le voit.

La rencontre se fit grâce à Tino Rossi, l'un de ses intimes qui l'était aussi de Johnny :

« Ne t'inquiète pas, Marcel, dit-il en me présentant. Elle ne parle pas, mais elle chante ! »

Cela nous fit tous rire. L'atmosphère ainsi détendue, Tino me dit :

« Chante quelque chose pour Marcel ! »

Il y avait une chanson qui s'imposait, écrite avec « bonheur » par Gaston du même nom :

Oui, j'ai gardé mon accent
Celui qu'on attrape en naissant
Du côté de Marseille
C'est l'air du potager
L'huile de l'olivier
Le raisin de la treille...

« Marcel » parut ému. Et moi, je restais... muette. Tino ne se montra pas choqué de mon mutisme :

« J'étais aussi timide que toi quand j'étais jeune, me dit-il. Les dames me considéraient tant comme un spécialiste du cœur que l'une d'elles vint dans ma loge en tenue de consultation : nue sous son manteau ! Et comme j'étais timide, je n'ai pas su dire non ! Et tu sais pourquoi je me suis marié un 14 juillet ? Pour passer inaperçu : ils étaient tous pendant ce temps à la Revue ! »

En privé, Tino était le plus drôle des convives. On en a mangé ensemble des bouillabaisses faites par Bouboutch ! Tino avait un seul problème : le poids. Et lui, qui se doublait d'un homme d'affaires avisé produisant ses propres disques depuis vingt ans déjà, disait :

« Je suis malheureux : j'ai FAIM tous les jours ! »

On fit échange de chansons. Il me disait :

« On est interchangeables ! »

Je lui empruntai son *Petit papa Noël,* et il chanta lui aussi *Paris en colère* et *La dernière valse.*

J'eus beaucoup de chagrin à sa mort et Johnny encore plus. Comme ami de la famille, il organisa des obsèques dignes de lui, aidant Lilia et celui que j'appelais affectueusement Poupy : leur fils Laurent. Ce fut un voyage bouleversant. Après la messe à la Madeleine et l'hommage des Parisiens, on partit par avion spécial, avec le cercueil, pour la Corse qu'on traversa par un temps pénible... Malgré cela, le cortège funéraire passait de village en village et les gens étaient sur le pas de leur porte, se signant. Dans certaines rues, des jeunes gens jonchaient de fleurs la chaussée. Ainsi, on arriva à Ajaccio, où toute la vie de la ville était suspendue...

Passaient dans ma tête les images heureuses : souvent, j'étais chez Tino ; nous étions voisins à Neuilly. J'aimais son foyer, moi qui étais en manque du mien. Rien de commun entre la maison du Mathieu tailleur de pierre et celui de Tino, le milliardaire, et pourtant… si. Il avait été aussi l'enfant d'une famille nombreuse et modeste. Nous parlions le même langage avec le même accent. Je me souvenais de sa gaieté, de ses dons étonnants d'imitateur, surtout quand, avec humour, il imitait l'imitateur en train de l'imiter ! Je gardais, aussi précieuses que celles de Chevalier, les leçons qu'il me donnait sans en avoir l'air :

« Moi, j'aime le public comme une femme. Toi, tu dois l'aimer comme l'homme de ta vie. »

La télévision nous avait réunis souvent, et c'est vrai que je n'aimais rien tant que faire un duo avec lui : on a chanté ensemble *Fièvres, Maria quand je vois tes yeux* et bien sûr *Petit papa Noël.* Mais ce que j'aimais surtout, c'était lui chanter, chez lui, comme ça, mes nouvelles chansons. Quand il souriait, je savais que c'était gagné. Et il me disait, très proche de la phrase de Maurice :

« Chante le soleil et l'amour : c'est le plus beau cadeau que tu puisses faire aux autres. Et ne t'occupe pas des pisse-froid, ce sont eux qui en ont le plus besoin ! »

De Maurice, j'ai le canotier.

Un de ses canotiers. C'est le cadeau qu'il aimait faire à ceux qu'il préférait.

J'ai aussi son livre *Quatre-Vingts Berges* qui me rappelle dans le détail *nos* sports d'hiver. Il était en vacances à Gstaad et moi, je venais y faire un gala.

« Oh ! Johnny ! je ne sais pas ce que c'est que les sports d'hiver ! On pourra rester deux jours ? Le temps que je grimpe sur des skis ?

— Et que tu te casses une jambe et qu'on soit obligé d'annuler Montréal, New York et Moscou ? »

Je retrouve Maurice dans la neige.

« Non, non, non, me dit-il. Pas de ski !

— Oh ! que c'est beau, la neige !

— Oui, Mimi, c'est beau ! Regarde-les bien, ces montagnes. Moi, j'avais quarante-sept ans quand je suis allé pour la première fois aux sports d'hiver. Tu te rends compte l'avance que tu as sur moi avec tes vingt ans ! »

Bien que je ne sois là que pour quarante-huit heures, on va acheter ma première « tenue de neige », mais je ne chausserai les skis que... pour les photographes. La vendeuse dit :

« Oh ! les petits pieds ! On va vous trouver ça au rayon fillette (Et elle ajoute :) C'est pas croyable ! avec une si grande voix ! »

Maurice rit et dit :

« Tu n'as pas fini de surprendre le monde ! »

La séance de photos finie, on se promène au soleil. Il me dit qu'il est content de me donner son « expérience de vieux bourlingueur de la chanson ».

Et il ajoute :

« Et toi, tu me nettoies l'âme... Tu sais qu'en Afrique du Sud, d'où je reviens, ils te connaissent !

— Mais j'y suis jamais allée...

— Tes disques, si. Les Noirs et les Blancs... ils te connaissent ! Ça t'épate, ça ! Tout va vite, maintenant...

— Oh ! attendez... c'est si beau ici : je vais prendre une photo de vous et je vais l'envoyer à maman !

— Et moi, je vais ajouter quelques lignes à mon journal intime... »

Son journal, son livre, *Quatre-Vingts Berges,* je l'ai reçu huit mois plus tard. Et, à la page 264, je me suis sentie devenir comme une pivoine :

« A Gstaad, j'assiste au gala du Palace Hotel dont Mireille Mathieu est l'attraction. Public international très élégant où les noms célèbres voisinent avec les jolies femmes dans le vent. Un public de première classe absolument “ in ”, princes, princesses et tout le tremblement. A minuit, les lumières baissent, le projecteur se place, la gosse entre, haute comme trois pommes et belle comme un petit ange. Et, dès le premier contact, devant ce public on ne peut plus averti, la presque enfant vedette gagne les cœurs et attendrit la salle. Ses chansons ne sont pas toutes à la hauteur de ses prouesses, mais elle progresse. On ne sait où cela s'arrêtera, mais j'y crois.

« Il y a tant de fraîcheur dans ce petit être. Tant de beauté, de jeunesse, d'innocence, qu'elle devient comme une eau de source.

« Elle termina en chantant *Ma Pomme,* et la salle enchantée me réclama sur la scène.

« J'escaladai (avec l'aide d'un robuste maître d'hôtel) le tremplin et prit Mireille sous mon bras droit, serrée contre moi.

« Qu'allais-je dire ?

« D'abord remercier d'une aussi affectueuse manifestation. Je parlai doucement, lentement, je tenais à convaincre... à bien faire comprendre que là se levait peut-être un petit astre français de la chanson, incomparable avec tout ce que nous avions possédé comme féminité d'exportation jusqu'alors. Un petit bijou de clarté, d'honnêteté. La plus jolie bannière, sortie, telle une rose tricolore, du monde travailleur de France qu'elle représentait dans ce qu'il a de plus inaltérable, la gentillesse, la conscience, le courage, la franchise, la force. Mireille Mathieu, le plus touchant poussin artistique que le destin a cru bon de me faire connaître.

« Nous passons des jours paisibles à Gstaad : longues marches, repos, lecture, écriture, et le soir, une heure à voir danser les clients au son de deux orchestres de jeunes étonnants de rythme. Hier soir, une dame mûre mais gracieuse, encore attrayante, est venue à ma table au vu de toute la salle me demander à danser comme si j'étais une jeune fille. La piste était vide ; l'orchestre a attaqué *Louise,* j'étais embarrassé, coincé. Je me suis levé, j'ai enlacé le corps de mon astucieuse cavalière et j'y suis allé de mon plus classique fox-trot à la 1920 pendant que les spectateurs applaudissaient.

« J'avais dansé la veille avec Mireille Mathieu qui n'avait jamais encore dansé en public. Nous avions improvisé un “ jerk ” en singeant les jeunes couples de notre mieux et nous nous sommes bien amusés.

« Après un article amical de *France-Soir* sur le roman d'amitié qui commence entre Mireille et moi, je reçois ma première lettre anonyme à ce sujet. Une dame s'élève contre le bruit, grandissant, qui se fait autour de notre alliance avec Mireille. “ Ecœurée, dit-elle, du cas que le public fait de cette débutante et du ridicule dans lequel je me pavane. Vieux cabot à la recherche d'une publicité grotesque. C'est à mourir de rire ! " s'exclame-t-elle dans un dernier jet de bave... »

Tante Irène, me voyant le livre ouvert devant moi, et l'air très triste, me demanda ce qui se passait. Je lui montrai la page d'avant, où Maurice parle du suicide de Martine Carol. Il revoyait la joyeuse *Caroline Chérie,* prodigue, spirituelle, en bons termes avec tout le monde : anciens amoureux, journalistes, concurrentes ! « Une vraie petite merveille de diplomatie professionnelle, traversant plusieurs mariages, légère... Une fleur de Paris. » Puis éclata la bombe Bardot. Il raconte qu' « en quelques mois, elle succéda, en plus jeune, en plus belle, en plus neuve, à Martine dont le cerveau, et peut-être le cœur furent bouleversés ». Un jour, dans une interview, elle se plaignit que Maurice, qu'elle considérait comme un vrai ami, lui avait fait une grosse peine en s'extasiant sur la révélation Bardot. Il la croisa dans un ascenseur d'hôtel, à Rome, deux ou trois ans plus tard et, devant son regard glacé, lui demanda si vraiment elle s'était plainte à son sujet. Elle répondit avec dureté : « Absolument. » Comme il avait une réelle amitié, au lieu de laisser tomber, il lui expliqua que c'était affaire courante dans la profession. Qu'il arrive toujours de nouvelles vagues. Qu'il en avait vu lui-même une demi-douzaine, chaque fois semblant l'écraser. Que ses cartes de faire-part étaient déjà rédigées par certains journalistes ; ils le disaient « cuit, lessivé, désintégré » ! Son regard ne s'adoucit pas pour autant devant ce raisonnement. Ils se quittèrent. Et Maurice conclut : « Drame de notre métier et de ce que le succès peut faire d'êtres qui semblaient équilibrés au temps de leur réussite. »

« Et alors, dit tante Irène, c'est ce qui te rend triste ? Mais il n'y a pas de comparaison entre toi et Martine Carol : tu n'es pas blonde ! Tu n'es pas une fleur de Paris ! Tu n'as aucun sens de la diplomatie ! Tu n'as pas traversé plusieurs mariages ! Et elle ne chantait pas ! Ta voix, si Dieu le veut, tu la garderas longtemps. Regarde Maurice : à quatre-vingts ans, il est superbe !

— Oui, tantine. »

J'avais un peu menti. Ce qui m'avait rendue très triste, c'était la lettre anonyme.

De tous les grands que la providence a mis sur mon chemin, Maurice a été le plus tendre, et le Maître. Quand j'ai parlé de déménager, il m'a dit :

« Tu devrais faire comme moi, Mimi. Quand j'ai acheté ma belle maison de La Louque, je me suis dit : Maurice, d'accord, tu n'es plus pauvre, mais avec ce métier, on ne sait jamais... alors achète-toi une chambre de bonne. Assez grande tout de même pour mettre un piano. Et si, un jour, tu n'as plus rien, tu auras toujours un toit et ton piano pour travailler tes chansons... »

Je l'ai écouté. J'ai changé de trottoir boulevard Victor-Hugo. Une maison où il n'y avait plus d'angles et de recoins. J'ai gardé deux chambres de bonne que j'ai transformées en studio. Un petit studio. Avec un piano. C'est ma retraite secrète. Respectée même par mes sœurs et Johnny.

Quelquefois, je me replie là. Je disparais pour une heure ou deux. Mes intimes peuvent me joindre par un téléphone resté secret. C'est ma cellule, mon tout-petit-chez-moi. Le plus vrai de tous, peut-être. Celui dont personne n'a les clés, sauf moi. C'est le refuge. Les Cancers sont des petits crabes. Ils aiment bien avoir leur bout de rocher, où ils se recroquevillent, et où ils sont à l'abri de ceux qui voudraient bien les manger.

Les « quatre-vingts berges » de Maurice, on les fêta le plus joyeusement du monde au Lido. Pour lui rendre hommage, tous les messieurs portaient le canotier avec leur smoking. Il avait à sa droite sa copine de Hollywood, Claudette Colbert, et j'étais à sa gauche, côté cœur.

« Ah ! si j'avais trente ans, me disait-il, je te ferais du boniment ! »

Il disait aussi : « Je m'applique à devenir un beau vieil homme ! » Il avait réussi. A la Nuit du Cinéma, je lui avais remis le trophée, un « Triomphe », et l'ovation qui l'avait accueilli valait bien celle des Américains à l'Empire Room de New York. Dans « La Grande Farandole », l'émission de télévision, je m'étais déguisée en petit garçon pour chanter son *Twist du canotier*... et il riait, riait...

« Ah ! la Môme ! la Môme... je voudrais vivre longtemps pour voir jusqu'où tu vas aller... ! »

J'étais à Hawaii en train de tourner une série — une de plus pour la télévision américaine — quand il est mort. Je le croyais éternel. Je le voyais centenaire. Je ne pouvais aller à ses obsèques. Je ne pouvais que prier, dans la première petite église venue de ce côté-ci du globe.

Le 12 septembre suivant, il aurait eu quatre-vingt-quatre ans. On m'invita à Ris-Orangis dont il était le bienfaiteur. C'était le premier anniversaire de Chevalier, sans Maurice.

« Allons, allons ! les amis, vous le connaissiez ! D'où il est, il veut vous voir sourire ! » dit le président de l'Œuvre pour les vieux artistes.

J'étais à sa gauche et, à sa droite, était assise Odette Mélier, l'héritière de Maurice, une ancienne girl d'un de ses spectacles, retrouvée par hasard, peu de temps avant qu'il ne soit terrassé par la maladie. Elle avait eu une vie très dure, avec un enfant handicapé. Elle léguait à Ris-Orangis, pour le musée Chevalier, ses Oscars des quatre coins du monde, les affiches, les clés de la villa offerte à San Francisco et, ce à quoi il tenait le plus au monde, la stèle dressée dans le jardin, représentant la Louque, sa mère. (C'est à elle, ainsi statufiée, qu'il présentait ses invités ayant le privilège d'être reçus chez lui. C'est à elle qu'il m'avait menée un jour...) Félix Paquet, son secrétaire et confident, son ex-femme Nita Raya, Pierre Saka l'auteur de la chanson : « Dans la vie, je l'avoue, j'ai toujours eu un petit penchant pour les femmes... », tout le monde était ému.

Une petite vieille essuyait son œil humide. Elle avait connu « Momo » après la guerre, pas la Seconde, la Première mondiale ! Brève rencontre d'une star et d'une figurante. Il n'oubliait rien, jamais. Quand elle est devenue cette cigale sans ailes, il l'a fait entrer à Ris, dans ce vrai château qui s'enorgueillit de la visite de Louis XV... Beaucoup ici furent des rois ou reines d'opérette ; des Napoléon, Vercingétorix, des Pompadour et des Jeanne d'Arc de revue. Leur gloire est en cendres. Il leur reste le sourire immortel de Maurice, en bronze. A moi, il me reste la chanson que je lui ai dédiée, quelques années plus tard :

Je peux aimer un prince
Et puis un autre prince
Mais jamais un autre Chevalier.

Dans ma discothèque, un de mes enregistrements me tient à cœur : avec papa, et sa jolie voix de baryton, j'ai enregistré *Minuit chrétien* et, avec mon frère Régis, qui n'avait que sept ans à l'époque, *Petit papa Noël.*

C'est une joie de chanter avec des enfants. Cela dilate le cœur. Cela me rappelle la colonie de vacances... Les Poppys (cinquante petits garçons qui sont même partis en tournée avec nous) étaient attendrissants : « Pourquoi le monde est sans amour ? » J'ai fait plusieurs enregistrements avec les Petits Chanteurs à la croix de bois qui me faisaient rêver quand j'étais petite :

« Ah ! si je pouvais être petit chanteur !

— Tu ne peux pas, voyons ! tu es une fille ! » me répondait maman.

Un de mes derniers disques est *L'enfant volant* avec les Petits Chanteurs d'Asnières...

La fête finie, le rire éteint, il m'arrive d'avoir le blues. Alors, j'écoute des blues...

« Ah ! toi !... me dit Matite, tu as vraiment un moral de montagnes russes ! »

Je suis comme ça. Cela dit, il ne faut pas être forcément triste pour entendre des blues. Il suffit d'être à l'écoute de soi-même.

Les plus beaux, je les ai entendus à Harlem.

Une boîte de jazz. Des musiciens noirs prodigieux. Barclay, Aznavour les connaissent tous. A leur suite, on montre patte blanche, sans jeu de mots, et on entre... C'est une des belles images de l'Amérique qui m'en a tant offert en vingt ans...

La plus officielle fut la découverte de Carnegie Hall. Maintenant, cette salle célèbre est habituée à recevoir des récitals de variétés. Mais la première fois que j'y débutai, je me sentis écrasée par les grands noms qui y étaient passés. Je tremblais comme une malade. Je pris le micro, je le vis s'agiter comme un grelot — ce fut la seule fois où l'envie me prit au ventre de quitter la scène. La seconde fois, je ne tremblais plus. La troisième — en 1982 —, je jubilais.

Mais l'image américaine la plus bouleversante me vient chaque fois que je regarde, dans mon petit musée, parmi les trophées, un petit flacon apparemment très ordinaire. Il contient une sorte de poussière. Cela intrigue :

« Qu'est-ce que c'est que ça ?

— De la POUSSIÈRE DE LUNE... »

Alfred Worden, le chef pilote d'Apollo XV, rentrant de sa mission sur la Lune, le 8 août 1971, après douze jours passés dans l'espace, à peine sorti de sa capsule, avait déclaré aux nombreux journalistes qui l'attendaient :

« Le temps a passé vite... d'autant que j'avais emporté une cassette de Mireille Mathieu ! »

Le 30 août, j'étais l'invitée, à Houston, du centre de contrôle de la NASA.

Une énorme banderole lumineuse ornait la façade des hangars, et je lus : « Welcome ! Thank you Mireille Mathieu ! »

Le major Worden vint m'accueillir en bas de la passerelle de l'avion. On s'engouffra dans une longue limousine noire pour gagner le hall du centre d'essais. Le directeur des vols, Mr. Griffin, me fit visiter les installations impressionnantes. Je vis la réplique du véhicule spatial qui permit l'exploration de l'équipage après l'alunissage. On me fit même passer une combinaison d'astronaute. Le major me dit avoir laissé la cassette dans le satellite mis sur orbite lunaire :

« Des extraterrestres l'entendront peut-être un jour ! »

Puis il m'offrit, en souvenir, le petit flacon. Il n'a rien d'étincelant. Mais il a un pouvoir extraordinaire : il me fait rêver. Dans les contes de fées, il y a souvent des histoires de petites boîtes qu'on ouvre... laissant échapper de gigantesques sortilèges. Mon petit flacon, quand je le prends en main, me déplie un tapis volant... et je vais sur la Lune...

A ceci près que je sais l'histoire vraie et que c'est ma façon de partager la plus grande aventure humaine de ce temps.

Mon souvenir américain le plus insolite est sans doute d'avoir chevauché... un tigre ! Mort Viner, l'avocat d'affaires de Dean Martin, m'avait vue dans un des shows des Carpentier et c'est ainsi que Dean, que je connaissais depuis mon premier séjour à Los Angeles, me fit venir pour son émission spéciale en 1977.

Je me levais à 4 heures du matin, le temps de faire le shampooing, car on tournait dans un ranch à West Lake, à une heure de là. Il fallait une autre heure pour le maquillage et une heure encore avec le « coach » (le répétiteur) pour mettre au point le sketch et le numéro de magie monté par les deux magiciens les plus prestigieux de Las Vegas, Siegfried et Roy.

Je les avais découverts, comme le Tout-Paris, à une première du Lido. Ils nous avaient émerveillés en faisant disparaître une panthère sous nos yeux. Siefgried, portant bien son nom, est aussi blond que Roy est brun et tous deux d'une rare beauté. Leur savoir-faire les conduisit rapidement à Las Vegas où ils demeurent les magiciens les plus payés du monde, que nous ne reverrons, hélas, jamais à Paris, car c'est un show entier qu'ils font désormais avec des animaux superbes : ils arrivent même à faire apparaître et disparaître... des éléphants ! Inutile de dire que leur matériel est intransportable !

Des amis communs nous ayant présentés à Las Vegas, ils m'avaient invitée dans leur propriété où ils vivent avec leurs bêtes en liberté. Les tigres se baignent avec eux dans leur piscine... Ils ne peuvent obtenir cette docilité des fauves qu'en étant constamment avec eux, en ayant fait tomber, comme ils disent, « les barrières de méfiance ». Leur entreprise est unique, fascinante. Un détail qui ne manque pas de pittoresque : Siegfried, étant allemand, a fait installer dans cette maison de rêve une pièce réfrigérée où il fait un feu de bois et met des gros pulls, histoire de se retrouver dans le climat de son pays natal, alors que par les baies vitrées, au lieu de ses chères Alpes, on découvre les Rocheuses sous un soleil torride !

C'est avec Siegfried et Roy que j'ai pu, telle une sorcière, me mettre en équilibre sur un balai dans un exercice de lévitation... et m'asseoir sur un tigre royal aussi splendide que doux. Et qui n'avait rien d'une carpette. La preuve : il ronronnait !

De plus en plus magique, l'image que je comptais bien rapporter à Paris dans mes bagages était celle du *Magicien d'Oz*.

En tournant une série de six épisodes de trente minutes, « Mimi loves America », je rencontrais diverses vedettes américaines dont Joffrey Holder. Bruno Coquatrix le connaissait bien : il l'avait engagé avec sa femme, Carmen Cavallade. Ils faisaient un numéro de danse tout à fait extraordinaire, paraît-il, dans la revue de Joséphine Baker. Revenu en Amérique, Joffrey, danseur, chorégraphe, metteur en scène, peintre et décorateur, avait monté la comédie musicale *The Wiz*, transposition du *Magicien d'Oz* (on se souvient du film avec Judy Garland et du remake avec Diana Ross et Michael Jackson). Joffrey s'en était donné à cœur joie pour travestir sa troupe noire en lion, en épouvantail, en magicien... La production, depuis trois ans, faisait le plein sur Broadway et n'avait pas remporté moins de sept « Tony Awards » (les « Oscars » du théâtre). J'étais très emballée. D'abord, parce que j'aime les contes de fée. Ensuite, parce que la production était somptueuse. Il s'agissait de la transporter et surtout de trouver les acteurs noirs qui, à Paris, pourraient m'entourer.

Robert Manuel, qui était aussi le directeur artistique du théâtre Marigny, avait le cadre tout trouvé, idéal, et m'encourageait : avec lui, je perdais mes complexes. Je me sentais prête à jouer la comédie. Les chansons étaient ravissantes. Joffrey vint plusieurs fois à Paris. Et ce fut l'impasse. Une première adaptation n'était pas satisfaisante. Une seconde traîna... les accords avaient du mal à se faire quant aux dates et à l'exigence d'un travail aussi colossal. Le conte de fées n'eut pas lieu.

C'est peut-être ce qu'il y a de plus frustrant : le nombre de projets ébauchés, plus qu'ébauchés même. Dans sa tête, on les voit déjà réalisés. Et le grain de sable se met dans l'engrenage.

Peu après cela, nous avons beaucoup rêvé, Thierry Le Luron et moi, de devenir partenaires dans une entreprise de ce genre. Certes, en quelque sorte, nous l'étions déjà, Mireille Mathieu faisait partie de son spectacle sous la forme que l'on sait ! On m'a souvent demandé si j'étais gênée, choquée, de me voir ainsi imitée et brocardée. Ce qui me paraît beaucoup plus ennuyeux, c'est quand on ne vous imite pas ! Pour ce qui est d'être brocardée, chinée, épinglée, raillée, j'ai maintenant vingt ans d'entraînement... Dans ce sens, l'hommage le plus généreux qu'on ait pu me faire, c'est Chez Michou, à Pigalle. Michou n'a pas lésiné : il y avait dix travestis perruqués et habillés comme moi qui entraient en scène !

De Thierry, j'admirais sa voix exceptionnelle qui aurait pu en faire un roi de l'opérette.

« Mais je suis trop petit ! A part toi, aucune femme ne peut jouer avec moi : elle me mange sur la tête ! »

C'est vrai que, par la taille et la voix, nous pouvions faire à la scène un couple charmant. Restait à trouver le sujet, le temps, car lui comme moi avions un emploi du temps enchaînant les représentations, les galas, les tournages.

« Je crois que j'ai une idée... », me dit-il un soir, après sa représentation à Marigny.

Il n'eut jamais le temps de me la dire [1].

Sous verre, encadré, j'ai l'autographe le plus précieux peut-être.

C'était un soir à Londres. Dans un restaurant, je dînais avec des amis quand je vis un grand étonnement dans l'œil de mon voisin d'en face, et je sentis une main se poser sur mon épaule. Je me retournai et, avec stupéfaction, je vis Charlie Chaplin.

Sans doute avait-il suivi les « Nights at the Palladium » que je faisais régulièrement à la télévision... Toujours est-il qu'il prit le menu sur notre table, sortit son stylo, dessina d'un trait la silhouette immortelle de Charlot et écrivit dessous : « I love you, Mireille. »

Je suis restée sans voix : jamais déclaration ne m'avait plus fait plaisir. Il avait les yeux brillants, amusés. Je le trouvais très beau sous ses cheveux blancs. Et il est parti, muet, comme dans ses films qui nous faisaient tant rire à l'école de Mme Julien.

---

1. Thierry Le Luron est mort le 13 novembre 1986. Dans nos cœurs, il est irremplaçable.

Si on me demande quel est mon objet préféré ? comment répondre ? Ils sont tous porteurs de souvenirs. Il y a, par exemple, non loin de l'autographe de Chaplin, le masque de Molière. Il est en forme de loup vénitien, peint tout en or. Tous les élèves de Robert Manuel le portaient devant leur visage sur la scène de l'Espace Cardin lorsque nous lui avons fêté ses cinquante ans de théâtre.

Il y avait là, dissimulés, pour lui faire la plus grande surprise de sa vie, ceux à qui il avait donné conseils et amitié : Micheline Boudet, Nicole Calfan, Michel Creton, Enrico Macias, Jacqueline Maillan et Line Renaud (qui jouèrent la scène d'Arsinoé et de Célimène : ce n'était pas triste !), Serge Lama-Napoléon, Sabine Azéma, Michel Duchaussoy, Claude Giraud, Merkès et Merval, Jean Piat qui joua les élèves retardataires, Jean-Luc Moreau, le professeur... Charles Level avait écrit pour François Valéry la parodie de sa chanson *Emmanuelle,* devenue *C'est Manuel* et, pour moi, *Molière* que je garde à mon répertoire :

Le fils du tapissier s'appelle Jean-Baptiste
Et il a décidé de devenir artiste
Au lieu d'être patron de quelques apprentis
Il sera simplement valet de comédie

Manuel était si ému, heureux...

Il y a des fêtes, plus intimes encore, qui sont aussi inoubliables. Pour l'un de mes anniversaires, alors que nous enregistrions à Munich, Johnny avait retenu un étage chez Käfner, le restaurant le plus célèbre qui distribue ses salons du premier étage au grenier.

Un journaliste a dit : « La bande à Mireille, c'est Cancer et compagnie. » C'est vrai : Matite, Nadine, Mourousi, Line Renaud, Pierre Cardin... nous sommes nés à quelques jours d'intervalle.

La salle qui nous était réservée était ornée de banderoles. Dans nos assiettes, nous trouvions un petit cœur sculpté dans le bois, portant notre nom et un ruban tricolore... C'est lui qui a pris place dans mon musée.

Nos invités allemands — le directeur de la firme de disques, l'éditeur, l'avocat, les Bruhn bien entendu — et nos amis venus de Paris, tel Michel Audiard, n'en revenaient pas : les énormes plats munichois, généralement arrosés de bière, avaient fait place à douze recettes nouvelle cuisine, importées (et surveillées de près) par Johnny, accompagnées d'un dom Pérignon rosé. (Quand j'ai été cambriolée — eh oui, ça m'est arrivé aussi ! — ce que j'ai regretté, ce ne sont pas les bijoux mais ma caisse de dom Pérignon rosé !)

Il nous avait mis en forme. Au dessert, je me levai et je me mis à chanter... *La Marseillaise.* Je préfère ça à « Happy birthday » ! Nos amis allemands, d'abord surpris, l'entonnèrent à leur tour. A pleine voix. Toute la maison résonna de Rouget de Lisle. On devait en faire une tête dans les autres salles... !

C'est vrai : j'ai le cœur tricolore.

Cependant, si je devais n'emporter qu'un seul objet sur une île déserte, comme me le demanda un journaliste, ce ne serait pas le buste de Marianne pour lequel j'ai posé — comme Brigitte Bardot et Catherine Deneuve — et qui orne quelques mairies... J'ai gardé de mes séances de pose chez le sculpteur Aslan un souvenir fascinant : se voir surgir du crayon d'un artiste, puis de la terre glaise... c'est aussi une nouvelle naissance.

Mais le seul objet, qui ne me quitte pas, est le chapelet que me donna le pape Jean-Paul II à l'issue d'une messe privée célébrée très tôt le matin, à laquelle assistaient quelques artistes, dont Ursula Andress.

Je n'avais pas dormi de la nuit, debout à 4 heures, pour être sûre d'être au rendez-vous pieux de 6 heures. J'avais sur la tête la mantille de dentelle noire qui avait été celle de la mamet...

Après le service, Sa Sainteté nous reçut en audience privée.

« Vous êtes la chanteuse de l'amour et de la paix... soyez bénie. »

Le lendemain soir, j'étais l'invitée d'honneur du festival de la Chanson religieuse, ce 14 novembre 1983, qui se déroulait au Vatican même. Devant Jean-Paul II, j'ai chanté *Mille colombes, Santa Maria de la mer* et *Un enfant viendra...*

Viendra-t-il ? On pourrait le croire à voir la collection de petits jeux qui font moins partie de mon « musée » que de ma vie quotidienne. Lorsque je ne suis pas en voyage, dans l'attente d'autres souvenirs qui continueront de s'ajouter à ceux-ci, c'est ainsi que je vis, chez moi : j'y suis bien, c'est ma coquille et mon noyau, moins je sors et moins je veux sortir, je me prépare dans mon cocon et ne deviens chrysalide que lorsque je chante. Et dans mon cocon, que fait-on ? Eh bien, lorsque j'ai bien travaillé, je joue. Avec mes jeux de patience. Ces jeux de billes minuscules qu'on peut mettre dans son sac et sortir dans les avions pour oublier où l'on est. Ces casse-tête qui sont parfois authentiquement chinois... ces cubes qui font des constructions bizarres...

Avec les amis, il y a le Scrabble où je deviens forte et, quand je suis seule, les mots croisés auxquels je dois un peu de vocabulaire... Et puis, il y a le tiercé.

Nadine a pour mission de porter nos paris. J'adore gagner. Les gains, je les verse à Perce-Neige, l'œuvre de Lino Ventura pour les jeunes handicapés. Lino était l'un de nos amis proches. Combien de cures avons-nous faites ensemble à Quiberon ? Combien de rencontres dans un home d'enfants ? Je resterai toujours près de sa femme Odette pour l'aider dans sa tâche, comme je le peux. Je n'ai pas d'enfant... mais j'ai tous les autres.

2.

MES PRÉSIDENTS

Partant de New York avec un long paquet sous le bras que je portais précautionneusement, je fus questionnée par un douanier :

« Qu'est-ce que c'est ?

— Attention ! ça casse ! C'est la Liberté ! »

La dame au flambeau qui éclaire le monde, en biscuit de Sèvres, m'a été offerte en souvenir de « la fête du siècle » sur le *Maxim's* des mers, ancré devant elle, au cours d'un dîner où mes voisins étaient Esther Williams et le prince Albert de Monaco. Intacte et immaculée, « Elle » est désormais à l'abri dans mon petit musée.

Tricolore, mon cœur l'était plus que jamais en répétant avec Andy Williams notre duo pour ce centenaire de la statue de la Liberté. Un centenaire qui allait nous rajeunir tous les deux de vingt ans. Chaque fois que je revois Andy, je ne peux m'empêcher de penser à son émission de fin d'année (qu'il fait toujours...), vue d'un bout à l'autre de l'Amérique et qui me révéla en décembre 1966. Ce 18 juin 1986, nous arrivions dans sa maison de production, cachée dans les arbres, dans un de ces quartiers verdoyants de Los Angeles, et où, à l'étage, il a organisé son studio de travail.

Son orchestrateur présent se mit aussitôt au travail avec mon chef d'orchestre Jean Claudric. Andy et moi, nous nous faisions la voix, moi sur les paroles françaises, lui sur la version américaine qui se répondaient de couplet en couplet :

On s'est battu France Amérique
Pour la construire, il y a cent ans...

Pour nous faire honneur, peut-être, Andy soignait sa mélancolie de crooner au beaujolais villages. C'est verre en main qu'il répéta, avec toujours cette voix chaude qui a fait se pâmer deux ou trois générations de dames.

En deux heures de travail, tout était au point.

« O.K. Mimi... à dans quinze jours ! »

Car je partais le lendemain pour le Mexique et le Mundial.

Quinze jours après, pour revenir en temps voulu, Miguel Aleman, le président-fondateur de Televisa, la chaîne mexicaine, me prêta son jet personnel afin de voyager de nuit, après l'émission en direct de Mexico. Il n'y avait plus à cette heure de ligne régulière.

On arriva à 6 heures du matin à Kennedy Airport, puis dans un New York déjà en effervescence où rappliquaient quatre millions de visiteurs pour l'événement.

A 16 heures, nous partions, pris en charge par l'organisation formidable, à l'américaine, mise en place pour le centenaire. Je m'attendais à quelque chose d'énorme, mais mon imagination n'avait pas été jusque-là...

Notre voiture nous laissant sur la berge, nos badges bien en évidence, nous embarquons en même temps que trois cents personnes. Car il y a quelque deux mille participants... enfants, danseurs et chanteurs, choristes, *chorus line,* habilleurs, maquilleurs, régisseurs... pour l'énorme fresque musicale retraçant l'histoire des immigrants. Il y a aussi les hommes de troupe pour la parade. On se sent un peu perdus, Claudric, Johnny, Matite, quatre amis badgés « suite de Miss Mathieu » et moi. Erreur : au débarquement, sur l'île du Gouverneur, chacun est dirigé sur les bus adéquats, et un chauffeur de minicar cueille « la bande à Mireille », déclinant par radio l'identité de chacun.

On passe plusieurs cordons de police avant d'arriver enfin à notre « enclos des stars », non loin du lieu scénique.

Des tentes somptueuses, en bordure de l'eau, abritent des buffets et rafraîchissements permanents (c'est le « Green

Room »), les loges de maquillage, de coiffure, des aires de repos... Tout à côté, le parking des caravanes, servant de loges aux vedettes et sur lesquelles brillent les noms de Liz Taylor, Frank Sinatra, Gregory Peck, Shirley Mac Laine, Neil Diamond... Etant donné la longueur du spectacle, on partage à deux les caravanes ; moi, par exemple, ouvrant en quelque sorte la cérémonie, je me retrouve avec Debbie Allen qui n'apparaît que beaucoup plus tard, dans la fresque musicale. Debbie est la nouvelle star noire de Broadway qui a ramassé déjà plusieurs trophées pour son interprétation de *Sweet Charity*. Ce n'est donc pas dans *notre* loge que nous bavardons mais dans le Green Room. Debbie est venue avec sa famille : la mama qui lui sert d'habilleuse ; la sœur, de coiffeuse (comme Matite !) ; le frère, de régisseur et un cousin, je crois, de secrétaire.

Dans le Green Room, je retrouve Liza Minnelli... et, tout à coup, je me demande si c'est vraiment Liz Taylor qui vient nous rejoindre tant elle a repris la ligne de ses vingt ans, une taille que l'on peut serrer dans deux mains.

A cette heure, on nous sert le thé et, plus tard, on y dînera au gré, car la répétition va durer toute la nuit... Deux soirs de suite, nous vivrons la même aventure. Sinatra reste un peu à l'écart, au calme. Il sort de l'hôpital. On fut même, je crois, fort inquiet à son sujet.

Il rassure les amis qui lui posent des questions :

« Regardez, je vais bien ! Etes-vous si pressés de m'enterrer ! »

Le grand manitou de ce « Liberty Show » retransmis dans le monde entier est celui qui a réalisé les jeux Olympiques, David Wolter. Il a un staff de quatre cents personnes. On le repère à sa casquette de base-ball et à sa barbiche blanche. Il a engagé Gary Smith, le metteur en scène des shows de Sinatra.

Onze tours d'éclairage cernent l'hémicycle où prendront place plus de trois mille spectateurs privilégiés, officiels et généreux donateurs qui, avec 250 millions de dollars, ont permis la restauration de « Lady Liberty »... Pour le moment, « Elle » reste invisible dans le noir de la nuit. Andy et moi sommes au pied des tribunes où siégeront les présidents Reagan et Mitterrand. Après une parade spectaculaire des marines et l'ouverture de la garde républicaine (la nôtre !) nous montons tous les deux le grand escalier de la scène en forme d'étoile...

« Le vent souffle dans la rade souvent, me dit Gary Smith. Il va peut-être vous gêner.

— Oh ! vous savez, moi, je suis née dans le mistral... Alors, le vent et moi, on se connaît ! »

Lumières. Musique. Andy et moi partons au même pas pour nous retrouver en haut des marches :

La Liberté sur l'Atlantique
Défie le temps...

Notre public, ce soir, n'est formé que de l'équipe technique des garde-côtes et des artistes... Ils applaudissent. Deux figurants ont pris les places qu'occuperont les présidents dans leur tribune. Et, comme eux, ils appuient sur les deux boutons qui commandent un étonnant dispositif : la nuit noire est soudain illuminée et surgit, en face de nous, sur l'autre île, la sienne, la statue de la Liberté, ou plus exactement d'abord son socle, flambant rouge, puis le piédestal s'irradiant de bleu, et enfin, la Lady à la torche, blanche, irréelle, flamboyante. C'est si saisissant que tous les assistants, comme un seul homme, se lèvent et crient : « *Hurrah !* »

Le jour J, il y a un peu plus de nervosité et encore plus de contrôles. Les services de sécurité sont décuplés.

Les journalistes n'ont absolument pas accès à l'enclos des stars, qui, dans cette agitation, reste un havre bien reposant. On est entre nous, on bavarde show-biz, chansons, chiffons. La presse est parquée dans un autre enclos, équipé de tous les moyens de transmission pour diffuser à leurs journaux, radios et télévisions. De temps en temps, on vient chercher quelqu'un d'entre nous : c'est le moment de sa conférence de presse. Une voiture transporte la star dans l'enclos des journalistes : elle devient leur chose. Les journalistes, à leur aise, peuvent l'interviewer, la photographier, la filmer sur les podiums et sur toutes les coutures. Cela peut durer une heure... Quand c'est mon tour, ce qui les passionne, c'est ma robe de Cardin, bleu drapeau, longue et drapée de telle façon que je me sens prête à m'envoler comme ma voix... Comme toutes les nations sont représentées, je chante ici en espagnol, là en anglais, plus loin en allemand, en italien et en français pour faire plaisir à tous les micros...

Nous sommes arrivés au début de l'après-midi et en quelque sorte prisonniers dans notre île : pas question de retourner à terre. Gary Smith avait raison : le vent se lève... Ce n'est pas la raison pour laquelle l'île, survolée pendant les répétitions d'hélicoptères et même de saucisses publicitaires, a retrouvé un ciel vierge. Ce sont les consignes de sécurité. L'heure H approche.

Bien que nous soyons au mois de juillet, au fur et à mesure que le soleil baisse, le froid monte. Le Green Room offre heureusement des boissons chaudes et, comme d'habitude, j'ai ma Thermos avec mon tilleul au miel.

Les présidents sont arrivés : Ronald et Nancy se tenant par la main, comme des amoureux, décontractés; le président Mitterrand et sa femme, très sérieux, officiels... La fête commence...

A côté du vent de New York, notre mistral est un plaisantin. Je ne sens plus ni mes cheveux ni ma robe, c'est comme s'ils m'avaient quittée !

« Que vous ayez pu chanter en direct, me dit Gary à la sortie de scène, c'est un miracle ! »

Mais maintenant que c'est fini, je sens le froid qui me pénètre. Je suis glacée. Or, le protocole veut que personne ne quitte l'île tant que les présidents sont présents.

La cérémonie est d'autant plus interminable qu'il y a remise de médailles à des personnalités ayant choisi la nationalité américaine, tels que Peï, l'architecte de notre pyramide du Louvre, Kissinger, Bob Hope, Elie Wiesel, le violoniste Pearlman... Quant à Baryschnikoff, il se chauffe les muscles dans le Green Room en attendant sa prestation. Sa nationalité, il l'étrenne aujourd'hui même ayant prêté serment en même temps que 39 999 autres personnes !

Nous devons prendre l'avion le lendemain matin et, de ce fait, nous obtenons le passe-droit de quitter l'île... Nous voyons la suite de la fête, bien au chaud, devant notre poste de télé, comme la majorité des Américains : François Mitterrand et Ronald Reagan appuient sur les boutons de commande et la Liberté jaillit, superbe dans la nuit, tricolore...

Le lendemain, nous ne verrons pas « la parade navale du

siècle » à midi, avec non seulement les gros navires, mais les plus petits bateaux, assiégeant le port de New York. Notre voiture suivant la berge, nous les croisons qui arrivent par centaines. Ce sera sûrement grandiose, mais nous ne pouvons pas rater le Concorde, car, ce soir même, je dois être à Rome, pour chanter demain devant le président de la République italienne. Trois présidents en quarante-huit heures... Je bats tous les records !

A Roissy, avec le décalage horaire, il était 22 h 30 quand le Concorde stoppa sur la piste où m'attendait, minuscule, juste à côté, un Mystère 20... Transfert de nos bagages et... on arriva à Rome à 1 heure du matin, pour reprendre une voiture, faire quatre-vingts kilomètres et aboutir à Fiuggi, la jolie petite ville thermale où avait lieu le lendemain la remise des grands prix nationaux des Arts et des Sciences.

Quel changement : après le bouillonnement de New York — les fanfares, les drapeaux, la Liberté partout, en insignes, en tee-shirts, en affiches, et, même dans le hall de notre hôtel, en chocolat, de trois mètres de haut... ! — c'était, dans la chaleur d'un vrai été, sans vent ! le charme d'une petite cité italienne. Et dans un parc ravissant, après la remise des prix, après l'Orchestre de Londres dirigé par Lorin Maazel et les chœurs de Sainte-Cécile, après le dîner pour six cent cinquante convives sous les tilleuls qui embaument, mon récital, avec mes danseurs et musiciens, arrivés l'avant-veille de Paris.

Le ministre des Affaires étrangères, étant un fan — il possède tous mes disques, même les plus anciens —, avait établi le programme : des chansons en cinq langues pour faire plaisir au corps diplomatique invité.

Le président, Francesco Corriga, me dit :

« Ainsi, je suis votre troisième président ?

— En date seulement, monsieur le Président ! »

Et pour les dernières quarante-huit heures... car moins de trois mois auparavant, première chanteuse étrangère invitée... je chantais devant le gouvernement chinois.

Lorsque le 26 avril, dans le salon de l'aéroport, devant une brochette de personnalités venues nous accueillir, j'entendis par le truchement de l'interprète : « Depuis 1979, on vous espère ici ! », je calculai que cela faisait sept ans, que c'était mon bon chiffre et que cela allait bien se passer. Au sens propre, on avait déroulé le tapis rouge.

J'étais accompagnée de trente-cinq personnes : Matite, Johnny escorté de son médecin (car jusqu'au dernier moment, on avait craint qu'il ne puisse partir, très fatigué par une affection pulmonaire), ma fidèle maquilleuse de la T.V. Lily, une équipe de télé, le petit groupe de musiciens qui devait se joindre à l'orchestre symphonique de Pékin, ce qui ne laissait pas de nous inquiéter.

Quinze tonnes de matériel nous avaient précédés, dont la machine à faire de la fumée qui avait intrigué énormément les douaniers. Enfin Jacques Rouveyrollis, le technicien de la lumière, avait pu sortir ses trois cent cinquante projecteurs... et quand nous sommes arrivés dans l'immense théâtre du Palais des Expositions, tout était prêt et l'orchestre au garde-à-vous.

Ce théâtre, bâtisse léguée en quelque sorte par Moscou à Pékin au temps de leur lune de miel des années 50, c'est du monumental. Le seul ennui est qu'en coulisses les loges n'existent pas !

On m'installa donc, avec beaucoup de salutations et de gentillesse, dans un énorme foyer à fauteuils profonds, destiné à recevoir les célébrités à l'entracte. On mit un grand paravent pour me faire mon coin d'intimité. Je pouvais m'y habiller, Lily me maquiller, mais il n'y avait naturellement pas dans ce salon l'ombre d'un lavabo ! Pis : les seules toilettes étaient à la chinoise, c'est-à-dire ne fermant pas et communes... On a beau ne pas être bégueule, cela fait un effet singulier de n'avoir aucune « privacy », pour faire certaines choses ! Apparemment, cela ne gênait aucunement les petites musiciennes chinoises passant même, pour changer de costume, toutes nues. C'est un des contrastes de la Chine : on est pudique dans la rue au point qu'on n'y voit jamais un couple d'amoureux s'embrasser, mais derrière les murs... la nudité n'a rien de choquant, puisqu'elle est naturelle et innocente.

L'autre surprise fut la qualité de l'orchestre familiarisé tout de suite avec la guitare de Nicolas de Angelis, la batterie d'Arpino, le clavier de Planchon. Autre surprise encore : j'étais envahie par les œillets, en Chine, porte-bonheur. Je ne pouvais pas les renvoyer, évitant de porter mes regards sur des fleurs qui, dans nos théâtres, ont la réputation de porter malheur. Mais je suppliai Rouveyrollis de faire changer les rideaux de scène : ils étaient verts. C'en était trop !

Le théâtre du Palais, pris dans un énorme complexe, jouxte le zoo où j'appris que des pandas étaient hébergés. Il est un symbole, comme chez nous, de la protection de la nature. Suivie de l'équipe de télévision, je partis à la découverte des pandas. Malheureusement, on ne put jamais y parvenir, tant il y avait foule...

Elle est partout. Devant la façade du théâtre, une de mes affiches était rédigée en chinois, on trouva amusant de faire des photos. Mais à peine avions-nous stoppé devant elle, nous nous sommes trouvés environnés par trois cents, puis cinq cents, et je ne sais plus combien de Chinois, posant leur bicyclette en vitesse pour voir ce qui se passe. Alors que je suis angoissée terriblement dans une foule, la foule chinoise vous met à l'aise. Elle ne vous bouscule jamais. Elle fait même en sorte de ne pas vous frôler. Elle est joyeusement curieuse. Jamais agressive. C'est le pays du sourire. Un sourire qui n'a rien de la politesse japonaise, par exemple ; c'est un sourire spontané. Et les Chinoises portent toutes la frange et, en vélo, se voilent — comme moi ! — pour se protéger de la poussière et du soleil...

On fut tous frappés, en douze jours de Pékin, de ne pas entendre un enfant pleurer. L'enfant est roi, puisque la loi — datant des années terribles de famine — oblige les couples à se contenter d'un enfant unique sous peine de perdre les avantages sociaux. Alors que nous pensions ne voir que des costumes maos, la fantaisie débridée des couleurs de leurs vêtements nous amusa. Dans une école maternelle — jolie séquence pour la télévision —, le don inné des petits pour la danse et la musique nous stupéfia.

Deux jours après notre arrivée, il y avait une conférence de presse, et Maurice Portiche, notre attaché culturel, nous dit :

« Ils sont quatre-vingts journalistes... C'est inhabituel. Mais la venue de Mireille est un double événement : elle est la première artiste étrangère invitée et elle inaugure le premier gala de charité jamais fait en Chine ! »

Ce gala, sponsorisé par Air France, était donné au profit des handicapés, nombreux du fait des sévices de la Révolution culturelle. Le président en est le fils de Hsiao-ping lui-même, défenestré par la garde rouge, et toujours en traitement pour ses blessures. Il me reçut à l'hôpital militaire, dans son fauteuil roulant, me remerciant chaleureusement des 37 000 yuans (102 000 francs environ) rapportés par le gala. Cela défraya la chronique. Les réceptions étaient nombreuses : il y eut le banquet aux vingt-trois plats dans le vieil hôtel Pékin qui a gardé les splendeurs du début du siècle ; le dîner chez Maxim's offert par Cardin qui, hélas, était retenu à Paris. Il manqua ainsi le toast que je portai au général de Gaulle, sans qui je n'aurais pas été là, peut-être, et le duo où j'entraînais le ministre de la Culture avec la fameuse chanson chinoise, si populaire, à la gloire de la fleur de jasmin, *Rao hi dona lii roi...* Cette chanson, chaque soir, déclenchait les bravos, et la salle m'accompagnait en la murmurant en chœur...

Un grave souci vint m'assaillir durant ce voyage qui avait tout pour enchanter : Johnny tomba malade. Au point qu'on dut l'hospitaliser avec une fièvre intense. Son médecin qui l'accompagnait s'en remit aux Chinois : il fallait faire les examens, analyses et radios d'urgence. Une femme-médecin, directrice de l'hôpital, le prit personnellement en charge. Alors qu'il avait fallu deux hommes pour le soutenir jusqu'à la voiture et le transporter, je craignais le pire. Cependant, il fallait chanter le soir. Et aussi assumer ces réceptions officielles. Et, à l'image des Chinois, savoir sourire.

La doctoresse le remit sur pied en quatre jours. On voulut la remercier en l'invitant à l'un de mes concerts. Elle choisit son jour de repos. Or, pour des raisons d'organisation, l'horaire fut changé. On voulut la prévenir. Elle n'avait pas le téléphone. On demanda son adresse qui était fort compliquée, dans un quartier particulièrement populaire où il est difficile de se diriger. Le chauffeur ne la trouva jamais. Johnny faillit en retomber malade...

Notre dernière journée à Pékin fut un marathon insolite : il fallait à tout prix boucler, avec l'équipe de télévision, les prises de vues. Or l'emploi du temps avait été tel que je n'avais même pas eu le temps de voir ce que tout le monde voit en allant en Chine : la Cité interdite !

Ce jour-là, je mis le réveil à 4 heures. Matite me fit le shampooing et la mise en plis. A 6 heures, nous étions devant l'entrée nord de la Cité interdite où la population chinoise fait au lever du soleil sa gymnastique si particulière. C'est le « taiiji », un sport national, une discipline à la fois collective (puisque tout le monde, ou presque, jeunes gens et vieillards la pratique) et personnelle, chacun la faisant à son propre rythme sans se soucier du voisin... Cela n'a rien à voir, mais rien vraiment, avec la gym suédoise ou l'aérobic ! Les mouvements, très lents, très stylisés, ininterrompus, s'enchaînent dans la souplesse et la concentration. C'est aussi beau qu'une danse de Béjart. Etonnant de voir tout ce peuple, dans son vêtement de travail quotidien, commencer ainsi sa journée de labeur, par quelque chose que je comprends, moi, comme une prière à Celui qui nous a fait naître et nous maintient en vie. On aurait pu filmer la scène en d'autres lieux, le long des avenues, dans les parcs, la population s'exerçant ainsi partout. Mais devant la porte nord de la Cité interdite, c'est d'une beauté stupéfiante. Et puis, là, pour les télévisions, aussi bien française que chinoise, avait été prévu une démonstration particulière. Lorsque le « taiiji » est exécuté avec rapidité, ces mêmes mouvements transforment ses adeptes en combattants terrifiants. Pour être plus spectaculaires encore, la vingtaine d'exécutants chinois, pour le plus grand plaisir de la foule, étaient armés de sabres...

De là, on fila au marché des oiseaux. La révolution les fit détruire comme « mangeurs de récolte », ou comme « luxe inutile »... Aussi, aujourd'hui, deviennent-ils précieux. On voit, le matin, des Chinois promenant leur oiseau (unique, comme l'enfant) dans sa cage, pour l'entendre chanter au lever du jour...

Ce fut ensuite le départ pour la fameuse Grande Muraille, à soixante-quinze kilomètres, dans l'encombrement de la route de plus en plus intense. Tous les Chinois veulent, un jour ou l'autre, voir leur Grande Muraille, à pied, à cheval (il y a des carrioles si pittoresques avec leurs pompons et leurs décorations de papier), en voiture, à vélo...

L'arrivée à la Grande Muraille et dans le branle-bas touristique des vendeurs de souvenirs, de la chasse aux images. C'est à qui prendra ce fameux cliché avec la perspective des remparts filant vers l'horizon.

On nous avait prévenus : il y fait froid, un drôle de vent du nord.

La plupart des gens emportent leur casse-croûte en allant à la Grande Muraille. La bande à Mimi a d'autres habitudes, et on arriva dans un fort joli restaurant avec cours intérieures et plats typiques.

C'était fort bon. Mais était-ce le froid qui nous avait surpris ? la fatigue de ces derniers jours ? le fait que nous avions dans les jambes neuf heures d'excursion ? toujours est-il que cela commença avec Matite : elle se trouva mal, Johnny n'avait pas trop bonne mine non plus, ce qui n'avait rien d'étonnant puisqu'il sortait de l'hôpital la veille et qu'on lui avait fortement déconseillé d'aller se promener sur la Grande Muraille ! Une première Mercedes repartit donc vers Pékin emmenant nos deux malades.

Nous continuions pour filmer les tombeaux des Ming. A dire vrai, mis à part la célèbre Voie des Esprits, bordée des monumentales statues de lions, d'éléphants, de chameaux, de chevaux et d'animaux fantastiques, de mandarins et de militaires, ce qui laisse augurer d'autres merveilles, le tombeau ouvert au public, c'est une descente dans le métro : du béton et, à vingt-sept mètres sous terre (sans ascenseur), une salle sévère, dont le seul intérêt est dans les grandes portes taillées dans un seul bloc de marbre. Les trésors en sont partis vers un musée...

C'est dans les escaliers rébarbatifs que Lily fut prise d'une crise de tachycardie. Le médecin la réconfortait à chaque pas... La seconde Mercedes rapatria vers Pékin le toubib et sa patiente.

Mais l'équipe de télé et moi n'en avions pas fini : nous allions filmer sur la fameuse place T'ien an Men, qui peut contenir, paraît-il, un million de personnes... Elle était vide par ce froid, mis à part quelques tireurs de cerfs-volants, heureux qu'il y ait un sacré vent. L'équipe éternue, a mal au crâne, en a nettement marre. La plus valide, c'est moi. On tourne. L'interprète me montre le gigantesque palais de l'Assemblée du Peuple avec son escalier monumental : c'est ici que nous sommes invités à dîner ce soir et il me précise que « c'est un honneur extraordinaire, car seuls des chefs d'Etat et Mme Pompidou en ont bénéficié »...

L'équipe de télé déclare forfait. Elle est sur les genoux. Le dîner, pense-t-elle, ne donnera rien à l'image.

Elle se trompait. Rien que l'enfilade des salons, chacun dédié à une province de Chine, vaut le coup d'œil. Dans l'un d'eux, une table paraissait bien petite, vu les dimensions de l'ensemble, avec sa vingtaine de couverts.

Une fois de plus, il y eut des toasts. Une fois de plus, je portai le mien en hommage au général de Gaulle.

« Revenez ! me dit M. Wang Chen, le président de l'Assemblée populaire qui m'avait invitée. Tous les Chinois n'ont pas pu vous voir ! »

Lorsque j'ai revu, quelques mois plus tard, notre attaché culturel à Paris, il m'a dit :

« Savez-vous combien de vos cassettes ont été déjà vendues à Pékin et à Shanghai ? Trois millions ! »

De Chine, on a envie de tout rapporter tant son artisanat est séduisant avec ses ivoires, ses bois sculptés, ses soies brodées avec une finesse inégalable. Dans mon musée, il y a deux vases. L'un ancien et de jolie taille, d'un rouge superbe mis en valeur par l'intérieur bleu de Chine, m'a été donné par le président de la République, Li Xinnian, avec ce mot : « A Muraille (*sic*) Mathieu »... Au dessert du déjeuner que lui offrit Jacques Chirac à l'Hôtel de Ville, je lui avais chanté ma petite chanson chinoise que j'aime tant et qui m'est devenue familière : *Molli roi...*, renouant ainsi nos relations commencées à Pékin.

L'autre vase est tout petit. C'est un gobelet de porcelaine minutieusement peint : un petit pont, des arbres et quatre personnages... Je l'ai acheté au marché aux Oiseaux pour quelques yuans. Très peu d'argent pour nous. Beaucoup pour les Chinois. Cependant, le plus modeste économise pour faire ce cadeau à son oiseau en cage et y mettre son eau... l'oiseau, redevenu un don du ciel.

3.

MON DESTIN

L'année 1986 de mes vingt ans de chansons, commencée au Palais des Congrès à Paris, allait s'achever dans un autre palais, royal celui-là, à Rabat...

Mon récital à la cour du Maroc devait être empreint de mystère. En effet, il s'agissait d'une soirée très privée que donnait le roi Hassan II. En fait, nous étions à Marrakech depuis plusieurs jours déjà, sans savoir exactement où et quand aurait lieu la réception. A Marrakech, dont le roi adore le palais, à Fez, ou à Rabat? On nous avait demandé la plus grande discrétion. L'hôtel de la Mamounia était bourré, à cette époque de l'année, d'un Tout-Paris venu réveillonner au soleil. Il y avait même un gala prévu dans l'hôtel et chacun s'imaginait que j'étais venue pour cela. Nous attendions les ordres...

En attendant, ce n'était pas désagréable de retrouver Marrakech, sa palmeraie, son charme fou, et quelques amis dont Patrick Sabatier. Cela nous permettait de préparer, au bord de la piscine, l'émission « Grand Public » qu'il prévoyait pour janvier. Dans le jardin tout proche, soixante jardiniers repiquaient du gazon à la main, délicatement, au pied des mandariniers et des orangers, dans l'odeur entêtante des iris et des narcisses...

Enfin, des précisions et des ordres arrivèrent. Des voitures aussi, pour nous transporter à Rabat, le roi nous attendait.

C'était donc le 30 décembre. Nos chambres étaient retenues

au Hilton. Notre interlocuteur du palais nous parla des goûts du roi en matière de chansons :

« Il vous a invitée : c'est donc qu'il vous aime, vous et votre répertoire... »

Le lendemain, je répétais au palais dans le grand salon oriental donnant sur une galerie de mosaïque et de dentelle de pierre. Des décorateurs s'affairaient à mettre des guirlandes et des draperies dorées quand, soudain, il y eut un changement dans leur attitude. C'est que le roi approchait dans la galerie, prêtant une oreille à ma répétition. On me fit signe de me taire. Puis on me fit signe d'approcher. Et, dans la galerie, je vis le roi.

Il était dans une djellaba toute simple. Mais difficile de ne pas le reconnaître, son portrait ornant toutes les vitrines de la ville. Il me demanda si rien ne manquait, si j'étais à l'aise... puis s'en alla comme il était venu.

Le soir, je m'habillais dans une petite pièce, ayant l'habitude de servir de loge sans doute, car il y avait des photos des danseurs de Béjart au mur. Dans les couloirs, des gardes... On nous avait priés de n'apporter aucun appareil photo, ce qui désespérait mes onze musiciens. La vue sur les jardins était si ravissante, cette galerie si belle... le charme des choses qu'on ne revoit pas deux fois.

A 8 h 45, j'étais prête. Comme convenu. L'attente fut longue. Que se passait-il ? notre mentor venait nous rassurer de temps en temps : le roi plaçait lui-même ses invités. On entendait, derrière le rideau de la scène, un brouhaha ; le régisseur risquait un œil angoissé.

« Ils ne sont pas encore tous là. »

Enfin, il me souffla que le prince héritier de l'Arabie Saoudite était bien dans son fauteuil au centre... à ses côtés le roi Hassan venait de s'asseoir. Sur la gauche, il y avait toutes les femmes, en tenue marocaine, plus brodées d'or et chargées de bijoux les unes que les autres. Et sur la droite, tous les hommes. Entre eux, des paravents coupaient la salle en deux dans le sens de toute la longueur, ce qui fait qu'ils ne pouvaient se voir. La tradition...

Le roi fit un signe : on pouvait lever le rideau.

J'étais très émue. Je ne voyais rien, aveuglée par les projecteurs. Je devinais bien le roi, mais ce qui m'intriguait, c'était de sentir qu'il bougeait... Je l'entendis crier « bravo » et, comme un seul homme, derrière lui, les messieurs en firent autant. Matite, qui le guettait des coulisses, me dit quand je revins vers elle :

« Il applaudissait, il battait la mesure, il chantait en même temps que toi ! »

Je retournai pour les saluts. Le roi monta sur la scène avec une gerbe de fleurs et alla serrer la main de mes musiciens. Il paraissait enchanté.

Dans ma loge, j'étais en train de remettre mon sweater quand notre interlocuteur privilégié, épanoui, vint nous dire que le roi nous priait à souper. J'allais remettre ma robe de scène de Cardin quand une dame de la Cour apporta un paquet enveloppé dans un linge immaculé et superbement brodé. Elle l'ouvrit et en sortit avec délicatesse une merveille... une robe de soie fuchsia, typiquement marocaine.

« Elle a été choisie par Sa Majesté... pour vous. Vous devez la porter pour le souper... », dit notre interlocuteur.

Il s'éclipsa.

Deux servantes se précipitèrent. Elles n'étaient pas trop de deux pour me vêtir. Ce n'est pas une petite affaire : une première robe, en lourde soie brodée d'or, puis une robe de mousseline perlée, qui ne comportait pas moins de quatre-vingts boutons à petites brides... ! J'étais paniquée :

« Mais ne suis-je pas trop petite pour porter cela ?

— Mais non ! me dit la dame d'honneur. Elle fait traîne ! vous la ramassez comme ceci... »

Et elle me montra comment il fallait la saisir à pleines mains.

« Et la ceinture va vous aider à la maintenir... »

Une autre dame arriva avec un étui de daim gris perle d'où elle sortit une ceinture dorée. Pesant ainsi quelques kilos de plus, comptant mes pas en ayant peur d'en faire un faux, je revins sur scène.

Le roi vint m'y chercher, me fit descendre les marches, et me présenta — non aux hommes ! — mais aux dames, c'est-à-dire, au premier rang, à la reine mère, aux princesses, ses filles, qui avaient l'air de s'amuser à me voir ainsi en dame marocaine...

Assise parmi elles, j'assistai au ballet haïtien que le roi apparemment apprécia beaucoup puisqu'il prit lui-même les percussions pour scander le rythme... Puis ce fut l'heure du souper. Par la fameuse galerie, je fus entraînée par les dames... Je me demandais bien où était Johnny. Les hommes avaient disparu. Je ne le vis pas davantage dans la salle à manger, car nous étions dans celle des femmes. Seul le roi y avait accès. Il nous servit lui-même, portant gaiement un plat à notre table, c'est-à-dire celle des princesses.

A la fin, il réapparut pour nous accompagner jusqu'au bout de la galerie. Il avait adoré *La dernière valse.* Il me suggéra de reprendre des vieilles chansons françaises et il me dit :

« Je serais un très bon imprésario ! »

Il égrena un chapelet de titres de chansons qu'il aimait, des *Feuilles mortes* à *Padam Padam.* C'était ses souvenirs d'étudiant en France qui lui revenaient en tête...

La robe marocaine ceinturée d'or a rejoint dans mon petit musée les objets qui me rappellent un souvenir heureux... Par exemple, le tapis que m'a offert Farah Dibah. C'était le temps où elle était impératrice d'Iran.

J'étais arrivée avec un lionceau qui avait voyagé en avion dans une cage très spéciale, cadeau pour le petit prince que nous avait donné le comte de La Panouse, propriétaire de Thoiry. Aussitôt arrivés à l'hôtel de Téhéran, nous avons mis le bébé lion en liberté. Il était joueur comme l'un de nos chiens...

Non, moi, je n'ai pas de chien. Comment pourrais-je faire à un chien une belle vie de chien ? Mais j'en ai donné deux superbes à mes parents, achetés chez un éleveur du Canada, près d'une réserve d'Indiens où j'avais été invitée. J'ai eu le coup de foudre pour ces mamalouks qui tirent les traîneaux et sont à moitié loups. Il y avait un champion, Satan, qui gagnait tous les concours et arrivait à tirer une tonne ! J'ai fait l'acquisition d'une fille de Satan, Tonka, et du petit mâle Okiouk. Mais comment ramener les chiots alors que ma tournée continuait ? Un des régisseurs, établi au Québec mais belge d'origine, voulait faire son voyage de noces en Europe. Johnny lui offrit le voyage, à condition... qu'il ramène les chiens. Ils sont donc partis, eux aussi, en voyage de noces, Tonka et Okiouk, quittant le pays de la neige pour Avignon et son soleil. Ils sont toujours là, fidèles, magnifiques, avec leurs fameux yeux bleus.

Le petit lion, donc, était affectueux. Il dormit sur mon lit. Dans l'après-midi, Johnny, qui regardait un match de football, eut soudain le petit lion sur ses épaules... Enfin, vint le moment du rendez-vous au palais d'Eté. Nous voici partis avec le lionceau... Le petit prince, qui avait neuf ou dix ans à l'époque, le découvrit, ravi, heureux, prompt à jouer avec lui.

L'impératrice était la simplicité même. Ce qui ne l'était pas, c'était le décor. Elle me demanda si un peu de thé me ferait plaisir. On apporta les tasses sur des plateaux magnifiques et... le sucre. C'était la première fois que je voyais du sucre qui avait été cassé au marteau et le pain de sucre reconstitué en pyramide... C'était très artistique. La pince était à côté. Je réalisais que, l'émotion aidant, si je prenais la pince, en essayant de dégager un morceau, j'allais tout faire tomber. La panique. Alors, je dis :

« Non, merci, Majesté, pas de sucre. »

Et je vis la chahbanou sourire et prendre un morceau... avec ses doigts.

C'est au cours de la soirée à l'Opéra, donnée devant le corps diplomatique, que je fus présentée au chah. La chahbanou était alors en robe d'apparat, avec le même sourire. Mais l'image qui me reste d'elle est plus familière... prenant le sucre avec ses doigts, tandis qu'un lionceau joue sur le tapis avec le petit prince.

Le lendemain, changement de décor : je chantais sur un ring, au centre du Palais des Sports ! Il était comble. La représentation était donnée au profit des handicapés. Et cette fois, dans la tribune d'honneur, se tenait la petite princesse. Toute seule. Dans sa loge. Entourée de trois cents gardes du corps.

Je suis partie de Téhéran en emportant le cadeau de Farah, ce tapis, assez semblable à ceux qui étaient éparpillés dans le salon où nous avons pris le thé. Et chaque fois que je le regarde, il me semble voir un petit lion se rouler sur le dos, les pattes en l'air, taquiné par un petit garçon heureux...

J'étais pauvre, je ne le suis plus ; je chante pour les riches, je chante pour les pauvres. Chacun de mes voyages me rapporte des souvenirs, parfois très modestes, parfois précieux. Par exemple, ce samovar ancien que j'ai pu sortir d'URSS avec les papiers en règle, car c'est un cadeau du ministère de la Culture. Un jour m'avait échappé le souhait :

« Ah ! je ne trouve rien de plus beau qu'un samovar ! mais, hélas, on n'en trouve pas ! » (Si, des tout neufs, avec des prises électriques...)

Il me fut remis cette année à la suite des trente récitals que j'ai donnés dans les Palais des Sports de Moscou et de Leningrad, devant, respectivement, 20 000 et 18 000 spectateurs chaque soir. Le film, heureusement, existe, témoin de cet étonnant public à la fois recueilli et chaleureux. Des « groupies » (je ne connais pas le mot en russe !) m'ont suivie dans les deux villes. Les adieux ont tourné à l'hystérie. Je ne m'y attendais certes pas. Comment imaginer cette scène, à l'aéroport de Leningrad, où essayant de m'empêcher de passer, se jetant sur la voiture, on vit une jeune femme qui avait gravé mon nom, Mireille, sur son avant-bras. Au couteau.

Le plus humble des souvenirs est cette fleur en papier venue de très loin, d'Oaxaca, Mexique. C'était il y a trois ans... Cela commença par un coup de téléphone :

« Allô ? Mireille ? c'est François. »

Reichenbach. Je suis habituée. Il disparaît durant des mois, puis il appelle, parfois du bout du monde. Cette fois, il était au Mexique et voulait filmer un Noël extraordinaire dans une petite ville qu'il adorait.

« Cela fera un film étonnant. Je voudrais que tu y sois. »

Exceptionnellement, l'emploi du temps pouvait s'aménager. Nous voilà partis pour Mexico. En arrivant au Camino Real, l'hôtel où nous descendons toujours, et où nous avions rendez-vous, on nous dit :

« M. Reichenbah est parti filmer les sorciers depuis deux

jours. Il s'excuse. Il a eu une panne de voiture. Il sera de retour demain. »

Le lendemain, pas de François, et nous commençons à déjeuner vers trois heures. Il arrive au milieu du repas :

« J'ai tout arrangé. Nous filmons demain. J'ai loué un avion... »

Nous nous regardons, Johnny et moi. Le lendemain, on arrive à l'aéroport. L'avion était un vieux coucou. De toute façon, avec Lily, la maquilleuse, ma sœur, les assistants de François et deux amis qui nous accompagnaient, nous ne pouvions pas tous entrer à moins de s'accrocher aux ailes.

« Ça ne fait rien, dit Johnny. Moi aussi, j'ai tout arrangé... »

Il avait loué de son côté un Beechcraft flambant neuf, deux moteurs, sept places. Le nôtre démarre... celui de François, non. Il n'a pas pu décoller. Ou plus exactement, on ne l'a pas laissé décoller : il n'était pas conforme aux normes de sécurité !

A Oaxaca, l'hôtel avait bien été réservé. Il était rustique mais sympathique. On a attendu François. Il est arrivé enfin, avec ses assistants. Et le 23 décembre, on a tourné dans le marché de la ville. En cette veille de fête, le marché, déjà réputé en temps ordinaire, devenait un spectacle ahurissant. Les Indiens descendaient de la montagne avec leurs produits, les poteries, les vanneries d'une finesse étonnante. Cela grouillait... dans les couleurs, les odeurs d'épices.

« Vous n'avez rien vu ! » disait François s'efforçant d'être partout à la fois...

Oaxaca, vu sa situation au cœur d'une des plus sauvages contrées du Mexique, n'a pas été envahie par l'industrie, le modernisme. Elle a gardé son charme colonial, sa pureté. François nous entraîna vers les pyramides de Monte Albán, dressées sur une vaste esplanade à deux mille mètres d'altitude. C'est le lieu qui nous a impressionnés le plus dans un pays qui ne manque pas de merveilles. François me fit faire tout un parcours... De temps en temps, il s'arrêtait pour dire : « Quelle émotion ! quelle émotion ! », jusqu'au moment où son assistant lui dit : « François... on ne peut plus tourner. Il n'y a plus assez de lumière ! »

Le lendemain, nous voilà repartis pour Monte Albán, avec

un minibus qui transportait, cette fois, toute l'équipe et plusieurs caméras. On avait décidé que je chanterais une chanson dans ce paysage étonnant... Mais il fallait reprendre la route de montagne et, en cette veille de Noël, on croisa des cars qui, prévus pour quarante personnes, en transportaient quatre-vingts... ! A un moment donné, notre chauffeur, en évitant l'un d'eux venant en sens inverse, nous fait nous retrouver les roues arrière dans le vide d'un ravin... François était dans une voiture devant nous ; il stoppe, sort avec sa caméra, criant :

« C'est superbe ! Descendez ! je filme !

— Mais tu es fou, François, il y a le ravin ! »

Rien ne pouvait l'arrêter dès qu'il avait la caméra à l'œil. On descendit avec précaution, ayant peur que ce maudit car ne bascule dans le ravin parmi les chèvres ! Mais, justement, c'est que François voulait aussi les chèvres !

Le soir était celui de la paix tranquille, la veillée de Noël. François avait repéré, parmi les églises, la plus pauvre, la plus délabrée. Après trois quarts d'heure de route, sous un beau clair de lune, mis là tout exprès, semblait-il, on découvrit ce qu'il nous réservait, dans ce village.

L'église avait dû être belle. Mais le sol en était à moitié défoncé. Le *padre* nous attendait sous le porche surmonté d'une croix... de néon. On entra. L'église était encore vide et les guirlandes de papier ne masquaient que difficilement les peintures écaillées. On prit place sur les bancs très vieux. On attendit. François et ses assistants équipaient l'église de leurs projecteurs... Nous étions arrivés à 10 heures... C'est vers minuit moins vingt qu'ils commencèrent à arriver...

On entendait très loin des chants qui peu à peu devenaient plus précis, plus proches... Des Indiens arrivaient, tous pieds nus, avec leur poncho cachant la misère. La porte s'ouvrit grande et entrèrent les enfants, pieds nus aussi, souvent sales, vêtus de peu... chacun portait dans ses bras, précieusement, un coq, un agneau, des fruits... Et toujours et encore des enfants... Jamais je n'avais vu un Noël pareil... Et les chants, les chants montant de poitrines d'hommes et de femmes, et, aussi, ces voix d'enfants... nous étions tous bouleversés. François filmait dans ses lumières qui étaient, pour tous ces Indiens pauvres, un luxe jamais imaginé. François filmait... et j'essayais de chanter avec eux, mais je ne pouvais plus...

Pour la première fois de ma vie, je ne pouvais plus chanter.

Nous étions de retour à l'hôtel vers 1 h 30 du matin. Nous avions tous faim ; mais tout était fermé. Dans nos chambres, nous n'avions que de l'eau minérale et des chips. François partit à la découverte de quelque chose dans la ville. Il ne revint qu'avec quelques boîtes de conserves et des frites, trouvées dans un estaminet encore ouvert. Car toute la ville dormait en prévision de la fête du lendemain. C'est l'unique réveillon que nous ayons célébré ainsi, avec du corned-beaf et des frites froides... !

Le lendemain, Noël, c'est carnaval. Religieux, certes, mais carnaval tout de même, avec ses chars décorés, ses personnages saints... et les pétards. J'avais une veste de laine et, comme nous marchions dans l'explosion des pétards, Lily, craignant que je ne sois touchée aux jambes, ne cessait de tirer dessus. A la fin de la journée, ce n'était plus une veste, c'était un pardessus !

Quand nous avons quitté Oaxaca pour l'aéroport, François a fait stopper la voiture et a jailli avec sa caméra :

« Regardez ! regardez ! »

C'était superbe, en effet, ce panorama avec la lune en plein jour, comme cela arrive souvent...

« Descends, Mireille ! Descends vite ! C'est divin ! Quelle émotion ! quelle émotion ! »

Je descendis. C'était une très belle dernière image de notre Noël pas comme les autres à Oaxaca. J'avais à la main la fleur en papier que m'avait donnée dans la rue un petit garçon... C'est alors que l'assistant dit :

« François, il n'y a plus de pellicule dans l'appareil... »

Je n'ai donc pas cette image d'un film superbe. Il ne me reste que la fleur en papier.

Je vais souvent au Mexique. C'est un pays qui m'a touché le cœur pour plusieurs raisons. Un autre souvenir modeste est le tee-shirt « Viva Francia » que je portais pour le Mundial.

Je me revois si fière de le porter. La passion du Mundial est telle que j'ai vu des Brésiliens pleurer sur le chemin du retour de Guadalajara après leur défaite, leurs drapeaux en berne...

A mon tour, je suis revenue de Guadalajara, nos drapeaux tricolores roulés dans le bus. J'avais mis mes lunettes noires. J'avais laissé ma voix sur le stade (heureusement que je ne chantais pas le soir !). Les Mexicains sont si gentils que, lorsque nous étions bloqués dans l'embouteillage monstre, voyant nos tee-shirts « Viva Francia », ils criaient quand même : « Viva Francia ! »

Dans la certitude de la victoire, Johnny avait organisé un dîner avec l'équipe de France. Seul Michel Hidalgo est venu.

« Ils sont trop tristes d'avoir perdu », nous dit-il.

Lui-même n'était pas très gai.

« C'est triste parce que c'est une équipe qui s'arrête. Les premiers de cordée qui l'ont poussée au sommet, dans quatre ans, pour la prochaine Coupe, ils ne seront plus là.

— Alors, Platini ne sera pas champion du monde ? »

Je suis atterrée. Le sport, c'est encore plus cruel que les variétés...

« Pour le suspense, continue Hidalgo, un match, ça vaut Hitchcock. C'est la psycho qui compte.

— Quand un joueur est désigné pour un penalty, où est la psycho ?

— Il n'est pas désigné, Mireille. C'est du volontariat. Tu imagines ce qui se passe dans la tête de Fernandez quand c'est lui qui prend le risque de marquer — ou de ne pas marquer — le cinquième penalty ? C'est un sport superbe le foot : pas de mains, pas de brutalités, des qualités humaines, c'est pour ça que, sans le savoir, tu l'aimes. »

Il en parle bien, de son équipe, Hidalgo.

« Sur le terrain, je vois des hommes. Dans les coulisses, ce sont des enfants. Ils n'ont pas fait d'études, ils ont quitté l'école à treize ans, ils se sont consacrés au foot, ils ont été pris constamment en main, maternés ; on les fait voyager, on les fait jouer, ils ne s'occupent de rien, et eux, qui se sont battus toute leur vie, à trente-cinq ans, ils ne savent rien de la vie ! C'est pour ça que je les aime. Tu comprends ça, Mireille ? »

Si je comprends..

Le match France-Belgique, je ne l'ai regardé que d'un œil à la télé pendant qu'on me maquillait l'autre dans les studios de Televisa. C'était une émission en direct pour la RAI, et l'animateur Gianni Mina, que je connais bien, avait réuni Placido Domingo, Emmanuel, mes partenaires dans *Cricri,* Pedro Vergas, le Tino Rossi de l'Amérique du Sud qui, ayant quatre-vingt-trois ans, chantait assis sur un tabouret *Solamente una vez,* et Richard Cocciante, avec lequel je faisais un duo, *La vie en rose.* Richard est le seul partenaire qui me donne l'impression que je suis une belle femme : il est plus petit que moi !

C'est juste avant que Gianni m'interroge sur le voyage en Chine qu'est tombée la nouvelle : « Quatro ! Finito ! » On avait gagné ! Dans l'euphorie, j'entonnai ma petite chanson chinoise a cappella à qui je fais faire le tour du monde... puis je dédiai à Platini, resté à Puebla, et avec qui on avait établi un duplex, *La demoiselle d'Orléans.*

Le lendemain dimanche, et dernier jour à Mexico, non seulement il y avait les bagages à faire (le rôle de Matite), mais les répétitions pour « Siempre en domingo », l'émission la plus suivie de la semaine, les « Champs-Elysées » du Mexique.

L'émission terminée à 11 heures du soir, nous partions directement à l'aéroport privé. Miguel Aleman mettait à notre disposition son jet personnel. En effet, sans cela comment aurions-nous pu rallier New York dans les plus brefs délais alors que je répétais le chant de la Liberté le lendemain ?

Miguel me donna son dernier livre, *Le Temple Mayor* (que Jean Lartéguy était en train de traduire en français à Paris).

Miguel est fascinant. Sa thèse d'université, il y a plus de trente ans, portait sur les satellites, car c'est un passionné de la communication. C'est ce qui l'a conduit à fonder Televisa dont j'ai fait l'inauguration. Mais sa passion du dimanche est d'être historien et de plonger dans le temps du Mexique millénaire. Dans chaque ville, une avenue ou une place porte son nom. Ou plus exactement celui de son père, Miguel Aleman, qui fut président de la République. Miguel, lui, ne sera jamais président : il a épousé une étrangère, une Française, ce qui lui ferme la porte en tant que chef d'Etat. Mais Christiane lui a donné trois filles et un fils, oubliant, elle, sa vocation : élue Miss Univers, elle pensait bien faire carrière au cinéma.

C'est à elle que je pense dans leur avion où je ne peux naturellement pas fermer l'œil bien qu'il soit minuit. Elle a choisi. Moi aussi, j'ai choisi. A l'inverse de Christiane.

En m'engageant à faire ce livre, j'ai dit que je ne parlerai pas de ma vie privée. A quoi servirait le mot « privée » ? il dit bien ce qu'il veut dire. Je ne veux en parler que pour dire que je suis encore parfois agacée par ce que l'on peut en supposer, en inventer, en médire. Plus agacée pour les autres, mis en cause, que pour moi-même. Car pour moi, c'est clair.

Je ne veux pas passer pour une vierge et encore moins pour une martyre. Lors de mon dernier séjour à Leningrad, j'ai su qu'une des interprètes, me voyant vivre, du matin au soir, avec un emploi du temps qui ne changeait guère (à 4 heures au théâtre, voix, repos, thé avec la troupe, le récital, le souper après le spectacle, souvent dans la chambre, dix heures de sommeil, les obligations — interviews, rencontres, réceptions — et on recommence : le théâtre, voix, repos, etc.), dit à quelqu'un de mon entourage :

« Elle vit toujours comme ça ?

— Oui.

— Eh bien... je ne troquerais pas ma vie contre la sienne ! »

Quand on imagine la vie de cette jeune femme... Quand on me dit : « Vous vous sacrifiez ! » ça m'énerve. Je n'ai pas l'habitude de manier les mots, mais il me semble que « sacrifice » ne convient guère à Mireille Mathieu. Le sacrifice, c'est autrement redoutable, terrible, définitif. En quoi me suis-je sacrifiée ? J'ai le bonheur de faire un métier dont je rêvais depuis toujours. D'avoir vu arriver le miracle que j'espérais. La réussite que je voulais. Où est le sacrifice ? Je voulais chanter pour le monde entier, je le fais. Je voulais donner aux miens ce qu'ils n'avaient pas : ils l'ont. Certes, nous n'avons pas évité les deuils, mais qui y échappe ? Nous sommes comme tout le monde.

Où je ne suis pas comme tout le monde, c'est que je n'ai pas la vie que généralement on affiche. Où est l'Homme ?

« Vous êtes lesbienne ? m'a demandé un jour une choriste.
— Non. Vraiment non.
— Ah bon ! »
Je n'ai jamais su si elle était déçue ou satisfaite.

L'homme le plus proche de moi, après mon père, je l'ai souvent dit, c'est Johnny. Alors on a murmuré, ou écrit, tout ce qu'il était possible sur Johnny. Eh bien, Johnny est ce qu'il est et ce que personne d'autre ne peut être à sa place Celui dont j'ai dit : il est le peintre et je suis le tableau. Sans lui, je ne serais rien.

Il ne m'a pas empêchée de me marier, comme on l'a dit aussi. C'est moi qui ai réfléchi.

Il est bien évident qu'en vingt ans je serais un monstre si mon cœur n'avait jamais battu, une fois, deux fois, plusieurs fois.

Je pense que je ne suis pas un cas unique et que bien des femmes sont passées par là. On pense : « Et si c'était l'homme de ma vie ? » On répond oui et on y croit. Encore des mots qui disent bien ce qu'ils veulent dire : l'homme de sa vie, c'est pour la vie, c'est toute la vie, c'est la vie à deux. Pas à trois. Et avec moi, il y avait, il y a, toujours le troisième. Le métier. Absorbant. Merveilleux. Mais tyrannique, prenant vos heures, vos pensées, vos joies. Que reste-t-il à l'autre ?

On me fait remarquer que des artistes concilient carrière, foyer et enfants. C'est vrai. Mais il y a foyer et foyer, mère et mère.

Moi, j'ai été élevée par des parents admirables, qui n'ont vécu que pour nous. J'ai connu cela. J'ai vu très vite, dès l'école, que c'était rare, qu'il n'en était pas de même partout... Chez nous, pas de discordes, de ruptures, de séparations, de déséquilibre... Même nos proches n'ont pas toujours réussi ce qu'ont réussi mes parents. Et, plus tard, quand j'ai ouvert les yeux sur le monde artistique... Certes, il y a des enfants d'artistes heureux. Archiheureux même : par exemple, les enfants du cirque, nés dans la sciure, toujours avec les parents. Tout le monde est là, c'est la grande famille, le petit prend son biberon dans les bras de mémé en regardant maman faire son trapèze... Il y a aussi les enfants de la balle, les dynasties de comédiens.

Sans doute, y en a-t-il d'autres. Pas beaucoup. Bien sûr, il y a les nurses, les baby-sitters, les profs, quand on a les moyens. Mais, chez nous, c'était encore mieux. C'était chaud même quand il n'y avait pas de feu.

Il serait ridicule, faux, triste, de dire que je n'ai jamais aimé. Permettez-moi de garder cela dans mon jardin secret. Je n'y garde que les jolies fleurs. Je ne dois pas être seule à avoir ce genre de pudeur. Je crois que beaucoup de femmes ont eu les mêmes expériences : une rencontre, le plaisir de la séduction, et les phrases attendues : « On se marie... tu quittes le métier... », mais, si l'on hésite, c'est que l'on n'aime pas assez.

Il y a des gens qui épousent facilement, divorcent, se marient de nouveau, se trompent encore, et recommencent. Je ne les juge pas. Simplement, peut-être parce que je n'ai pas été élevée comme ça, pour moi, le mariage est un sacrement. Et un sacrement, c'est comme un vœu, ça ne se rompt pas...

Le mariage-mirage a miroité devant mes yeux : j'épousais, j'étais heureuse, encore plus riche, sans souci, loin de la France mais... avec de l'argent, y a-t-il des distances ? Oui, il y en a. Celles qu'on ne comble jamais. Je suis née pour chanter. C'est la seule chose dont je sois sûre, en ce qui me concerne.

Ce n'est pas un métier que je fais. Un métier, c'est vrai, ça se quitte. Il y en a même qui en font trente-six. Chanter comme je le fais, c'est... je cherche le mot... c'est une passion. Une dévorante passion. Je ne crois pas qu'il y ait place pour deux dévorantes passions. On triche forcément avec l'une d'elles.

Je ne peux pas faire deux choses à la fois et les faire à moitié.

Ça me paraît simple.

C'est à cela que je pensais dans l'avion de New York. C'est vrai que j'ai laissé un petit bout de cœur au Mexique. Un petit bout. Ça se répare.

Chacun son destin. Je trouve le mien exceptionnel et je remercie le ciel tous les jours. Une de mes dernières chansons est encore un duo, avec le doyen de mes partenaires. Pour mes quarante ans et pour les quatre-vingt-treize ans de Charles Vanel :

Quand ça va, vive la vie!
Quand ça ne va pas, mon avis,
C'est qu' la vie, rien ne la vaut.

Rien ne la vaut. Je la chanterai, jusqu'à mon dernier souffle.

Et qui sait ? peut-être même au-delà...

TABLE DES MATIÈRES

PREMIÈRE PARTIE

L'ENFANCE

DEUXIÈME PARTIE

1966 : L'ANNÉE LUMIÈRE

TROISIÈME PARTIE

A LA CONQUÊTE DU MONDE

QUATRIÈME PARTIE

MON JARDIN SECRET

Achevé d'imprimer au Canada
Imprimerie Gagné Ltée Louiseville